ESTUDIOS BIBLIOGRAFICOS
SOBRE LA EDAD DE ORO

(Fondos raros y colecciones de la Universidad de Illinois)

BIBLIOTECA UNIVERSITARIA PUVILL

DIRIGEN

Josep Puvill Valero. Puvill Libros S.A.
Josep M. Solà-Solé. The Catholic University of America

I. ESTUDIOS 5

A. PORQUERAS MAYO
JOSEPH L. LAURENTI

ESTUDIOS BIBLIOGRAFICOS SOBRE LA EDAD DE ORO

(Fondos raros y colecciones de la Universidad de Illinois)

Prólogo de José Simón Díaz

PUVILL LIBROS S.A.

Barcelona

© A. Porqueras Mayo
  Joseph L. Laurenti

Puvill Libros S.A.
Boters, 10
Barcelona-2

DISTRIBUIDOR
Puvill Libros S.A.
Boters, 10 - Paja, 29
Barcelona-2

Publicado con la ayuda de Intercambios
Culturales Hispano-Americanos

Dep. Legal: Z-1.025-84
I.S.B.N.: 84-85202-43-0
IMPRESO EN ESPAÑA

Talleres gráficos: INO-Reproducciones, S.A.
                   Santa Cruz de Tenerife, 3
                   Zaragoza-7

PROLOGO

Saber el volumen, el contenido y el paradero de la total producción bibliográfica española: he aquí una de las aspiraciones utópicas más sugestivas que pueden formularse en el terreno de la Cultura. Verdad es que jamás nuestros gobernantes perdieron el tiempo incluyéndola en sus programas. Ni los grandes políticos, muy alejados de tales minucias, ni aquellos otros más próximos, como los conductores temporales de la política editorial, bibliotecaria, científica, etc. Con ello agudizaban cada vez más el contraste con otros países europeos, donde, desde hace casi dos siglos, se patrocinó desde el poder la realización de grandes inventarios nacionales de lo producido en los talleres tipográficos o de los manuscritos, incunables e impresos antiguos conservados en las bibliotecas, mientras aquí se contemplaba con indiferencia la destrucción o la emigración de ingentes cantidades de volúmenes.

Frente a ese desamparo, lo hecho tiene un gran valor como símbolo, aunque sea escaso en la realidad. Diversos grupos profesionales han suplido por su cuenta la falta de un programa común. Varias generaciones de bibliotecarios; beneméritos libreros, como los Hidalgo, Palau, Vindel, etc., e investigadores espontáneos, que con generoso intrusismo realizaron el papel que alguna vez hemos titulado de lector-catalogador para divulgar los fondos de archivos y bibliotecas, como los Ciadoncha, Cuartero, Subirá, etc., nos ha permitido conocer una parte estimable de lo existente de fronteras adentro. Dada la cuantía y la importancia de lo de fuera, esta labor ha tenido que ser completada con el esfuerzo siempre ejemplar de hispanistas de diferentes países.

Cuando en el día de hoy lo que resta por hacer es casi infinito, el panorama dista mucho de ser agradable. La reducción al mínimo y la fragmentación de los cuerpos de archiveros y de bibliotecarios y el auge entre sus jóvenes promociones de la tendencia a considerar tarea servil y secundaria la de catalogar; la inexistencia de pla-

5

nes sobre estos temas y otros factores, no permiten grandes esperanzas. Queda, sin embargo, nuestro eterno remedio: la dedicación absoluta de unos pocos, capaces de realizar por sí solos buena parte de lo que debería ser fruto de una planificación oficial y de una empresa colectiva.

Dentro y fuera de España, en los últimos tiempos viene destacando la contribución universitaria a estos trabajos. Tanto desde el punto de vista de los profesionales (entre los catálogos de bibliotecas de estos años pasados, los procedentes de este sector son predominantes), como desde el del profesorado, todo parece indicar que, a los tres grupos tradicionales ya citados, habrá que sumar pronto otro de especial relieve y esto tanto en el interior como en el exterior, donde por ejemplo, la magnífica constancia de los colegas italianos va dando a conocer año tras año lo que se guarda en su tierra.

Este camino, que pudiéramos denominar "positivo", es lento y no siempre recto, porque supone la constante repetición de muchos títulos, mientras que sólo de tarde en tarde depara la sorpresa de ofrecer alguno desconocido. Mientras tanto persiste la incógnita, ya apuntada, de los que centenares de estudiosos buscan infructuosamente, a veces recorriendo numerosas ciudades.

Con este aspecto "negativo" se ha enfrentado el Departamento de Bibliografía de la Universidad Complutense de Madrid, a nuestro cargo, al lanzar en el pasado año de 1982 el tomo I del *Repertorio de impresos españoles perdidos e imaginarios,* en que se mencionan 5.274 títulos de producciones que, al parecer, existieron, pero de las que no se ha podido encontrar ningún ejemplar, o al menos no lo hay en bibliotecas públicas españolas, pues se fija como objetivo el de localizar al menos uno dentro del territorio nacional. No sólo se pretende hallar esos impresos, sino especialmente que para tomos sucesivos, todos los que conozcan casos semejantes los participen para su inclusión y que aquéllos que tengan a su alcance establecimientos y colecciones adecuados, hagan las confrontaciones necesarias con objeto de intentar el hallazgo de alguna de estas piezas, unas veces desconocidas por completo y otras meras reproducciones de textos divulgados.

Los millares de libros salidos de España en el siglo XIX, ofrecidos en grandes subastas o de manera individual, fueron a parar a grandes bibliotecas nacionales, como las de París y Londres, o a poder de particulares. Algunos de éstos eran españoles, que al restituirlos más tarde hicieron posible en muchos casos que la Biblioteca Nacional de Madrid no tenga menos ediciones de nuestros clásicos que las dos citadas, como puede comprobar cualquiera que reste de lo actual, cuanto procede de los fondos que fueron de Salvá, Heredia, Gayangos y Usoz del Río.

También en esa época, pero con un desarrollo posterior y más activo, grandes bibliotecas norteamericanas recibieron importantes lotes de obras españolas, cuya existencia se apresuraron a divulgar mediante la composición de útiles catálogos. La colección Ticknor de la Pública de Boston y la de la Hispanic Society de Nueva York constituyen dos ejemplos conocidos por todos.

El *National Union Catalog* permite conocer, con toda exactitud, la inmensa cantidad de libros españoles, únicos o frecuentes, antiguos y modernos, que poseen las bibliotecas principales de los Estados Unidos y del Canadá, pero de ese conjunto destacan sobremanera por diversos motivos las de carácter universitario.

Existe una íntima relación, cuyo orden de causa a efecto es difícil determinar, entre la formación de grandes series españolas en las Universidades norteamericanas y la presencia en la misma de valiosos grupos de hispanistas, que han contribuido de manera muy destacada al progreso de los estudios sobre la Cultura española. Cuando la posesión de esos medios origina tales resultados, es lícito celebrar que una parte del patrimonio tuviera semejante destino.

La especial atención concedida a los temas literarios, ha hecho que gran parte de esas series los concedan preferencia, a veces de manera exclusiva, y así tenemos que de los catálogos de fondos españoles, unos son de carácter general (California, Harvard, etc.), mientras que otros se limitan a obras dramáticas. A este conjunto de utilísimos instrumentos de trabajo, vino a sumarse en 1979 *The Spanish Golden Age (1472-1700). A Catalog of Rare Books Held in the Library of the University of Illinois and in Selected North American Libraries,* de los profesores Joseph L. Laurenti y Alberto Porqueras-Mayo, que daban a conocer el magnífico conjunto de libros antiguos de su Universidad de Illinois. Era, en principio, un catálogo más que venía a sumarse a los ya aludidos, nacionales y extranjeros, pero que ofrecía características nuevas, dignas de mención.

Los profesores Laurenti y Porqueras, que podían considerarse satisfechos con sus muchas y notables aportaciones a la historia literaria española, quisieron sumar a ellas esta noticia de la existencia de un valioso filón, pero no se limitaron a la usual cédula abreviada, con los datos identificadores indispensables, sino que hicieron de cada volumen asunto de una investigación especial, hasta comprobar lo que sobre él se había dicho en los principales repertorios, la existencia o inexistencia de otros ejemplares en alguna parte del mundo y todo aquello que pudiera contribuir a una exacta valoración. Fueron luego agrupando estas pesquisas individuales por autores, temas, lugares de impresión, etc. y obtuvieron como resultado una larga serie de monografías que aparecieron de manera simultánea en revistas de diversos países. Varias de estas monografías sobre cuestiones importantes son las que se ofrecen en este volumen, donde además de minuciosas descripciones de las portadas se encontraron los resultados de esas pesquisas, que en unos casos llevarán a la demostración de que se trata de una edición desconocida, o en otros de que es un ejemplar más que sumar a los dos o tres ya localizados, pues dentro de estas cifras mínimas se mueve siempre nuestro depósito de textos clásicos, lo que hace inapreciable el dato de que existe alguno más. El olvido de esta circunstancia lleva a extremos tan divertidos como el del uso de algún manual francés sobre la edición crítica donde se dice que para realizar la de alguna obra impresa es menester contar con un mínimo de cincuenta ejemplares distintos de la misma tirada.

Al agradecer a los profesores Laurenti y Porqueras el inestimable servicio que nos han prestado, deseamos confiar en que —de vez en cuando— el sombrío panorama descrito en un principio, se iluminará con la aparición de los resultados de otras espontáneas y generosas ayudas de personas que prestan al libro español antiguo el amoroso cuidado que merece.

JOSE SIMON DIAZ

7

ADVERTENCIA PRELIMINAR

Presentamos, agrupados, un grupo de trabajos sobre núcleos específicos de la sección de libros raros en la biblioteca universitaria de Illinois, en Urbana. La mayoría han visto ya la luz, o están en prensa en revistas especializadas, muy dispersas, geográficamente, a través de varios países. De aquí, creemos, la utilidad de unir, en forma coherente, tantos datos dispersos y de difícil acceso en muchos casos, para lectores españoles. Además (y esto, sobre todo, justifica, nos parece, su publicación ahora en un volumen) hay que subrayar que todos los trabajos se han sometido a minuciosa revisión, actualización y considerable ampliación. Este ha sido el caso, especialmente, de los primeros que aparecieron, los relativos a Antonio de Guevara, Pero Mexía, Palafox y la colección de *Ediciones sevillanas*... Estos buceos monográficos pretenden corregir y complementar, en profundidad, abundancia de datos e interpretación técnica y espiritual de los mismos, un panorama general ofrecido en un libro nuestro[1].

1. Véase *The Spanish Golden Age (1472-1700). A Catalog of Rare Books Held in the Library of the University of Illinois and in Selected North American Libraris*. Boston: G.K. Hall & Co., 1979. XXXVI + 593 págs. El catálogo, como indica el título, llega sólo hasta 1700. En muchos de los trabajos del presente volumen se incluyen ediciones de los siglos XVIII y XIX. También hemos publicado algunos trabajos sobre letras específicas de la colección hispánica que siempre amplían y superan también los datos del catálogo, necesariamente más esquemático. Véase la segunda nota en el capítulo IV: *La colección de Baltasar Gracián...*, recogido en este volumen.

Los ricos tesoros que se albergan en Urbana, precisan, todavía muchas otras calas detalladas y comparativas con los fondos de otras bibliotecas, como las ofrecidas hoy. Y ya tenemos en prensa, y en preparación, otros artículos[2].

He aquí algunas características del material bibliográfico presentado en esta ocasión. Copiamos las portadas exactamente de los ejemplares ilinoyenses. Cuando una palabra se indica en mayúscula, se quiere indicar que toda ella va en mayúsculas en el libro descrito. Sólo en tres trabajos se ha marcado, explícitamente, la división en líneas en la portada: en los artículos sobre las ediciones y traducciones del *Guzmán de Alfarache,* las traducciones inglesas del *Lazarillo* y los *Impresos toledanos...* Cuando el ejemplar de Urbana está falto de portada, se indica y se suplen los datos con otros acreditados repertorios. Se señala el número de páginas o folios y el tamaño del volumen. Se copia el colofón, cuando lo hay, e incluso, el *ex libris* presente en el ejemplar ilinoyense. También se describe la signatura tipográfica de los libros. Después de describir el ejemplar, anotamos otros repertorios donde se encuentra mencionada la edición que nos ocupa. En estos repertorios citados el lector interesado podrá encontrar descripciones específica sobre el aparato preliminar de los libros (versos laudatorios, aprobaciones, prólogos, etc.). Nosotros lo hemos evitado para no abultar las fichas con datos, en general, accesibles. En algunos trabajos específicos nos ha interesado, sin embargo, también destacarlos: en las traducciones inglesas del *Lazarillo* y en las *Ediciones sevillanas.* Finalmente, y esperemos que esto ofrezca singular utilidad a muchos lectores, añadimos localizaciones en otras bibliotecas, manejando para ello los catálogos, repertorios y trabajos que se enumeran en la larga lista ofrecida al principio. Además de los que se citan en cada ficha, siempre el lector puede suponer que, de manera constante, hemos consultado los catálogos del British Museum, de la Bibliothèque Nationale de Paris y para los fondos norteamericanos el *Union Catalog Pre 1956 Imprints,* todavía en curso de publicación (llega en estos momentos hasta la letra *T*).

Las fichas, en esta edición definitiva y revisada de trabajos anteriores, se han sometido a una nueva numeración correlativa que va del 1 al 386 (salvo los pocos ejemplos de muestras en microfilme que con carácter excepcional de apéndice se han añadido solamente en dos capítulos). Convenía respetar la numeración ante-

---

2. He aquí algunos de ellos: *La col.lecció lul.liana a la Universitat d'Illinois (segles XV-XVII)* en *Estudis de llengua, literatura i cultura catalanes, Actes del I Col.loqui d'Estudis Catalans a Nord-Amèrica - Urbana, 1977,* editat per A. Porqueras Mayo, S. Baldwin i J. Martí Olivella, publicadas en Barcelona, por el Monasterio de Montserrat. Otros han ido apareciendo después de escrita esta introduccion: *Impresos complutenses de la Edad de Oro en la Universidad de Illinois* en *Anales del Instituto de Estudios Madrileños,* 16 (1979), 569-598; *Impresos vallisoletanos de la Edad de Oro en la Universidad de Illinois,* en *Boletín de la Biblioteca de Menéndez Pelayo,* 61 (1980), 401-420; *La colección de gramáticas y diccionarios de la Edad de Oro presentes en Urbana,* en prensa en *Boletín de la Real Academia Española; La colección de ediciones valencianas (siglos XVI y XVII) en la Universidad de Illinois,* en *Boletín de la Biblioteca de Menéndez Pelayo,* 58 (1982), 351-372; *La colección del Padre Nieremberg (siglo XVII) en la Universidad de Illinois,* en prensa en el *Homenaje al profesor Manuel Alvar* (Madrid); *La colección hispánica (siglo XVI) de ediciones venecianas en la Universidad de Illinois,* en *Aureum Saeculum Hispanum. Festschrift für Hans Flasche zum 70. Geburtstag,* edit. por K.-H. Körner y D. Briesemeister, Wiesbaden, Steiner, 1983, 141-170 y *La colección de Francisco de Quevedo (impresos del siglo XVII) en la biblioteca de la Universidad de Illinois,* en *Letras de Deusto,* 18 (1980), 107-148.

rior dentro de un capítulo determinado ya que los estudios introductivos y las referencias cruzadas entre capítulos aludían a esta numeración específica que se ha podido conservar entre corchetes, después de la nueva general y correlativa. Así, por ejemplo, al citar en el estudio correspondiente, la ficha 3 del capítulo cervantino (*The History of the Most Ingenious Knight Don Quixote...* London, 1706), se la encontrará fácilmente mirando la numeración entre corchetes (que es también correlativa dentro sólo de cada capítulo), aunque esta misma ficha lleva ahora además del orden que le corresponde dentro del volumen que resulta ser, en este caso, el 12. Allí, pues, en este caso, encontraremos: 12 [3]. La nueva numeración correlativa facilitará las consultas y citas a la presente obra, merced al uso de un índice general de autores y obras estudiadas.

Ojalá con estos esfuerzos hayamos contribuido a difundir la cultura española de la Edad de Oro (algunas de cuyas muestras habían pasado inadvertidas) alojadas en Norteamérica y, muy particularmente, en una biblioteca universitaria que se erige en medio de las inmensas praderas de Illinois.

Urbana, Illinois, verano de 1979
A.P.M.
J.L.L.

**REPERTORIOS Y TRABAJOS QUE
SE CITAN ABREVIADAMENTE**

Adams = H.M. Adams. *Catalogue of Books Printed on the Continent of Europe 1501-1600 in Cambridge Libraries Compiled by...* Cambridge at the University Press, 1962. 2 vols.

Aguilar = Francisco Aguilar Piñal. *Impresos castellanos del Siglo XVI en el British Museum.* Madrid, C.S.I.C., 1970 (Cuadernos Bibliográficos, n.º 24).

Aguilar, *British* = Francisco Aguilar Piñal. *Impresos raros sevillanos del siglo XVII, conservados en el British Museum,* en *Archivo Hispalense* (1971), n.º 166, págs. 241-67.

Aguilar, *Lisboa* = Francisco Aguilar Piñal. *Impresos sevillanos del siglo XVI, localizados en las Bibliotecas de Lisboa y Coimbra,* en *Cuadernos Bibliográficos,* vol. 29, Madrid, C.S.I.C., 1973, págs. 31-42.

Aguilera = Francisco Aguilera. *Works by Miguel de Cervantes Saavedra in the Library of Congress.* Edited by... Washington, D.C., Library of Congress, 1960. 1 vol.

Agulló = Mercedes Agulló y Cobo. *Libros españoles de los siglos XVI y XVII en bibliotecas de Cambridge (University Library, King's College, St. John's College y Trinity College),* en *Cuadernos Bibliográficos,* vol. 32, Madrid, C.S.I.C., 1975, págs. 41-62.

Alcocer = Mariano Alcocer y Martínez. *Catálogo razonado de obras impresas en Valladolid, 1481-1800.* Valladolid, 1926. 1 vol.

Alewyn = Richard Alewyn. *Die ersten deutschen Uebersetzer des "Don Quijote" und "Lazarillo de Tormes",* en *Zeitschrift für deutsche Philologie,* vol. 54 (1929), págs. 203-16.

Allison = A.F. Allison. *English Translations from the Spanish and Portuguese to the Year 1700. An Annotated Catalogue of Extant Printed Versions (Excluding Dramatic Adaptations)*. Wm. Dawson & Sons. Ltd. Cannon House. Folkeston, Kent, England, 1974. 1 vol.

Allison and Rogers = A.F. Allison and D.M. Rogers. *A Catalogue of Catholic Books in English Printed Abroad or Secretly in England, 1558-1640*. Bognor Regis, Arundel Press, 1956. 1 vol.

Alonso = Dámaso Alonso. *Luis de Góngora. Obras en verso del homero español que recogió Juan López de Vicuña (edición facsímil). Prólogo e índices por Dámaso Alonso*. Madrid, C.S.I.C., 1963. (Col. "Clásicos Hispánicos).

Anselmo = Joaquim Antonio Anselmo. *Bibliografía das obras impresas em Portugal no século XVI*. Lisboa, Oficinas Gráficas da Biblioteca Nacional, 1926. 1 vol.

Antonio = Nicolás Antonio. *Biblioteca hispana vetus et nova*. Madrid, 1783-88. 4 vols.

Areny = *Biblioteca particular de don Ramón Areny, sin catálogo publicado*. (Esta biblioteca, antes en Lérida, ha sido trasladada por sus herederos, la familia Boixareu, a Pobla de Segur, Lérida y después a Barcelona).

Artigas = Miguel Artigas. *Don Luis de Góngora y Argote. Biografía y estudio crítico*. Madrid, Real Academia Española, 1925. 492 págs.

Astrana = Luis Astrana Marín. "Catálogo de ediciones", en su *Epistolario completo de D. Francisco de Quevedo-Villegas*. Edición crítica. Madrid, "Instituto Edit. Reus", 1946, págs. 654-726.

Azevedo = *Catálogo da... livraria que pertenceu aos... condes de Azevedo e de Samodaes... regido por José dos Santos*. Ventes publiques à Lisbonne 23 mai 1921 et 20 novembre 1922. Porto, 1921-22. 2 vols.

Bacallar = V. Bacallar. *Catalogue de la bibliothèque de feu s.E., don Vicent Bacallar y Senna*. La Haye, Experts, Swart et de Hondy, La Haye, 1726. 3 vols.

Bartlett = John Russel Bartlett. *Bibliographical Notices of Rare and Curious Books Relating to America in the Library of the Late John Carter Brown*. Providence, R.I., 1875-82. 2 vols.

Baudrier = Henri Louis Baudrier. *Bibliographie lyonnaise. Recherches sur les imprimeurs, libraires, relieurs et fondeurs de lettres de Lyon au XVIe. siècle*. Publiées. et continuées par J. Baudrier. Lyon [Auguste Picard, etc., 1895-1921] Paris, réimpressions exacte de l'édition originale, F. de Nobele, 1964. Tables par George Tricou, Paris, íd., 1965. 13 vols.

Beardsley = Theodore Beardsley. *Hispano-Classical Translations Printed Between 1482-1699 by...* Pittsburgh, Pa., 1970. (Duquesne Studies. Philological Series, 12).

Bianchini = M.C. Bianchini. *Biblioteche veneziane. Repertorio bibliografico delle opere di interesse ispanistico (spagnolo e portoghese) pubblicate prima dell'anno 1801 in possesso delle biblioteche veneziane*. A cura di M.C. Bianchini, G.R. de Cedere, D. Ferro e C. Romero. Venezia, Consiglio Nazionale delle Ricerche, 1970. 1 vol.

Bibliotecha = Universidad de Barcelona. Secretaría de Publicaciones. *Incunables de la Biblioteca Universitaria.* Barcelona. Imprenta Escuela de la Casa Provincial de Caridad. MCMXLV, pág. 108.

Boehmer = Edward Boehmer. *Bibliotheca Wiffeniana. Spanish Reformers of Two Centuries from 1520.* Strassbourg-London, 1874-1883. 3 vols.

Bourland = Carolina Brown Bourland. *The Short Story in Spain in the Seventeen Century.* Northampton, Mass., 1927. 1 vol.

Bravo = Antonio Bravo García. *Apiano en España: notas críticas,* en *Cuadernos Bibliográficos,* Madrid, C.S.I.C., 1975, págs. 29-39.

British Museum = *General Catalogue of Printed Books,* vol. 36, 41, 46, 72, 74, 117, 226. London, 1961-66.

Brunet = Jacques Charles Brunet. *Manuel du libraire et de l'amateur de libres.* 5ème ed. originale, entièrement refondue et augmentée d'un tiers. Paris, Firmin Didot, 1860-65. 6 vols.

Buendía = Felicidad Buendía. *Don Francisco de Quevedo y Villegas. Obras completas. Estudio preliminar, edición y notas de...* t. II *Obras en verso.* "Bibliografía de Impresos", Madrid, Aguilar, 1961, págs. 1272-1358.

Bustamante = Santiago de Compostela. Universidad, Biblioteca: *Catálogo...* por José María Bustamante y Urrutia. Santiago, 1944-56.

Canedo = Lino G. Canedo. *Las obras de Fray Antonio de Guevara. Ensayo de un catálogo completo de sus ediciones,* en *Archivo Ibero-Americano,* vol. 6 (1946), págs. 441-603.

Cartier = Alfred Cartier. *Bibliographie des éditions des Tournes.* Paris, Editions des Bibliothèques Nationales de France, 1937. 2 vols.

Catal. Col. = *Primo catalogo collectivo delle biblioteche italiane.* Roma, 1962.

Catalina = Juan Catalina García. *Ensayo de una tipografía complutense.* Madrid, M. Tello, 1889. 1 vol.

Catálogo (s) = *Catálogo colectivo de obras impresas en los siglos XVI al XVIII existentes en las bibliotecas españolas. Siglo XVI. Letras A-P.* Madrid, Ministerio de Educación, 1972-78.

Catálogue Générale = *Catalogue Générale de livres imprimes de la Bibliothèque Nationale,* vols. 25, 50. Paris, 1906 y 1912.

Cioranescu = Alejandro Cioranescu. *Bibliografía francoespañola (1600-1715).* Madrid, 1977. (Anejo del Boletín de la Real Academia Española, XXXVI).

Cirot = G. Cirot. *Les éditions de l'Historia de España de Mariana,* en *Bulletin Hispanique,* vol. III (1901), págs. 83-85.

Collier = J. Payne Collier, F.S.A. *A Bibliographical and Critical Account of the Rarest Books in the English Language Alphabetically Arranged Which During the Last Fifty Years Have Come Under the Observation of...* Vol. III New York, A M S Press, Inc. 1966.

Congress = *A Catalogue of Books Represented by the Library of Congress Printed Cards,* vol. 26. Ann Arbor, Michigan, 1946.

Correa Calderón = E. Correa Calderón. *Baltasar Gracián, su vida y su obra.* Madrid, Edit. Gredos, 1961. "Bibliografía", págs. 319-402.

Cosens = Frederick William Cosens. *Catalogue of the Valuable and Extensive Library of Printed Books, Engravings and Drawings... Which Will Be Sold by Auction by Messrs. Sotheby, Wilkinson and Hodge... 11th of November, 1890 and Eleven Following Days.* London, 1890.

Coster = Adolphe Coster. *Baltasar Gracián, 1601-1658,* en *Revue Hispanique,* t. 29 (1913), págs. 347-754.

Chandler = F.W. Chandler. *Romances of Roguery an Episode in the History of the Novel. The Picaresque Novel in Spain.* New York, Burt Franklin, 1961 (Burt Franklin Bibliography and Reference Series 31).

Damonte = Mario Damonte. *Fondo antico spagnolo della Biblioteca Universitaria di Genova.* Genova, 1969. 1 vol.

Deloffre: [Pseud. por R. Foulché-Delbosc] = J. Deloffre, *Note bibliographique sur Pero Mexia,* en *Revue Hispanique,* t. 44 (1918), págs. 557-64.

Doublet = Arlette Doublet. *Catalogue du fond ancien espagnol et portugais de la Bibliothèque Municipale de Rouen 1479-1700.* Rouen, Publications de la Université de Rouen, 1970. 1 vol.

Escudero = Francisco Escudero y Peroso. *Tipografía hispalense.* Madrid, sucesores de Rivadeneyra, 1894.

Entrambasaguas = Joaquín de Entrambasaguas. *Un misterio desvelado en la bibliografía de Góngora.* Madrid, Dirección General de Archivos y Bibliotecas, 1962.

Faye = Christoph U. Faye. *Fifteenth Century Printed Books at the University of Illinois.* Urbana, Univ. of Illinois Press, 1949. 1 vol.

Fernández-Guerra = Aureliano Fernández-Guerra y Orbe. *Catálogo de algunas ediciones de las obras de D. Francisco de Quevedo y Villegas,* en sus *Obras de Don Francisco de Quevedo y Villegas.* "Col. Biblioteca de Autores Españoles", Madrid, 1946, t. XXII, págs. xcii-cxii.

Ford-Lansing = Jeremiah D. M. Ford and Ruth Lansing. *Cervantes: A Tentative Bibliography of his Works and the Biographical and Critical Material Concerning Him.* Cambridge, Mass, Harvard Univ. Press, 1931. 1 vol.

Foulché-Delbosc = R. Foulché-Delbosc. *Bibliographie hispano-Française 1477-1700,* vol. V. Reprinted with Permissions of the Original Publishers by Kraus Reprint Corporation. New York, 1962.

Foulché-Delbosc, *Alemán* = R. Foulché-Delbosc. *Bibliographie de Mateo Alemán, 1598-1615,* en *Revue Hispanique,* t. 42 (1918), págs. 481-556.

Foulché-Delbosc, *Guevara* = R. Foulché-Delbosc. *Bibliographie espagnole de fray Antonio de Guevara,* en *Revue Hispanique,* t. 33 (1915), págs. 301-84.

Foulché-Delbosc, *Góngora* = R. Foulché-Delbosc. *Bibliographie de Góngora*, en *Revue Hispanique*, t. 18 (1908), págs. 73-161.

Gallardo = Bartolomé José Gallardo. *Ensayo de una biblioteca española de libros raros y curiosos...* Madrid, 1963-89 [Ed. facsímil] Gredos, 1968. 4 vols.

Gallego Morell = *Garcilaso de la Vega y sus comentaristas. Obras completas del poeta acompañadas de los textos íntegros de los comentarios de el Brocense, Fernando de Herrera, Tamayo de Vargas y Azara. Edición, Introducción, Notas, Cronología, Bibliografía e Indices de Autores citados por Antonio Gallego Morell.* 2.ª ed. Revisada y Adicionada. Madrid, Edit. Gredos, 1972. 1 vol.

García Soriano = J. García Soriano. Introducción a la edición de *Silva de varia lección*. Madrid, Bibliófilos Españoles, 1933.

Gesamtkatalog = Gesamtkatalog der preussischen Bibliotheken. Mit Nachweis des identischen Besitzes der bayerischen Staatsbibliotheken in München und der Nationalbibliothek in Wien. Berlin, 1931.

Givanel = Juan Givanel Mas y Luis M. Plaza Escudero. *Diputación Provincial de Barcelona. Biblioteca Central. Catálogo de la Colección Cervantina.* Barcelona, 1941-59. 5 vols.

Goff = Frederick R. Goff. *Incunabula in American Libraries. A Third Census of Fifteenth-Century Books Recorded in North American Collections Compiled and Edited by...* Published by The Bibliographical Society of America. New York, 1964. 1 vol.

Goldsmith = V.F. Goldsmith. *A Short-Title Catalogue of Spanish and Portuguese Books (1601-1700) in the Library of the British Museum.* London, Dawson of Pall Mall, 1974. 1 vol.

Graesse = Johann Georg Theodor Graesse. *Trésor de livres rares et précieux.* Dresde, 1859-69. 8 vols.

Granges de Surgères = Antoine de Granges de Surgères. *Les traductions françaises du "Guzmán d'Alfarache", étude littéraire et bibliographie*, en *Bulletin du bibliophile et du bibliothécaire.* Paris (1885), págs. 289-314.

Grismer = Raymond L. Grismer. *Cervantes: A Bibliography.* New York, The H.W. Wilson Co., 1946. 1 vol.

Guzmán y Reyes = M.L. Guzmán y A. Reyes. *Contribuciones a la bibliografía de Góngora*, en *Revista de Filología Española*, t. III (1916), págs. 171-82.

Haebler = Konrad Haebler. *Bibliografía ibérica del siglo XV. (Enumeración de todos los impresos en España y Portugal hasta el año de 1500 con notas críticas). Partes I-II.* La Haya y Leipzig, 1903-17.

Hagedorn = Maria Hagedorn. *Reformation und spanische Andachtsliteratur. Luis de Granada in England.* Leipzig, Verlag von Bernhard Tauchnitz, 1934 (Kölner Anglistische Arbeiten, vol. 21).

Hain = Ludwig Friedrich Theodor Hain. *Repertorium bibliographicum, in quo libri omnes ab arte typographica inventa usque ad annum MD. typis expresi.* Stuttgartiae, 1826-38. 2 vols.

Hazañas y la Rúa = J. Hazañas y la Rúa. *La imprenta en Sevilla. Noticias inéditas de sus impresiones desde la introducción del arte tipográfico en esta ciudad hasta el siglo XIX.* Sevilla, Diputación Provincial de Sevilla, 1892. 1 vol.

Hazlitt = *A General Index to Hazlitt's Handbook and his Bibliographical Collections (1867-1889) by* G.J. Gray. Edited by W. Carew Hazlitt. New York, Burt Franklin, 1961 (Burt Franklin Bibliography Reference Series / 26).

"HC"... = Véase Hiersemann.

Heredia = Ricardo Heredia y Livermoore, conde de Benahavis, *Catalogue.* Paris, 1891-94.

Hiersemann = Karl Wilhelm Hiersemann. *Cat.* HC: W.A. Copinger. Supplement to Hain's Repertorium bibliographicum. London, 1895.

—— = Karl Wilhelm Hiersemann. *Cat.* HC: *327: América.* Leipzig, 1906.

—— = Karl Wilhelm Hiersemann. *Cat.* HC: *346: América central y meridional; las Indias occidentales, las islas Filipinas, las Molucas, España y Portugal.* Leipzig, 1907. 1 vol.

—— = Karl Wilhelm Hiersemann. *Cat.* HC: *384: Bibliotheca Ibérica, Being a Catalogue of Books and Manuscripts on the General Political, Economical and Ecclesiastical History of Spain and Portugal, Containing the Second Part of the Library of d. Antonio de la Peña y Guillén.* Leipzig [¿1910?].

—— = Karl Wilhelm Hiersemann. *Cat.* HC: *387: Spanish & Portuguese Literature, Containing the Fourth Part of the Library of don Antonio de la Peña y Guillén.* Leipzig [¿1910?].

—— = Karl Wilhelm Hiersemann. *Cat.* HC: *398: Spanish Printed Books, Formerly of the Property of d. Antonio Cánovas del Castillo, d. Feliciano Ramírez de Arellano, Marqués de la Fuensanta del Valle, Baron Kasta...* ¿Leipzig?

—— = Karl Wilhelm Hiersemann. *Cat.* HC: *NS4: An Illustrated Catalogue of Valuable Books and Manuscrips on Spain and Portugal, Partly from the Libraries of don Pedro Félix de Silva, conde de Cifuentes and sir Thomas Phillipps.* Leipzig, 1914.

—— = Karl Wilhelm Hiersemann. *Cat.* HC: *NS5: Rare and Valuable Books and Manuscripts on Central and South America. Comprising Selections from the Libraries of D. Vicente de Soliveres y Miera and the Abbé Brasseur de Bourbourg.* Leipzig, 1914.

Hispanic Society = *The Catalogue of the Hispanic Society of America.* Boston, Mass., G.K. Hall and Co., 1962, vol. 3, *Cat. - Dia.*

Hispanic Society, *El Polifemo* = *Góngora in the Library of the Hispanic Society of America. El Polifemo.* New York, Printed by Order of the Trustees, 1927.

Hispanic Society, *Todas las Obras* = *Góngora in the Library of the Hispanic Society of America. Editions of Todas las Obras.* New York, Printed by Order of the Trustees, 1927.

Hoyo = Arturo del Hoyo. *Baltasar Gracián. Obras completas.* 3rd. ed. Madrid, Aguilar, 1967, págs. ccxlii - cclxxi.

Jerez = *Catálogo de la biblioteca del Excmo. Sr. D. Manuel Pérez de Guzmán y*

Boza, Marqués de Jerez de los Caballeros. Sevilla [s.a. ¿1898?] Reimpresión por D. Ramón Menéndez Pidal.

Jiménez Catalán = Manuel Jiménez Catalán. *Ensayo de una tipografía zaragozana del siglo XVII*. Zaragoza, Tip. "La Academica", 1925. [*i.e.* 1927].

Keniston = Hayward Keniston. "Bibliography", en su *Garcilaso de la Vega Works: A Critical Text with a Bibliography*. New York, The Hispanic Society of America, 1925, págs. 305-429.

Knapp-Huntington = William Ireland Knapp. *Catalogue of the Spanish and Portuguese Books in the Library of W.I. Knapp* [con notas de A.M. Huntington. New Haven o Chicago, antes de 1894].

Kockx = Pierre Kockx. *Catalogue d'une grande et belle vente de livres comprenant un grand nombre de très rares impressions du XVe siècle que aura lieu à Anvers le II décembre 1876. Sous la direction du libraire Pierre Kockx*. Anvers, 1876.

Krauss = Werner Krauss. *Altspanische Drucke in Besitz der ausserspanischen Bibliotheken*. Berlin, Akademie-Verlag, 1951. 1 vol.

La Romana = *Catálogo de la biblioteca del Excmo. Sr. D. Pedro Caro y Sureda, Marqués de la Romana,... transladada á esta Corte* [Madrid] *desde Palma de Mallorca*. Madrid, 1865. [Hoy día en la Biblioteca Nacional de Madrid].

La Serna = M.C. de La Serna. *Catalogue des livres de la bibliothèque de M.C. de La Serna Santander*. Bruxelles, 1803. 4 vols.

Laurenti = Joseph L. Laurenti. *Bibliografia de la literatura picaresca desde sus orígenes hasta el presente*. Metuchen, N.J., The Scarecrow Press, 1973. 1 vol.

Laurenti, *Mexía* = Joseph L. Laurenti. *Di una sconosciuta edizione del Mexía*, en *La Bibliofilia*, Anno LXXXIV (1982), Disp. III, págs. 243-47.

Laurenti-Porqueras, *Guevara* = Joseph L. Laurenti y A. Porqueras Mayo. *Antonio de Guevara en la Biblioteca de la Universidad de Illinois: Fondos raros bibliográficos,* en *Cuadernos bibliográficos,* vol. 31, Madrid, C.S.I.C., 1974, págs. 41-63.

Laurenti-Porqueras, *Palafox* = Joseph L. Laurenti y A. Porqueras Mayo. *Impresos raros de los siglos XVII - XIX de Juan de Palafox y Mendoza, obispo de Puebla, en la Biblioteca de la Universidad de Illinois,* en *Anuario de Letras,* vol. XII (1974), págs. 241-54.

Laurenti-Porqueras, *Letra F* = Joseph L. Laurenti y A. Porqueras Mayo. *Impresos raros de la Edad de Oro en la Biblioteca de la Universidad de Illinois, Letra F. (Parte V),* en *Anuario de Letras,* vol. XIV (1976), págs. 179-216.

Laurenti-Siracusa = Joseph L. Laurenti y Joseph Siracusa. *Ensayo de una bibliografía del sevillano Mateo Alemán (1547-¿1614?),* en *Archivo Hispalense,* 2.ª Epoca, n°s 139-40 (1966), págs. 179-216.

Legrand = Emile Legrand. *Bibliographie hispano-greque*. New York, 1915-17. 3 vols.

Linn = D.P. Ackerman, P.J. Kann y R.E. Stevens. *A Catalogue of the Talfourd P. Linn Collection of Cervantes Materials on Deposit in the Ohio State University Libraries*. Compiled... [Columbus] Ohio State University Press, 1963.

Littré y Hauréau = E. Littré y B. Hauréau. *Histoire Litteraire de la France,* vol. XXIX. Paris, Fermin-Didot Fréres, 1885.

Lowndes = *The Bibliographer's Manual of English Literature... by William Thomas Lowndes. New Edition, Revised, Corrected and Enlarged; with an Appendix Relating to the Books of Literary and Scientific Societies. By Henry G. Bohn.* Vol. III – I-O. London, Henry G. Bohn, York Street, Covent Garden, 1864.

Llaneza = Fr. Maximino Llaneza. *Bibliografía de V.P.M. Fray Luis de Granada de la Orden de Predicadores, por Fr. Maximinio Llaneza.* Salamanca, Establecimiento tipográfico de Calatrava, 1926-28. 4 vols.

Madsen = Víctor Madsen. *Katalog over det Kongelige Bibliotheks Inkunabler, ved...* København, 1931-38. 6 vols. [Continuada por Erik-Dal y otros, 1963].

Maggs = Maggs Bros. *A Catalogue of Spanish Books, n.º 495.* London, B.D. Maggs, E.U. Maggs, 1927.

Martínez Añibarro = Manuel Martínez Añibarro y Rives. *Intento de un diccionario biográfico y bibliográfico de autores de la provincia de Burgos.* Madrid, 1889. 1 vol.

Mateu = Miguel Mateu. *Biblioteca del palacio de Perelada. Catálogo de la sección Cervantina.* Barcelona, José Porter, Editor, 1948.

Medina = José Toribio Medina. *Biblioteca Hispano Americana* (1493-1810). Amsterdam, N. Isra 1, 1962, vol. III.

Medina IM = José Toribio Medina. *La imprenta en México (1539-1821).* Santiago de Chile, en casa del autor, 1907-12.

Medina IPA = José Toribio Medina. *La imprenta en la Puebla de los Angeles, 1640-1821.* Santiago de Chile, Imprenta Cervantes, 1908.

Medina BHA = José Toribio Medina. *Biblioteca Hispano-Americana (1493-1810).* Santiago de Chile, en casa del autor, 1898-1907.

Menéndez Pelayo = M. Menéndez Pelayo. *Bibliografía hispano-latina-clásica.* Madrid, C.S.I.C., 1950-53. 10 vols.

Menéndez Pelayo *Traductores* = M. Menéndez Pelayo. *Biblioteca de traductores españoles.* Madrid, C.S.I.C., 1952-53. 4 vols.

Menéndez Pelayo, *Heterodoxos* = M. Menéndez Pelayo. *Historia de los heterodoxos españoles.* Edición Nacional. Madrid, C.S.I.C., 1946-48.

Millares = A. Millares Carlo. *Catálogo razonado de los libros de los siglos XV, XVI y XVII de la Academia Nacional de la Historia.* Caracas, Venezuela, 1969. 1 vol.

Millares = A. Millares Carlo. *Descripción y estudio de los impresos de los siglos XV y XVI existentes en la biblioteca del Museo Canario.* Ediciones del Excelentísimo Cabildo Insular de Gran Canaria, 1975. 1 vol.

Millé y Giménez = Juan Millé y Giménez e Isabel Millé y Giménez. *Bibliografía gongorina,* en *Revue Hispanique,* 81 (1933), págs. 130-76.

Monteverde = Luis Monteverde da Cunha Lobo. *Catálogo da preciosa e riquissima livraria... redigido por José dos Santos & irmão*. Porto, Typ. da Empresa litteraria e typographica, 1912.

Montoto = Santiago Montoto. *Impresos sevillanos*. Madrid, C.S.I.C., "Instituto Miguel de Cervantes", 1948. 1 vol.

Morante = D. Joaquín Gómez de la Cortina, marqués de Morante. *Catalogus librorum Doctoris... que in aedibus suis exstant*. Matriti, apud Eusebium Agudo, 1854-1862. 8 vols.

Morreale = M. Morreale de Castro. *Pedro Simón Abril*. Madrid, C.S.I.C., 1949. 329 págs. (Revista de Filología Española, anejo 51).

Nuyts = Charles Joseph Nuyts. *Essai sur l'imprimerie de Nutius*, par... 2.ª ed. Bruxelles, 1858. 1 vol.

Octavio = José María Octavio de Toledo. *Catálogo de la libreria del Cabildo toledano*. Madrid, Tipografía de la Revista de Archivos Bibliotecas y Museos, 1906, vol. II.

Palau = Antonio Palau y Dulcet. *Manual del librero hispano-americano*, 2.ª ed. Madrid, 1948.

Pane = Remigio Ugo Pane. *English Translations from the Spanish 1484-1943*. New Brunswick, Rutgers University Press, 1944.

Peeters-Fontainas = J. Peeters-Fontainas. *Bibliographie des impressions espagnols des Pays-Bas Méridionaux*. Nieuwkoop, 1065. 2 vols.

Peeters-Fontainas, *Bibliographie* = J. Peeters-Fontainas. *Bibliographie des impressions des Pays Bas avec une préface de Maurice Sabbe*. Louvain, Anvers, J. Peeters-Fontainas, Musée Platin-Moretus, 1933.

Penney = Clara Louisa Penney. *Printed Books (1486-1700) in the Hispanic Society of America*. New York, 1965. 1 vol.

Penney, *Góngora* = Clara Louisa Penney. *Luis de Góngora y Argote (1561-1627)*. New York, The Hispanic Society of America, 1926. (Hispanic Notes and Monographs).

Pérez Pastor [*Toledo*] = Cristóbal Pérez Pastor. *La imprenta en Toledo 1483-1886*. Amsterdam, Gérard Th. van Heusden, 1971. [Reimpresión de la edición de Madrid de 1887].

Pérez Pastor [*madrileña*] = *Bibliografía madrileña*. Madrid, Tip. de los huérfanos, 1891-1907. 3 vols.

Plaza = Luis María Plaza Escudero. *Catálogo de la colección cervantina Sedó*. Redactado por... Barcelona, José Porter, Editor, 1953. 3 vols.

Pollard and Redgrave = *A Short - Title Catalogue of Books Printed in England, Scotland and Ireland and of English Books Printed Abroad, 1475-1640. Compiled by A.W. Pollard and G.R. Redgrave*. London, The Bibliographical Society, 1926. 1 vol.

Porqueras-Laurenti = A. Porqueras Mayo y Joseph L. Laurenti. *Impresos raros de la Edad de Oro, en la Universidad de Illinois. Letra A*, en *Revista de Archivos, Bibliotecas y Museos*, vol. 79 (abril-junio 1976), n.º 2, págs. 299-335.

Porqueras-Laurenti, *Gracián* = A. Porqueras Mayo y Joseph L. Laurenti. *La colección de Baltasar Gracián en la biblioteca de la Universidad de Illinois: Fondos raros (siglos XVII, XVIII y XIX)*, en *Bulletin Hispanique*, vol. 79 (1977), n.ºs 3-4, págs. 347-79.

Porqueras-Laurenti [*Mejía*] = A. Porqueras Mayo y Joseph L. Laurenti. *Rarezas bibliográficas: La colección de ediciones y traducciones del sevillano Pedro Mejía (1496-1552), en la Biblioteca de la Universidad de Illinois, Archivo Hispalense*, 52. 2.ª época (1974), n.º 175, págs., 121-38.

Praag = J.A. van Praag. *Sobre la fortuna de Pedro Mejía*, en *Revista de Filología Española*, 19 (1932), págs. 288-92.

Proctor = Robert Proctor. *An Index to the Early Printed Books in the British Museum from the Invention of Printing to the Year MD, with Notes of Those in the Bodleian Library*. London, 1898. 2 vols. [4 *Supplements* 1894-1902. (Occasional References to Part II. MD I-MDXX). London, 1903].

Quaritch = Bernard Quaritch. *Catalogue 148; Bibliotheca Hispana*. London, February 1895.

Ramírez de Arellano = R. Ramírez de Arellano. *Ensayo de un catálogo biográfico de escritores de la provincia y diócesis de Córdoba*. Madrid, 1921-22. 2 vols.

Reichling = Dietrich Reichling. *Appendices ad Hainii-Copingeri Repertorium Bibliographicum...* Monachii, I Rosenthal, 1905-11. 7 vols.

Reyes = Alfonso Reyes. *Contribuciones a la bibliografía de Góngora*, en su *Cuestiones gongorinas*. Madrid, Tip. de la Revista de Archivos, 1930.

Río y Rico = Gabriel-Martín del Río y Rico. *Catálogo bibliográfico de la sección de Cervantes de la Biblioteca Nacional*. Madrid, Tip. de la Revista de Archivos, 1930.

Rius = Leopoldo Rius. *Bibliografía crítica de las obras de Cervantes Saavedra*. Madrid, 1895-1904.

Rodríguez = Miguel Santiago Rodríguez. *Catálogo de Biblioteca cervantina de don José María de Asensio y Toledo*. Madrid, 1940.

Rogent = E. Rogent Massó y D. Durán Reynals. *Bibliografía de les impression lullianes*. Barcelona, Institut d'Estudis Catalans, 1827. XVI, 406 págs. (Estudis de Bibliografía Luliana, 2).

Romero Martínez = Miguel Romero Martínez. *Pero Mexía, el sevillano imperial y ecuménico. Notas biobibliográficas para un ensayo*, en *Archivo Hispalense*, 2 2.ª época (1944), n.ºs 3-4-5, págs. 4-17.

Romera-Navarro = *Baltasar Gracián El Criticón. Edic. crítica y comentada por M. Romera-Navarro... Tomo Primero*. Philadelphia, Univ. of Pennsylvania Press. Published in Cooperation with the Modern Language Association of America. London, Humphrey Milford; Oxford University Press, 1938.

Romera-Navarro [*Oráculo*] = *Baltasar Gracián. Oráculo manual y arte de prudencia. Edición crítica y comentada por M. Romera-Navarro*. Madrid, C.S.I.C., 1954. xxxix + 654 págs.

Rudder = Robert S. Rudder. *The Literature of Spain in English Translation. A Bibliography.* New York, Frederick Ungar Publishing Co., 1975. 1 vol.

Sabin = Joseph Sabin. *A Dictionary of Books Relating to America from its Discovery to the Present Time.* New York, J. Sabin, 1868-92. 20 vols.

Salvá = Pedro Salvá y Mallén. *Catálogo de la biblioteca de Salvá.* Valencia, Impr. de Ferrer de Orga, 1872. 2 vols.

Sánchez = Juan Manuel Sánchez. *Bibliografía aragonesa del siglo XVI.* Madrid, Imprenta clásica española, 1913-14. 2 vols.

Schneider = Adam Schneider. *Spaniens Anteil an der Deutschen Literatur des 16. und 17. Jahrhunderts von...* Strassbourg, i. G. Verlag von Schlefier & Schweikhardt, 1898. 1 vol.

Schweitzer = Christoph E. Schweitzer. *Antonio de Guevara in Deutschland. Eine kritische Bibliographie,* en *Romanistisches Jahrbuch,* 11 (1960), págs. 328-75.

Seillière = Baron François Florentin Achille Seillière. *La bibliothèque de Mello. Catalogue of an Important Portion of the Very Choice Library of the Late Baron Seillière; Sold by Auction by Messrs. Sotheby, Wilkinson & Hedge on 28th Feb. 1887.* London, 1887.

Serís = Homero Serís. *Las ediciones de Góngora de 1633,* en *Revista de Filología Española,* 14 (1927), págs. 438-42.

Serrure = M.C.P. Serrure. *Catalogue de la bibliothèque de M.C.P. Serrure, Première partie* [Venta del 19 de 1872]. *Seconde partie* [Venta del 23 de oct. de 1873]. A Bruxelles, Expert, Olivier. Bruxelles, 1872-73. 2 vols.

Short-Title = Short-Title Catalog of Books Printed in Italy and of Books in Italian Printed Abroad 1501-1600 Held in Selected North American Libraries. Boston, G.K. Hall, & Co., 1970. 3 vols.

Simón Díaz [III-XI] = José Simón Díaz. *Bibliografía de la literatura hispánica.* Madrid, C.S.I.C., 1963-76.

Simón Díaz, *Poesía* = José Simón Díaz. *Impresos del siglo XVI: Poesía.* Madrid, C.S.I.C., 1964. 56 págs. (Cuadernos Bibliográficos, n.º 12).

Simón Díaz, *Novela y teatro* = José Simón Díaz. *Impresos del siglo XVI: Novela y teatro.* Madrid, C.S.I.C., 1966. 20 págs. (Cuadernos Bibliográficos, n.º 19).

Simón Díaz, *Impresos* = José Simón Díaz. *Impresos del siglo XVII. Bibliografía selectiva por materias de 3.500 ediciones príncipes en lengua castellana.* Madrid, C.S.I.C., 1972. 1 vol.

Simón Díaz, *Jesuitas* = José Simón Díaz. *Jesuitas de los siglos XVI y XVII: Escritos localizados.* Editores: Universidad Pontificia de Salamanca, Fundación Universitaria Española. Madrid, 1975. 1 vol.

Simón Díaz, *Religiosos* = José Simón Díaz. *Impresos del siglo XVI: Religiosos.* Madrid, C.S.I.C., 1964.

Simón Díaz, *Cien escritores* = José Simón Díaz. *Cien escritores madrileños del Siglo de Oro (Notas bibliográficas).* Madrid, Instituto de Estudios Madrileños, 1975.

Sommervogel = Carlos Sommervogel y Pierre Bliard. *Bibliothèque de la compagnie de Jesus*. Nouvelle édition. Paris, 1932. 11 vols.

Stillwell = Margaret B. Stillwell. *Incunabula in American Libraries. A Key to Bibliographical Study*. New York, Cooper Square Publisher, 1940. 1 vol.

Sunderland = Charles Spencer Sunderland, 3rd earl of. *Bibliotheca Sunderlandia; Sale Catalogue of the Truly Important and Very Extensive Library of Printed Books Known as the Sunderland or Blenheim Library to be Sold by Auction by Messrs. Puttick and Simpson... December 1, 1881 - March 22, 1883*. London, 1881-83. 5 partes en 1 vol.

Thomas = Sir Henry Thomas. *Short-Title Catalogue of Books Printed in Spain and of spanish Books Printed Elsewhere in Europe Before 1601, Now in the British Museum*. London, 1926 [Hay reimpresión de 1966] 1 vol.

Thomas [Gongora] = L.P. Thomas. *A propos de la bibliographie de Góngora*, en *Bulletin Hispanique*, 11 (1909), págs. 323-27.

Thomas, *Guevara* = Sir Henry Thomas. *The English Translations of Guevara's Works*, en *Estudios eruditos in Memoriam de A. Bonilla y San Martín*, t. II. Madrid, 1930, págs. 565-82.

Ticknor = Boston Public Library. Ticknor Collection: *Catalogue of the Spanish Library and of the Portuguese Books Bequaethed by George Ticknor to the Boston Public Library... by James Lyman Whitney* Boston, 1879.

Tiemann = H. Tiemann. *Leben und Wandel Lazaril von Tormes Verdeutscht 1614. Nach Handschrift herausgegeben und mit Nachwort, Bibliographie und Glossar versehen von...* Hamburg, Gluckstadt, 1951. 151 págs.

Toda, *Italia* = Eduart Toda i Güell. *Bibliografia espanyola d'Italia*. Castell de Sant Miguel d'Escornalbou, 1927-31.

Vaganay = Hughes Vaganay. *Bibliographie hispanique extra-péninsulaire. Seizieme et dix-septième siècle*, en *Revue Hispanique*, t. XLII (1918), págs. 1-304.

Vaganay, *Amadis* = Hughes Vaganay. *Amadis en français. Essai de bibliographie*. Firenze, Leo S. Olschiki, 1906. 151 págs.

Vaganay, *Les traductions* = Hughes Vaganay. *Les traductions françaises de la douzième partie de l'Amadis espagnol*, en *Revue Hispanique*, t. LXXII (1928), págs. 541-91.

Vaganay, *Les éditions* = Hughes Vaganay. *Les éditions in - octovo de l'Amadis en française*, en *Revue Hispanique*, t. LXXV (1929), págs. 1-53.

Vallejo = José Vallejo. *Papeletas de bibliografía hispano-latina clásica*. Madrid, C.S.I.C., 1967. 1 vol.

Verdussen = *Catalogus librorum omnium facultatum prostantium in officina Haeredum viduae Cornelii Verdussen & consortis bibliopolae Antverpiae*. Anvers, 1781.

Vindel = Francisco Vindel, Librero. *Obras españolas de los siglos XII á XVIII*. Madrid, 1903.

Vindel [*Manual*] = Francisco Vindel. *Manual gráfico - descriptivo del bibliófilo hispano-americano (1475-1850).* Madrid, 1930-34. 12 vols.

Vindel [*Arte*] = Francisco Vindel. *El arte tipográfico en España durante el siglo XV... por... Prólogo de Agustín G. de Amezua...* Madrid, Ministerio de Asuntos Exteriores, 1951. 5 vols.

Viñaza = Cipriano Muñoz y Manzano, Segundo conde de Viñaza. *Biblioteca histórica de la filología castellana.* Madrid, 1893. 2 vols.

Watt = Robert Watt. *Bibliotheca Britannica or a General Index to British and Foreign Literature by... in two Parts: - Authors and Subjects, vol. I. Authors.* New York, Burt Franklin, 1963. (Burt Franklin Bibliography and Reference Series / 75).

Wilson = Edward M. Wilson. *Variantes nuevas y otras censuras en las "Obras en verso del Homero español",* en *Boletín de la Real Academia Española,* XLVIII (1968), págs. 35-54.

Wing = D. Wing. *Short-Title Catalogue of Books Printed in England, Scotland, Ireland, Wales and North America and of English Books Printed in Other Countries, 1641-1700.* New York, Index Society, 1945. 3 vols. (Hay reimpresión del vol. 1.º, publicada en 1972).

SIGLAS CON QUE SE DESIGNAN LAS BIBLIOTECAS AMERICANAS Y EUROPEAS

A) AMERICA

Argentina

PABN   = Biblioteca Nacional del Plata, La Plata.

Canadá

An-C-TU = University of Toronto Library, Toronto.
CaBVaU = University of British Columbia, Vancouver.
CaBViPA = Provincial Archives Library, Victoria, British Columbia.

Chile

SCN   = Biblioteca Nacional, Santiago de Chile.

Estados Unidos

AzU   = University of Arizona, Tucson, Arizona.
CCC   = Honnold Library, Claremont, California.
CCSC   = Southern California School of Theology, Claremont, California.
CLSU   = University of Southern California, Los Angeles, California.
CLU   = University of California, Los Angeles, California.

CLU-C	= University of California. William Andrews Clark Memorial, Los Angeles, California.
CoU	= University of Colorado, Boulder, Colorado.
CSmH	= Henry E. Huntington Library, San Marino, California.
CSt	= Stanford University Libraries, Stanford, California.
CStH	= Stanford Hoover Institution on War, Revolution and Peace, Stanford, Palo Alto, California.
CtY	= Yale University, New Haven, Connecticut.
CtY-M	= Yale Medical School Library, New Haven, Connecticut.
CU	= University of California, Berkeley, California.
CU-A	= University of California, Davis, California.
CU-B	= Bancroft Library, Berkeley, California.
CU-S	= University of California, San Diego, California.
DFo	= Folger Shakespeare Library, Washington, D.C.
DHN	= Holy Name College, District of Columbia.
DLC	= U.S. Library of Congress, Washigton, D.C.
DNLM	= U.S. National Library of Medicine, Washigton, D.C.
DPU	= Pan American Union Library, Washington, D.C.
FTaSU	= Florida State University, Tallahassee, Florida.
FU	= University of Florida, Gainsville, Florida.
GEU	= Emory University, Atlanta, Georgia.
GU	= University of Georgia, Athens, Georgia.
IaU	= University of Iowa, Iowa City, Iowa.
ICarbS	= Southern Illinois University, Carbondale, Illinois.
ICN	= Newberry Library, Chicago, Illinois.
ICU	= University of Chicago, Chicago, Illinois.
IEN	= Northwestern University, Evanston, Illinois.
InU	= Indiana University, Bloomington, Indiana.
IPM	= Biblioteca Particular de A. Porqueras Mayo, Urbana, Illinois.
IU	= University of Illinois, Urbana, Illinois.
KMK	= Kansas State University, Manhattan, Kansas.
KU-M	= University of Kansas. Medical Center Library, Kansas City, Kansas.
KyU	= University of Kentucky Library, Lexington, Kentucky.
LNHT	= Tulane University Library, New Orleans, Louisiana.
LNT-MA	= Tulane University. Latin American Library, New Orleans.
LU	= Louisiana State University, Baton Rouge, Louisiana.
MB	= Boston Public Library, Boston, Massachusetts.
MBAt	= Boston Athenaeum, Boston, Massachusetts.
MeB	= Bowdoin College, Brunswick, Maine.
MdBJ-G	= Johns Hopkins University. John Work Garret Library, Baltimore, Maryland.
MdBP	= Peabody Institute, Baltimore, Maryland.
MH	= Harvard University, Cambridge, Massachusetts.
MH-A	= Harvard University. Arnold Arboretum Library, Cambridge, Massachusetts.

MH-BA	= Harvard University, Graduate Schoool of Business Library, Cambridge, Massachusetts.
MHi	= Massachusetts Historical Society, Boston, Massachusetts.
MH-L	= Harvard University, Law School Library, Cambridge, Massachusetts.
MiDW	= Wayne State University, Detroit, Michigan.
MiU	= University of Michigan, Ann Arbor, Michigan.
MiU-C	= University of Michigan. William L. Clements Library, Ann Arbor, Michigan.
MnCS	= St. John's University, Collegeville, Minnesota.
MnU	= University of Minnesota, Minneapolis, Minnesota.
MoSU	= St. Louis University, St. Louis, Missouri.
MoSW	= Washington University, St. Louis, Missouri.
MoU	= University of Missouri, Columbia, Missouri.
MShM	= Mount Holyoke College Library, South Hadley, Massachusetts.
MWA	= American Antiquarian Society, Worcester, Massachusetts.
MWalB	= Brandeis University, Waltham, Massachusetts.
MWelC	= Wellesley College, Wellesley, Massachusetts.
MWH	= College of the Holy Cross, Worcester, Massachusetts.
MWiW	= Williams College, Williamstown, Massachusetts.
MWiW-C	= Williams College. Chapin Library, Williamstown, Massachusetts.
NcGW	= University of North Carolina at Greensboro, Greensboro, North Carolina.
NcD	= Duke University Library, Durham, North Carolina.
NcU	= University of North Carolina, Chapel Hill, North Carolina.
Nh	= New Hampshire State Library, Concord, New Hampshire.
NIC	= Cornell University Library, Ithaca, New York.
NjN	= Newark Public Library, Newark, New Jersey.
NjP	= Princeton University, Princeton, New Jersey.
NN	= New York Public Library, New York, N.Y.
NNBG	= New York Botanical Garden, Bronx Park, New York, N.Y.
NNC	= Columbia University Library, New York, N.Y.
NNCoCI	= City College of New York, New York, N.Y.
NNE	= Engineering Society Library, New York, N.Y.
NNF	= Fordam University, New York, N.Y.
NNH	= Hispanic Society of America, New York, N.Y.
NNNAM	= New York Academy of Medicine, New York, N.Y.
NNUT-Mc	= Union Theological Seminary, Mc Alpin Collection, New York, N.Y.
NPV	= Vassar College, Poughkeepsie, New York.
NRU	= University of Rochester, Rochester, New York.
NTB	= Biblioteca Particular de Theodore Beardsley, Jr. New York, N.Y.
NWM	= U.S. Military Academy, West Point, New York.
OC	= Public Library of Cincinnati and Hamilton County, Cincinnati, Ohio.
OCl	= Cleveland Public Library, Cleveland, Ohio.
OClW	= Case Western Reserve University, Cleveland, Ohio.

OClWHi	= Western Reserve Historical Society Library, Cleveland, Ohio.
OCU	= University of Cincinnati, Cincinnati, Ohio.
OkU	= University of Oklahoma, Norman, Oklahoma.
OO	= Oberlin College, Oberlin, Ohio.
OOxM	= Miami University, Oxford, Ohio.
OrStbM	= Mount Angel College Library, Mount Angel Abbey, Oregon.
OrU	= University of Oregon Library, Eugene, Oregon.
OSW	= Wittenberg University, Springfield, Ohio.
OU	= Ohio State University, Columbus, Ohio.
PBL	= Lehigh University, Bethlehem, Pennsylvania.
PBm	= Bryn Mawr College, Bryn Mawr, Pennsylvania.
PHC	= Havenford College, Havenford, Pennsylvania.
PHi	= Historical Society of Pennsylvania, Philadelphia, Pennsylvania.
PMA	= Allegheny College, Meadville, Pennsylvania.
PP	= Free Library of Philadelphia, Philadelphia, Pennsylvania.
PPBC	= Union Library Catalogue of Pennsylvania, Philadelphia.
PPC	= College of Physicians, Philadelphia, Pennsylvania.
PPL	= Library Company of Philadelphia, Philadelphia, Pennsylvania
PPL-R	= Library Company of Philadelphia, Ridgway Branch, Philadelphia, Pennsylvania.
PPRF	= Rosenbach Foundation, Philadelphia, Pennsylvania.
PPULC	= Union Library Catalogue of Pennsylvania, Philadelphia, Pensylvania.
PRosC	= Rosemont College Library, Rosemont, Pennsylvania.
PSt	= Pennsylvania State University, University Park, Pennsylvania.
PU	= University of Pennsylvania, Philadelphia, Pennsylvania.
PU-M	= University of Pennsylvania Medical Library, Philadelphia, Pennsylvania.
RPB	= Brown University, Providence, Rhode Island.
RPJCB	= John Carter Brown Library, Providence, Rhode Island.
ScU	= University of South Carolina, Columbia, South Carolina.
TNJ	= Joint University Libraries (Vanderbilt University, George Peabody College of Teachers and Scarritt College), Nashville, Tennessee.
TxHU	= University of Houston, Houston, Texas.
TxU	= University of Texas, Austin, Texas.
TU	= University of Tennessee, Knoxville, Tennessee.
UBI	= Biblioteca Particular de d. Luis Leal, Urbana, Illinois (ahora en Santa Bárbara, California).
Vi	= Virginia State Library, Richmond, Virginia.
ViU	= University of Virginia, Charlottesville, Virginia.
ViW	= College of William and Mary, Williamsburg, Virginia.
WU	= University of Wisconsin, Madison, Wisconsin.

Venezuela

CAN	= Biblioteca de la Academia de la Historia, Caracas, Venezuela.

B) EUROPA

Alemania

BBUn	= Biblioteca Universitaria, Bamberg.
BerBU	= Universitätsbibliothek, Berlin.
BPS	= Preussische Staatsbibliothek, Berlin.
BUB	= Universitätsbibliothek, Bonn.
BWA	= Wissenschaftl. Bibliothek, Berlin.
CLB	= Landesbibliothek, Coburg.
DBRP	= Biblioteca Pública Real, Dresden.
DCFP	= Convento de los frailes predicadores, Düsseldorf.
DSL	= Sächsische Landesbibliothek, Erlangen.
FBU	= Biblioteca de la Universidad de Freiburg, Freiburg.
GUB	= Universitatsbibliothek, Göttingen.
HUB	= Staats - und - Universitätsbibliotehk, Hamburg.
KBP	= Biblioteca Pública, Köln.
KSUB	= Staats - und - Universitätsbibliothek, Köningsberg.
MBS	= Bayerische Staatsbibliothek, München.
MS	= Schlossbibliothek, Mannheim.
MUB	= Universitätsbibliothek, Marburg a.d. Lahn.
MüUB	= Universitätsbibliothek, Münster.
NB	= Benediktinerabtei, Neresheim.
WAB	= Herzog-August-Bibliothek, Wolfenbüttel.
WB	= Benediktinerabtei, Wärt.
WL	= Landesbibliothek, Weimar.

Austria

MSb	= Stiftsbibliothek, Melk.
WBN	= Biblioteca Nacional, Wien.
WSB	= Biblioteca Nacional, Wien.
WBU	= Universitätsbibliothek, Wien.

Bélgica

ABV	= Bibliothèque de la Ville, Anvers.
AMPl	= Musée Plantin-Moretus, Anvers.
BBCD	= Biblioteca de las carmelitanas descalzas, Bruges.
BBR	= Bibliothèque Royale, Bruxelles.
GBFP	= Biblioteca del Convento de los Frailes Predicadores, Ghent.
GhBU	= Biblioteca Universitaria, Ghent.
LBU	= Biblioteca de la Universidad, Louvain.
LCM	= Colegio Maximo, Louvain.
LJ.P.F.	= Biblioteca Privada de J. Peeters-Fontainas, Louvain.

España

BaBP	= Biblioteca Pública, Badajoz.
BAS	= Biblioteca Privada de D. Arturo Sedó, Barcelona.
BBC	= Biblioteca de Cataluña, Barcelona.
BBP	= Biblioteca Pública, Burgos.
BBU	= Biblioteca Universitaria, Barcelona.
BCJ	= Biblioteca del Colegio de Jesuitas, Burgos.
CBP	= Biblioteca Pública, Córdoba.
CRBP	= Biblioteca Pública, Ciudad Real.
EBSL	= Biblioteca del Monasterio de San Lorenzo del Escorial, Escorial.
GBG	= Biblioteca General, Granada.
GBU	= Biblioteca Universitaria, Granada.
GMM	= Biblioteca del Palacio de Perelada, Gerona.
HBP	= Biblioteca Pública, Huesca.
LBP	= Biblioteca Pública, León.
LoBP	= Biblioteca Pública, Logroño.
LPMC	= Biblioteca del Museo Canario, Las Palmas.
LRA	= Biblioteca Privada de don Ramón Areny, Pobla de Segur, Lérida.
LSC	= Seminario Conciliar, Lugo.
LuBP	= Biblioteca Pública, Lugo.
MaBP	= Biblioteca Pública, Málaga.
MAHN	= Archivo Histórico Nacional, Madrid.
MBL	= Biblioteca del Museo Lázaro Galdiano, Madrid.
MBM	= Biblioteca Municipal, Madrid.
MBN	= Biblioteca Nacional, Madrid.
MBP	= Biblioteca Palacio Real, Madrid.
MBSd	= Biblioteca del Senado, Madrid.
MBU	= Biblioteca de la Universidad, Madrid.
MFL	= Biblioteca de la Facultad de Filosofía y Letras, Madrid.
MRAE	= Biblioteca de la Real Academia Española, Madrid.
MRAH	= Biblioteca de la Real Academia de la Historia, Madrid.
MRM	= Biblioteca de A.R. Rodríguez Moñino, Madrid.
MSC	= Biblioteca del Seminario Conciliar, Mondoñedo.
MSM	= Biblioteca Privada de Doña Antonia Sánchez Moreno, Madrid.
NBG	= Biblioteca General, Navarra.
OrBP	= Biblioteca Pública, Orense.
OBP	= Biblioteca Pública, Oviedo.
OBU	= Biblioteca Universitaria, Oviedo.
PBDF	= Biblioteca General de la Diputación Floral, Pamplona.
PBP	= Biblioteca Pública, Palma de Mallorca.
PoBP	= Biblioteca Pública, Pontevedra.
PCT	= Biblioteca Privada de D. José M.ª Casasayas Truyols, Palma de Mallorca (ahora dispersa por ventas diversas).
SalBU	= Biblioteca Universitaria, Salamanca.
SanBU	= Biblioteca Universitaria, Santiago de Compostela.

SAT	= Biblioteca Privada de don José María de Asensio y Toledo, Sevilla.
SBC	= Biblioteca Colombina, Sevilla.
SBFL	= Biblioteca de la Facultad de Filosofía y Letras, Sevilla.
SBP	= Biblioteca Pública, Sevilla.
SBS	= Biblioteca del Seminario, Sevilla.
SBU	= Biblioteca Universitaria, Sevilla.
SMP	= Biblioteca Menéndez Pelayo, Santander.
SorBP	= Biblioteca Pública, Soria.
TBC	= Biblioteca del Cabildo, Toledo.
TBP	= Biblioteca Pública, Tarragona.
TBPr	= Biblioteca Provincial, Toledo.
TeBP	= Biblioteca Pública, Teruel.
ToBP	= Biblioteca Pública, Toledo.
VBP	= Biblioteca Pública, Valencia.
VBU	= Biblioteca Universitaria, Valladolid.
VBUn	= Biblioteca Universitaria, Valencia.
ZBP	= Biblioteca Pública, Zaragoza.
ZBU	= Biblioteca Universitaria, Zaragoza.
ZSSC	= Biblioteca del Seminario San Carlos, Zaragoza.

Francia

ABA	= Biblioteca de Ajuda, Ajuda.
ABM	= Bibliothèque Municipale, Aix.
BBM	= Bibliothèque Municipale, Bordeaux.
BBV	= Bibliothèque de la Ville, Besançon.
DBM	= Bibliothèque Municipale, Dijon.
LBMun	= Bibliothèque Municipale, Lyon.
LMBM	= Bibliothèque Municipale, Le Mans.
MBM	= Bibliothèque Municipale, Méjanes.
MBMu	= Bibliothèque Municipale, Marseille.
MoBM	= Bibliothèque Municipale, Montpellier.
PBA	= Bibliothèque de l'Arsenal, Paris.
PBM	= Bibliothèque Mazarin, Paris.
PBN	= Bibliothèque Nationale, Paris.
PBS	= Bibliothèque de la Sorbone, Paris.
PSG	= Bibliothèque Sainte-Geneviève, Paris.
RBM	= Bibliothèque Municipale, Rouen.
TBM	= Bibliothèque Municipale, Troyes.
TBV	= Bibliothèque de la Ville, Toulouse.

Holanda

GBUn	= Biblioteca Universitaria, Groningen.

Inglaterra

BRL	= Reference Library, Bristol.
C	= Cambridge Library, Cambridge.
Cath	= St. Catherine's College, Cambridge.
CEm	= Emmanuel College Library, Cambridge.
CEMW	= Biblioteca Privada de Edward M. Wilson, Cambridge.
Cla	= Clare College Library, Cambridge.
CPem	= Pembroke College Library, Cambridge.
CSelw	= Selwyn College Library, Cambridge.
CSid	= Sidney Sussex College Library, Cambridge.
CSt.Joh.	= Saint John College Library, Cambrige.
CTr	= Trinity College Library, Cambridge.
DUL	= Durham University Library, Durham.
LBM	= British Museum, London.
OBL	= Bodleian Library, Oxford.

Irlanda

DHTL	= Holy Trinity Library, Dublin.

Italia

BCA	= Biblioteca Communale dell'Archiginnasio, Bologna.
FBM	= Biblioteca Marucelliana, Firenze.
FBN	= Biblioteca Nazionale, Firenze.
GenBU	= Biblioteca dell'Università, Genova.
MNB	= Biblioteca Nazionale Braidense, Milano.
RBA	= Biblioteca Angelica, Roma.
RBB	= Biblioteca Barberini, Roma.
RBC	= Biblioteca Casanatense, Roma.
RBN	= Biblioteca Nazionale, Roma.
RBV	= Biblioteca Vallicelliana, Roma.
VBM	= Biblioteca Marciana, Venezia.
VBN	= Biblioteca Nazionale di San Marco, Venezia.
VBV	= Biblioteca della Città del Vaticano, Città del Vaticano.
VFQ	= Fondazione Querini, Venezia.

Polonia

CrBU	= Biblioteca Universitaria, Cracovia.

Portugal

CBU	= Biblioteca Universitaria, Coimbra.
ERP	= Biblioteca Pública, Evora.

40

LBN   = Biblioteca Nacional, Lisboa.
OBM   = Biblioteca Municipal, Oporto.
PMS   = Biblioteca Privada de Luis Monteverde da Cunha Lobo, Porto.

Suiza

ZZ   = Zentralbibliothek, Zürich.

I

IMPRESOS RAROS: LA COLECCION DE EDICIONES Y TRADUCCIONES DEL GUZMAN DE ALFARACHE, DE MATEO ALEMAN

El presente trabajo es el resultado de sólo unas pocas semanas de investigación y búsqueda en la biblioteca de la Universidad de Illinois, en Urbana.

Se trata de describir y localizar algunas ediciones, traducciones, y una adaptación al inglés, de la *Primera y segunda partes del Guzmán de Alfarache,* no sólo de inusitada rareza, sino también de gran interés para las relaciones literarias, en especial, entre las literaturas francesa e inglesa.

La biblioteca de la Universidad de Illinois comenzó a formarse en el año 1867, fecha de la fundación de nuestra universidad estatal. En los años siguientes nuestra biblioteca fue enriqueciéndose con millones de ejemplares, con los legados de los profesores H.G. Wells, T.W. Baldwin, y con la biblioteca particular del Conde Antonio Cavagna, de Italia, comprada por la Universidad de Illinois en 1921, etc. Se trata, pues, de una biblioteca que tiene poco más de un siglo de existencia; pero por ser tantos y de tan diferentes procedencias los ejemplares españoles que en ella se albergan, la biblioteca de la Universidad de Illinois cuenta con algunos ejemplares de extraordinario mérito, como lo que estudiamos en este trabajo de hoy.

Las unidades bibliográficas aquí analizadas constan de dos ediciones en lengua española (n.ᵒˢ 1-2) del *Guzmán de Alfarache,* seis traducciones al francés y al inglés de la misma obra (n.ᵒˢ 3-8) y, por último, una adaptación al inglés de la novelita intercalada *Dorido y Clorinia* y del cuento del *Mercader Sevillano* en el *Guzmán de Alfarache,* todas de auténtico valor como piezas claves para el entendimiento de un género típicamente español, es decir, la novela picaresca. También estos raros ejemplares de hoy aspiran a facilitar la justa apreciación literaria de la obra de Mateo Alemán en el extranjero, en especial, en el siglo XVII.

Ofrecemos, como primera muestra, la *Primera parte de la vida del pícaro Guzmán de Alfarache,* impresa por Angelo Tavanno, en Zaragoza en 1603. En seguida llama la atención el título de esta edición zaragozana que, por lo visto, difiere de la edición príncipe, de Madrid, impresa por el licenciado Várez de Castro en 1599, cuyo título reza: PRIMERA PARTE / DE GVZMAN DE AL-farache, por Mateo Alemán, criado del / Rey don Felipe III. Se trata, pues, de una de las muchas ediciones en lengua española, sin retrato del autor, publicadas entre los años 1599 y 1604. Sabido es que de las veintiséis ediciones que se publicaron entre estas dos fechas sólo tres se publicaron bajo la vigilancia misma de Alemán y todas ellas llevan el retrato del autor[3]. De este modo sabemos que el ejemplar de Illinois representa una de las tantas ediciones pirateadas del benemérito autor sevillano.

Illinois posee también otra edición rara en lengua española (véase n.º 2), editada en Amberes en 1681, en el taller de Jerónimo Verdussen. Esta edición es exactamente la misma que describe Peeters-Fontainas[4].

Gran rareza ofrecen las traducciones francesas de la *Primera y Segunda* partes del *Guzmán de Alfarache* (véase n.º 3), traducidas, originalmente en 1619 y 1620[5] por el experto traductor y miembro de l'Academie Française Jean Chapelain (1595-1674)[6]. El primer tomo de estas traducciones, fechado en Rouen en 1632, es el único que hemos registrado en Estados Unidos y Europa hasta hoy. Parece haber escapado a todos los bibliógrafos.

Abunda en Illinois una rara colección de traducciones al inglés de la *Primera y Segunda* partes del *Guzmán de Alfarache* (véase n.ºˢ 4-8). Entre estas traducciones ofrece gran interés, por su rareza, la primera versión inglesa hecha del italiano por James Mabbe (1572-¿1642?) e impresa en Londres en 1622 a costa de E. Blount. También dignas de interés son las ediciones posteriores de estas traducciones, a saber, las de Londres, 1623, 1634-33, 1656 y la de Oxford, 1634. Esta sola colección de traducciones de la *Primera y Segunda* partes del *Guzmán de Alfarache,* a veces impresa con *La Celestina,* como en el caso de la edición de Londres de 1634-33[7], sería motivo suficiente para un estudio digno de un especialista en la picaresca.

Por último, queremos llamar la atención, especialmente, sobre el n.º 9. Se trata, en realidad, de una adaptación al inglés de la novelita *Dorido y Clorinia* en el *Guz-*

3. Sobre la autenticidad de las ediciones de Alemán, véanse R. Foulché-Delbosc, *art, cit.,* págs. 550-552 y Donald McGrady, *A Pirated Edition of "Guzmán de Alfarache": More Light on Mateo Alemán's Life,* en *Hispanic Review,* XXXIV (1966), n.º 4, pág. 226.

4. Bartolomé José Gallardo, en su *Ensayo de una biblioteca española de libros raros y curiosos,* vol. I (Madrid, 1863), n.ºˢ 126-127, describe este mismo ejemplar, pero con foliación en vez de paginación.

5. Véase Joseph L. Laurenti, *op. cit.,* n.ºˢ 1201 y 1202.

6. Sobre la vida y obras de Jean Chapelain, véanse los documentos publicados en *Bulletin du bibliophile* (1863), págs. 277-92; 329-42.

7. Véase Dale B.J. Randall, *The Golden Tapestry...* Durham: Duke University Press, 1963, págs. 168.

mán de Alfarache, editada por Thomas Porter (1636-1680)[9] y estrenada en el teatro Duke of York, en Londres, en 1678. Todo lo cual es bastante para convencernos de la gran popularidad que gozaba en lo literario el *Guzmán de Alfarache* en Inglaterra a principios del siglo XVII, no solamente en el género novelesco, sino también en el teatro británico como forma de entretenimiento.

8.   Véase El *Guzmán de Alfarache,* I, III, 10.
9.   Para más datos concretos sobre la vida y obra de este dramaturgo inglés, véase *The Dictionary of National Biography...* vol. XVI, Oxford University Press, 1917, pág. 193.

EDICIONES

Zaragoza, 1603
Angelo Tavanno

1

PRIMERA. / PARTE DE / LA VIDA DEL / PICARO GVZMAN / DE ALFA-RACHE./ COMPVESTO POR MATHEO / *A leman,* (sic) *criado del Rey Don Phelipe. III nue- / stro Señor, y natural vezino de Seu illa.* / Dirigido a Don Francisco de Roxas Marques / de Poza, Señor de la casa de Monçon. Presi - / dente del Consejo de la hazienda de su / Magestad, y tribunales della. / [Escudo del impresor]. Con licencia en Çaragoça. / [Filete]. Por Angelo Tauanno, año / M D C I I I. /

14.5 cm. 8 págs. sin numerar + 207 foliadas + 1 de Tabla. - Signs.: A-Z^8, Aa-Dd^8.

Cits.: Catal.Col., #, n.º 647; Chandler, pág. 417; Doublet, pág. 23; Foulché-Delbosc, *Alemán,* n.º 25; Jerez, pág. 3; Jiménez Catalán, n.º 21; Laurenti, n.º 1131; Laurenti-Siracusa, n.º 23; Penney, pág. 16; Salvá, II, n.º 1697; Simón Díaz, n.º 718.

Ejemps.: IU, FBN, LBM? NN, NNH, PBN, RBM.

Encuadernación firmada por P. López-Valencia. - Licencias fechadas en Zaragoza en el mes de junio de 1599. - *Ex libris:* Antonio Almunia de Procita y de León.

2

VIDA Y HECHOS / DEL PICARO / GVZMAN / DE / ALFARACHE. / ATA-
LAYA DE LA VIDA HUMANA. / Por MATEO ALEMAN / Criado del Rey
nuestro Señor, / natural Vezino de Sevilla. / *Nueva Impreßion, corregida de muchas*
erratas, y / enriquescida con muy lindas Estampas. / PARTE PRIMERA / [Escudo
del impresor] EN AMBERES. / Por GERONYMO VERDUSSEN, Impressor / y
Mercader de Libros, en el Leon dorado. 1681. [Filete] / Con Licencia y Privilegio.

20 cm. 2 vols. en 8.º - Vol. I. 8 hs. sin numerar + 299 págs. numeradas + 1 pág
sin numerar + 2 hs. sin numerar + 9 hs. de Tabla. - Signs.: •8, A-T^8, - Vol. II. 8 hs.
sin numerar + 396 págs. numeradas + 2 hs. sin numerar + 7 hs. de Tabla. Signs.:
*8, Aa - Zz^8, Aaa - Bbb^8.

Cits.: Brunet, I, col. 15778; *Catal. Col.* 3, n.º 650; Chandler, pág. 417; *Gesamt-*
katalog, 3, n.º 857; Jerez, pág. 3; La Romana, pág. 31; Laurenti, n.º 1150; Laurenti-
Siracusa, n.º 39; Medina, n.º 1712; Palau, n.º 6705-6706; Peeters-Fontainas, I, n.º
35; Penney, pág. 17; Simón Díaz, n.º 735.

Ejemps.: IU, BBR, BBV, BPS, BRL, FBU, GhBU, ICU, LBM, LJ.P.F, MBN,
MBS, MH, MNB, MShM, NNH, NRU, OBU, OU, PBA, PBN, PU, WBN.

El ejemplar de Illinois, en mal estado de encuadernación, carece parte de la portada. La *Segunda parte* de esta edición es de Mateo Alemán y no de Luján de Saya-
vedra (Pseud. por Juan José Martí, 1570-1604).

TRADUCCIONES

A) Francesas

3

LE / GVEVX, / OV LA / VIE DE GVZMAN / D'ALFARACHE, IMAGE / de la
vie humaine. / *En laquelle toutes les fourbes & toutes les mes- / chancetez qui se pra-*
tiquent dans le monde, / sont plaisamment & vtilement / descouuertes. / DIVISE EN
TROIS LIVRES. / [Escudo del impresor] A ROVEN, / Chez IEAN DE LA
MARE, au haut des / degrez du Palais. / [Filete] M.DC. XXXII.

16 cm. 8 hs. sin numerar + 389 págs. numeradas + 22 fols. sin numerar. - Signs.:
ã^8, A-Z^8, Aa-Dd^8.
[A continuación]

LE VOLEVR / OV / LA VIE DE GVZMAN / D'ALFARACHE. / *POUR-*
TRAICT DV TEMPS, / & *Miroir de la Vie Humaine.* / SECONDE PARTIE. / *Où*
toutes les fourbes & meschancetez que se font dans le monde sont vtilement & plai-

samment descouuertes. / Pierce non encore veuë, & renduë fidelement de l'original / Espagnol de son premier & veritable Autheur / MATEO ALLEMAN. (sic) / DERNIERE EDITION. / [Escudo del impresor] A ROVEN, / Chez IEAN DE LA MARE, au haut des / degrez du Palais. / [Filete] M.DC. XXXIII.

12 hs. sin numerar + 549 págs. numeradas + 2 hs. sin numerar. - Signs.: ã¹², A-Z⁸, Aa-Mm⁸.

Cits.: Chandler, pág. 419, que, al parecer, desconoce, como la mayoría de los bibliógrafos, nuestra *Primera parte* de 1632; Foulché-Delbosc, V, n.º 1249, que también parece desconocer nuestra *Primera parte* de 1632; Granges de Surgères, n.º 4, con la portada de la Primera parte fechada 1633. En las portadas de la *Primera y Segunda parte* descritas por Granges de Surgères se lee "ou la / vie de Guzman..." por "OV LA / VIE DE GVZMAN..." y "Matheo Alleman" por MATEO ALLE-MAN". No se trata de errores tipográficos, sino de portadas distintas de las nuestras; Laurenti, n.º 1208, solamente la *Segunda parte* de 1633; Laurenti y Siracusa, n.º 114, solamente la *Segunda parte* de 1633; Palau, n.º 6745, que también cita únicamente la edición de 1633; Simón Díaz, n.º 807, que también desconoce la *Primera parte* de 1632.

Ejempls.: IU, PBN, con ambos ejemplares fechados 1633; PSG, con ambos ejemplares fechados 1633.

Trad. por Jean Chapelain.

B) Inglesas

London, 1622
Edward Blount

4
THE ROGVE: / OR / THE LIFE / OF GVZMAN DE / ALFARACHE. / WRIT-TEN IN SPANISH / by MATHEO ALEMAN, / *Seruant to his Catholike Maiestie, and / borne in* SEVILL. / [Escudo del impresor: VERITAS FILIA TEMPORIS] / LONDON. / Printed for Edward Blount. 1622.

28,5 cm. 12. hs. sin numerar + 267 págs. numeradas + 1 h. con el título de la *Segunda parte.* - Signs.: ₊6, A-Z⁶, aa².

London, 1623
Edward Blount

[A continuación:] THE ROGVE: / OR / THE SECOND / PART OF THE LIFE / OF *GVZMAN* DE / ALFARACHE. / WRITTEN IN SPANISH / by MATHEO ALEMAN, / Seruant to his Catholike Maiestie, and / borne in SEVILL. / [Grabado] LONDON, / Printed by G.E. for EDWARD BLOVNT. 1623.

8 hs. sin numerar + 357 págs. numeradas. - Signs.: ₊₊8, Aa-Zz⁶, Aaa-Fff⁶, Ggg⁵.

Cits.: Allison, pág. 18, solamente la *Primera parte* de 1622; Chandler, pág. 422, que cita solamente la *Primera parte* 1622. Su *Segunda parte,* al contrario de nuestro ejemplar, reza 1622; Laurenti, n.º 1281; Laurenti y Siracusa, n.º 184; Lowndes, I, pág. 27; Palau, n°ˢ. 6781 y 6782; Pane, n.° 61; Pollard and Redgrave, n.° 288; Rudder, pág. 115; Simón Díaz, n.° 876; Watt, I, pág. 19h.

Ejemps.: IU, DFo, DLC, LBM, MB, MH, NjP, NN, OBL, PP, PPULC, PU.

Trad. por James Mabbe.

London, 1623
Edward Blount

5

THE ROGVE: / OR / THE LIFE / OF GVZMAN DE / ALFARACHE. / WRITTEN IN SPANISH / by MATHEO ALEMAN, / *Seruant to his Catholike Maiestie and / borne in* SEVILL. / [Escudo del impresor: VERITAS FILIA TEMPORIS] LONDON. . Printed for *Edward Blount.* 1623.

28,5 cm. 12 hs. sin numerar + 267 págs. numeradas. - Signs.: ⋅6, A-Z⁶, aa².

[A continuación:] THE ROGVE: / OR / THE SECOND / PART OF THE LIFE / OF *GVZMAN DE ALFARACHE.* / WRITTEN IN SPANISH / by MATHEO ALEMAN, *Seruant to his Catholike Maiestie, and / borne in* SEVILL. [Grabado] LONDON, / *Printed by* G.E. *for* EDWARD BLOVNT. 1623.

8 hs. sin numerar + 357 págs. numeradas. - Signs.: ⋅⋅8, Aa-Zz⁶ Aaa-Fff⁶, Ggg⁵.

Cits.: Allison, pág. 18, n.° 6; Laurenti, n.° 1282; Laurenti y Siracusa, n.° 185; Lowndes, I, pág. 27; Palau n.° 6782; Pane, n.° 61; Penney, pág. 17; Pollard and Redgrave, n.° 289; Rudder, pág. 15; Simón Díaz, n.° 877.

Ejemps.: IU, LBM, MiU, NNH.

Trad. por James Mabbe.

Oxford, 1630
William Turner

6

THE ROGVE: / OR, / THE LIFE / OF GVZMAN / DE *ALFARACHE.* / WRITTEN IN SPANISH / by MATHEO ALEMAN, / *Servant to his Catholike Majestie, / and borne in* SEVILL. / [Escudo del impresor: ACADEMIA OXONIENSIS] OXFORD, / *Printed by* WILLIAM TVRNER, *for* ROBERT ALLOT, / *and are to be sold in* Pauls *Church-yard;* / Ann. Dom. 1630.

28,5 cm. 18 hs. sin numerar + 267 págs. numeradas. - Signs.: ⋅6, A-Z⁶, aa².

[A continuación] THE ROGVE: / OR, / THE SECOND / PART OF THE LIFE / OF GVZMAN DE / ALFARACHE. / WRITTEN IN SPANISH / by MATHEO ALEMAN, / *Servant to his Catholike Majestie, and / borne in* SEVILL. [Grabado] Printed by W.T. for ROBERT ALLOTT. / Ann. Dom. 1630.

8 hs. sin numerar + 357 págs. numeradas. - Signs.: ⋅⋅8, Aa-Zz⁶, Aaa-Fff⁶, Ggg⁵.

Cits.: Allison, pág. 18, n.° 6.2; Chandler, pág. 422; Graesse, I, pág. 66; Laurenti, n.° 1283; Laurenti y Siracusa, n.° 186; Lowndes, I, pág. 27; Palau, n.° 6783; Pane, n.° 61; Pollard and Redgrave, n.° 290; Rudder, pág. 115; Simón Díaz, n.° 878; Watt, I, pág. 19h.

Ejemps.: IU, LBM, MBN, MiU, PBN, OBL.

London, 1634
R.B for R. Allot

7

THE ROGVE: / OR, / THE LIFE / OF GVZMAN / DE *ALFARACHE*. / VVRIT-
TEN IN SPANISH / By MATHEO ALEMAN, / *Servant to his Catholike Majestie,*
/ and borne in SEVILL. / To which is added, the Tragi-Comedy of CALISTO / and
MELIBEA, represented in *Celestina*. / *The third edition corrected.* / [Escudo del
impressor: EX IGNE RESVRGIT VIRTVS] LONDON, / *Printed by* R.B. *for*
Robert Allot, *and are to be sold* / *at his Shop in* Pauls *Church-yard, at the Signe of*/
the *blake Beare*. An. Dom. 1634.

28,5 cm. 17 hs. sin numerar + 267 págs. numeradas. - Signs.: .6, A^6, A-Z^6, aa^2.

London, 1633
R.B. for Robert Allott

[A continuación:] THE ROGVE: / OR, / THE SECOND / PART OF THE LIFE
/ OF GVZMAN DE / ALFARACHE. / VVRITTEN IN SPANISH / by MATHEO
ALEMAN, / *Servant to his Catholike Majestie, and* / *borne in* SEVILL. / [Escudo
del impresor: EX IGNE RESVRGIT VIRTVS] LONDON, / Printed by R.B. for
ROBERT ALLOTT. *Anno Dom.* 1633.

8 hs. sin numerar + 357 págs. numeradas. - Signs.: ..8, Aa-Zz^6, Aaa-Fff^6, Ggg^5.

Cits.: Allison, pág. 18, n.º 6.3; Chandler, pág. 423; Graesse, I, pág. 66; Laurenti, n.º 1284; Laurenti y Siracusa, n.º 187; Lowndes, I, pág. 27; Palau, n.º 6784; Pane,
n.º 61; Penney, pág. 17 (solamente la *Primera parte* de 1634); Pollard and Redgrave, n.º 291; Rudder, pág. 115; Simón Díaz, n.º 879; Watt, I, pág. 19h.

Ejemps.: IU, CSmH, DFo, DLC, ICU, LBM, MH, NcU, NN, NNH, OBL,
OU, PBm, PRosC.

Con *La Celestina,* de Fernando de Rojas. La epístola dedicatoria a *La Celestina*
está firmada por "Don Diego Puede-ser", traducción literal del nombre del traductor James Mabbe.

London, 1656
W.B. for Phillip Chetwind

8

THE ROGUE, / OR / THE LIFE / OF GVZMAN / DE ALFARACHE: / In two
Parts. / WRITTEN IN SPANISH / By MATHEO ALEMAN, Servant to his Catho-
lick Majesty, / and born in SEVIL. / The fourth Edition corrected. / [Grabado]
LONDON, / Printed by W.B. for PHILLIP CHETWIND / 1656.

28,5 cm. Parte I: 9 hs. sin numerar + 207 págs. numeradas. Parte II, libro I: 101
págs. numeradas. Parte II, libro III: 116 págs. numeradas. - Signs.: (Parte I:) ^{6},
A^4, B^6, C-N^4, O^6, P-Z^4, Aa-Cc^4; (Parte II, libro I:) Aaa-Vvv^4, Xxx^2; (Parte II, libro
III:) Xxx-Xxx^4, Yyy-Zzz^4, Aaaa-Mmmm^4.

Cits.: Allison, pág. 18, n.º 6.5; Graesse, I, pág. 66; Laurenti, n.º 1286; Laurenti y Siracusa, n.º 189; Lowndes, I, pág. 27; Palau, n.º 6785; Pane, n.º 61; Rudder, pág. 115; Simón Díaz, n.º 881; Ticknor, pág. 8; Wing, A. 903a.

Ejemps.: IU, CtY, DFo, TFaSU, KyU, LBM, MB, NcGW, NIC, NRU, PU.

ADAPTACIONES
London, 1678

9

THE / French Conjurer. / A / COMEDY. / As it is Acted / At the Duke of York's Theatre. / Written by T.P. Gent. / *Serpit humi tutus.* / Licensed, / Aug. 2. 1677. / Ro. L'ESTRAANGE. / LONDON: / Printed for *L. Curtis,* in Goat-Court on Ludgate-hill. / 1678.

8 hs. + 46 págs. + 1 pág. - Signs.: A^1, + 3, C-G^4.

Cits.: Lowndes, IV, págs. 1758; Watt, I, pág. 770i.

Ejemps.: IU, DLC, ICN, ICU, LBM, MH, MiU, NjP, OCU, OU, PPL.

CONCLUSIONES

De la fama que alcanzó la obra de Mateo Alemán especialmente en el extranjero, dan testimonio la edición española de Amberes de 1681 y, sobre todo, las muchas traducciones que se hicieron del *Guzmán de Alfarache*. De las nueve unidades bibliográficas que acabamos de presentar se destaca por su rareza la edición zaragozana (véase n.º 1) que cuenta en los Estados Unidos con tres ejemplares. Mejor representada está la edición de Amberes, de 1681 (véase n.º 2), de la que, de momento, registramos ocho ejemplares en los Estados Unidos y doce en Europa. De inusitada rareza es la traducción francesa de Rouen de 1632 (véase n.º 3), con curiosas variantes en la portada. Este ejemplar, fechado en 1632, no aparece descrito en ningún catálogo. Es posible que se trate, de momento, del único ejemplar en el mundo.

De las versiones inglesas del *Guzmán de Alfarache* (véase n.ºs 4-8), gran rareza ofrecen las ediciones de Londres de 1623 y la de Oxford de 1630 que, de momento, cuentan solamente con cinco ejemplares en bibliotecas estadounidenses y otros cinco en bibliotecas europeas.

Es de esperar que este trabajo de hoy pueda resultar útil a otros investigadores y que contribuya a un mejor conocimiento a la bibliografía de un género típicamente español, la Novela Picaresca.

Por último, quisiéramos patentizar nuestra gratitud al Research Board de la Illinois State University, cuya ayuda económica durante el verano de 1979 hizo posible la investigación y terminación de la presente obra.

II

TRADUCCIONES INGLESAS E ITALIANAS DE OBRAS CERVANTINAS EN LOS SIGLOS XVII Y XVIII[10]

10. Publicado en *Anales Cervantinos*, XIII-XIV (1974-75), págs. 137-58.

Procedemos a un buceo en los fondos raros cervantinos de la biblioteca de la Universidad de Illinois, en Urbana, Estados Unidos.

En España son poco conocidas las muestras cervantinas, muy nutridas por cierto, que se conservan en los Estados Unidos. Los conocimientos de bibliógrafos y cervantistas se limitan, en general, a tres grandes núcleos. Por una parte, Nueva York. Especialmente conocida es la Hispanic Society, sobre todo a través de los catálogos de Clara Louisa Penney, el más importante *Printed Books 1468-1700 in the Hispanic Society of America,* New York, 1965. A partir del siglo XVIII y para recientes adquisiciones tienen ahora los bibliógrafos y aficionados la reproducción de todas las fichas de la citada biblioteca, ordenadas en varios volúmenes impresos, *The Catalogue of the Library of The Hispanic Society of American,* New York, 1962, 10 vols, y *First Supplement,* New York, 1970, 4 vols. Las ediciones quijotescas en español de la citada biblioteca contaban desde hace tiempo con el útil catálogo de Homero Serís, *La Colección cervantina de la Sociedad Hispánica de América. Ediciones de Don Quijote,* Urbana, University of Illinois Press, 1920. Ahora, el cervantista puede conocer los fondos de la Biblioteca Pública de Nueva York, gracias al reciente *Dictionary Catalog of the Rare Book División. The Research Libraries of the New York Public Library,* Boston, G.K. Hall, 1971, 21 vols. Otra zona conocida era el legado Ticknor, de la Biblioteca Pública de Boston, merced a James L. Whitney, *Catalogue of the Spanish Library and the Portuguese Books Bequeathed by George Ticknor to the Boston Public Library...,* Boston, 1879; hay reedición de la casa G.K. Hall, Boston, 1972.

Las existencias españolas de la inmensa biblioteca del Congreso eran conocidas a través de los voluminosos catálogos. Desde hace poco tiempo, la zona cervantina era fácilmente accesible a través de Francisco Aguilera, *Words by Miguel de Cervantes Saavedra in the Library of Congress,* Washington, 1960. Desde hace muy pocos años, la casa G.K. Hall ha lanzado al mercado enormes catálogos de algunas bibliotecas universitarias, entre ellas, las de California e Illinois. Y allí puede bucearse en el mundo cervantino. Ello ofrece un buen servicio comparativo, pero nunca podrá sustituirse por una cala especializada, en contacto directo con los libros investigados, como la que presentamos hoy. En las fichas de las bibliotecas, reproducidas en los catálogos de la casa Hall, los datos son insuficientes; no aparecen, en general, completas las portadas, ni siempre se indica el número de páginas, etc. Hemos manejado directamente cada ejemplar. De todos ellos se copia completamente la portada. Se han omitido más descripciones sobre los preliminares, y se remite al lector a conocidos catálogos, como Río y Rico, Givanel, etc., que abundan en minuciosos detalles, y nos ha parecido ahora innecesario repetir. Cuando ante un ejemplar concreto conviene aludir a problemas específicos o señalar comparaciones, se añaden unas notas eruditas encabezadas con el titulillo de *Observaciones.* Siempre que encontramos *ex libris* los registramos, porque pueden darnos la clave (el día que pueda estudiarse el difícil problema) del fascinante proceso de la movilidad de un particular ejemplar cervantino.

Se trata del primer sondeo de este tipo en una biblioteca universitaria de los Estados Unidos[11]. Era ésta una gran ocasión para, tomando como base de partida los ejemplares de Illinois, registrar otros ejemplares dispersos por el mundo, a través de catálogos accesibles, como introducción, hemos tenido muy en cuenta la valiosa información (no siempre completa) del *Union Catalog,* London, 1970, vol. 101, pp. 481-591, que señala otras muestras en bibliotecas norteamericanas. Convenía, cuando era buenamente posible, añadir otras muestras de otros ejemplares dispersos por el mundo, a través de catálogos accesibles, como los del Museo Británico y de la Biblioteca Nacional de París. Especial empeño hemos puesto en localizar muestras en España, a través de los catálogos publicados de la Biblioteca Nacional de Madrid, Biblioteca de Catalunya, en Barcelona, y de fondos particulares famosos, como los de Sedó (colección adquirida hace unos años por la Biblioteca Nacional madrileña), Asensio, Mateu, etc. Recordemos que nuestro trabajo se limita a los fondos de Illinois, los otros datos servían para aquilatar el valor de una muestra concreta. Representan, en general, hasta el presente, la más numerosa acumulación de ejemplares de cada edición estudiada. Nuestra aportación tiene carácter presentativo y enumerativo. Por fuerza —como en toda investigación de este tipo—, nuestros datos son incompletos todavía y ojalá otros eruditos puedan ayudarnos en señalar la existencia de otros raros ejemplares. Como panorama introductivo útil al lector recomendamos los dos primeros capítulos del libro de Carmine R. Linsalata, *Smollett's Hoax: Don Quixote in English,* Stanford University Press, 1950.

---

11.   Sólo existe, que sepamos, una catalogación cervantina de una Biblioteca Universitaria. Nos referimos a un legado particular a la Universidad de Ohio State; D.A. Ackerman, P.J. Kann y R.E. Stevens, *A Catalogue of the Talfourd P. Linn Collection of Cervantes Materials* [Columbus], Ohio State University Press, 1963.

I. TRADUCCIONES INGLESAS

Don Quijote de la Mancha,
London, 1652

10 [1]

HISTORY (*The*) *Of The Valorous and Witty-Knight-Errant, Don-Quixote, Of the Mancha. Translated out of the Spanish; now newly Corrected and Amended.* London, Printed by *Richard Hodgkinsonne* for *Andrew Crooke,* 1652, 8 págs. + 1 h. + 137 fols. + 4 fols. + 11 fols., 138-274 fols., 28 cm.

Cit. por: Aguilera, pág. 31; Ford-Lansing, pág. 44; Givanel, I, núm. 95; Mateu, núm. 20; Plaza, I, núm. 1152; Penney, pág. 127; Río y Rico, núm. 440.

En: IU, BBC, CtY, CU-S, DLC, GMM, IaU, LBM (dos ejemplares), LRA, MB, MBN, MnU, MRAE, NjN, NNH, OU, PABN, PCT, PHC, PPULC, PU, WU.

Observaciones: Se trata de la tercera edición de la traducción de T. Shelton. El ejemplar de Illinois lleva un *ex libris* con el nombre de Munden. En el artículo de Alberto Porqueras Mayo: "Noticia de rarezas bibliográficas cervantinas", *Revista de Literatura,* vol. XXXI (1967), pp. 37-55 (véanse especialmente págs. 43-55), se estudiaban algunos problemas concernientes a esta edición, a la vista del ejemplar de la biblioteca Areny, que poseía distinta portada. En el pie de imprenta, después de Crooke, se leía: ", at the / Green-Dragon (cursiva) in Pauls (cursiva) Church-year, 1652". No hemos encontrado ningún ejemplar con tal portada. El de Illinois coincide con todos los conocidos, por ejemplo con el de la Biblioteca Nacional de Madrid (en el trabajo citado se reproducían en grabados las portadas del ejemplar Areny y el de la Biblioteca Nacional de Madrid), portada normal que coincide con la publicada en el libro de Manuel Henrich, *Iconografía de las ediciones del Quijote*, Barcelona, 1905, vol. III, número 399, obra de fácil acceso para cualquier lector curioso. Entonces conseguimos localizar 10 ejemplares dispersos por todo el mundo. Se incluían dos muestras de los Estados Unidos. Ahora hemos encontrado 12 ejemplares más en Norteamérica y otro en la Biblioteca Nacional del Plata, y otro ejemplar en el British Museum. Ofrecemos, por tanto, ahora, la nómina más amplia hasta la fecha: 23 ejemplares.

London, 1687

11 [2]

HISTORY (*The*) *Of the most Renowned Don Quixte Of Mancha: And his Trusty Squire Sancho Panza, Now made English according to the Humour of our Modern Language. And Adorned with several Copper Plates. By J.P.*, London, Printed by *Tho. Hodgkin,* and are to be sold by *John Newton,* at the three Pigeons over against the *Inner-Temple Gate* in *Fleet-street* MDCLXXXVII (1687), 10 págs. + 1 h., 616 págs. + 1 h., 29,5 cm.

Cit. por: Givanel, I, núm. 129; Linn, núm. 24; Plaza, J. núms. 1156-1157; Río y Rico, núum. 442; Rius, I, núm. 619.

En: IU (dos ejemplares), BBC, CLU-C, CSmH, CtY, CU, DFo, IaU, ICN, LBM, MBN (dos ejemplares), MdBP, MnU, NjP, NN, NPV, OCU, OU, PBN, PCT, RPB, TxU.

Observaciones: Se trata de la primera edición, con la traducción de John Philips. Uno de los ejemplares de Illinois está falto de portada y procede de la colección del Profesor Baldwin, adquirida hace algunos años por la biblioteca (que posee catálogo manuscrito del citado profesor). Luis María Plaza describe una rara portada de uno de los ejemplares Sedó (hoy, como hemos indicado, de propiedad de la Biblioteca Nacional de Madrid)·y otra más común (op. cit., vol. I, núms. 1156 y 1157). Ambas portadas se reproducen en el libro de Plaza, son las láminas XIX y XX. Pues bien, el presente ejemplar de Illinois (el que posee la portada) ofrece otra curiosa variante respecto a los dos ejemplares de la colección Sedó. Copiamos el pie de imprenta del ejemplar de Illinois: "Printed by *Tho. Hadgkin* and are to be sold by *John Newton,* at the / three Pigeons over against the *Inner-Temple Gate* in *Fleet-street*. / MDCLXXVII". Evidentemente, pues, a menudo el librero que vendía una partida de ejemplares efectuaba, por razones comerciales, un cambio en el pie de ımprenta de la portada. Fenómeno curioso que había que estudiar alguna vez con más detalle.

London, 1706

12 [3]

HISTORY (*The*) *Of the most Ingenious Knight Don Quixote de la Mancha. Written in Spanish By Michael de Cervantes Saavedra. Formerly made English by Thomas Shelton; now Revis'd, Corrected, and partly new Translated from the Original. By Capt. John Stevens. This Second Edition farther Revis'd and Amended. Illustrated with 33 Copper Plates curiously Engraved from the Brussels Edition. In Two Volumes.* London: Printed for R. Chiswell, S. and F. Sprint, R. Battersby, S. Smith, and B. Walford, M. Wesson, and G. Convers, 1706, 2 vols., 19 cm.

Cit. por: British Museum, vol. 36, pág. 73; Ford-Lansing, pág. 44 Givanel, I, núm. 158; Graesse, III, pág. 108; Grismer, pág. 145.

En: IU, BBC, DLC, LBM, MB, MBN, MH, NjP, TxU.

London, 1711-12

13 [4]

LIFE (*The*) *And Notable Adventures Of That Renown'd Knight, Don Quixote·De la Mancha. Merrily Translated into Hudibrastick Verse. By Edward Ward. Vol. I.* London: Printed for T. Norris at the *Looking-Glass,* and A. Bbttesworth (*sic*) at the *Red-Lyon* on *London-Bridge;* J. Harding at the upper-end of St. *Martin's-Lane;* and Sold by J. Woodward in *Scalding-Alley,* over-against *Stocks-Market,* M DCC XI (1711), 2 vols., 19 cm.

Cit. por: British Museum, 36, pág. 87; Ford-Lansing, pág. 45; Hispanic Society, 3, pág. 002163; Givanel, I, núm. 174; Grismer, pág. 155; Linn, núm. 26; Plaza, I, núm. 1158.

En: IU, BBC, LMB, MBN, NNH, OU, PCT.

Observaciones: Se trata de la traducción de Edward Ward. El ejemplar de Illinois fue adquirido de la colección de Lloyd Francis Nickell, cuyo *ex libris* aparece en la portada.

London, 1725

14 [5]

HISTORY (*The*) *Of The Valorous and Witty Knight-Errant Don Quixote Of the Mancha. Written in Spanish by Michael Cervantes. Translated into English By Thomas Shelton and now printed verbatim from the 4th Edition of 1620. With a curious Set of Cuts from the French of Coypel. In Four Volumes. Vol. I.* London: Printed for R. Knaplock, J. Walthoe, D. Midwinter, J. Knapton, B. Lintot, R. Robinson, B. Cowse, W. and J. Innys, G. Conyers, A. Ward, B. Motte, and T. Wotton, 1725, 4 vols., grabados, 16,5 cm.

Cit. por: Aguilera, pág. 32; British Museum, 36, pág. 74; Congress, 26, pág. 527; Ford-Lansing, pág. 45; Givanel, I, núm. 203; Grismer, página 141; Palau, 3, núm. 52415; Pane, núm. 983.

En: IU, BBC, DLC, LBM, MH, ViW.

Observaciones: Esta edición reproduce la traducción de Thomas Shelton. El ejemplar de Illinois lleva en los vols. 2, 3 y 4 el *ex libris* de Tho. Jelf Ponys.

London, 1733

15 [6]

HISTORY (*The*) *Of the Renowned Don Quixote De la Mancha. Written in Spanish by Miguel de Cervantes Saavedra. Translated by Several Hands: And Publis'd by Peter Motteux. In Four Volumes. Adorn'd with New Sculptures. The Sixth Edition.*

Carefully Revised, and compared with the Best Edition of the Original, Printed at Madrid. By J. Ozell. Nullum magnus ingenium sine mixtura dementiae. Vol. 1. London: Printed for J. Knapton, R. Wnaplock, J. Sprint, D. Midwinter, J Tonson, W. Innys, J. Osborn, R. Robinson, and T. Logman, MDCCXXXIII (1733), 4 vols., grabados, 16 cm.

Cit por: British Museum, 36, pág. 74; Ford-Lansing, pág. 45; Grismer, pág. 104; Palau, 3, núm. 52477; Pane, núm. 987; Plaza, I, núm. 1161; Río y Rico, núm. 1711.

En: IU, CtY, DLC, LBM, MBN (dos ejemplares), MH, NcU, PCT.

London, 1747

16 [7]

HISTORY (*The*) *Of The Renowned Don Quixote De La Mancha. Written In Spanish by Miguel Cervantes Saavedra. Translated By Several Hands. Revis'd a-new from the best Spanish Edition. To Which Are Added, Explanatory Notes from Jarvis, Oudin, Sobrino, Pineda, Gregorio, and the Royal Academy Dictionary of Madrid. Volume First.* London: Printed for M. Cooper in Pater Noster-Row, MDCCXLVII, 4 vols., 16 centímetros.

Cit. por: British Museum, 36, pág. 79; Ford-Lansing, pág. 46; Grismer, pág. 88; Palau, 3, núm. 52481; Pane, núm. 991.

En: IU, LBM, MH.

Observaciones: El ejemplar de Illinois lleva el *ex libris* de Edward Columbine. Se lee a mano "This appears to be Monteux's translation". Esta edición que registramos es de singular rareza. Sólo hemos localizado otro ejemplar en los Estados Unidos, en la biblioteca de Havard. También el Museo Británico posee un ejemplar. No hemos encontrado noticia de existencias de esta edición en las bibliotecas españolas. Parecen desconocerla la mayoría de los bibliógrafos españoles, excepto Palau.

London, 1755

17 [8]

HISTORY (*The*) *and Adventures Of The Renowned Don Quixote. Translated from the Spanish of Miguel de Cervantes Saavedra. To which is prefixed, Some Account of the Author's Life. By T. Smollett, M.D. Illustrated with Twenty-eight new Copper-Plates, designed by Hayman, And engraved by the best Artists. In Two Volumes. Vol. I.* London: Printed for a A. Millar, over against Catherine-Street, in the Strand; T. Osborn, T. and T. Longman, C. Hitch and L. Hawes, J. Hodges, and J. and J. Rivington, MDCCLV (1755), 2 vols., Frontis., grabados, 27 cm.

Cit. por: Aguilera, pág. 34; British Museum, 36, pág. 85; Ford-Lansing, pág. 46; Givanel, I, núm. 283; Graesse, II, pág. 108; Grismer, pág. 143; Linn, núm. 30; Mateu, núm. 65; Palau, 3, núm. 54845; Pane, número 993; Plaza I, núm. 1166; Rius, I, núm. 632.

En: IU, BBC, CLU-C, CtY, DLC, GMM, ICN, LBM (dos ejemplares), LRA, MB, MBN (dos ejemplares), MH, MiU, MoU, MWIW-C, NIC, NN, OC, PCT, OU (dos ejemplares), PPRF, PPLC.

Observaciones: Se trata de la primera edición, que contiene la traducción de George Tobias Smollet. Hay errata de foliación al fin del segundo volumen.

London, 1766

18 [9]

LIFE (*The*) *and Exploits Of the ingenious gentleman Don Quixote De La Mancha. Translated from the Original Spanish of Miguel Cervantes Saavedra. By Charles Parvis, Esq; The Whole carefully revised and corrected, with a new Translation of the Poetical Parts by another Hand. The Fourt Edition. Volumen The First.* London: Printed for J. and R. Tonson in the Strand, and J. Dosley in Pall-Mall, MDCCLXVI (1766), 4 vols., con 41 grabados, 17 cm.

Cit. por: Aguilera, pág. 33; British Museum, 36, pág. 79; Congress, 26, página 538; Ford-Lansing, pág. 46; Givanel, I, núm. 286; Grismer, pág. 88; Mateu, núm. 67; Palau, 3, núm. 52490; Pane, núm. 991; Río y Rico, núm. 457.

En: IU, BBC, DLG, GMM, LBM, MH, PCT.

Observaciones: Se trata de la cuarta edición de la traducción de Charles Jarvis. No parecen abundar ejemplares de esta edición, bien conocida por los bibliógrafos. En Estados Unidos sólo hemos registrado otros dos ejemplares, en el Congreso de Washington y en Harvard. En España está bien representada con tres ejemplares, de momento.

London, 1774

19 [10]

HISTORY (*The*) *Of The Renowned Don Quixote De La Mancha, Being and Accurate Complete, and Most Entertaining Narrative Of The Wonderful Atchievements Of That Incomparable Hero And Knight-Errant; From his first great Persuit after Fame Immortal, till the Close of his celebrated Career: Including, minutely, every curious Incident attending his faithful Squire and Servant, Sancho Panza. Interspersed With Luricrous Dialogues, Rhapsodies, Madrigals, and Serenades. The Whole Replete With Infinite Humour And Drollery. Translated from the Original Spanish of Miguel De Cervantes Saavedra.* By Charles Henry Wilmot, Esq. In Two Volumes. Vol. I. *Honour and Conquest, Triumph and Renown, / Shall all my bold Adventures nobly crown! / Shine out, fair Sun! and gild the blooming Day! / Come forth, my Horse! - 'Tis Glory leads the Way.* London: Printed for J. Cooke, at Shakespear's Head, in Paternoster Row, M DCC LXXIV (1774), 2 vols., frontis., grabados, 21 cm.

Cit. por: Aguilera, pág. 33; British Museum, 36, pág. 87; Congress, 26, pág. 538; Ford-Lansing, pág. 47; Grismer, pág. 156; Mateu, núm. 70; Palau, 3, núm. 52496; Pane, núm. 995; Río y Rico, núm. 462.

En: IU, CtY, DLC, GMM, LBM (dos ejemplares), MBN, MH.

Observaciones: De esta edición sólo se conocen en Norteamérica, además del ejemplar de Illinois, otros tres ejemplares. Existe otra edición idéntica del mismo año (pero la fecha no aparece en la portada), que registran algunos cervantistas como Río y Rico, núm. 463; Givanel, vol. I, núm. 336, y Plaza, vol. I, núm. 1172.

London, 1799

20 [11]

HISTORY (*The*) *And Adventures Of The Renowned Don Quixote. Translated From The Spanish Of Miguel De Cervantes Saavedra. To Which Is Prefixed, Some Account Of The Author's Life, By Smollett. In Five Volumes. Vol. I. Cooke's Edition. Embellished With Superb Engravings.* London: Printed for C. Cooke, núm. 17, Paternoster Row; And sold by all Booksellers in Great Britain an Ireland [1799], 5 vols., grabados, 14 cm.

Cit por: British Museum, 36, pág. 86; Ford-Lansing, pág. 47; Grismer, pág. 143; Palau, 3, núm. 52505; Pane, núm. 993; Río y Rico, núm. 475.

En: IU, DLC, LBM (dos ejemplares), MBN, TxU.

Observaciones: Nos encontramos ante otra rara edición, de la que sólo hemos encontrado un ejemplar en España. En Estados Unidos, además de la muestra de Illinois, existen representaciones de esta edición en el Congreso de Washington y en la Universidad de Texas.

Persiles y Sigismunda,
London, 1741

21 [12]

PERSILES *and Sigismunda: A Celebrated Novel. Intermixed with a great Variety of Delightful Histories And Entertaining Adventures. Written in Spanish by Michael De Cervantes Saavedra, Author of Don Quixote. Translated into English from the Original. Vol. I.* London: Printed for C. Ward and R. Chandler, Booksellers, at the *Ship* withour *Temple-Bar;* and at *York* and *Scarborough;* and J. Wood, and C. Woodward, te the *Dove* in *Pater-noster-Row,* MDCCXLI (1741), 2 vols., frontis., grabados, 17 cm.

Cit. por: Aguilera, pág. 83; British Museum, 36, pág. 153; Ford-Lansing, pág. 96; Givanel, I, núm. 241; Palau, 3, núm. 53935; Pane, núm. 1139; Ticknor, pág. 490.

En: IU, BBC, DLC, GEU, ICN, InU, LBM, MBA, Nh, NjP, NN, PCT.

Observaciones: El ejemplar de Illinois lleva el *ex libris* de John Sheepshanks, 1852. Se trata de una rarísima edición desconocida por la mayoría de bibliógrafos españoles, excepto Palau y Givanel. En España, por el presente, sólo tenemos noticia del ejemplar de la Biblioteca de Catalunya, en Barcelona. Esta edición presenta problemas imposible ahora de resolver. Copiamos exactamente las siguientes observaciones de la ficha de entrada en la biblioteca: "Bound by Riviere in mottled calf, gold tooled, imperfect; date or t.-p. has been deleted. Although the date on the spine is 1719, the names and addresses of the publishers suggest this is the 1741 edition".

London, 1745

22 [13]

PERSILES *and Sigismunda. A Celebrated Novel Intermix'd with a great Variety of Delightful Histories And Entertaining Adventures. Written in Spanish By Michael Cervantes Saavadera (sic) Author of Don Quixote. Traslated into English from the*

Original. Vol. I. London: Printed for Thomas Wright, Bookseller, at the Universal Circulating Library, in *Exeter Court,* near *Exeter Change,* in the *Strand,* MDCCXLV (1745), 2 vols., grabados, 17 cm.

Cit. por: British Museum, 36, pág. 153; Palau, 3, núm. 53936.

En: IU, LBM, PPULC, PU.

Observaciones: Es esta una de las ediciones más raras ofrecidas en este trabajo. En España, sólo la menciona Palau, pero no hemos conseguido localizar ejemplares en ninguna biblioteca española.

Obras cervantinas en la colección de Samuel Croxall,
London, 1720-21

23 [14]

A SLECT *Collection Of Novels In Four Volumes. Written by the monst Celebrated Authors in several Languages. Many of which never apear'd in English before; and all New Translated from the Originals, By several Eminent Hands.* London: Printed for John Watts, at the Printing-Office in *Wild-Courd* near *Lincolns-In-Fields.* MDCCXX (1720), 6 vols., frontis., grabados, 16 cm.

Cit por: British Museum, 46, págs. 559; Graesse, pág. 304; Pane, número 1247.

En: IU, CSt, CtY, DRo, ICN, MH, MiU, NjP, NN, NNF, OU, PU, RPB.

Observaciones: El ejemplar de Illinois lleva el *ex libris* de Francis Longe, Spixworth Park, Norfalk. Es ésta, como también la de 1729, una edición con abundantes ejemplares en los Estados Unidos, pero no hemos localizado ninguna muestra en España. Contiene las siguientes obras de Cervantes:

a) [*El celoso extremeño*] THE JEALOUS *Estremaduran* [London], 1720, volumen I, págs. 283-333;

b) [*La ilustre fregona*] THE FAIR *maid of the inn. Traslated from the Spanish original of Miguel de Cervantes Saavedra* [London], 1720, volumen II, págs. 217-80;

c) [*Historia del cautivo*] THE HISTORY *of the captive. Translated from the Spanish original of Miguel de Cervantes Saavedra* [London], 1720, vol. II, págs. 353-410;

d) [*El curioso impertinente*] THE CURIOUS *impertinent. Translated from the Spanish original of Miguel de Cervantes Saavedra* [London], 1720, vol. III, págs. 139-93;

e) [*La fuerza de la sangre*] THE PREVALENCE *of blood. Translated from the Spanish original of Miguel de Cervantes Saavedra* [London], 1720, vol. III, págs. 197-225;

f) [*El amante liberal*] THE LIBERAL *lover. Translated from the Spanish original of Miguel de Cervantes Saavedra* [London], MDCCXX (1720), vol. III, págs. 229-92;

g) [*Las dos doncellas*] THE RIVAL *ladies. Translated from the Spanish original of Miguel de Cervantes Saavedra* [London], 1720, vol. IV, páginas 195-243;

h) [*La Gitanilla*] THE LITTLE *gypsy. Translated from the Spanish original of Miguel de Cervantes Saavedra* [London], MDCCXXI (1721), vol. V, págs. 1-89;

i) [*La española inglesa*] THE SPANISH *lady of England. Traslated from the Spanish original of Miguel de Cervantes Saavedra* [London], MDCCXXI (1721), vol. VI, págs. 221-75;

j) [*La señora Cornelia*] THE LADY *Cornelia. Translated from the Spanish original of Miguel de Cervantes Saavedra* [London], MDCCXXI (1721), vol. VI, págs. 239-80.

Colección Samuel Croxall,
London, 1729

24 [15]

A SELECT *Collection of Novels and Histories. In six Volumes. Written by the Most Celebrated Authors in Several Languages. Many of Which Never Appar'd in English Before. All New Translated fron the Originals, by Several eminent Hands. The Second Edition, with Additions Adorn'd with Cutts.* London: Printed for John Watts, at the Printing-Office in Wild Court near Lincol's-Inn-Fields, MDCCXXIX (1729), 6 vols., frontis., grabados, 17 cm.

Cit. por: British Museum, 46, págs. 560; Ford-Lansing, pág. 50; Graesse, pág. 304; Pane, núm. 1247.

En: IU, CLUC-C, DLC, ICN, LBM, MB, MH, MnU, NcD, NN, TxU, WU.

Observaciones: Se trata de una segunda edición de la obra que citamos anteriormente (núm. 14). Contiene las siguientes novelas:

a) [*El celoso extremeño*] THE JEALOUS *Extremaduran. Translated from the Spanish original of Miguel de Cervantes Saavedra* [London], 1729, vol. I, págs. 243-84.

b) [*La ilustre fregona*] THE FAIR *maid of the inn. Translated from the Spanish original of Miguel de Cervantes Saavedra* [London], 1729, volumen II, págs. 177-229;

c) [*La historia del cautivo*] THE HISTORY *of the captive. Translated from the Spanish original of Miguel de Cervantes Saavedra* [London], 1729, vol. II, págs. 313-59;

d) [*El curioso impertinente*] THE CURIOUS *impertinent. Translated from the Spanish original of Miguel de Cervantes Saavedra* [London], 1729, vol. III, págs. 121-64;

e) [*La fuerza de la sangre*] THE PREVALENCE *of blood. Translated from the Spanish original of Miguel de Cervantes Saavedra* [London], 1729, vol. III, págs. 205-33;

f) [*El amante liberal*] THE LIBERAL *lover. Translated from the Spanish original of Miguel de Cervantes Saavedra* [London], 1729, vol. III, páginas 233-84;

g) [*La gitanilla*] THE LITTLE *gypsy. Translated from the Spanish original of Miguel de Cervantes Saavedra* [London], 1729, vol. V, págs. 1-75;

h) [*La española inglesa*] THE SPANISH *lady of England. Translated from the Spanish original of Miguel de Cervantes Saavedra* [London], 1729, vol. VI, págs. 189-234;

i) [*La señora Cornelia*] THE LADY *Cornelia. Translated from the Spanish original of Miguel de Cervantes Saavedra* [London], 1729, vol. VI, páginas 239-80.

Novelas ejemplares, colecciones,
London, 1742

25 [16]

INSTRUCTIVE *and Entertaining Novels; Designed To promote Virtue, Good Sense, and Universal Benevolence. Enrichel, with Greatf Variety of curious and uncommon Incidents and Events, exceeding Pleasant and Profitable. Translated from the Original Spanish of the Inimitable M. Cervantes. Author of Don Quixote. By Thomas Shelton With an Account of the Work, By a Gentleman of the Middle-Temple.* London: Printed for J. Nourse, at the *Lamb* against *Katharine-street,* in the *Strand* [1742], 396 (*i, e.* por 394) págs., frontis., grabados, 17 cm.

Cit. por: British Museum, 36, pág. 142; Ford-Lansing, pág. 87; Givanel, I, núm. 244; Grismer, pág. 141; Palau, núm. 53560; Río y Rico, número 781; Simón Díaz, VIII, núm. 1456.

En: IU, BBC, CLU-C, CtY, DLC, ICN, LBM (dos ejemplares), MBN, MdBP, NcD, PBm, PPUC.

Observaciones: Cada parte tiene en la portada la fecha 1742; la cuarta y última se han fechado erróneamente en 1642. Se observan los siguientes errores de paginación: 145 y 146 se han omitido los números.

Contiene seis novelas: *A Story of Two Damsels, The Lady Cornelia Bentivoglio, The Generous Lover, The Force of Blood, A Story of the Spanish Lady, The Jealous Husband.*

London, 1743

26 [17]

NOVELLAS *Exemplares: Or, Exemplary Novels, In Six Books. Viz.*

1. The Two Damsels.   *4. The Force of Blood.*
3. The Generous Lover.   *5. The Spanish Lady.*
2. Lary Cornelia Bentivoglio.   *6. The Jealous Hurband.*

Ilustrated with a great Variety of Remarkable Incidents, exceeding pleasant and profitable, tending to promote Virtue and Honour. Written Originally in Spanish, By the inimitable Cervantes, Author of Don Quixote. Translated by Mr. Tho. Shelton. A New Edition: Revised Compared with the Original by Mr. Mendez: With a Preface, giving an Account of the Work. London: Princed for and Sold by. C. Hitch in *Pater noster Row,* S. Birt in *Ave-mary Lane,* J. Brindley, H. Chapelle, and W. Ssroshire in *New Bond-street,* and J. Atkinson in *Lincon's-inn Square,* 1743 [Price Three Shillings.], 396 págs. (*i.e.* 394) págs., 17 cm.

Cit por: British Museum, 36, pág. 142; Palau, 3, núm. 53562.

En: IU, CU, DLC, ICU, LBM.

Observaciones: Se trata de una edición rarísima, desconocida por la mayoría de bibliógrafos y cervantistas españoles. Sí la cita Palau. No hemos localizado ejemplares en España.

El coloquio de los perros y Rinconete y Cortadillo
London, 1742

27 [18]

TWO HUMOROUS *Novels Viz, I. A. Diverting Dialogue between Scipio and Bergansa, two Dogs belonging to the Hospital of the Resurrection in the City of Valladolid; giving an Account of their Lives and various Adventures; interspers'd with their Reflexions and Sentiments on the Lives, Characters, Humours and Employments of the different on the they liv'd. II. the Comical History of Rinconete and Cortadillo. Both Written by the Celebrated Author of Don Quixote. And now first Translated From the Spanish Original. The Second Edition.* London: Printed by *H. Kent,* for William Sandby, Bookseller, at the *Ship* without *Temple-Bar,* M.DCC.XLII (1742), 183 págs., 17 cm.

Cit por: British Museum, 36, pág. 142; Ford-Lansing, pág. 87; Río y Rico, núm. 782; Simón Díaz, VIII, núm. 1455.

En: IU, LBM, MBN.

Observaciones: Se trata de la traducción de Robert Goadby. El ejemplar de Illinois constituye la única muestra detectada en los Estados Unidos. Entre las pocas muestras de que tenemos noticia (evidentemente existirán algunas más, sobre todo en Gran Bretaña) hemos visto, con alegría, que la Biblioteca Nacional de Madrid posee tan rara edición.

Segunda parte de Don Quijote de la Mancha.
por Fernández de Avellaneda, Alonso [pseud.]
London, 1705

28 [19]

A CONTINUACION *Of the Comical History Of the most Ingenious Knight, Don Quixote de la Mancha. By the Licenciate Alonso Fernandez de Avellaneda. Being a Third Volumen; Neves before Printed in English. Illustrated with Several curious Cooper Cuts. Translated by Captain John Stevens.* London: Printed for Jeffery Wale, at the *Angel* in St. Paul's Church-yard; and John Senex, next the *Fleece* Tavern in *Cornhil,* 1705, 16 hs. + 348 págs. + 13 grabados, 20 cm.

Cit. por: British Museum, 72, pág. 233; Ford-Lansing, pág. 106; Givanel, I, núm. 156; Grismer, pág. 62; Mateu, núm. 872; Palau, 5, número 88054; Plaza, II, núm. 2284; Simón Díaz, X, núm. 644.

En: IU, BBC, CLU-C, DLC, GMM, ICN, LBM (dos ejemplares), MB, MBN (dos ejemplares), MH, NN, NjP, PU.

Observaciones: Se trata de la traducción de la versión francesa de A.R. Lesage, la *Segunda parte del ingenioso hidalgo don Quijote de la Mancha,* publicada en 1614. El ejemplar de Illinois tiene el *ex libris* de S^r. Robt Eden Bar^t.

29 [20]

HISTORY (*The*) *Of The Life and Adventures Of the famous Knight Don Quixote De La Mancha, An his Humorous Equire Sancho Panca, Continued. By Alfonso Fernández de Avellaneda. Now first Translated from the original Spanish. With a Preface, giving an Account of the Work. By Mr. Baker. Vol. I. Illustrated with Curious Cuts.* London: Printed for Paul Vaillant, facing *Southampton-Street,* in the *Strand,* 1745, 2 vols., 16 cm.

Cit. por: British Museum, 72, pág. 233; Ford-Lansing, pág. 106; Graesse, pág. 126; Grismer, pág. 62; Palau, 5, núm. 88055.

En: IU, CtY, LBM (dos ejemplares), MH, NN.

Observaciones: Se trata de una rarísima edición, que no hemos localizado en ninguna biblioteca española.

30 [21]

A CONTINUATION *Of the History and Adventures of the Renowned don Quixote de la Mancha. Written Originally in Spanish, By the Licentiate Alonzo Fernandez de Avellaneda Translated into English by William Augustus Yardley, Esq. in two Volumes.* London: Printed for Harrison and Co., 1784, 2 vols. en 1, grabados, 21 cm. [*The Novellist's Magazine. Vol. XVI. Containing Avellaneda's Quixote. Virtuous Orphan.* London: Printed for Harrison and C.º 18 Paternoster Row, 1784].

Cit por: British Museum, 72, pág. 233; Catalogue Générale, 50, pág. 1131; Congress, 47, pág. 368; Ford-Lansing, pág. 106; Graesse, 2, pág. 106; Linn, núm. 83; Palau, 5, núm. 88056; Simón Díaz, X, núm. 645.

En: IU, DLC, LBM (dos ejemplares), MH, NNC, OCIW, OOxM, OU, PBm, PBN, PPRF, PSt, ScU, WU.

Observaciones: El ejemplar de Illinois carece de portada, cuyo contenido se ha reproducido a máquina en el ejemplar de la biblioteca.

II. TRADUCCIONES ITALIANAS

Don Quijote de la Mancha,
Venecia, 1625

31 [22]

DELL'*ingegnoso Cittadino Don Chisciotte Della Mancia. Composta da Michel di Cervantes Saavedra. Et hora nuouamente tradotta con fedeltà e chiarezza, di Spagnuolo in Italiano, Da Lorenzo Franciosini. Fiorentino. Parte Prima. Opera doue accopiato l'utile, & il diletto, con dolcezza di stile, e con leggiadissima inuenzione si dimostra, quanto infruttuosa, e vana sia la lettura de libri di Caualleria, e con intrecciatura di fauole, e d'altri gentilissimi accidenti, si spiegano dicorsi nobili, succesi marauigliosi, sentenzie graui, & altre cose belle, e degne di qual si voglia giudizioso lletore. In questa Seconda Impressione corretta, e migliorata con la Traduziones de i versi Spagnuoli, non tradotti nella prima edizione.* In Venetia Appresso Andrea Baba, MDCXXV (1625). *Con Licenza de Superiori, e Priuilegio,* 7 hs. + 662 (*i. e* 694) páginas + 3 hs., 16,5 cm.

Cit. por: British Museum, 36, pág. 98; Ford-Lansing, pág. 78; Givanel, I, núm. 65; Graesse, 2, pág. 107; Grismer, pág. 64; Palau, 3, número 53136; Plaza, I, núm. 1423; Rius, I, núm. 781; Rodríguez, núm. 250; Simón Díaz, VIII, núm. 1480; Toda, *Italia,* núm. 1.100, Bianchini n.º 604.

En: IU, BBC, LBM, MBN, MBS, OU, PANB, RBN, SAT, VBM.

Observaciones: Rarísima edición que en Estados Unidos está representada sólo por dos ejemplares, incluido el de Illinois. Hemos localizado muestras en Europa, sobre todo en España. Río y Rico no la menciona, pero ahora la posee la Biblioteca Nacional, procedente de la colección Sedó.

Novelas ejemplares,
Venecia, 1629

32 [23]

NOVELLIERE (*Il*) *Castigliano Di Michiel Di Cervantes Saavedra; Nel quale, mescolandosi lo stile graue co'l faceto, si narrano auuenimenti curiosi, casi strani, e successi degni d'ammiratione: E si dà ad ogni sorte di persona occasione d'apprendere e precetti Politici, e documenti Morali, e concetti Scientifichi, e fruttuosi: Tradotto dalla lingua Spagnuola nell'Italiana. Dal Sig. Gvglielmo Alessandro de Nouilieri, Clauelli: E da lui fattiui gli Argomenti, e dichiarate nelli margini le cose piú difficili.* In Venetia, Presso il Barezzi, MDCXXIX (1629). *Con Licenza de'Superiori, et Priuilegio* [8 hs.] + 720 págs., 16 cm.

Cit. por: Aguilera, pág. 72; Catalogue Générale, 25, pág. 825; Ford-Lansing, pág. 93; Givanel, I, núm. 76; Grismer, pág. 112; Palau, 3, pág. 454, Rius, I, núm. 971; Simón Díaz, VIII, núm. 1530, Bianchini, n.º 613.

En: IU, BBC, CU, DLC, ICN, IEN, MH, PBN, PCT, PPULC, PU, VNC, VBM.

Obra atribuida,
Milano, 1608

33 [24]

RELATIONE *Di Qvanto E'Successo Nella Citta'Di Vagliadolid. Dopò il felicissimo nascimento del Principe Di Spagna Don Filipo Dominico Vittorio Nostro Sig. Fin che si finirono le dimostrazioni d'allegrezza, che per quel si fecero; Tradotta di lingua Castigliana da Cesare Parona. Ad instanza di Girolamo Bordoni. Con Priuilegio, & licenza de'Superiori.* In Milano, Per Girolamo Bordoni & Pietro Martire Locarni, M.DC.VIII (1608) [6] hs. + 116 pág. 23 cm.

Cit por: Catalogue Générale, 25, pág. 857; Ford-Lansing, pág. 110 Grismer, pág. 125; Palau, 3, pág. 470; Simón Díaz, VIII, núm. 1553.

En: IU, PBN.

Observaciones: El ejemplar de Illinois va encuadernado con la obra de Cesare Parona: *Feste di Milano nel felicissimo nascimento del Principe di Spagna don*

Filippo Dominico Vittorio..., Milano, 1607. Se trata de una relación atribuida a Cervantes y traducida al italiano en 1608. Nos encontramos ante una obra de inusitada rareza. De momento sólo podemos señalar dos ejemplares en todo el mundo. El de Illinois es único en Norteamérica. Procede de la biblioteca particular de Conde Antonio Cavagna, de Italia, comprada por la Universidad de Illinois en 1921.

CONCLUSIONES

La sección de libros raros de la biblioteca de la Universidad de Illinois posee muestras cervantinas que convenía señalar. Acabamos de examinar 24 de estas muestras cervantinas, todas curiosas, algunas rarísimas. Estos fondos cervantinos constituyen especialmente traducciones al inglés. Destacan las traducciones inglesas —todas londinenses— del *Quijote:* se trata de 11 ediciones. Dos de ellas pertenecen al siglo XVII: London, 1652, y London, 1687. Las otras nueve pertenecen al siglo XVIII, centuria donde en Gran Bretaña proliferaron las traducciones cervantinas. Aunque son muchas las ediciones del *Quijote* en inglés que faltan en Illinois (sólo basta consultar el catálogo del British Museum y el de la Colección Sedó, en España), la Universidad de Illinois es, probablemente, una de las mejores representadas en esta vertiente inglesa en los Estados Unidos, y ocupa buen lugar, para la misma zona, entre las de otros países. Destacan por su rareza 5 ediciones: London, 1711-12; London, 1747; London, 1766; London, 1774, y London, 1799. También el *Persiles,* traducido al inglés, cuenta con dos curiosas muestras dieciochescas. La de London, 1754, es de gran rareza. Las novelas ejemplares cervantinas, más las dos intercaladas en el *Quijote,* se encuentran en Illinois, como en muchas bibliotecas estadounidenses, representadas por dos ediciones de la colección micelánica de Croxall: London, 1720--, y London, 1729. Las *Novelas ejemplares* cuentan, además, con ediciones específicas inglesas de London, 1742, y London, 1743. Esta última, de gran rareza. Especial importancia tiene la traducción inglesa de *El coloquio de los perros* y *Rinconete y Cortadillo,* London, 1742. El ejemplar de Illinois es el único conocido en Norteamérica y uno de los pocos que quedan en el mundo.

El falso *Quijote* de Fernández de Avellaneda cuenta en Illinois con tres traducciones inglesas del siglo XVIII. La edición de London, 1745, rarísima y desconocida, al parecer, en España.

La última sección de nuestra investigación se ocupa de dos traducciones italianas: *Quijote,* Venecia, 1625, y *Novelas ejemplares.* Venecia, 1629, muestras escasas, pero conocidas en los famosos núcleos cervantinos españoles. Ya hemos calificado de inusitada rareza la relación atribuida a Cervantes, traducida al italiano y publicada en Milán, en 1608.

III

LA COLECCION GONGORINA[12]

12.   Publicado en *Boletin de la Real Academia Española*, t. 69 (1979), págs. 157-187.

En estos últimos años hemos llamado la atención sobre la abundancia de fondos españoles antiguos que se albergan en la biblioteca universitaria de Illinois, en Urbana. Conviene destacar los núcleos que sobresalen por su importancia y rareza. Uno de estos núcleos lo representa la colección gongorina, cuya presencia en Urbana es prácticamente desconocida por la mayoría de gongoristas y bibliógrafos de la literatura española. No hace mucho tiempo que E.M. Wilson, en trabajo que revisaremos más adelante, ha llamado la atención sobre dos ejemplares ilinoyenses de la edición de 1627. El desconocimiento general de la sección gongorina de Urbana se justifica por el hecho de que su formación es relativamente reciente: desde finales de la década de 1950 hasta principios de la de 1960. En algunos casos podemos precisar la fecha de ingreso en la biblioteca y hasta la procedencia de varios volúmenes. La constitución de la rara colección gongorina se debe a los esfuerzos personales de nuestro predecesor, el Prof. James O. Crosby. La mayoría de los ejemplares procedían directamente de España, a través de colecciones particulares, fundamentalmente. Otros fueron adquiridos a través del librero Rosenthal, de Lisboa. Lo que importa ahora, para la investigación literaria, es localizar su paradero y saber que son accesibles en un importante centro de investigación hispanística en Estados Unidos. Ello hará crecer los estudios gongorinos más allá del Atlántico. Por fortuna, en España, en la Biblioteca Nacional de Madrid, se encuentran importantes muestras, bien conocidas, de estas mismas ediciones, muestras a las que nos referiremos oportunamente.

Antes de aludir con detalle a los ejemplares ilinoyenses (y después de esta introducción), presentaremos una lista de la bibliografía gongorina que exista y de los repertorios más importantes en que hay alusiones a las obras estudiadas. Por ello, cuando en esta introducción nos referimos a algún investigador (por ejemplo, Foulché-Delbosc), rogamos al lector que complete los datos bibliográficos con la citada lista. También allí ofrecemos las siglas de las diversas bibliotecas donde se han localizado ejemplares.

La bibliografía sobre ediciones y ejemplares gongorinos cuenta ya con trabajos importantes de conjunto, que tienen un gran valor orientador. Nos referimos a los trabajos de R. Foulché-Delbosc, Alfonso Reyes y L.P. Thomas. Por su precisión y técnica se destacan las diversas monografías anónimas publicadas por la Hispanic Society of America, que suponemos salieron de la experta pluma de su bibliotecaria, Clara Louisa Penney. Hay tres investigaciones específicas sobre la misteriosa edición madrileña de 1627, la de Vicuña. Nos referimos a la monografía de Joaquín de Entrambasaguas; a la edición facsimilar, con luminoso estudio preliminar, de Dámaso Alonso, basada en un ejemplar de la Biblioteca Nacional de Madrid, y al modélico artículo de Edward M. Wilson. Hay artículos específicos sobre otras ediciones concretas, como uno de Homero Serís, para la edición preparada por Hoces (Madrid, 1633).

Nuestras descripciones en el presente ensayo bibliográfico, de carácter presentativo y enumerativo, se limitan a lo fundamental: la portada completa, el número de paginación y las signaturas internas de los pliegos. La oportuna referencia a trabajos específicos (por ejemplo, a las monografías de la Hispanic Society) nos relevan de repetir todos los minuciosos detalles técnicos que allí encontrará el lector. Hay que insistir en que las dificultades (y variedades entre sí) de las ediciones gongorinas son muchas[13]. Recordemos que nuestra investigación se centra en los fondos ilinoyenses, que tratamos de aislar, para identificar sus peculiaridades, en comparación con otros ejemplares gongorinos, bien estudiados por otros investigadores. Los aspectos técnicos sobre un ejemplar ilinoyense, o el resumen de la información conocida sobre una edición, se presentan, cuando se considera necesario, bajo el epígrafe de *Observaciones*. Localizamos otros ejemplares dispersos por el mundo. Para Norteamérica acudimos al *Unión Catalog*[14], de reciente publicación. Por lo que toca a bibliotecas europeas, nos servimos de los datos suministrados por investigaciones precedentes: Foulché-Delbosc, Reyes, Hispanic Society, Wilson, etc. En la mayoría de los casos nos es imposible señalar las características o variantes importantes de los ejemplares que no se encuentran en Urbana. Cuando no poseemos trabajos anteriores que lo indiquen, agrupamos las otras muestras gongo-

---

13.   Véase, por ejemplo, lo que escribe Entrambasaguas, en la monografía *Un misterio...* (véase lista general de repertorios), en la página 95, nota 133: "Alfonso Reyes hizo notar diferencias notables en el texto de las ediciones de Hoces (ob. cit. [véase nuestra lista], págs. 96-8), que se podrían ampliar. Sólo entre los ejemplares de cada una conservados en la Biblioteca Nacional de Madrid —en total, 19: seis de la de 1633, dos de la de 1634, dos de la de 1648 y nueve de la 1654— he podido advertir, con la señorita Celia Iñíguez, diestra bibliotecaria de ella, lo siguiente: tres variantes distintas aparecen en los ejemplares de la primera; dos en la de la segunda y de la tercera, con lo que resultan diferentes entre sí las dos que se conservan de cada una, y dos tipos distintos de ejemplar en los de la segunda parte de que uno de ellos esté falto de preliminares".

14.   Véase volumen n.º 205 (London, 1972), págs. 539-544.

rinas que se conservan con el ejemplar concreto de Illinois. Ello contribuía a confirmar la importancia y rareza de los libros conservados en Urbana, al notar los pocos ejemplares, atestiguados, de una particular edición gongorina. La lista que enumera ejemplares es provisional y no puede, ni pretende, ser completa. En algunos casos, sin embargo, representa la nómica más nutrida conocida hasta la fecha.

Hemos dividido el presente trabajo en dos secciones. Una se ocupa de las ediciones gongorinas. A este respecto, anticipemos, a guisa de resumen, que Illinois posee dos ejemplares de la primera edición, la de Vicuña (Madrid, 1627), que, como señala Dámaso Alonso, ofrece los textos gongorinos con más fidelidad, aunque no los reproduce todos. Las ediciones preparadas por Hoces, tan minuciosamente descritas en la monografía de la Hispanic Society, *Góngora. Editions of Todas las obras...*, están muy bien representadas (véase reproducción de las portadas): la de Madrid, 1633 (ejemplar con retrato de Góngora); Madrid, 1634, y Madrid, 1654 (el ejemplar de Illinois constituye la edición pirateada, impresa, en realidad, en Zaragoza). No se encuentran en Urbana (pero sí en la Hispanic Society of America; véase Clara Louisa Penney, *Printed Books, 1468-1700...*, págs. 235-6), tres ediciones de *Delicias del Parnaso* (Barcelona, 1634; Barcelona, 1640, y Zaragoza, 1643) y las ediciones de Zaragoza, Pedro Verges, 1643; Lisboa, Pedro Craesbeck, 1646[15] y Sevilla, Nicolás Rodríguez, 1648. Hay que subrayar que la Universidad de Illinois posee la que se considera, tipográficamente, más bella edición gongorina: la de Bruselas 1659. También se encuentra en Urbana la edición de Lisboa, 1667, de cierta rareza, aunque bien representada en la Biblioteca Nacional de Madrid, con tres ejemplares.

La segunda sección de este artículo enumera las ediciones gongorinas, con comentarios, que se albergan en Urbana. Notamos aquí la bella edición, en perfecto estado, del *Polifemo,* con comentario de Salcedo Coronel (Madrid, 1629); *Las lecciones solemnes...,* de Pellicer de Tovar (Madrid, 1630); la *Ilustración y defensa de la fábula de Píramo y Tisbe,* de Salazar Mardones (Madrid, 1636), y las obras de Luis de Góngora, comentadas por Salcedo Coronel (Madrid, 1636-48). (En Illinois se encuentran dos ejemplares del volumen segundo de esta misma edición).
40-1

No cabe duda, pues, que Urbana ocupa un lugar importante entre las ciudades que albergan fondos gongorinos. Y ojalá que estas notas bibliográficas nuestras (insistimos que tienen un carácter esencialmente presentativo y difusor) contribuyan al conocimiento de los importantes y escasos fondos gongorinos que se conservan en el mundo.

15. Foulché-Delbosc menciona otra edición lisboeta, del mismo impresor, de 1647. En la Hispanic Society se encuentra *Quatro comedias famosas* (Madrid, L.S. Iuan Berrillo, 1617). En la Biblioteca Nacional de Madrid se conservan varios ejemplares de esta edición.

A. EDICIONES DE GONGORA

Obras en verso del Homero español...
Madrid, 1627

34 [1]

OBRAS *en verso del Homero español que recogio Iuan Lopez de Vicuña. Al Ilv-tris.ᵐᵒ Y Reverend.ᵐᵒ Señor don Antonio Zapata, Cardenal de la santa Iglesia de Roma, Inquisidor general en todos los Reynos de España, y del Consejo de Estado del Rey nuestro señor.* [Un dibujo]. Con Privilegio. En Madrid, Por la viuda de Luis Sanchez, Impressora del Reyno. Año M.DC. XXVII (1627). A costa de Alonso Perez, mercader de libros. 6 hs., 160 fs., 19 cm.

Signaturas: ¶⁶ y A⁸ - V⁴.

Cit.: Alonso, *passim;* Artigas, págs. 207-212; Gallardo, n.º 4.429; Goldsmith, pág. 75, n.º 230; Foulché-Delbosc, n.º 57; Guzmán y Reyes, pág. 172; Jerez, pág. 46; Millé y Giménez, n.º 280; Palau, vol. 6, n.º 104.626; Penney, pág. 235; Penney y Góngora, pág. 17; Ramírez de Arellano, I, n.º 653; Reyes, págs. 92-93; Salvá, I, n.º 640; Simón Díaz, *Impresos,* pág. 471, n.º 1.753, y Ticknor, pág. 155.

Ejemp.: IU (2 ejemplares), CEMW, DLC, LBM, MB, MBN (3 ejemplares), MFL, MRM, NIC, NNH (2 ejemplares) y SMP.

Observ.: Esta edición primera, muy fidedigna, aunque dejó de incluirse una buena zona de la producción gongorina, es rarísima. Sin duda, contribuyó a su desaparición el hecho de que fue retirada por orden de la Inquisición, al cabo de pocos meses de haber visto la luz. Artigas, págs. 207-12, fue el primero en llamar la atención sobre el proceso inquisitorial. Homero Serís[16] fue quien (basándose en una nota inédita de Clara Louisa Penney) observó algunas importantes diferencias entre los dos ejemplares de la Hispanic Society. Las diferencias, después ampliadas y documentadas por Joaquín de Entrambasaguas y Dámaso Alonso, con los ejemplares de la Biblioteca Nacional madrileña, se refieren a dos sonetos satíricos y son: en un ejemplar (que llamaremos A), en el folio 20r, aparece "De Isabel de la Paz..."; en el folio 20v, "A D. Francisco de Queuedo...". En el otro ejemplar (que llamaremos B) se han modificado estas alusiones directas por otras más vagas y menos ofensivas: "De aquella tal por cual" y "A vn Cauallero". Pueden verse en los facsímiles de estas páginas que publicaron Entrambasaguas y Dámaso Alonso. Aquí reproducimos nosotros también el folio 20v de un ejemplar ilinoyense, que designaremos por la letra A. Entrambasaguas estableció y amplió semejantes diferencias a las notadas por Homero Serís respecto a los dos ejemplares de la Hispanic Society, para concluir que uno de los ejemplares de la Biblioteca Nacional tenía los folios 20 y 21 originales, y los tros dos (ejemplares que designaremos B y C) representaban la edición con correciones. Entrambasaguas publicó también importantes documentos del proceso inquisitorial. La investigación gongorina debe honda gratitud a Dámaso Alonso, máximo conocedor y esclarecedor durante décadas de Góngora, al editar en facsímil el ejemplar *original* (respecto a los folios 20r y 20v) de la Biblioteca Nacional, acompañado de un luminoso estudio preliminar, en donde se penetra en los problemas fundamentales que plantea la edición de Vicuña. Edward M. Wilson vuelve sobre el tema, analizando doce ejemplares (uno de su biblioteca particular), para notar nuevas diferencias importantes, que afectan a los folios comprendidos entre el 57r y el 64v, y reproduce en facsímil estos folios de su propio ejemplar, que, en esta zona, representan una edición original. Por el contrario, en el ejemplar de la Biblioteca Nacional que reprodujo Dámaso Alonso y también en el *ejemplar A* de Illinois tienen importantes modificaciones. Fundamentalmente, se trata de la supresión, en los folios 57v y 58r, de unas décimas satíricas que empiezan con *Musa,* sustituidas por adornos de imprenta en el 57v y con enormes títulos de DEZIMAS SATIRICAS en el 58r. También es importante que en el folio 58r, en unas décimas dedicadas al bufón "Sotés", se ha sustituido este nombre propio por un inofensivo "Cortés".

He aquí las características de los dos ejemplares de Illinois, que designaremos A y B, respectivamente.

Ejemplar A:

Hay mutilación en la última línea de la portada que afecta a unas palabras, que se han sustituido en nuestra descripción con la reproducción facsímil de la portada que aparece en Clara Louisa Penney, *Góngora,* página 16 (después la portada de la edición Vicuña ha sido reproducida en varios de los trabajos que acabamos de citar). Faltan los folios 16 y los comprendidos entre 155-158 (es curioso, como nota

16.   *Don Pedro de Cárdenas, mecenas y editor de Góngora*, en "Nueva Revista de Filología Hispánica", IX (1955), págs. 22-32; véase allí la nota 4, en la página 23.

Wilson, que en estos folios eliminados se contenían poemas atacados por Horio y Pineda, los censores especiales para la Inquisición en este proceso contra la edición de Vicuña). Tienen la versión original de los folios 20 y 21. Por el contrario, los folios 57, 58, 63 y 64 representan una versión modificada. Este ejemplar coincide, en lo fundamental, con el de la Biblioteca Nacional que edita, en 1963, Dámaso Alonso. Ingresó en Urbana a principios de la década de 1960, adquirido a través del librero R.B. Rosenthal de Lisboa. Encuadernación en pergamino de la época.

Ejemplar B:

Falta la portada, las tres hojas siguientes de preliminares y los folios 73, 112, 113 y 148. Algunas hojas (49, 50, 95, III y 160) están mutiladas y se observa pérdida del texto. Wilson, a través de los datos facilitados por Crosby, se refiere a una hoja manuscrita, en que se encuentra una poesía atribuida a Góngora: "O claro inventor Charquias...". Versión original de los folios 20 y 21, y también de los folios 57, 58, 63 y 64. El hecho de que los folios 57, 58, 63 y 64 no están modificados representa, tipográficamente, la diferencia más esencial con el *ejemplar A*. Se adquirió en una librería madrileña en 1967 y debió de haber estado en manos de un propietario catalán, porque hay una nota a lápiz, descriptiva, en esta lengua.

He aquí, según Wilson (págs. 36-38) los ejemplares que, además de los dos descritos de Urbana, tienen los folios 20 y 21 originales: MBN (el reproducido por Dámaso Alonso), LBM, SMP, CEMW, MH, NNH (ejemplar A) y MB. Ejemplares con los folios 20 y 21 modificados: MBN (ejemplares B y C) y NNH (ejemplar B). Desconocemos la situación de otros ejemplares que no cita Wilson: el de la biblioteca del congreso en Washington, el de la Universidad de Cornell, el de la Biblioteca Nacional de Nápoles (véase nuestra *addenda*), el de la viuda de A. Rodríguez Moñino y el de la Facultad de Filosofía y Letras de Madrid (véase J. Simón Díaz, *Bibliografía de la literatura hispánica,* vol. XI, n.º 138; Madrid, 1976). Hay que lamentar que un ejemplar que vio Foulché-Delbosc en la Bibliothèque Nationale de París haya desaparecido.

He aquí los ejemplares que tienen los folios 57, 58, 63 y 64 originales, según Wilson. Además del *ejemplar B* de Urbana, CEMW, NNH (los dos ejemplares que hemos designado A y B) y MB.

Todas las obras de Don Luis de Góngora.
Madrid, 1633

35 [2]

TODAS *las obras de Don Lvis De Gongora en varios Poemas. Recogidos Por Don Gonzalo de Hozes y Cordoua natural de la Ciudad de Cordoua. Dirigidas A Don Francisco Antonio Fernandez De Cordova, Marques de Gvadalacar,* c. [Un dibujo representado por una florecilla, distinta de la que aparece en la portada del ejemplar de la Hispanic Society]. 62. Con Privilegio. En Madrid en la imprenta del Reino. Año 1633. A costa de Alonso Perez, Librero de su Magestad. 8 hs. + 234 fs.; 19,5 cm.

Signaturas: ¶^{8}, ¶¶^{8}, A-Z^8 y Aa^8 - Gg^2.

Portada distinta de la del ejemplar de la Hispanic Society (cfr. Hispanic Society, *Todas las Obras,* pág. 9); se distingue fácilmente de éste por la florecilla en la portada y por las siguientes diferencias tipográficas: MADRID por *Madrid* y librero en vez de Librero, como en el ejmplar de la Hispanic Society.

Cit.: Foulché-Delbosc, n.º 65; Goldsmith, pág. 75, n.º 231; Hispanic Society, *Todas las Obras,* pág. I; Jerez, pág. 235; Millé y Giménez, n.º 284; Monteverde, n.º 2.682; Palau, vol. 6, n.º 104.627; Penney, pág. 235; en Penney, *Góngora,* pág. II, y en Hispanic Society, *Todas las Obras,* pág. 9, se reproduce también una portada de un ejemplar, que representa una edición distinta de la de Urbana; Reyes, pág. 96; Salvá, I, págs. 230-37; Serís, págs. 438-442, y Thomas, pág. 325.

Ejemp.: IU, LBM, MBN, MH, MSM, NcD, NIC, NNH (2 ejemplares), PBM y PMC.

Observ.: Por fin, en 1633 se permite, respetando las censuras de Pineda, una edición gongorina, donde aparece el nombre de su autor. Los textos son más defectuosos, más modificados que en la de 1627, pero se amplía mucho el número de composiciones gongorinas. Robert Jammes[17] estudia algunas de las diferencias esenciales entre la edición de Vicuña y la de Hoces. Lo importante a notar es que hay dos ediciones de 1663. La portada de una de ellas, como el ejemplar de Illinois (véase reproducción de la portada), tiene como ornamento de imprenta una florecilla, pero lo que distingue y avalora esta edición es un bello retrato de Góngora, debido a la pluma del grabador francés I. de Courbes (el mismo que ilustró bellamente la edición del *Polifemo* con comentarios de Salcedo Coronel, Madrid, 1629). Esta edición con el retrato es superior y más escasa que la otra (sin retrato) del mismo año. Homero Serís, página 442, resume sus conclusiones: "No cabe duda, pues, de que, aunque se trata de dos ediciones impresas a plana y renglón, excepto los preliminares y el folio 154, son, en realidad, dos ediciones distintas, de las cuales la segunda en aparecer fue la de las erratas corregidas, o sea la que carece de retrato".

He aquí los ejemplares de la edición con retrato que conocemos: IU, NNH (ejemplar A), MBN (2 ejemplares, según Homero Serís, uno con el retrato arrancado, signatura R-2.272), ejemplar (MSM) Doña Antonia Sánchez Moreno (según Homero Serís) y ejemplar (PMC) Luis Monteverde da Cunha Lobo (según Hispanic Society, *Todas las Obras,* pág. 7).

El ejemplar de Illinois fue adquirido, a través del librero R.B. Rosenthal, en 1957. El ejemplar de Illinois es completo. La hoja con el retrato aparece mutilada. No afecta a la efigie de Góngora, pero sí al texto de la *Vida,* que aparece en la página siguiente. Encuadernación en pergamino de la época. Ejemplares de la otra edición, sin retrato: LBM, LBN, MBN (3 ejemplares), NNH, PBN (según datos recogidos de Hispanic Society, *Todas las Obras,* pág. 13, y Homero Serís, págs. 439 y 440). Desconocemos la exacta edición de los ejemplares de MH, NcD y NIC.

---

17. *Etudes sur l'oeuvre poétique de Don Luis de Góngora y Argote* (Bordeaux, 1967), págs. 639-45.

Madrid, 1634
36 [3]

TODAS *las obras de don Lvis De Gongora en varios Poemas. Recogidos por Don Gonzalo de Hozes y Cordoua, natural de la Ciudad de Cordoua. Dirigidas A Don Francisco Antonio Fernandez De Cordova, Marques De Guadalcazar,* c. [Un dibujo representado por una florecilla, como en la edición A de 1633]. *60.* Con Privilegio. En Madrid, En la Imprenta del Reyno. Año 1634. A costa de Alonso Perez, Librero de su Magestad. 14 hs. + 332 fs. Grabado. 18 cm.

Signaturas: ¶⁸, ¶¶⁶, A - Z⁸ y Aa - Ff⁸.

Cit.: Foulché-Delbosc, n.º 67: Goldsmith, pág. 75, n.º 232: Guzmán y Reyes, pág. 174; Hispanic Society, *Todas las Obras,* pág. 15; Jerez, pág. 46; Palau, vol. 6, pág. 262; Penney, pág. 235; Reyes, págs. 96-97; Salvá, I, n.º 641, y Thomas, pág. 325, Bianchini, n.º 965.

Ejemp.: IU, CEMW, BBR, DPU, MBM, MBN (2 ejemplares), MH, NjP, NNH, VBM.

Observ.: El ejemplar de Illinois procede de la biblioteca particular, en Madrid, de Armando Cotarelo Valledor, cuyo *ex libris* aparece en el volumen. Ingresó en Urbana en 1958. Está completo y en buen estado. Encuadernación sencilla de cartón. Coincide (véase portada) con el de la Hispanic Society, cuya portada se reproduce en Hispanic Society, *Góngora; Editions of Todas las obras,* pág. 15. Hay diferencias entre algunos ejemplares de estas ediciones. En el caso del ejemplar de la Biblioteca Real de Bruselas, dice Thomas, pág. 325: "Son titre ne diffère que par de menus détails: il porte «D. Lvis» au lieu de «Don Lvis», ajoute, après «Guadalcazar 82», les mots «Corregido y enmendado en esta vltima impression», et porte le chiffre 62. Les préliminaires sont de 16 feuillets au lieu de 12; le contenu est le même dans un ordre un peu différent. Le text contient le même nombre de feuillets, mais l'impression ne marche pas rigoureusement de pais de pais et d'autre".

Todas las obras (ed. pirateada)
Madrid, 1654
37 [4]

TODAS *las obras de Don Lvis De Gongora, en varios poemas. Recogidos Por Don Gonzalo De Hozes y Cordova, natural de la Ciudad de Cordoua. Dedicadas A Don Lvis Mvriel Salcedo y Valdiuisso, Cauallero de la Orden de Alcantar,* c. *62.* [Siguen tres pequeños dibujos.] Con Licencia, En Madrid. en la Imprenta Real. Año de 1654. A costa de la Hermandad de los Mercaderes de libros. 7 fs. + 234 fols. + (3) hs., 21 cm.

Signaturas: ¶⁴, ¶¶⁴, ¶¶¶², A - Z⁸, Aa - Ff⁸ y Cg².

Cit.: Foulché-Delbosc, n.º 103; Gallardo, IV, 4.431; Guzmán y Reyes, pág. 180; Heredia, n.º 5.471; Hispanic Society, *Todas las Obras,* págs. 37-42; Quaritch, n.ºˢ 662-3; Seillière, n.º 551; Salvá, I, n.º 643; Sunderland, n.º 5.648, y Vindel, n.º 3.243.

Ejemp.: IU, DFo, ICN, LBM, LBN, MB, MBN (9 ejemplares), MH, MIU, MoU, PBN, PU, TNJ y TxU.

Observ.: El ejemplar de Illinois ingresó en 1961, adquirido a través de la librería R.B. Rosenthal Ejemplar completo. Hay tres páginas ligeramente mutiladas, pero no afectan al texto. Encuadernación en pergamino de la época. Se trata de la edición furtiva, impresa en Zaragoza, que menciona Salvá, I, n.º 644 ("Esta reimpresión furtiva, hecha en Zaragoza, según puede inferirse de su basto y negro papel, se distingue fácilmente de la otra por esta circunstancia, por no llevar escudo alguno grabado en la portada, ser de letra cursiva la *Advertencia* que va al fin de los preliminares, tener equivocada la foliación de la última hoja, como en la genuina"), y las diferencias de la portada se pueden comprobar fácilmente, consultando a Hispanic Society, *Góngora, Editions of Todas las Obras,* pág. 37. Añadimos que una manera rápida de distinguirla de la genuina es que en la genuina, en la última línea de la portada, se_ lee: "*Acosta de la Hermandad de los Mercaderes de libros de Madrid*". En la furtiva: "*Acost a* (sic) *de la Hermandad de los Mercaderes de libros*". Es decir, no aparece la palabra "*Madrid*". También hemos careado superficialmente el ejemplar de Illinois con el ejemplar de la biblioteca universitaria de Texas en Austin (cuyo microfilm posee la biblioteca de la Universidad de Illinois), ejemplar tejano, genuino, que coincide con el de la Hispanic Society. Para otras diferencias remitimos a Hispanic Society, ob. cit., en estas mismas observaciones.

De los ejemplares que hemos citado, he aquí, fundamentalmente, según datos de Hispanic Society, *Todas las Obras,* págs. 41-42, los ejemplares que sabemos constituyen la genuina edición madrileña: LBM, LBN, MB, MBN, NN, PBN y TNJ.

He aquí los ejemplares que constituyen la edición furtiva zaragozana, según datos recogidos de Foulché-Delbosc, pág. 127 (n.º 104). Además de IU, tenemos MBN (R-652) y PBS. Desconocemos a qué edición pertenecen los otros ejemplares enumerados por nosotros en este apartado, aunque podemos adelantar que deben ser muy pocos los que pertenecen a la furtiva, de gran rareza.

Obras de Don Luis de Góngora.
Bruxelles, 1659

38 [5]

OBRAS *de don Lvis De Gongora. Dedicadas Al Excellent.ᵐᵒ Señor Don Luis De Benevides, Carillo, Y Toledo, c. Marques de Caracena, c.* [Escudo del impresor.] En Brusselas, De la Imprenta de Francisco Foppens, Impressor y Mercader de Libros. M.DC.LIX (1659). 8 hs. + 650 págs. + 10 hs.; 22,5 cm.

Signaturas: *4, **4, A-Z⁴, Aa-Zz⁴, Aaa-Zzz⁴, Aaaa-Oooo⁴ y Pppp².

Seis folios firmados Y* entre las signaturas Y y Z, págs. *1⁷5 a *185.

Cit.: Doublet, pág. 65; Foulché-Delbosc, n.º 109; Goldsmith, pág. 75, n.º 236; Jerez, pág. 46; Heredia, n.º 1.988; Palau, vol. 6, n.º 104.633; Peeters-Fontainas, I, n.º 507; Penney, pág. 235, y Salvá, I, n.º 645.

Ejempl.: IU, CEMW, CtY, ICN, ICU, LBM, MH, MiDW, MiU, NNH, OO, PBN, PU, RBM y WU.

Observ.: Se trata de la más bella edición gongorina, pero es mucho menos completa (faltan varias poesías y las *Comedias*) que las de Hoces. Es curioso que no la cita Reyes en su *Contribuciones a la bibliografía de Góngora,* incluido en su *Cues-*

tiones gongorinas, varias veces citado. El ejemplar ilinoyense ingresó en 1958. Lleva el *ex libris* de Luis Bardón. Encuadernación en cartón, con adornos dorados en el lomo. Ejemplar completo. En buen estado, excepto por algunas manchas de humedad que no afectan al texto.

Lisboa, 1667

39 [6]

OBRAS *de don Lvis de Gongora, Primera Parte. Sacadas a luz de nuevo, y enmendadas en esta vltima Impression.* [Escudo.] Lisboa. En la Officina de Ivan Da Costa. Con todas las licencias. Año M.DC.LXVII (1667). 2 hs. + 390 págs.; II cm.; dos partes en una.

Signaturas: A-Z⁸ y Aa⁸-Hh⁵.

[Parte II:] *Obras de don Luis de Gongora. Dezjmas amorosa.* 425 págs.

Signaturas: A-Z⁸, Aa-Cc⁸ y Dd⁴ (Dd₄ en blanco).

Cit.: Foulché-Delbosc, n.º 113; Guzmán y Reyes, pág. 180; Jerez, pág. 46; Millé y Giménez, n.º 291; Palau, vol. 6, n.º 104.634; Penney, pág. 235, y Reyes, págs. 107-8.

Ejemp.: IU, CaBVaU, MBN (3 ejemplares), MH, NNH, PBM y PBN.

Observ.: Se trata de la edición de más pequeño tamaño, en — 16, pero muy abultada, a causa de sus muchas páginas, y contiene, de nuevo, muchos de los textos de Góngora, que no se imprimieron en la edición de Bruselas. El ejemplar de Illinois coincide con el de la Biblioteca Nacional de Madrid, descrito por Reyes, en págs. 107-108. Reproducimos, en este volumen, la portada.

El ejemplar de Illinois ingresó en 1963, adquirido a través del librero R. Rosenthal. Es completo. En buen estado. Encuadernación en pergamino de la época.

B. EDICIONES GONGORINAS CON COMENTARIOS

El Polifemo.
Madrid, 1629

40 [7]

[Portada grabada por Jean de Courbes:] *El Polifemo de Don Lvis De Gongora comentado Por Don Garcia de Salzedo Coronel Cauallerizo del Serenisimo Infante Cardenal. Dedicado al Ex.ᵐᵒ S.ᵒʳ D. Fernando Afan de Ribera Enriquez Duque de Alcala Adelantado Mayor del Andaluzia del Consejo de Estado del Rey N.ʳᵒ S.ᵒʳ y su Virrey y Capital general del Reino de Napoles.* Madrid. Por Iuan Gonçalez. Año 16219. A costa de su Autor. 12 hs. + 124 fs.; 19 cm.

Signaturas: *4, 99-999⁴, A-Z⁴ y Aa-Hh⁴.

Cit: Foulché-Delbosc, n.º 60; Goldsmith, pág. 75, n.º 238; Heredia, n.º 5.472; Hispanic Society, *El Polifemo,* págs. 1-5; Jerez, pág. 46; Millé y Giménez, n.º 281; Penney, pág. 235; Penney, *Góngora,* pág. 37; Salvá, I, n.º 647, y Vindel, n.º 3.240.

Ejemp.: IU, DLC, ICU, LBM, LBN, MBAt, MBM, MBN (3 ejemplares), NNH y PBN.

Obser.: El ejemplar de Illinois, en magnífico estado, con encuadernación contemporánea en piel. Fue adquirido en una librería madrileña; ingresó en Illinois en 1960. Coincide con el minuciosamente descrito por Hispanic Society, *El Polifemo* (New York, Printed by order of the Trustees, 1927), págs. 1-5. También lo hemos careado con el ejemplar que existe en The Boston Athenaeum, a través de un microfilm hecho por la Universidad de Harvard, y una de cuyas copias microfílmicas existe en Urbana. En este caso, las coincidencias textuales que hemos notado en un rápido sondeo son también totales.

Lecciones Solemnes a la Obra de Don Luis de Góngora.
Madrid, 1630

41 [8]

[Anteportada:] *De don Ioseph Pellicer de Salas y Tovar. Lecciones solemnes a las obras de don Lvis de Gongora y Argote.* [Portada:] *Lecciones solemnes a las obras de don Lvis de Gongora y Argote, Pindaro Andalvz, Principe de los Poëtas Liricos de España. Escrivialas don Ioseph Pellicer Salas y Tovar, Señor de la Casa de Pellicer, Y Chronista de los Reinos de Castilla. Dedicadas Al Serenissimo Señor Cardenal Infante don Fernando de Avstria. M.DC.* [*Summa infelicitas inuideri à nemine.*] *XXX.* Con privilegio, En Madrid. En la Imprenta del Reino. A costa de Pedro Coello, Mercader de Libros. 24 fs. sin numerar + 836 columnas + I3 fs. sin numerar; 21,5 cm.

Signaturas: *⁴, ❡❡⁴, ❡❡❡⁴, ✠⁴, ✠✠⁴, ✠✠✠⁴, A-Z⁴, Aa-Zz⁴ y Aaa-Iii⁴ + I h.

Cit.: Foulché-Delbosc, n.° 63; Goldsmith, pág. 133, n.° 135; Jerez, pág. 79; Millé y Giménez, n.° 282; Palau, vol. 12, n.° 216.700; Penney, pág. 412; Reyes, pág. 95; Ticknor, pág. 156, y Thomas, pág. 324.

Ejemp.: IU, CEMW, CU, LBM, MB, MBN (2 ejemplares), MH, MiDW, NNH, PBM, PBN y PU.

Observ.: Contiene texto y comentarios de: 1) *El Polifemo,* columnas 1 a 350; 2) *Soledad Primera,* columnas 351 a 524; 3) *Soledad Segunda,* columnas 524 a 612; 4) *Panegírico,* columnas 613 a 675, y 5) *Fábula de Píramo y Tisbe,* columnas 775-836.

A. Reyes, *Cuestiones gongorinas,* pág. 95, señala algunas diferencias entre los ejemplares de la edición de este año que se conservan y uno de la Biblioteca Nacional de Madrid, con la signatura de R-17.344. Thomas, pág. 324, dice: "J'ajouterai également que dans l'exemplaire de la Bibliothèque Mazarin, de París (11.070 F), le portrait de Góngora et l'inscription: "Vida y escritos de don Luis de Góngora..." se trouvent au folio 4, recto et verso, et non au folio id. Comme dans les exemplaires cités par M. Foulché-Delbosc".

El ejemplar de Urbana debió de pertenecer en algún tiempo al convento de capuchinos de Madrid, ya que aparece un sello al efecto en la portada del ejemplar. Está completo, en muy buen estado, con sencilla encuadernación contemporánea. Coincide con el descrito por Foulché-Delbosc en n.° 63. Alfonso Reyes, en *Sobre el texto de las "Lecciones Solemnes", de Pellicer,* en ob. cit., págs. 191-208, nota curiosas diferencias entre su ejemplar particular, que procedía de su anterir propietario, Foulché-Delbosc (que designa B), y el ejemplar de la Biblioteca Nacional de

Madrid (signatura R-1.734, que designa A). Pues bien, hemos comparado las columnas del ejemplar de Reyes (que él reproduce en su artículo) y coincide en todo con el ejemplar de Urbana. Lo más importante son unas alusiones a Paravicino que existen en el ejemplar de la Biblioteca Nacional y que, evidentemente, se han suprimido en otros ejemplares, como el de Reyes y de Urbana.

Ilustración y defensa... de Piramo y Tisbe.
Madrid, 1636

42 [9]

ILVSTRACION y *Defensa de la Fabvla de Piramo y Tisbe. Compvesta por D. Lvis de Gongora y Argote, Capellan de su Magestad y Racionero de la Santa Yglesia de Cordoua. Escrivialas Christoual de Salazar Mardones, criado de su Magestad, y Magestad, y Oficial mas antiguo de la Secretaria del Reyno de Sicilia. Dedicadas A D. Francisco de los Cobos y Luna, Conde de Ricla, Gentil hombre de la Camara de su Magestad, y Primogenito del Marques de Camarasa.* [*Alium aliò invenire posse plura, neminem omnia.*] Con Privilegio. [Línea.] En Madrid. En la Imprenta Real. Año de M.DC.XXVI (1636). Acosta de Domingo Gonçalez, Mercader de libros. 8 hs. + 192 fs.; 19,5 cm.

Signaturas: §⁴, §§⁶, A-Z⁸, Aa⁸ y Bb².

Cit.: Foulché-Delbosc, n.º 71; Guzmán y Reyes, pág. 9; Jerez, pág. 94; Palau, vol. 18, n.º 286.861; Penney, pág. 235; Reyes, pág. 99, y Ticknor, pág. 318.

Ejemp.: IU, CU, DFo, CtY, LBM, MB, MBN, Mt, NNH, PBN, Pu, RPB y Txu.

Observ.: El ejemplar ilinoyense ingresó en 1958, adquirido a través del librero R.B. Rosenthal. Está completo, en buen estado, con encuadernación en pergamino de la época.

[*Las obras comentadas por García de Salcedo Coronel.*]
Madrid, 1636-48

43 [10]

[LAS *obras comentadas por Garcia de Salzedo Coronel.*] Madrid. Imprenta Real. [A costa de] Domingo Gonzalez. 1636-48. 2 vols. en 4.

[Vol. I.] *Soledades de D. Lvis de Gongora. Comentadas por D. Garcia de Salzedo Coronel. Cauallerizo del Ser.ᵐᵒ Infante Car.ˡ y Capitan de la Guarda del Ex.ᵐᵒ Duque de Alcala Virrey de Napoles. Dedicadas Al Ill.ᵐᵒ y Nobilismo S.ᵒʳ D. Ivan De Chaves Y Mendoza. Cauallero del Abito de Santiago Marques de Santa Cruz de la Sierra Conde de la Calzada de los Consejos Real y de la Camara y Presidente del de Ordenes.* En Madrid en la Imprenta Real. Con Priuilegio. 1636. A Costa de Domingo Gonzalez. 12 hs. + 312 fs. + 8 de la Tabla; 21 cm.

Signaturas: ¶⁸, ¶¶⁴, A - Z, Aa - Qq⁸ y §⁸ - §§⁸.

[Vol. I, pt. 2:] *El Polifemo de don Lvis de Gongora Comentado por Don Garcia de Salzedo Coronel. Cauallerizo del Serenisimo Infante Cardenal Dedicado al Ex.ᵐᵒ S.ᵒʳ D. Fernando Afan de Ribera Enriquez Duque de Alcala Adelantado Mayor del*

Andaluzia del Consejo de Estado del Rey N.ro S.or y su Virrey y Capitan general del Reino de Napoles. I. de Courbes F. En Madrid, En la Imprenta Real, A costa de Domingo González. Año 1636. 7 hs. + fs. 313 - 420 + 4 de Tabla; 21 cm.

Signaturas: §§⁸, Rr - Zz⁸ y Aaa - Ggg⁸.

[Vol. II: Anteportada:] *Segundo Tomo de las Obras de Don Lvis de Gongora, Comentadas por D. Garcia De Salzedo Coronel, Cavallero de La Orden de Santiago. Primera Parte.*

[Portada grabada:] *Obras de Don Lvis de Gongora Comentadas Dedicalas Al Excelentissimo Señor Don Luis Mendez de Haro Conde de Morente. Cauallero de la Orden de Santiago Gentilhombre de la Camara de su Mag.ª y Caualleriço mayor del Seren.mo Principe de España Nuestro Señor. Don Garcia de Salcedo Coronel Cauallero de la Orden de Santiago. Tomo Segvndo.* A costa de Pedro Laso, mercader de Libros: Con Priuilegio en Madrid por Diego Diaz de la Carrera. *Fran.co* Nauarro. Ft. año 1645. 10 hs. + 784 págs. + págs. + 9 hs. + 1 h.; 21 cm.

Signaturas: ***⁸, A - Z⁸, Aa - Zz⁸ y Aa - Bb⁸.

———————[Otro ejemplar]. Madrid por Diego Díaz de la Carrera. 1645. 10 hs. + 784 págs. + 9 hs. + 1 h.; 21 cm.

Ex libris: Luis Bardón.

[Vol. III. Anteportada:] *Obras de Don Lvis de Gongora Comentadas. Dedicadas Al Excelentissimo Señor Don Luis Mendez de Haro Marqués del Carpio. Conde Duque de Olivares Comendador may.or de Alcātara. Gentilhōbre de la Cam.ra y Caballeri.zo mayor del Rey Nuestro Señor. Don Garcia de Salcedo Coronel. Cauallero de la Orden de Santiago. Ṭomo Segvndo.* A costa de Pedro Laso, mercader de Libros: Con Priuilegio en Madrid por Diego Diaz de la Carrera. *Fran.co* Nauarro. Ft. Año 1648.

[Portada:] *Segvnda Parte del Tomo Segvndo de las Obras de Don Lvis de Gongora Comentadas por Don Garcia de Salzedo Coronel, Cauallero de la Orden de Santiago. Dedicadas al Excelentissimo Señor Don Lvis Mendez de Haro Marques del Carpio, Conde Duque de Oliuares, Comendador mayor de Alcantara, Gentilhombre, y Cauallerizo mayor del Rey nuestro Señor, c. Contiene esta Parte todas las Canciones, Madrigales, Silvas, Eglogas, Octauas, Tercetos, y el Panegyrico al Duque de Lerma. Con dos Indices; Vno de las Obras de todo el Tomo segundo, con sus argumentos, y otro de las materias mas notables desta segunda parte.* Con Privilegio, En Madrid, Por Diego Diaz De La Carrera. Año M.DC.XLVIII (1648). 5 hs. + 574 págs. + 19 hs.; 21 cm.

Signaturas: A - Z⁸, Aa - Pp⁸, Qq⁴ y Rr².

Cit.: Foulché-Delbosc, n.º 97; Goldsmith, pág. 75, n.º 233; Jerez, pág. 46; Palau, vol. 6, n.º 104.628; Penney, pág. 235, y Salvá, I, n.º 642.

Ejemp.: IU, CEMW, LBM, LNHT, BMN, MH, NNH y OU.

Observ.: El ejemplar ilinoyense ingresó en 1957, a través de R.B. Rosenthal. Ejemplar completo, en buen estado, con encuadernación en pergamino de la época. Existen dos ejemplares del volumen segundo. El segundo ejemplar llevar el *ex libris* de Luis Bardón.

* * *

Acabamos de presentar a la investigación hispanística la colección gongorina que se alberga en la biblioteca universitaria de Illinois, en Urbana. Se trata de diez unidades bibliográficas, todas raras e importantes. Se destacan por su rareza la edición de 1627, la de Vicuña (ficha n.º 1), que, nada menos, cuenta en Urbana con dos ejemplares de la edición con los folios 20 y 21 originales, pero ambos ejemplares son distintos entre sí. A los dos ejemplares (distintos entre sí) de la Hispanic Society, ya conocidos, hemos podido añadir cuatro ejemplares más estadounidenses. De momento, en España sólo se conocen seis ejemplares. La edición de Hoces, 1633 (ficha n.º 2), además de los dos de la Hispanic Society, cuenta en Estados Unidos con cuatro ejemplares, uno de ellos en Illinois, cuyas características específicas ya hemos indicado. En Illinois se encuentra otra rara edición de Hoces, la madrileña de 1634 (ficha n.º 3). En Estados Unidos, además del ejemplar de la Hispanic Society, hemos localizado otros dos ejemplares. En 1654, además de la *verdadera*, existe una furtiva y burda edición zaragozana, que ya describió Salvá, que es la que se encuentra en Illinois (ficha n.º 4). Hemos señalado otros ejemplares en el mundo. La mayoría de ellos representan la verdadera edición madrileña.

La bellísima edición del impresor Foppens, verdadera joya bibliográfica, impresa en Bruselas en 1659 (ficha n.º 5), se encuentra muy bien representada en Norteamérica, con 11 muestras. La edición lisboeta de 1667 (ficha n.º 6) debe de ser de cierta rareza, aunque bien representada en la Biblioteca Nacional madrileña con varios ejemplares. En Norteamérica hemos localizado cuatro ejemplares, uno de ellos en Illinois.

Otra sección de nuestro trabajo versa sobre ediciones gongorinas con comentarios. Estas ediciones ofrecen menos rareza y en España abundan, relativamente, los ejemplares, muchas veces en bibliotecas privadas o universitarias. De aquí que las localizaciones presentadas por nosotros son susceptibles, en esta sección, de considerables ampliaciones. Lo importante es señalar que todos los comentarios importantes impresos en España, en el siglo XVII, se encuentran en Urbana: los de Salcedo Coronel, Pellicer de Tovar y Salazar Mardones.

En conclusión, hay que tener muy en cuenta en el futuro la colección gongorina de la Universidad de Illinois, que, en Estados Unidos, junto a la biblioteca de Harvard y después de la extraordinaria colección de la Hispanic Society en Nueva York, constituye uno de los más destacados depósitos de fondos gongorinos.

ADDENDA

Después de redactado el presente artículo, hemos encontrado reflejadas otras curiosas muestras gongorinas, aunque no se especifican características, en Werner Krauss, *Altspanische Drucke im Besitz der ausserspanischen Bibliotheken*, Berlín, Akademie - Verlag, 1951. Sólo registraremos los ejemplares de ediciones estudiadas en nuestro trabajo. Así, en página 52 de *Altspanische...* se enumera la edición de Vicuña (Madrid, 1627) como existente en la Biblioteca Nacional de Nápoles. De la edición de Hoces (Madrid, 1633) registra un ejemplar en Berlín (Öffentl. Wiss.

Bibl.). De la edición de Hoces (Madrid, 1634), señala un ejemplar en la misma biblioteca de Berlín y otro en Nápoles. De la edición de Bruselas, 1559, registra un ejemplar en Dresde (Sächsische Landesbibliothek). De la edición de Lisboa, 1667, localiza un ejemplar en Marburg (Universitätsbibliothek). En cuando a ediciones con comentarios, W. Krauss señala las *Obras...* con comentarios de Salcedo Coronel (Madrid, 1644-48) como existentes en Berlín (Öffentl. Wiss. Bibl.) y Munich (Bayerische Staatsbibliothek). En página 77 se refiere a las *Lecciones solemnes,* de Pellicer, como existentes en Tubinga (Universitätsbibliothek). Hay que tener en cuenta que los ejemplares señalados por Krauss pueden, en algunos casos, haberse perdido a causa de la última guerra mundial, ya que sus datos fueron recogidos antes de la contienda internacional.

Después de redactado nuestro trabajo ha aparecido el volumen XI de la *Bibliografía de la Literatura Hispánica,* por José Simón Díaz (Madrid, 1976), donde se incluye a Góngora. Allí el lector podrá encontrar otras localizaciones españolas y europeas. Simón Díaz no alude a los fondos ilinoyenses (objeto primordial de nuestro trabajo) ni, en general, a los fondos norteamericanos, ampliamente cubiertos en el presente artículo.

OBRAS

DE DON
LVIS DE GONGORA,

PRIMEF *ARTE*

Sacadas a luz de n..uo , y enmendadas en cita vltima
Impreſsion.

LISBOA.

En la Officina de IVAN DA COSTA

Con todas las licencias

Año MDC. LXVII.

Portada de *Obras* de Luis de Góngora. Lisboa, Juan da Costa, 1667. Se trata, como en los otros grabados publicados en este volumen, del ejemplar
existente en la Biblioteca de la Universidad de Illinois, en Urbana. Véase
ficha 39 [6].

IV

LA COLECCION DE BALTASAR GRACIAN (SIGLOS XVII, XVIII Y XIX)[18]

18. Publicado en *Bulletin Hispanique*, t. LXXIX (1977), n.ᵒˢ 3-4, págs. 347-79.

Procedemos, poco a poco, a un inventario general de todos los libros españoles que lleguen cronológicamente hasta 1700[19]. Hacen falta revisiones metódicas, con más amplitud cronológica, de zonas que sorprenden por su inusitada riqueza. Una de ellas es la relativa a Baltasar Gracián, ya que la Universidad de Illinois posee, en este autor, una de las mejores colecciones en Estados Unidos. Sólo basta comparar las existencias gracianescas de Urbana, con las de la Hispanic Society of America, consultando el catálogo de Clara L. Penney, *Printed Books 1468-1700 in the Hispanic Society of America...* New York, 1965, pág. 241, y se nota la gran diferencia en favor de Illinois.

Los bibliógrafos, desde los tiempos de Nicolás Antonio, se han ocupado de la producción gracianesca. Podemos llamar, prácticamente, el primero, a Félix de Latassa y Ortín[20], aunque bien deficientemente por cierto. Nos sigue pareciendo

19. Véanse *Impresos raros de la Edad de Oro en la Universidad de Illinois. Letra A*, en *Revista de Archivos, Bibliotecas y Museos*, (t. LXXIX), n.os 2 (1976); *Parte II: Letra B*, en *Primeras Jornadas Bibliográficas*, Madrid, Fundación Universitaria Española, 1977, págs. 621-34; *Letra F (Parte V)* en *Anuario de Letras* (México), t. 14 (1976), págs. 273-301 y *Letra H (Parte VI)*, en Boletín de la *Biblioteca Menéndez Pelayo*, vol. 54 (1978), n.os 1, 2, 3 y 4, págs. 397-420.

20. Vid. *Bibliotecas antigua y nueva de escritores aragoneses de Latassa; aum. y refundidas en forma de diccionario bibliográfico-biográfico por don Miguel Gómez Uriel*. Zaragoza, Impr. de C. Ariño, 1884-86, vol. I, p. 641-50.

muy útil el panorama bibliográfico de las ediciones antiguas expuesto por Adolphe Coster[21], especialmente el impacto de Gracián en el extranjero y las traducciones a diversos idiomas, notablemente al francés, aspecto que incide directamente en el presente trabajo nuestro. Por supuesto que hay que tener en cuenta otras revisiones de conjunto, sobre todo investigaciones sobre Gracián, que han ido apareciendo últimamente[22].

Hace falta recoger, organizadamente, lo que se conserva de Gracián en el mundo, empezando con buceos sistemáticos en bibliotecas concretas y esto es lo que intentamos hacer en el presente trabajo. Y era ésta una buena ocasión para, tomando como base las existencias de Urbana, señalar lo que se conserva en Norteamérica. Acudimos para ello al volumen correspondiente del *Unión Catalog,* que no puede considerarse, sin embargo, exhaustivo, pero sí el más completo inventario de libros existentes en bibliotecas norteamericanas aparecido hasta la fecha. También hemos recogido con carácter complementario y a sabiendas, muy incompleto, otras localizaciones en bibliotecas europeas, haciendo uso de catálogos accesibles como los del British Museum y de la Bibliothèque Nationale de Paris, y otros repertorios que se indican en la lista correspondiente, de los que destacamos los de José Simón Díaz, *Jesuitas de los siglos XVI y XVII: Escritos localizados,* Madrid, Fundación Universidad Española, 1975, y J. Peeters-Fontainas, *Bibliographie des impressions des Pays-Bas avec une prèface* de Maurice Sabbe, Louvain, Anvers, 1933.

El próximo volumen de la magna obra de conjunto *Bibliografía de la Literatura Hispánica* de José Simón Díaz[23], contribuirá, sin duda, a aclarar muchas dificultades, y esperamos que nuestro trabajo de ahora aporte novedades insospechadas, sobre todo en el campo de las traducciones de la obra de Gracián. Ello se estudiará con el detalle requerido, en la sección correspondiente.

Una pregunta, que se nos hace a menudo: ¿cómo han ido a parar a Urbana estos extraordinarios fondos bibliográficos? La respuesta es: a través del esfuerzo de muchos investigadores y de una inteligente política dirigida a conservar importantes bibliotecas privadas que han ingresado, a través sobre todo de lo que va de siglo, en la biblioteca ilinoyense. Es, pues, la confluencia de muchas circunstancias lo que ha constituido la colección de Gracián.

---

21. Vid. *Baltasar Gracián,* en *Revue Hispanique,* 76 (1913), p. 347-52.

22. Nos referimos a los panoramas expuestos por E. Correa Calderón, A. del Hoyo y M. Romera-Navarro, en los lugares que citaremos más adelante, al enumerar diversos repertorios bibliográficos. Un buen panorama de la ideología, y oportuna bibliografía gracianesca, lo ofrece Virginia Ramos de Foster, en *Baltasar Gracian,* Boston. Twayne Publishers, 1975.

23. Una vez redactado este artículo ha aparecido el volumen XI que, en efecto, analiza la bibliografía gracianesca, con claridad y precisión. Las ediciones que damos como desconocidas han escapado también a Simón Díaz, lo cual nos confirma su importancia y rareza. Los datos referentes a localizaciones de ejemplares, ofrecidos por Simón Díaz, complementan los presentados por nosotros, más limitados a los fondos ilinoyenses y norteamericanos.

Las fichas de entrada en la biblioteca y algunos *ex libris* nos permiten reconstruir la procedencia de muchos de estos volúmenes. A todo ello aludiremos ahora al enumerar las características de la particulares obras que describimos.

Veamos los volúmenes en español, que constituyen la primera zona de este trabajo. Para esta zona de la biblioteca hay que agradecer el esfuerzo personal para conseguirlos del colega y predecesor James O. Crosby. Resumamos algunas características de la colección de Gracián en español. Illinois posee la segunda edición de las *Obras* de Gracián (vease n.º 1) en dos volúmenes impresas en Madrid, Pablo de Val, 1664. La primera edición se imprimió también en Madrid, un año antes, en 1663, en la Imprenta Real. Esta importante edición madrileña de 1664, de verdadera rareza, sólo está representada en Estados Unidos, que sepamos, por otro ejemplar de la Biblioteca Pública de Boston. Los dos volúmenes ilinoyenses fueron catalogados en 1969, por lo que hay que suponer que ingresaron unos años antes. Otra edición de las *Obras* de Gracián que posee Illinois es la bastante conocida de Amberes, Henri et Corneille Verdussen, 1702 (véase n.º 8).

La edición de *El Político,* Huesca, Juan Nogués, 1646 (véase n.º 2) es de gran valor. Consta la existencia de una edición anterior de Zaragoza de 1640, que parecía haber desaparecido, fue recuperada por fortuna por Eugenio Asensio, y se alberga ahora en su biblioteca particular[24]. La edición de 1646 ha escapado también a varios especialistas; fue desconocida de Latassa y tampoco mencionada por Ricardo del Arco en *La imprenta en Huesca,* Madrid, 1911. Se conocen pocos ejemplares en el mundo. En Estados Unidos de momento sólo conocemos, además, el ejemplar de la biblioteca de Harvard. El volumen ilinoyense ingresó en la biblioteca en 1963, adquirido en una librería zaragozana. Desde 1953 poseen los investigadores la edición facsimilar que publicó Francisco Induráin en Zaragoza, basada en el ejemplar particular de Emilio Alfaro.

De la primera parte de *El Criticón*, Illinois posee la primera edición madrileña (y la mejor y más completa que apareció hasta entonces)[25] de Pablo de Val, 1658 (véase n.º 3). Se trata de una verdadera joya bibliográfica[26]. En Estados Unidos por ahora sólo ha aparecido otro ejemplar en la Biblioteca del Congreso de Washington. El ejemplar ilinoyense ingresó en 1961, adquirido en una librería madrileña.

Otra rareza constituye la edición barcelonesa de *El Criticón* de Antonio Lacavallería, 1664 (véase n.º 4) que es la primera que agrupa las tres partes en un solo volumen. Es la única muestra conocida en Estados Unidos. Ingresó en Urbana en 1957 adquirida en una librería madrileña, y que lleva el *ex libris* de "Librería de Paluzie", pero fue adquirida en Illinois de otra fuente distinta.

24.   Véase Eugenio Asensio, *Un libro perdido de Baltasar Gracián* en *Nueva Revista de Filología Hispánica,* XII (1958), p. 390-4.

25.   Antes había aparecido una edición en Zaragoza, 1651.

26.   No la posee la Biblioteca Nacional de Madrid. E. Correa Calderón en su reciente introducción a la edición de *Clásicos Castellanos,* vol. 165 (Madrid, 1971), p. LXXIX, sólo menciona el ejemplar de la Biblioteca Nacional de París. A través de los datos recogidos de Simón Díaz la hemos localizado en otras dos bibliotecas españolas (véase n.º 3).

De *El Héroe,* Urbana posee dos ediciones. Una de gran rareza, Lisboa, Manuel de Sylva, 1646[27] (véase n.º 5). El ejemplar ilinoyense ingresó en 1960, adquirido en la Librería Dolphin de Oxford. Otra única muestra que conocemos en Norteamérica es la de la Hispanic Society of America en Nueva York. Más conocida, y bien representada en varias bibliotecas, es la edición de Amsterdam, Juan Blaeu, 1659 (véase n.º 6). El ejemplar de Urbana ingresó en 1960 adquirido en la librería Kraus de New York.

Urbana posee la cuarta edición en español de *El Oráculo Manual,* Amsterdam, Juan Blaeu, 1659 (véase n.º 7). Está bien representada; de momento hemos señalado doce ejemplares dispersos en diversas bibliotecas del mundo. El ejemplar de Urbana fue también adquirido en 1960 a través de la librería Kraus.

En resumen, la zona española de Baltasar Gracián en Urbana está constituida por ocho volúmenes, todos ellos de ingreso relativamente reciente. Destacan por su rareza la edición en dos volúmenes de *Obras,* Madrid, 1664, *El Político,* Huesca, 1646, *El Criticón, Primera parte,* Madrid, 1658, *Tres Partes de El Criticón,* Barcelona, 1664 y El *Héroe,* Lisboa, 1646.

La segunda zona de nuestro trabajo está constituida por siete traducciones al francés: cuatro de *Oráculo Manual* y tres de la primera parte de *El Criticón.* Totalmente desconocida es la edición que presentamos de *El Criticón,* Paris, 1699 (véase el grabado correspondiente que reproducimos en el presente artículo) y a ello nos referiremos con más detalle. Para un panorama orientador de las traducciones, e influencia, de Gracián al francés, sigue siendo muy valioso el capítulo correspondiente de Adolphe Coster[28]. Como nos indica el mismo investigador respecto a la traducción de *El Oráculo Manual* por Amelot de la Houssaie: "De 1685 à 1716, nous avons la trace de quatorze d'entre elles"... (p. 673). Pues bien, Urbana posee la primera de Paris, 1684, de cierta rareza (solamente cuatro ejemplares localizados en Norteamérica) que ingresó en la biblioteca de Illinois procedente de la biblioteca privada del prof. T.W. Baldwin, quien la adquirió en 1952; la de Paris, 1685, de momento bien conocida en el mundo con catorce ejemplares, que también ingresó procedente de los fondos de T.W. Baldwin, pero en 1956; y posee también Urbana dos interesantes ediciones de principios del siglo XVIII, Paris, 1702, y Augsburg, 1710.

Por lo que respecta a la primera parte de *El Criticón,* Urbana posee la primera traducción francesa de un desconocido abogado con el nombre de G. de Maunory (véase el grabado que reproduce la portada). Se trata de una magnífica y respetuosa

27.   Se trata de la cuarta edición, conocida, de esta obra gracianesca, porque han desaparecido una de Madrid, 1630 (citada por Latassa) y otra de Huesca, 1637 (citada por Nicolás Antonio). Existen tres anteriores: Madrid, Diego Díaz, 1639, y dos registradas por Simón Díaz: Madrid, 1640 y Barcelona, 1640.

28.   *Baltasar Gracián, 1601-1658,* en *Revue Hispanique,* 29 (1913); véase especialmente el capítulo XX, p. 666-85. Han aparecido otros trabajos posteriores de carácter más bien divulgativo como los de José M.ª de Acosta, *Traductores franceses de Gracián,* en *El Consultador Bibliográfico,* Vol. II (abril de 1926), p. 281-5, y V. Bouillier, *Notes critiques sur la traduction de "l'Oraculo Manual"* por Amelot de la Houssaie, en *Bulletin Hispanique,* XXXV (1933), p. 126-40.

traducción, con una dedicatoria del traductor al duque de Noailles y una breve *Préface* y ambos se reproducen en las dos otras ediciones que posee Urbana. Este ejemplar ingresó en Urbana en 1931, procedente de la biblioteca particular del Sr. Wickliff Kitchell (1835-1914), biblioteca que fue regalada por la viuda Kitchell a la Universidad de Illinois.

De verdadera joya bibliográfica podemos calificar la misteriosa edición de París, 1699, escapada, al parecer, a todos los bibliógrafos (incluido Coster). La portada es desorientadora porque se indica *"suite de l'homme de Cour"* y no hay tal en el volumen. Evidentemente se basaron en la edición de 1696 ya que coinciden ambas en el mismo número de hojas preliminares y paginación. Pero hay obvias diferencias tipográficas y la signatura de los pliegos internos es también distinta. El ejemplar de Illinois (que ingresó en 1925, procedente de Leipzig, de la biblioteca privada de Ernst Bergmann) es de momento el único que existe en el mundo, y su presencia en Illinois ha escapado a todos, al parecer.

La misma traducción de G. de Maunory se imprimió también en La Haya, J. Ellinckhuysen, 1705[29], y en ella se reproducen también la dedicatoria y la *préface* que hemos encontrado en las ediciones de Paris, 1696 y 1699. Esta edición holandesa en francés, de principios del siglo XVIII, procede de Italia, de la biblioteca del conde Antonio Cavagna, comprada por la Universidad de Illinois en 1921.

Veamos algunas particularidades de la zona de traducciones inglesas de Gracián en Urbana. Hay que tener cierto cuidado con la información que ofrece Coster para este tema, porque no es tan documentada y precisa como es la zona francesa. La Universidad de Illinois posee la primera traducción inglesa de *El Criticón,* London, 1681 (véase N.º 16). El traductor es Paul Rycaut y se anticipa en 15 años, por tanto, a la traducción francesa de Maunory, publicada en 1696. Este dato es importante porque en la mayoría de los otros casos los traductores ingleses, en vez de traducir directamente del español, lo hacen por intermedio del francés. Esta edición está bien representada en Norteamérica (hemos registrado quince ejemplares), pero no la localizamos en el catálogo del British Museum ni en el catálogo de A.F. Allison, *English Translation from the Spanish and Portuguese to the Year 1700,* Kent, 1974.

De *El Oráculo Manual,* Urbana posee la primera traducción inglesa, London, 1685, que ingresó en la biblioteca en 1955, y la segunda de London, 1694, adquirida en Urbana en 1941, procedente de la colección de T.W. Baldwin. Ambas traducciones se deben a una pluma anónima y se basan en la versión francesa de Amelot de la Houssaie. De ambas ediciones se conservan, por fortuna, muchos ejemplares en Norteamérica (véanse n.ºs 17 y 18). De esta misma obra de Gracián, la Universidad de Illinois posee la primera refundición de Savage, basada en el texto español, e incorpora comentarios de Amelot de la Houssaie. Se trata de la edición de London,

---

29. Esta edición de La Haya, 1705, debe ser de gran rareza; no la poseen ni el British Museum ni la Bibliothèque Nationale de Paris. Coster la desconoce aunque cite otras ediciones de La Haya: 1709, 1723, 1734, pero no esta de 1705. Tampoco la cita E. Correa Calderón en su introducción a su reciente edición de *Clásicos Castellanos,* vol. 165.

1705; otra edición, que sigue el modelo de la anterior, existe en Urbana, de London, 1714. Falta en Urbana la edición de 1702, que es la primera de la traducción de Savage.

De *El Discreto,* Illinois posee la segunda edición inglesa que, al parecer, es en realidad la primera traducción inglesa conocida; es de T. Saldkeld directamente del original, London, 1730 (véase n.º 21).

De *El Héroe,* carece Urbana de la primera traducción inglesa, London, 1652, que se encuentra descrita en el catálogo del British Museum (vol. 90, 1961), p. 114, pero está la de London, 1726, que se basa en el texto francés de Courbeville y el traductor es un *"Gentleman of Oxford".* Son citadas por los bibliógrafos y gracianistas una edición con pie de imprenta T. Cox (que posee Illinois, véase n.º 23) y otra idéntica con pie de imprenta de Dublin, 1726. Pero Illinois posee además una idéntica de 1726 que, al parecer ha escapado a todos los eruditos, con el pie de imprenta: "Printed for James Mack-Euen, at Buchanan's —Head, over— against St. Clement's Church in the Strad" (véase n.º 22 y el grabado que reproducimos en el presente volumen). Durante el resto del siglo XVIII se perdió en Inglaterra el interés en la publicación de Gracián, que no vuelve a reactivarse hasta fines del siglo XIX. Las muestras, pues, que se contienen en Urbana, ofrecen un instrumento adecuadísimo para el día que se emprenda un estudio minucioso de la penetración de Gracián en Inglaterra, ya que la Universidad de Illinois posee cuatro títulos de Gracián traducidos al inglés, con un total de ocho ediciones. La traducción de *El Héroe,* London, Mack-Euen, 1726, es de un gran valor bibliográfico ya que, al parecer, es completamente desconocida[30].

La zona alemana ofrece menos interés, con excepción de la primera traducción al alemán de *El Oráculo Manual,* de Mainz, 1687, a través de la versión fancesa de Amelot de la Houssaie. El ejemplar de Illinois es de gran rareza, en Estados Unidos sólo hemos localizado otro ejemplar en la Universidad de Yale. No lo posee, al parecer ni el British Museum ni la Bibliothèque Nationale de Paris. En Alemania se interesan especialmente por *El Oráculo Manual.* La traducción de Muller publicada en Leipzig en 1715 hace un esfuerzo para volver al original español, y se respetan muchos textos en el idioma original, que después se traducen al alemán.

La traducción de Heidenreich es considerada por Adam Schneider (*op. cit.*) más una imitación que una traducción. Es muy conocida la primera edición de Leipzig, 1803, pero esta de Reutlingen, 1804, no la hemos visto mencionada por A. Schneider, Romera-Navarro, Coster, Christian G. Keyser, etc. Illinois posee dos ejem-

---

30.   En Gran Bretaña no era inusitado el cambio del nombre del librero en la portada de los libros. Nosotros hemos notado curiosos cambios, evidentemente por motivos comerciales, en traducciones de Cervantes. Véase nuestro artículo *Fondos raros cervantinos en la Universidad de Illinois: Traducciones inglesas e italianas de los siglos XVII y XVIII...,* citado en la nota n.º 1, véase p. 114, n.º 2. Todo ello tiene sentido si aceptamos la lógica explicación de Ronald B. McKerrow, *An Introduction to Bibliography for Literary Students,* Oxford, 1955, p. 90-91: "It seems clear that title-pages were actually posted as advertisements, and that with a view to this use of them they were sometimes kept standing in type after the rest of the book had been distributed. This was no doubt one of the reasons for the care that was generally taken to specify where the book could be bought".

plares; uno ingresó en 1925 procedente de una biblioteca particular de Leipzig (véase n.º 26).

La traducción de Fr. Köller publicada en Stuttgart en 1835 es calificada por Schneider de muy deficiente.

Muy alabada por todos ha sido la traducción del mismo *Oráculo Manual* por parte de Schopenhauer. Illinois posee la segunda edición mejorada, publicada en Leipzig, en 1871.

Por lo que respecta a Italia, Illinois, sólo posee una edición de principios del siglo XVIII, *El Criticón,* Venecia, 1709, bien impresa. Se trata de una reedición de la primera traducción italiana de Gio. Pietro Cattaneo que apareció por primera vez en Venecia, 1679. Hubo otras ediciones anteriores a la que existe en Illinois, de Venecia, 1685, y Venecia, 1698[31].

31.   Vid, José Simón Díaz, *op. cit.,* p. 106.

I. EDICIONES EN ESPAÑOL

Obras,
Madrid, 1664

44 [1]

Obras De Lorenzo Gracián [pseud.]. *Tomo Primero. Qve Contiene El Criticón, Primera, Segvnda y Tercera Parte. El Oráculo. Y el Heroe. Al Señor Licenciado Don Garcia de Velasco, Vicario de la Coronada Villa de Madrid, y su Partido. Vltima impresión, mas corregida, y enriquecida de Tablas.* [Escudo del impresor] Con Licencia. En Madrid. Por Pablo de Val. Año de 1664. A costa de Santiago Martin Redondo, Mercader de libros. Vendese en su casa en la calle de Toledo a la Porteria de la Concepción Gerónima..Tomo I: 4 hojs. + 536 p. 7 hojs. a 2 cols. 21 cm.

Signaturas: A-Z⁸, Aa-Nn⁴.

Tomo Segvndo. Qve Contiene, La Agvdeza, Y Arte De Ingenio. El Discreto. El Político Don Fernando el Católico. Meditaciones varias para antes, y despues de la Sagrada Comunión, que hasta aora ha corrido con titulo de Comulgador. Dedicadas al R.ᵐᵒ P.M. Fr. Migvel De Agvirre, del Orden de S. Agustín, Calificador de la Inquisición de Lima, y despues de la Suprema, y General destos Reynos, Dismidor, y Procurador General por las Prouincias del Perú, en la Corte Romana, y en la de España, & c. Vltima impressión más corregida, y enriquezida de Tablas. Con Licencia En Madrid. Por Pablo de Val. Año de 1664. A costa de Santiago Martin Redondo, Mercader de libros. Vendese en su casa en la calle de Toledo, a la Portería de

la Concepción Gerónima. Tomo II: 4 hojs. + 440 p. a 1 y 2 cols. + 2 hojs. + p. 1-90:
[A continuación:] *Meditaciones Varias para antes, y después De La Sagrada comv-
nión Por el padre Baltasar Gracián, de la Compañia de Iesus, Lector de escritura. 2
hojs. a 2 cols.*

Signaturas: q-q^4, A-Z^8, Aa-Ll^6.

Cit.: Correa Calderón, p. 322; Hoyo, p. ccxlii; Goldsmith, p. 77, n.º 309; Graesse, III, p. 127; Palau, vol. 6, n.º 106834; Romera-Navarro, p. 67-68; Simón Díaz,
n.º 281.

En: EBSL, IU, LBM, LBMun, MB, MFL, PBN, SBU, SLE.

El Político,
Huesca, 1646

45 [2]

*El Político D. Fernando El Cathólico De Lorenzo Gracián. Que publica Don Vin-
cencio Iuan de Lastanosa.* Con licencia en Huesca: Por Iuan Nogues. Año 1646.
Vendese en casa de Francisco Lamberto en la Carrera de San Gerónimo. 1 hoj. +
222 p. 10 cm.

Signaturas: A-O^8.

Cit.: La desconocen Correa Calderón y Hoyo. Goldsmith, p. 78, n.º 320; Palau,
vol. 6, n.º 106874; Simón Díaz, n.º 313.

En: IU, LBM, MBN, MH, PBN.

El Criticón, Primera Parte,
Madrid, 1658

46 [3]

*El Criticón. Primera Parte. En la Primavera De LA Niñez, Y En El Estio De La
Ivventvd. Su Autor Lorenço Gracián. Y Lo Dedica Al Valeroso Cavallero D. Pablo
Parada, de la Orden de Cristo, General de la Artillería, y Gouernador de Tortosa.*
Con Licencia En Madrid. Por Pablo de Val. Año 1658. Vendese en casa de la viuda
de Francisco Lamberto, en la carrera de San Gerónimo. 4 hojs. + 288 p. 15 cm.

Signaturas: A-S^8.

Cit.: Correa Calderón, p. 347; Gallardo, II, n.º 2402; Hoyo, p. ccxlvii; Palau,
vol. 6, p. 338; Romera-Navarro, p. 63-64; Simón Díaz, n.º 336.

En: IU, DLC, HBP, PBN, SanBU.

Tres Partes De El Criticón
Barcelona, 1664

47 [4]

*Tres Partes De El Criticón. Primera Parte, En la Primavera De La Niñez, Y En El
Estio De La Ivventvd. Segvnda Parte. Ivyziosa Cortesana Filosofía, En El Otoño de
la Varonil Edad. Tercera Parte. En El Invierno De La Veiez. Su Autor Lorenço Gracián. Y Las Dedica. La primera: Al valeroso Cavallero Don Pablo de Parada: de la
orden de Christo, General de la Artillería: y Governador de Tortosa. La Segunda:
Al Serenissimo Señor Don Iuan de Austria. La Tecera (sic): Al Doctor Don Lorenço*

Frances Vrritigoyti, Dean de la Santa Iglesia de Siguença [Viñeta]. Con Licencia. En Barcelona: Por Antonio Lacavalleria. Año 1664. Vendese en la misma Imprenta. 3 hojs. + 459 p. + 1 hoj. de Tabla. 20,5 cm.

Signaturas: A-Z⁸, Aa-Gg⁸.

Ex Libris: Librería de Paluzie.

Cit.: Correa Calderón, p. 347; Hoyo, p. ccxlviii; Palau, vol. 6, n.° 106958; Romera-Navarro, p. 63-65; Simón Díaz, n.° 337.

En: IU, BBU, FBM, MBN, PBP.

El Héroe
Lisboa, 1646

48 [5]

El Heroe De Lorenzo Gracián Infazón. Al Illustrissimo, y Excelentissimo señor D. Francisco Lanier Cauallero del habito de S. Miguel, Baron de S. Gemma, del Consejo de estado del Rey Christianissimo Luis XIV, à Deo dato, y su Embaxador en Portugal, & c. Lisboa. Con licencia. Por Manuel de Sylua, año 1646. A costa de Vicente de Lemos mercader de libros. 8 hojs. + 72 p. 10 cm.

Signaturas: A-I⁸.

Cit.: Correa Calderón, p. 325; Hoyo, p. ccxlv; Jerez, p. 48; Palau, vol. 6, p. 335; Penney, p. 241; Simón Díaz, n.° 309.

En: IU, LBN, NNH, PBN.

El Héroe
Amsterdam, 1659

49 [6]

El Heroe De Lorenzo Gracián Infazón. En esta Impression nuevamente corregido. [Escudo del impresor con el lema: *Indefessvs Agendo*] A Amsterdam. En casa de Juan Blaeu. MDCLIX (1659). 76 p. 13 cm.

Signatures: A-C¹², D².

Cit.: Correa Calderón, p. 325; Goldsmith, p. 78, n.° 317; Graesse, III, p. 127; Hoyo, p. ccxlv; Palau, vol. 6, n.° 106858; Penney, p. 241; Peeters-Fontainas, *Bibliographie,* n.° 610; Salvá, II, n.° 2075; Simón Díaz, n.° 310; Damonte, n.° 780.

En: IU, BBR, BCA, CSmH, DFo, GenBU, LBM, MBN, MiU, NNH, PBA, PBM, PBN, PBS, PSG, PU, SBC, SMP.

Oráculo Manual…,
Amsterdam, 1659

50 [7]

Oracvlo Manval, Y Arte de Prvdencia. Sacada De los Aforismos que se discurren en las obras de Lorenço Gracián. Publícala D. Vincencio Ivan De Lastanosa. Y la dedica al Excelentissimo Señor D. Luis Mendez De Haro. Con licencia [Viñeta]. A Amsterdam, En casa de Ivan Blaeu, MDCLIX (1659). 200 p. 13,5 cm.

Signaturas: A-H¹², I⁴.

Cit.: Correa Calderón, p. 336; Hoyo, ccxlvi; Penney, p. 241; Peeters-Fontainas, *Bibliographie,* n.º 615; Romera-Navarro, *Oráculo...,* p. XXVIII; Simón Díaz, n.º 328; Damonte, n.º 785.

En: IU, BBR, GenBU, MBN, NNH, PBA, PBM, PBN, PBS, PU, SBC, SMP.

Obras,
Amberes, 1702

51 [8]

Obras de Lorenzo Gracián, Divididas En Dos Tomos, En El Primero Contiene El Criticón, tratando en la primera Parte de la Niñez, y Juventud: en la segunda de la Varonil Edad: y en la tercera de la Vejez. El Discreto. El Político Fernando el Catholico. El Heroe. En El Segundo, La Agudeza y Arte de Ingenio. Oraculo manual y arte de prudencia. En El Fin Añadimos, El Comulgatorio de varias Meditaciones de la sagrada Comunión, por el P. Baltazar Gracián. [Viñeta] En Amberes, Por Henrico y Cornelio Verdussen, Impressores y Mercaderes de Libros. MDCCII. [Filete] Con Privilegio. 4 hojs. + 502 p. (front.) 22,5 cm.

Signaturas: A-Z⁴, Aa-Zz⁴, Aaa-Vvv⁴.

[Vol. II:]. *Agudeza Y Arte De Ingenio, En Que Se Explican Todos Los Modos Y diferencias de concetos, con exemplares escogidos de todo lo más bien dicho, assi sacro, como humano, Por Lorenzo Gracián. Aumentala El mismo Autor en esta Quarta impressión, con tratado de los estilos, su propiedad, ideas del bien hablar, con el arte de erudición, y modo de aplicarla, crisis de los Autores, y noticias de libros. Ilustrala El Dotor Don Manuel de Salinas y Liçana, Canónigo de la Catedral de Huesca, con sasonadas traducciones de los epigramas de Marcial.* [Escudo del impresor] En Amberes En Casa de Henrico y Cornelio Verdussen, Impresores y Mercaderes de Libros. Año 1702. Con Privilegio. 2 hojs. + 372 p. + 2 hojs. 22,5 cm.

Signaturas: *4, A-Z⁴, Aa-Zz⁴, Aaa⁴.

Cit.: Correa Calderón, p. 323; Graesse, III, p. 127; Hoyo, p. ccxliii; Palau, vol. 6, n.º 106843; Peeters-Fontainas, I, n.º 513; Romera-Navarro, *Criticón,* I, p. 76-77; Salvá, II, n.º 2270; Simón Díaz, n.º 297.

En: IU, AMPl, CU, BBR, FBM, FBN, LBMun, LJPF, MFL, MBN, RBV. Posee un ejemplar asimismo en su biblioteca privada G. de Ridder de Amsterdam.

II. TRADUCCIONES AL FRANCES

Oráculo Manual...,
Paris, 1684

52 [9]

L'Homme de Cour traduit de l'Espagnol, de Baltasar Gracian par le sieur Amelot de La Houssaie. Avec des notes [Viñeta]. A Paris, chez la Veuve Martin et Jean Boudot, et se vendent à La Haye, chez Abraham Troyel, libraire, dans la salle du Palais. MDCLXXIV. Avec privilège du Roy. 16 hojs. + 326 p. + 5 hojs. 16 cm.

Signaturas: a¹², e¹², i¹², A-O⁵.

Cit.: Correa Calderón, p. 338; Doublet, p. 66; Foulché-Delbosc, *Bibliographie*, V, n.º 1877; Hoyo, p. cclii; Palau, vol. 6, n.º 106910; Romera-Navarro, *Oráculo...*, p. XXIX; Simón Díaz, n.º 374.

En: IU, BBR, DLC, LBMun, MBN, MH, PBA, PBN (2 ejemplares), LBM, PBS, PPL, PU, RBA, RBM.

Oráculo Manual...,
Paris, 1685

53 [10]

L'Homme de Cour de Baltasar Gracian traduit et commenté par le sieur Amelot de La Houssaie, ci-devant Secrétaire de l'Ambassade de France à Venise. Troisième édition, revue et corrigée (sic) [Escudo del impresor con el lema: *Ne Quid Nimis*]. A Paris, chez la Veuve Martin, et Jean Boudot, rue Saint-Jacques, au Soleil d'Or. MDCLXXXV. 16 hojs. + 373 p. + 1 hoj. (frontis.) 16 cm.

3.ª ed. Tr. por Amelot de la Houssaie.

Signaturas: a^{12}, e^{12}, i^{10}, A^{12}-Q^6, R^2.

Cit.: Correa Calderón, p. 338; Foulché-Delbosc, *Bibliographie*, V. n.º 1888; Hoyo, p. cclii; Palau, vol. 6, n.º 106911; Romera-Navarro, *Oráculo...*, p. XXIX; Simón Díaz, n.º 375. Bianchini, n.º 993.

En: IU, CtY, CU-S, LBM, LBMun, NN, PBA, VFQ.

Oráculo Manual...,
Paris, 1702

54 [11]

L'Homme de Cour de Baltasar Gracian, traduit par le sieur Amelot de la Houssaie. Nouvelle édition corrigée et augmentée. [Viñeta]. A Paris, chez Damien Beugnie, dans la grande salle du Palais, au Pilier des Consultations, au Lion d'or. MDCCII. Avec Privilege du Roy. 33 hojs. + 393 p. + 2 hojs. 16 cm.

Signaturas: a-i^6, o^6, u^6, aa^5, A-Z^6, Aa^6-Kk^5.

Cit.: Correa Calderón, p. 338; Hoyo, p. cclii; Palau, 6, n.º 106917; Romera-Navarro, *Oráculo...*, p. XXIX; Simón Díaz, n.º 385.

En: IU, LBMun, MBN, PBN, PBP, PU.

Oráculo Manual...,
Augsbourg, 1710

55 [12]

L'Homme de Cour de Baltasar Gracian, traduit et commenté par le sieur Amelot de la Houssaie, ci-devant Secrétaire de l'Ambassade de France à Venise. Dernière édition, revue et exactement corrigée. [Viñeta]. A Augsbourg, Paul Kühtze, MDCCX. 24 hojs. + 308 p. + 1 hoj. 16 cm.

Signaturas: a^8-d^4, A-Z^8.

Cit.: La desconocen Correa Calderón; Romera-Navarro, *Oráculo...;* y Simón Díaz. Vid. Hoyo, p. ccliii; Palau, 6, n.º 109918, Bianchini, n.º 997.

En: IU, CSmH, IEN, VBM.

El Criticón,
Paris, 1696

56 [13]

L'Homme détrompé ou le Criticon de Baltasar Gracian, traduit de l'Espagnol en Français. [Viñeta]. A Paris, chez Jacques Collombat, rue Saint-Jacques, près la Fontaine Saint-Sèverin, au Pelican, MDCXCVI. Avec Privilege du Roy. 5 hojs. + 282 p. + 5 hojs. 16,5 cm.

Tr. de la *Primera parte de El Criticón por G. de Maunory.*

Signaturas: A-N^8.

El ejemplar de Illinois procede de la biblioteca de John Wickliff Kitchell, Pana, Illinois (1835-1914) regalada a la Universidad de Illinois por su esposa en 1931.

Cit.: Correa Calderón, p. 348; Foulché-Delbosc, *Bibliographie,* V, n.º 2004; Hoyo, p. cclv; Palau, vol. 6, n.º 106974; Simón Díaz, n.º 392.

En: IU, BBR, CU, LBM, LBMun, MiU, NcD, PBA, PBM, PBN, PSG, PPL.

El Criticón,
París, 1699

57 [14]

L'Homme détrompé suite de l'Homme de Cour. Traduit de l'Espagnol en Français. [Escudo del impresor]. A Paris, au Palais, chez Augustin Brunet, dans la grand'salle, au quatrième pillier, devant les Enquestes, au Louis couronné. MDCXCIX. Avec Privilege du Roy. 8 hojs. + 282 p. + 5 hojs. 16 cm.

Signaturas: a^8, A-Z^8, Aa^4-Bb^2.

Se trata de la traducción de la *Primera Parte* de *El Criticón* por Guillaume de Maunory. Esta edición, única en Estados Unidos[32], ha escapado la atención de todos los bibliógrafos y críticos de las obras de Gracián. La desconocen Correa Calderón, Foulché-Delbosc (*Bibliographie,* V), Hoyo, Palau, Penney, Romera-Navarro y Simón Díaz. El ejemplar de Illinois procede de la biblioteca privada del doctor Ernst Bergmann de Leipzig, comprada en 1925.

En: IU.

El Criticón,
La Haye, 1705

58 [15]

L'Homme détrompé ou le Criticon de Baltazar Gracian, traduit de l'Espagnol en Français par le Sr. Maunory. [Viñeta]. A La Haye, chez Jacob van Ellinckhuysen, marchand libraire dans le Halstraatje. MDCCV. 5 hojs. + 282 p. + 5 hojs. 16 cm.

Signaturas: A^{12}-N^8, O^4.

---

32. El *Union Catalog* (vol. 209, p. 153) es el único catálogo al parecer, que localice esta rarísima edición en la Universidad de Illinois. Sin embargo aparece documentada con error en la fecha, a saber, 1689 por 1699.

Edición rarísima, casi totalmente olvidada. La desconocen Correa Calderón, Simón Díaz, etc. Hoyo (p. cclv) y Palau (vol. 6, p. 338) citan esta traducción francesa de La Haya de 1705, ¡publicada por J. van Duren! seguramente errata del pie de imprenta.

En: IU, CtY.

III. TRADUCCIONES INGLESAS

El Criticón,
London, 1681

59 [16]

The Critick. Written Originally in Spanish; By Lorenzo Gracian One of the Best Wits of Spain, and Translated into English, By Pavl Rycavt Esq; London: Printed by T.N. for Henry Brome at the Gun in St. Paul's Church-Yard, 1681. 8 hojs. + 257 p., grabado. 17 cm.

Signaturas: A-S^8.

El ejemplar de Illinois va encuadernado con la obra de Sir Paul Rycaut: *The History of the Present State Ottoman Empire.* London. Printed by John Starkey and Henry Brome, 1681. 7 hojs. + p. 1-380. + 2 hojs.

Signaturas: A-Z^8, Aa-Bb^8.

Cit.: Allison, p. 82, n.º 13; Correa Calderón, p. 348; Hoyo, p. cclv; Wing, G. n.º 1470.

En: IU, ArU, CLU-C, CtY, ICN, ICU, MB, MBAt, MH, MiU, NIC, NjP, OrU, PU, ViU.

Oráculo Manual...,
London, 1685

60 [17]

The Courtiers Manual Oracle, Or The Art Of Prudence. Written Originally in Spanish By Baltasar Gracián. And now done into English. London, Printed by M. Flesher, for Abel Swalle, at the Vnicorn, at the West-End of St. Paul's 1685. 272 p. 19 cm.

Signaturas: A-S^8, T^2. Se desconoce el traductor de la obra.

Cit.: Allison, p. 83, n.º 14; Correa Calderón, p. 342; Hoyo, p. ccliii; Palau, vol. 6, n.º 106941; Romera-Navarro, *Oráculo...,* p. XXX; Wing, G. n.º 1468.

En: IU, CLSU, CLU-C, CtY, DLC, IEN, LBM, MB, MH, MiU, NIC, NjP, NNC, OCIW, TxU, WU.

Oráculo Manual...,
London, 1694

61 [18]

The Courtiers Oracle, Or The Art of Prudence. Written originally in spanish, By Baltazar Gracián; And now done into English. London. Printed for Abel Swalle, and

Tim Childe, at the Sign of the Vnicorn, at the West-End of St. Paul's 1694. 15 hojs. + 256 p. 18 cm.

Signaturas: A-R^8.

La traducción inglesa de estas dos ediciones (n.ºs 17 y 18) se basa en la versión francesa de Amelot de la Houssaie, L'Homme de Cour, Paris, 1684. Se desconoce el nombre del traductor.

Cit.: Allison, p. 83, n.° 14.1; Correa Calderón, p. 342; Graesse, III, p. 127; Hoyo, p. ccliii; Palau, vol. 6, n.° 106942; Romera-Navarro, *Oráculo..*, p. XXX.

En: IU, CLU-C, CoU, CU-S, ICN, ICU, FU, LBM, MiU, MnU, NcD, NN, NNCoCi, OrU, PPC.

Oráculo Manual...,
London, 1705

62 [19]

The Art of Prudence: Or, A Companion For A Man of Sense. [Filete]. *Written Originally in Spanish by that Celebrated Author, Balthazar Gracián; now made English from the best Edition of the Original, and Illustrated with the Sieur Amelot de la Houssaie's Notes. By Mr. Savage.* [Filete]. *Principibus placuisse Viris non ultima Laus est. Non cuivis Homini contingit adire Corinthum. Horace lib. I. Epist. Ep. 17.* [Filete]. *The Second Edition, Corrected.* London: Printed for Jonah Bowyer, at the Rose in Ludgare-street, near the West-End of St. Paul's, 1705. 13 hojs. + 280 p. 19 cm.

Signaturas: A^8, a^4, b^2, B^8-T^4.

Cit.: Correa Calderón, p. 343; Hoyo, p. cclii; Romera-Navarro, *Oráculo...,* p. XXX.

En: IU, CtY, DLC, LBM, MH, NcU, NjP, OOxM, OSW.

Oráculo Manual...,
London, 1714

63 [20]

The Art of Prudence: Or, A Companion For A Man of Sense. Written Originally in spanish by that Celebrated Author Balthazar Gracián; now made English from the best Edition of the Original, and Illustrated with the Sieur Amelot de la Houssaie's Notes, By Mr. Savage. Principibus placuisse Viris non ultima Laus est. Non cuivis Homini contingit adire Corinthum. Horace lib. I. Epist. Ep. 17. The Third Edition, Corrected. London: Printed for D. Browne, at this Ware-House in Exeter-Exchange, J. Walthoe, in the Temple-Cloister, W. Mears, and Jonas Browne, without Temple-Bar. MDCCXIV. 13 hojs. + 280 p. 19 cm.*

Signaturas: A^8, a^4, b^2, B^8-T^4.

Cit.: Correa Calderón, p. 343; Hoyo, p. ccliii; Palau, 6, n.° 106944; Romera-Navarro, *Oráculo...,* P. XXX.

En: IU, LBM, MH, NN, PU, Vi.

El Discreto,
London, 1730

64 [21]

The Compleat Gentleman: Or, A Description of the Several Qualifications, Both Natural and Acquired, That Are Necessary to Form a Great Man. Written Originally in Spanish, by Baltasar Gracián, and now Translated into English by. T. Saldkeld. London, Printed for T. Osborne, MDCCXXX. 5 hojs. 236 p. + 4 hojs.

Signaturas: A^4, a^2, B^8-Q^6.

El ejemplar de Illinois tiene la portada mutilada cuyos datos se han completado del catálogo de la biblioteca de la Universidad de Texas.

Cit.: Correa Calderón, p. 334; Simón Díaz, n.º 400; Ticknor, p. 159.

En: IU, CSmH, ICN, InU, LBM, MB, MB, MiU, PU, TxU.

El Héroe,
London, 1726

65 [22]

The Hero From the Spanish of Baltasar Gracián; with Remarks Moral, Political, and Historical, Of the Learned Father J. de Courbeville. By a Gentleman of Oxford. It must be observ'd That I do not here confine the Name and Character of Heroes, only to Warriors and great Conquerors; I extend the Appellation to all Persons that are eminent in an high Degree, whether they belong to the Cabinet or the Bar, Whether they are conversant in Human or divine Literature. Hero, Chap. I. p. 23. London: Printed for James Mack-Euen, at Buchanan's - Head, over-against St. Clement's Church in the Strand. MDCCXXVI 6 hojs. + 219 p. 24 cm.

Signatures: *3, a^4, B-Z^4, Aa^4-Ff^2.

En: IU.

El Héroe,
London, 1726

66 [23]

The Hero From the Spanish of Baltasar Gracián; With Remarks Moral, Political, and Historical, Of the Learned Father J. de Courbeville. By a Gentleman of Oxford. It must be observ'd That I do not here confine the Name and Character of Heroes, only to Warriors and great Conquerors; I extend the Appelation to all Persons that are eminent in an high Degree, whether they belong to the Cabinet or the Bar, whether they are conversant in human or divine Literature. Hero, Chap. I. p. 23. London: Printed for T. Cox, at the Lamb under the Royal Exchange. MDCCXXVI. X hojs. + 219 p. 24 cm.

La portada es idéntica a la anterior pero el pie de imprenta reza: "Printed for T. Cox, at the *Lamb* under the *Royal Exchange*". Otra diferencia son las hojas preliminares que van encuadernadas en números romanos y son X. Las signaturas de los pliegos también coinciden.

Cit.: Palau, 6, n.º 106868.

En: IU, DFo, DLC, LBM, MeB, MiU, NcU, NjP, OCU, PPL, ViW.

IV. TRADUCCIONES ALEMANAS

Oráculo Manual...,
Mainz, 1687

67 [24]

[Anteportada;] *L'Homme de Cour Oder Balthasar Gracián Vollkommener = Staats = und Weltweise, mit Chur = Seachsischer Freyheit.* [Viñeta]. Leipzig, Verlegts Adam Gottfried Kromayer, MDCLXXXVI (1686).

[2.ª Portada:] *L'Homme de Cour, Oder der heutige politische Welt = und Staats = Weise, fürgestellet von Balthasar (sic) Gracián, Soc. Jesu, Und wegen seiner hohen Würde in unsere hochteutsche Sprache ubersetzet, anitzo aus dem Original vermehret, und zum Andermahl herausgebeben, von Joh. Leonahrd Sauter J.U.D.* Mayntz, Verlegts Adam Gottfried Kromayer MDCLXXXVII (1687). 10 fols. + 32 fols. + 20 fols. + 690 p. + 163 fols. + 1 hoj. 14 cm.

[Al fin:] Index rerum oder Verzeichnuss derer in der Hoff = *Staats = und Welt = Weissheit gegrundeten Marimen.*

Tr. por Johann Leonhard Sauter, abogado, traductor y, conocido también como experto "redactor de documentos históricos"[33].

Correa Calderón, Arturo del Hoyo y Miguel Romera-Navarro (vid. repertorios citados) atribuyen erróneamente esta traducción a nada menos que al impresor Adam Gottfried Kromayer.

Esta edición se basa en la traducción al francés por Amelot de la Houssaie, publicada en Paris en 1684.

Signaturas:)?(8, A-Z8, Aa8-Bb4.

Cit.: Correa Calderón, p. 339; Hoyo, p. cclii; Romera-Navarro, p. XXIX; Schneider, p. 156.

En: IU, CtY.

Oráculo Manual...,
Leipzig, 1715

68 [25]

Balthasar Gracians Oracul, Das man mit sich füren, und stets bey hand haben kan. Das ist; Kunst = Regeln der Klugheit/vormahls von Mr. Amelot de la Houssaye unter dem titel L'Homme de Cour ins Franzeische anietzo aber Aus dem Spanischen Original / welches durch und durch hinzu gefuget worden, ins Deutsche euebersetzer, mit neuen Anmerckungen / In welchen die marimen des Autoris aus den Principiis der Sitten lehre erkläret und beurtheilet werden D. August Friedrich Müllern. Mit Konigl. Poln. und Churst. Seachs. Privilegio. Leipzig, bey Caspar Jacob Eysseln, 1715. 12 hojs. + 776 p. + 20 hojs. ("Register"). 17 cm.

Signaturas:)(8,)(-)(8, A-Z8, Aa-Zz8, Aaa-Eee8.

---

33. Vid. Adam Schneider, *op. cit.*, p. 156.

Cit.: Correa Calderón, p. 340; Hoyo, p. cclii; Romera-Navarro, *Oráculo...*, p. XXIX; Schneider, p. 157.

En: IU.

Oráculo Manual...,
Reutlingen, 1804

69 [26]

Der Mann von Welt, eingeweiht in die Geheimnisse der Lebensklugheit. Ein nach Balthas. Gracián frey bearbetetes, vollständig nachgelassenes Manuscript von Karl Heinrich Heydenreich. Neue verbesserte Auflage. Reutlingen 1804. bey Iohann Iakob Mücken. XVI p. (prólogo del editor K.G. Schelle) + 224 p. 19 cm.

Signaturas:)(^8, A-O^7.

Cit.: Romera-Navarro, Hoyo y otros citan una edición de Leipzig con el mismo prólogo del editor K.G. Schelle, pero no la de Reutlingen. La desconoce también Christian G. Keyser (*Vollständiges Bücher-Lexicon enthaltend alle von 1750 – bis zu Ende des Jahres 1832 ni Deutschland... Dritter Theil, H-L,* Leipzig, 1835, p. 136) que cita únicamente la edición de Leipzig de 1804.

En: IU (2 ejemplares. Uno de los ejemplares procede de la biblioteca de Ernst Bergmann, de Leipzig, comprada en 1925).

Oráculo Manual...,
Leipzig, 1838

70 [27]

Männerschule von Balthasar Gracián Aus dem Spanischen übersetzt von Fr. Kölle. Stuttgart. Verlag der J.B. Metzler'schen Buchhandlung. 1838. 1 hoj. + 168 p. 16 cm.

Cit.: Correa Calderón, p. 341; Coster, p. 690; Hoyo, p. cclii; Palau, 6, n.º 106951; Romera-Navarro, *Oráculo...*, p. XXIX; Scheneider, p. 158.

En: IU.

Oráculo Manual...,
Leipzig, 1871

71 [28]

Balthasar Gracian's Hand-Orakel und Kunst der Weltklugheit. Aus dessen Werken gezogen von Don Vincencio Juan de Lastanosa, und aus dem spanischen Original trett und sorgfältig übersetzt von Arthur Schopenhauer. (Nachgelassenes Manuscript). Zweite unveränderte Auflage [Viñeta: *A.F.B. 1805*] Leipzig: F.A. Brockhaus. 1871. XII + 203 p. 16 cm.

Cit.: Correa Calderón, p. 341; Hoyo, p. cclii; Romera-Navarro, *Oráculo...*, p. XXIX; Schneider, p. 159.

En: IU.

El Criticón,
Venezia, 1709

72 [29]

Il Criticon, Overo Regole della vita Politica-Morale Di Don Lorenzo Gracián. Tradotte dallo Spagnuolo in Italiano Da Gio. Pietro Cattaneo. Divise in tre Parti; La Prima La Primavera Della Franciullezza. La Seconda L'Estate Della Gioventù. La Terza L'Inverno Della Vecchiezza. [Escudo del impresor: *GP*] Venetia, MDCCIX. Appresso Nicoló Pezzana. Con Licenza de Superiori, e Privilegio. 3 hojs. + 283 p. 21 cm.

Signatures: *4, A⁸-S⁶.

Ex Libris: Conte Antonio Cavagna.

Cit.: Palau, 6, p. 338; Simón Díaz, n.º 417.

En: IU, FBN, VBM.

Acabamos de presentar y enumerar la colección de Gracián más importante que existe en Norteamérica, y una de las mejores, en este autor, en el mundo. Se trata de 29 unidades bibliográficas, todas de sumo valor, algunas de gran rareza y otras completamente desconocidas.

Para llegar a estas conclusiones hemos recogido otras localizaciones en Norteamérica, de manera especial, y también en varias bibliotecas europeas. Con estas localizaciones no pretendemos registrar *todo* lo que se conserva en el mundo de una edición determinada, aunque podemos afirmar que, en muchos casos, representan el acopio más significativo de ejemplares conocidos hasta la fecha. Al examinar estos resultados podíamos aquilatar el valor de las muestras ilinoyenses, primordial objetivo del presente trabajo. Veíamos una nutrida zona española. Sin embargo, lo más importante es la sección relativa a traducciones, francesas sobre todo. La parte gala está constituida por siete unidades. Dos de ellas representan las ediciones príncipes de las versiones francesas: *Oráculo Manual,* Paris, 1684, y *El Criticón,* Paris, 1696. Lo más sensacional de nuestra investigación es el descubrimiento de una traducción francesa de *El Criticón*, Paris, 1699 que es, al parecer, totalmente desconocida. El ejemplar de Illinois sería, pues, único en el mundo. Esta edición reproduce la traducción de Maunory publicada en 1696. Las diferencias tipográficas, señaladas en las entradas correspondientes, son claras, además de obvias disparidades manifiestas en las portadas de las dos ediciones, portadas que reproducimos en grabados. Esta misma traducción de Maunory se utilizó en otra rara edición de La Haya, Chez Jacob van Ellinckhuysen, 1705, que ha escapado a todos los bibliógrafos que hemos consultado. Hemos localizado otro ejemplar en la Universidad de Yale.

La zona de traducciones inglesas, bien nutrida, con ocho unidades bibliográficas, no se caracteriza por su extremada rareza, al menos nos ha sido posible localizar varios ejemplares, en Norteamérica sobre todo. Se cuentan entre ellos dos ediciones príncipes: *El Criticón,* London, 1681, y *Oráculo Manual,* London, 1685. El descubrimiento más destacado es una edición de la traducción de *El Héroe,* London, 1726, que también constituye, de momento, un ejemplar único en el mundo. Se conocen dos ediciones distintas de este mismo año, como hemos indicado (una de London y otra de Dublin), pero esta de London, James Mack-Euen, tiene un pie de imprenta que ningún bibliógrafo o biblioteca habían registrado.

Una zona de traducciones bastante interesantes es la que se refiere a las de lengua germana. Se trata de varias traducciones de *El Oráculo Manual,* que tanta popularidad tuvo en Alemania hasta los tiempos de Schopenhauer. Todas son conocidas de los bibliógrafos excepto, al parecer, una publicada en Reutlingen, en 1804, que cuenta con dos ejemplares en Illinois. Estas traducciones de *El Oráculo Manual* al alemán deben ser de gran escasez, al menos fuera de países de habla germánica. El *Unión Catalog* sólo registra en Norteamérica otro ejemplar de la traducción publicada en Mainz, en 1687, que es la príncipe por cierto; y no encontramos representadas estas muestras ilinoyenses en los catálogos del British Museum y de la Bibliothèque Nationale de Paris. Suponemos que en las prodigiosas bibliotecas alemanas, inaccesibles ahora para nosotros, se albergarán varios ejemplares de estas ediciones.

Un solo ejemplar de las traducciones italianas se encuentra en Urbana.

Con estas notas y pesquisas bibliográficas hemos pretendido ofrecer un servicio a las futuras investigaciones sobre el jesuita aragonés, tan conocido en Francia, gracias al aldabonazo de Adolphe Coster, y de muchos otros que le han seguido. Para ello conviene ir recogiendo todo lo que se conserva de este español universal. Paradójicamente jamás se asomó a otros países mientras vivía, pero la influencia de su obra fácilmente accesible a través de abundantes traducciones, ha penetrado muy hondamente en pueblos y lenguas tan diversos.

V

LA COLECCION DE FRAY LUIS DE GRANADA
(SIGLOS XVI Y XVII)[34]

34.   Publicado en *Homenaje a Emilio Orozco Díaz...* Granada, 1979, II, 263-278.

Buen año para los estudios bibliográficos fue el de 1926[35]. Fray Maximino Llaneza publicaba, en cuatro volúmenes, en Salamanca, su *Bibliografía de Fr. Luis de Granada,* obra hoy tan escasa, y ciertamente haría falta una reimpresión. Notamos, a propósito, que en el mismo 1926 veían la luz otras importantes bibliografías (y digamos entre paréntesis que allí de nuevo se veía representada una sección de la obra impresa de Fray Luis de Granada). Nos referimos a Mariano Alcocer y Martínez, *Catálogo razonado de obras impresas en Valladolid, 1481-1800,* Valladolid, 1926 y Joaquim Antonio Anselmo, *Bibliografía das obras impressas em Portugal no século XVI,* Lisboa, 1926. La monumental obra de Llaneza supuso una columna fundamental para los posteriores estudios granadinos. Lástima que el erudito hermano de orden religiosa de Fray Luis desconociese totalmente los fondos norteamericanos. Una revisión de los fondos ilinoyenses es lo que precisamente motiva la presente contribución. Hay que adelantar que algunas muestras que se albergan actualmente en la Universidad de Illinois son de ingreso relativamente reciente, y ello justifica que tan importante colección haya pasado prácticamente inadvertida. Procedemos, por tanto, a presentar los volúmenes que la constituyen añadiendo, tomando como base las muestras ilinoyenses, otros ejemplares norteamericanos (ahora más conocidos gracias al *Union Catalog*) y otros dispersos por varias biblio-

35.   Creemos que una manera concreta de rendir homenaje al maestro Orozco Díaz, gran conocedor de las corrientes espirituales de la Edad de Oro, es presentar una de las más importantes colecciones que existen en el mundo sobre el *granadino* Fray Luis de Granada, y que, por fortuna, se conserva (prácticamente desconocida) en la Universidad de Illinois.

tecas del mundo, con lo que se completará, considerablemente, el cuadro presentado por Llaneza. Estas localizaciones podrán ampliarse notablemente con nuevos hallazgos en otras bibliotecas. En algunos casos, sin embargo, representan la nómina más extensa de ejemplares presentados hasta la fecha.

He aquí, a guisa de presentación aclaratoria, las características más sobresalientes de la presente colección ilinoyense. Se trata, en total, de 26 unidades bibliográficas; algunas constituyen ejemplares de los pocos que quedan en el mundo de una particular edición. Para Fray Luis de Granada nos encontramos, probablemente, con una de las mejores colecciones que existen en Norteamérica. Es sin duda supe-.rior, por ejemplo, a la que se alberga en la Hispanic Society of America en Nueva York[36]. Trataremos ahora de dividir, en estas notas presentativas, los grupos dentro de la colección que merezcan una mirada de conjunto.

I) La ediciones españolas son cinco. Se destaca por su importancia y rareza, la edición príncipe de *Introducción al símbolo de la fe*, Salamanca, Por los herederos de Mathias Gast, 1583, en 4 volúmenes. No sólo se trata del único ejemplar que, al parecer, existe en Norteamérica, pero es de los pocos que se conservan en el mundo. El ejemplar ilinoyense procede de la biblioteca particular de Estéban Vázquez de Tarazona (provincia de Zaragoza, España), cuyo *ex libris* aparece en el ejemplar. A juzgar por unas notas manuscritas que aparecen en las guardas debió de estar en algún tiempo en la biblioteca pública de Braganza. De la misma obra posee Urbana una edición madrileña, Imprenta Real, 1672. Ya veremos que este título se ve representado en Urbana por la importante traducción al latín de Michael ab Isselt, publicada en Colonia en 1588.

Existe en Urbana una rarísima edición (por desgracia sólo el volumen segundo) del *Memorial de la vida cristiana,* Amberes, 1572, de la que, hasta ahora, sólo se conocía el ejemplar de la Biblioteca Nacional de Madrid.

Fray Luis de Granada tradujo dos importantes obras del latín al castellano: *De imitatione Christi,* de Tomás Kempis y la *Scala paradisi,* de San Juan Clímaco. La traducción de Kempis (cuya edición príncipe es la de Sevilla, 1536) se ve representada con la rarísima edición de Amberes, 1572 y la de San Juan Clímaco, con la edición de Madrid, Juan de la Cuesta, 1612. Sabido es que la primera edición de esta obra se publicó en Lisboa en 1582, aunque como autor se consignaba a "un Religioso de la orden de S. Domingo" (véase Anselmo, *ob. cit.,* n.º 350, pág. 94).

II) Especialmente importante es el grupo de obras que Fray Luis de Granada escribiera directamente en latín que han venido a parar a la Universidad de Illinois por varios y peregrinos caminos. En primer lugar la *Ecclesiasticae Rhetoricae* cuenta con dos ediciones del siglo XVI: la de Lisboa, 1576 y la de Colonia, 1582. Del siglo XVII se encuentra la de Paris, 1635 (véanse fichas n.ºs 5, 6 y 7). Es sabido que, por fin, en 1770 fue hecha traducir al español por el obispo barcelonés Climent, y existen varias ediciones del siglo XVIII, más conocidas, algunas también represen-

36.   Véase Clara Luisa Penney, *Printed Books, 1468-1700 in the Hispanic Society of America,* New York, The Hispanic Society of America, 1965, pág. 242. Allí la colección consta de 16 unidades bibliográficas. Por suerte se complementan muy bien la colección neoyorquina y la de Urbana. Ninguna de las ediciones existentes en Urbana se encuentra en la Hispanic Society.

tadas en Urbana. En efecto, la edición de Lisboa, 1576, ingresó en Urbana en 1959 a través del librero Lowel; su propietario debía ser de habla inglesa, pues el ejemplar tiene un índice a mano en inglés. La edición de Colonia, 1582 procede de la colección particular del profesor T.W. Baldwin, comprada recientemente por la Universidad de Illinois y la edición rarísima de 1635 ostenta un *ex-libris* que reza: "Dalla biblioteca di Mons. Giacinto della Torre".

Hay una colección de *Concionum de tempore* en 4 volúmenes de fechas distintas (tres publicados en Amberes y otro en Lyon) y otra colección en dos volúmenes de *Conciones que de praecipvis sanctorvm festis,* también de fechas distintas (el primer volumen, por ejemplo, con fecha posterior a la del segundo). Evidentemente se trata de una colección intentada formar con los volúmenes accesibles, de cualesquiera fechas se tratase. Todos van adornados con sendas encuadernaciones de cartón verde. Fueron todos adquiridos por la Universidad de Illinois en 1955 a través del librero Stonehill. Todas estas ediciones (excepto la de la ficha n.º 10, que apareció en Lyon) vieron la luz en Amberes en las famosas prensas de Plantino, excepto la ficha n.º 12 que por ser de 1600 pertenece ya a su sucesor Moreto.

III) Respecto a las traducciones de Granada a otras lenguas hay que notar que en Urbana se encuentra una rarísima traducción italiana: Venecia, 1581 (ficha n.º 14), y otra francesa de varias obras espirituales de Granada impresas en un enorme volumen (ficha n.º 25), también de suma rareza.

IV) Muy bien representada en Urbana está la importante labor de traducción al latín efectuada por Michael ab Isselt, cuyas ediciones van apareciendo en Colonia y que, a menudo, del latín pasan al inglés a través del protestante Francis Meres que no conoce el idioma español, como ya veremos. Se trata de cinco ediciones (fichas n.ᵒˢ 15, 16, 17, 18 y 19). Por su rareza e importancia se destaca la traducción latina de *Introducción al símbolo de la fe,* Colonia, 1588, de la que, hasta ahora, sólo se conocían los ejemplares de la Biblioteca de la Universidad de Salamanca y el de la Universidad de Cambridge. Es relevante destacar, pues, el ejemplar que acabamos de registrar en Urbana. Hay que suponer que existirán ejemplares en Alemania, especialmente en la biblioteca de la Universidad de Colonia, pues allí Hagedorn, en trabajo que citaremos oportunamente, encontró otras ediciones con traducciones latinas de tan famoso y experto traductor.

V) Capítulo aparte, a causa de su rareza y su importancia, son las traducciones al inglés de la obra granadina, problema excelentemente estudiado por María Hagedorn, *Reformation und Spanische Ändachtsliteratur. Luis de Granada in England,* Leipzig, 1934 (Kölner Anglistische Arbeiten, vol. 21). La colección de ediciones inglesas en Illinois está compuesta por cinco unidades bibliográficas, de extrema rareza todas ellas. Veamos este problema con algún detalle. La primera traducción inglesa del *Libro de oración y meditación* es la publicada en París, 1582 debida a la pluma del católico Richard Hopkins. Se trata de un interesante personaje que tras estudios en Oxford y Londres (Middle Temple) decide, por motivos religiosos, exiliarse al continente. Pasa un largo tiempo en España y por fin se afinca en París donde traduce al inglés varias obras españolas. Muere en París en 1590. (véase Hagedorn, *ob. cit.* pág. 31). En Urbana se encuentra su segunda edición que apareció en Rouen, dos años más tarde que la parisina, es decir, en 1584. Llaneza sólo consignó el ejemplar de la Biblioteca Mazarina de París. Podemos ofrecer ahora, además del de Illinois, dos más en Estados Unidos y la de Oxford que señaló en su día Hagedorn. Hay que notar que A.F. Allison registra varias ediciones londinenses con traducciones protestantes (anónimas) basadas en la traducción que del *Libro de oración y meditación* hiciera Hopkins y que sólo pudo publicar en Francia a causa de la severa censura contra los libros católicos que existía en Inglaterra. La primera traducción anglicana de autor conocido es la de Francis Meres (1565-1647) que se publica en Londres, 1598 (ficha n.º 21). Meres se basa según María Hagedorn (*ob. cit.,* pág. 52) en la versión latina publicada en Colonia en 1588 por Michael ab Isselt. Este traductor inglés será sacerdote protestante a partir de 1602 y durante el reinado de la reina Elisabeth se dedicó a publicar varias obras didácticas (véase Hagedorn, pág. 48). Se trata de una edición de gran rareza. Llaneza y Hagedorn sólo aluden al ejemplar del British Museum. Presentamos ahora, además del ejemplar ilinoyense, el de la Universidad de Michigan, de Ann Arbor.

De *La guía de pecadores,* el anglicano Francis Meres publica la primera versión inglesa a través, de nuevo, de la traducción latina que Michael ab Isselt que con el título de *Dux peccatorum* publicó en Colonia en 1587 (según afirma Hagedorn, pp. 66-74). El éxito mundial de *Guía de pecadores* fue insólito. En España entre 1556 y 1600 se publican 37 ediciones. Se tradujo a las lenguas más exóticas como al polaco y al japonés (en esta lengua ya en 1599). Llaneza sólo menciona el ejemplar del British Museum y Hagedorn señala el de la Biblioteca Bodleiana en Oxford. Hoy, además del de Urbana, podemos presentar otros dos ejemplares estadounidenses (véase ficha n.º 22).

El memorial de la vida cristiana se traduce al inglés por Richard Hopkins y se publica por primera vez en Rouen, L'Oyselet, 1586. En Urbana se encuentra la segunda edición de Rouen, L'Oyselet, 1599, pero según A.F. Allison (p. 110) se trata de un pie de imprenta falso, y en realidad la obra se imprimió secretamente en Inglaterra. Es una edición de menor rareza representada con varios ejemplares (véase, n.º 23).

Digamos, por último, que se encuentra en Urbana una antología con el título de *Paradise of prayers...* cuya edición de 1614 es de gran rareza. No la cita, por ejemplo, Hagedorn. Sí la registra A.F. Allison[37] (p. 114) y afirma que está basada en la versión latina de Michael ab Isselt, *Paradisus precum,* Colonia (1598) y debida probablemente a la pluma de Thomas Lodge.

En este trabajo, presentativo y enumerativo, nos hemos concretado a los fondos ilinoyenses, que sorprenden por su riqueza y rareza. Presentamos una lista de repertorios bibliográficos donde se recogen las ediciones de Fray Luis de Granada en Urbana. Y también hemos confeccionado una lista de siglas de las bibliotecas donde estas mismas muestras ilinoyenses cuentan también con representaciones. De los volúmenes de Illinois se ha reproducido la portada completa, la paginación y la signatura interna de los pliegos.

---

37. Vid. A.F. Allison, *ob. cit., loc. cit.*

I. EDICIONES

A) Españolas

Introducción al símbolo de la fe,
Salamanca, 1583

73 [1]

PRIMERA *Parte de la Introdvction (sic) del symbolo de la Fe, en la qual se trata de la Creacion del mundo para venir por las criaturas al conoscimiento del Criador, y de sus diuinas perfectiones. Compuesta por el R.P. Maestro F. Luys de Granada de la orden de S. Domingo. Delectasti me Domine in factura tua, & in operibus manuum tuarum exultabo. Psalm. 91* [Escudo del impresor]. En Salamanca. Por los herederos de Mathias Gast. M.D.LXXXIII (1583). 10 hs. + 187 págs. + 2 hs. de Tabla + 1 h. 30 cm.

Signaturas: ¶^{10}, A-M^8.

Segvnda Parte de la Introdvction del Symbolo de la Fe, y religion Christiana. Compuesta por el R.P. Maestro F. Luys de Granada de la orden de Sancto Domingo. Testimonia tua credibilia sancta sunt nimis. Psal. 92. Deus autem spei repleat vos omni gaudio & pace in credendo. Rom. 15. [Escudo del impresor]. En Salamanca. Por los herederos de Mathias Gast. M.D.LXXXIII (1583). 221 págs. 2 hs. de Tabla.

Signaturas: Aa-Oo^8.

Tercera Parte, de la Introdvction del Symbolo de la Fe, que trata del mysterio de nuestra redempcion, en la qual procediendo por lumbre de razon se declara, quan conueniente medio aya sido este que la diuina bondad y sabiduria escogido para salud del linage humano. *Compuesta por el R.P. Maestro f. Luys de Granada de la orden de Sancto Domingo. Va Esta Parte Tercera Dividida en tres tratados principales. En el primero, se trata de los fructos del arbol de S. Cruz. En el segundo, de las figuras del mysterio de Christo. En la tercera, por via de Dialogo, se responde a las preguntas que acerca deste mysterio se pueden hazer* [Escudo del impresor]. En Salamanca, Por los herederos de Mathias Gast. M.D.LXXXIII (1583). 153 págs. 2 hs. de Tabla.

Signaturas: Aaa-Lii[8], Kkk[6].

Qvarta Parte, de la Introdvction del Symbolo De La Fe: En la qual (procediendo por lumbre de Fe) se trata del mysterio de nuestra redempcion: Para lo qual se traen todas las prophecias, que testifican ser Christo nuestro Saluador el Messias prometido en la ley, donde también se declaran otros mysterios, y articulos de nuestra sancta Fe, contenidos en el Symbolo. Compuesta por el R.P. Maestro F. Luys de Granada de la Orden de Sancto Domingo. Scrutamini scripturas: quia vos putatis in ipsis vitam aeternam habere. Et illae sunt quae testimonium perhibent de me. Ioan. V. [un grabado]. En Salamanca, Por los herederos de Mathias Gast. M.D.LXXXIII (1583). 215 págs. + 2 hs. de Tabla. 4 vols. en 1,30 cm.

Signaturas: Aaaa - Nnnn[8], Oooo[6]. (Oooo[6] en blanco).

Colofón: "En Salamanca Por los herederos de Mathías Gast M.D.LXXXIII".

Contiene: I.ª parte: *De la creación del mundo;* II^a parte: *De las excelencias de nuestra sanctissima fe, y religión christiana;* III.ª y IV.ª partes: *Del mysterio de nuestra redempción.*

Cits.: Llaneza, vol. II, n.º 1862; Palau, 108154.

Ejemps.: IU, LBN, MBAH.

Madrid, 1672

74 [2]

[Anteportada:] PRIMERA *Parte del Simbolo De Fray Lvis de Granada* [Portada grabada:] *Primera Parte de La Introdvccion del Simbolo de la Fe. En Ella se Trata de la Creación del Mundo, para venir por las criaturas al conocimiento del Criador (sic), y de sus perfecciones. Al Excelentissimo Señor Don Melchor de Nauarra y Rocaffull, & Compvesto Por El Muy Reverendo Padre Maestro Fray Luis de Granada, del Orden de Santo Domingo. Delectasti me Domine in factura tua, & in operibus manu umtuarum exultabo. Psalm. 91.* Año 1672. [un grabado] *Plieg. 184 Ianitor Coeli: Doctor Orbis Pariter: Ivdices Secli: Vtrivsqve Mvndi Lvmina:* Con Licencia. En Madrid, En la Imprenta Real: A costa de la viuda de Iuan Antonio Bonet, Mercader de Libros. Vendese en su casa en la Calle mayor. 6 hs. + 722 págs. + 1 hs. 30 cm.

Signaturas: ¶[6], A-Z[8], Aa-Xx[8], Yy[10].

Cits.: Llaneza, vol. 2, n.º 2007; Palau, 108173.

Ejemps.: IU, ABA, DLC, LBN, MBN.

75 [3]

SEGVNDO *Volvmen del Memorial de la vida Christiana: En el qual se contienen los tres Tratados postreros que pertenecen a los exercicios de la deuocion, y el del Amor de Dios, Compuesto por el R.P. Fray Luys de Granada, de la Orden de Sancto Domingo.* [Escudo del impresor:] *Labore et Constantia.* En Anveres, En casa de Christophoro Plantino Prototypographo de la Magestad Real. CIƆ IƆ LXXII (1572). 5 hs. + 11-460 págs. + 2 hs. 17 cm.

Segunda parte del primer tomo.

Signaturas: A-Z⁸, aa-ff⁸.

Cits.: Antonio, IV, pág. 40; Llaneza, vol. II, n.º 1602 [b], pág. 155; Palau, 107909; Peeters-Fontainas, I, n.º 732; *Catálogo,* n.º 1515.

Ejemps.: IU, MBN.

76 [4]

CONTEMPTVS *Mvndi, Nueuamente romançado y corregido Añadiose le (sic) vn breue tratado de Oraciones, y exercicios de deuocion muy prouechosos. Recopilados de diuersos authores por el Reuerendo Padre Fray Luys de Granada, de la orden de Sancto Domingo.* [Escudo del impresor:] *Labore Et constancia.* En Amberes, En casa de Christophoro Plantino Prototypographo de la Magestad Real. CIƆ IƆ LXXII (1572). 538 págs. + 5 hs. de Tabla. 17 cm.

Signaturas: A-Z⁸, Aa-Ll⁸, Mm⁴.

[Vol. II:] *Sigvense vnas Oraciones y Exercicios de deuocion muy prouechosos Recopilados De diuersos y graues auctores. por el Reuerendo Padre Fray Luys de Granada, Prouincial de Portugal, de la orden de Sancto Domingo.* [Escudo del impresor:] *Labore Et Constancia.* En Anvers, En casa de Christophoro Plantino Prototypographo de la Magestad Real. CIƆ IƆ LXXII (1572). 124 págs. + 1 h. de Tabla. 17 cm.

Signaturas: A-G⁸, H⁴ - I⁴.

Cits.: Llaneza vol. 4, n.º 3005 (que cita la trad. del *De Imitatione Christi* y el vol. II de esta misma edición, pero con pie de imprenta de Salamanca, 1572); Palau, vol. 6, 127402; Peeters-Fontainas, II, n.º 1289, que cita únicamente la trad. del *De Imitatione Christi,* añadiendo: "Cette édition fait partie des oeuvres complètes de Luis de Granada, publiées cette année-là chez Plantin; voir n.º 732".

Ejemps.: IU, TBPr.

B) Latinas

Ecclesiasticae Rhetoricae…,
Lisboa, 1576
77 [5]

ECCLESIASTICAE *Rhetoricae Sive de Ratione concionandi libri sex, nunc primum in lucem editi. Authore R.P.F. Ludovico Granateň. sacrae Theologiae professores, monacho Dominicano.* [dos adornitos] *Faus mellis composita verba, dulcedo animae, & sanitas ossium Qui sapiens est corde, appellabitur prudens, & qui dulcis eloquio, maiora reperiet. Prouerb. 16 (.+.).* Olysippone, Excudebat Antonius Riberius, expensis Ioannis Hispani Bibliopolae. Anno Domini, 1576. Cvm Privilegio. Esta taxado a ———— em papel. 8 hs. + 362 págs. + 1 h. 25 cm.

Signaturas: ¶ - ¶ [8], A-Y[8], Z[6].

Colofón: "Registrvm A B C D E F G H I K L M N O P Q R S T V X Y Z Olysippone. Excudebat Antonius Riberius, expensis Ioannis Hispani. Anno Domini 1575".

Cits.: Anselmo, n.° 923, págs. 267-8; Llaneza, vol. IV, n.° 2842; Palau, 6, n.° 108132; Doublet, pág. 81; *Catálogo*, n.° 1517.

Ejemps.: IU, CBP, LBM, MBN, MH, NBG, OBU, RBM, SBS, SBU, SMP, TeBP, ZBU.

Köln, 1582
78 [6]

R.P.FR. *Lvdovici Granatensis, Sacrae Theologiae Professoris, Ordinis S. Dominici. Ecclesiasticae Rhetoricae, siue de ratione concionandi, libri sex, denuò editi, ac diligenter emendati, Fauus mellis composita verba, dulcedo animae, & sanitas ossium. Qui sapiens est corde, appellabitur prudens, & qui dulcis eloquio, maiora reperiet. Prouerb. 16.* [Escudo del impresor:] *Vtilia Semper Nova Saepivs Profeso.* Coloniae. In officina Birckmannica. Anno M.D.LXXXII (1582). Cum Gratia & Priuilegio Caesarea Maiestatis. 8 hs. + 422 págs. 17 cm.

Signaturas: (:)[8], A-Z[8], Aa-Cc[8], Dd[4]. (En blanco: Dd$_4$).

Cits.: Adams, I, n.° 973; Llaneza, vol. IV, n.° 2846; Palau, 108135; *Catálogo*, n.° 1570.

Ejemps.: IU, CBU, CPem, DHTL, MBN, OBL, PBN.

Paris, 1635
79 [7]

R.P.FR. *Lvduvoci Granatensis, Sacrae Theologiae Professoris Ordinis Praedicatorum. Rhetoricae Ecclesiasticae, siue, de ratione concionandi, libri sex. Item, R.P.FR. Didaci Stellae, Hispani, Ordinis regularis obseruantiae, De Modo Concionandi Liber. &, Explanatio in Psalm. CXXXVI. Super flumina Babylonis. Liber nuncupatus, Directorium Concionatorium Editio vltima aucta & emendata* [Escudo del impresor]. Parisiis, Apud Gvillelmvm Pelé, viâ Iacobeâ, sub signo Crucis aureae. Anno M.DC.XXXV (1635). 8 hs. + 773 págs. 21 cm.

Signaturas: .8, A-Z^8, Aa-Zz^8, Aaa-Bbb^8, Ccc^3.

Cits.: Llaneza, vol. IV, n.º 2855; Palau, 108137.

Ejemps.: IU, BBU, PBN.

Concionvm de Tempore... (t. I),
Anvers, 1588

80 [8]

PRIMVS *Tomvs Concionvm De Tempore, Qvae a prima Dominica Aduentus vsque ad Quadragesimae initium in Ecclesia haberi solent. A diectae sunt in fine quinque de Poenitentia Conciones, quae diebus Dominicis in Quadragesima post meridiem habitae sunt. Authore R.P.F. Ludouico Granatensi, Sacrae Theologiae Professore, Monacho Dominicano.* [Escudo del impresor:] *Labore Et Constancia.* Antverpiae, Ex Christophori Plantini, Architypographi Regij. M.D.LXXXVIII (1588). 591 págs. 16 cm.

Signaturas: A-Z^8, a-o^8.

Cits.: Adams, I, n.º 954; Llaneza, vol. III, n.º 2620; Palau, 107820.

Ejemps.: IU, BBCD, CEm, GBFP.

Concionvm de Tempore... (t. II),
Anvers, 1587

81 [9]

SECVNDVS *Tomvs Concionvm de Tempore Quae Quartis, & diebus Dominicis Quadragesimae in Ecclesia haberi solent: Authore R.P.F. Ludouico Granatensi, sacrae Theologiae professore, monacho Dominicano. Matthaei 5. Qui fecerit, & docuerit, hic magnus vocabitur in regno caelorum.* [Escudo del impresor:] *Labore Et Constancia.* Antverpiae, Ex officina Christophori Plantini, Architypographi Regij. M.D.LXXXVII (1587). 805 págs. *Signaturas:* a-z^8, aa-zz^8, Aa-Dd^8, Ee^4.

A continuación:

Quinqve Conciones de Poeneitentia, Habitae in Qvadragesima post meridiem: in quibus primùm quidem exhortatio ad poenitentiam continetur: deinde qua ratione vera poenitentia, & pecatorum confessio agenda sit, traditur. Avctore Eodem R.P.F. Ludoucio Granatensi, monacho Dominicano. [Escudo del impresor:] *Labore Et Constancia.* Antverpiae, Ex officina Christophori Plantini, Architypographi Regij. M.D.L.XXXVII (1587). 94 págs. 16 cm.

Signaturas: AA-FF^8.

Cits.: Adams, I, n.º 958; Llaneza, vol. III, n.º 2618; Palau, 107820.

Ejemps.: IU, CEm, LBM.

Concionvm de Tempore... (t. III),
Lyons, 1585

82 [10]

TERTIVS *Tomvs Concionvm De Tempore, Qvae A Pascha Dominicae resurrectionis ad festum vsque sacratissimi corporis Christi habentur, nunc primùm in lucem aditus: Authore R.P.F. Lvdovico Granatensi, Sacrae Theologiae professores, manocho Dominicano. Qui ad iustitiam erudiunt multos, quasi stellae in perpetuas aeternitates. Danielis I.2* [un grabado]. Lvgdvni, In off. Q. Philippi Thinghi apud Simphorianum Beraud. Et Stephanum Michaelem. M.D.LXXXV (1585). 647 págs. 16 cm.

Signaturas: A-Z^8, a-r^8, s^4.

Cits.: Palau, 107788. La desconoce Llaneza, que cita únicamente la edición de Amberes de 1584.

Ejemps.: IU.

Concionvm de Tempore... (t. IV),
Anvers, 1583

83 [11]

QVARTVS *Tomvs Concionvm de Tempore, qvae post festum Sacratissimi Corporis Christi, vsque ad initium Dominici Aduentus Ecclesia habentur. Avctore R.P.F. Lvdovico granatensi, sacrae Theologiae professore, ordinis sancti Dominici. Adiectae sunt in fine duae conciones, quarum altera ad mortuorum funera, altera ad communes, quae in vita accidunt, calamitates, deseruit. Qui docti fuerint, fulgebunt quasi splendor firmamenti: & qui ad iustitiuam erudiunt multos, quasi stellae in perpetuas aeternitates. Daniel. 12.* [Escudo del impresor:] *Labore Et Constantia.* Antverpiae, Ex officina Christophori Plantini. M.D.LXXXIII (1583). 725 págs. 16 cm.

Signaturas: A-Z^8, a-y^8, z^3.

Colofón: "Antverpiae, excudebat Christophorvs Plantinvs, anno CIO IO LXXXIII.

Cits.: Llaneza, vol. III, n.º 2594; Palau, 107788.

Ejemps.: IU, PBN.

Conciones qvae de Praecipvis Sanctorvm Festis... (t. I),
Anvers, 1600

84 [12]

CONCIONES *qvae de Praecipvis Sanctorvm Festis in Ecclesia Habentvr. A Festo Sancti Andrea vsque ad Festum Beatae Mariae Magdalenae: Auctore R.P.F. Lvdovico Granatensi, sacrae Theologiae Professore, Monacho Dominicano. Mirabilis Devs in Sanctis suis Psalm. 47. Cum viro sancto assiduus esto quemcunque obseruaueris timentem dominum Ecclesiastici 37.* [Escudo del impresor:] *Labore Et Constancia.* Antverpiae, Ex Officina Plantiniana, Apud Ioannem Moretum. M.D.C. (1600). Cum gratia & priuilegio. 527 págs. 16 cm. 2 vols.

Signaturas: (vol. I:) A-Z^8, a-k^8.

Cits.: Adams, I, n.º 953; Llaneza, vol. III, n.º 2662; Palau, 107820.

Ejemps.: IU, CStJoh.

Conciones de Praecipvis Sanctorvm Festis... (t. II),
Anvers, 1588

85 [13]

CONCIONES *de Praecipvis Sanctorvm Festis, a Festo Beatissimae Mariae Magdalenae, vsque ad finem anni: Auctore R.P.F. Lvdovico Granatensi sacrae Theologiae*

Professore, Monacho Dominicano. Mirabilis Devs in Sanctis suis. Psalm. 47. Cum viro assiduus esto quemcumque obseruaueris timentem Dominum. Ecclesiastici 37. [Escudo del impresor:] *Labore Et Constancia.* Antverpiae, Ex officina Christophori Plantini, Architypographi Regij. M.D.LXXXVIII (1588). 542 págs. 16 cm.

Signaturas: AA-ZZ⁸, aa-ll⁸.

Colofón: Tam bene quimores Sanctorvm scribit & acta, Non hunc Sanctorvm Spiritvs intus agit? G.G.G.

Antverpiae Excvdebat Christophorvs Plantinvs, Architypographvs Regivs. CIO IO LXXXIX.

Cits.: Adams, I, n.º 952; Llaneza, vol. III, n.º 208; Palau, 107820.

Ejemps.: IU, CEm, LCM.

II. TRADUCCIONES

A) Italianas

Memorial de la vida cristiana (Tr. por Camilo Camilli),
Venezia, 1581

86 [14]

TRATTATO *Primo Dell'Aggivnta Del Memoriale Della Vita Christiana Del R.P.F. Luigi di Granata dell'Ordine de' Predicatori. Nel quale si tratta dell'Amor di Dio, nella cui perfettione consiste la perfettione della vita Christiana. Nouamente Tradotto dalla lingua Spagnuola per Camillo Camilli. Con due Tauole; una dei Capitoli, & l'altra delle cose piu notabili.* Con Privilegii. [Escudo del impresor:] *A Poco a Poco.* In Vinegia, Presso Giorgio Angelieri, M.D.LXXXI (1581). 2 partes en 1 tomo. Parte I:ª 18 hs. + 220 fs. 14 cm.

Signaturas: †-†¹², b - b⁶. En blanco b₈, A-T⁴.

[Parte IIª:] *Trattato Secondo Dell'Aggivnta Del Memoriale della vita Christiana Del R.P.F. Luigi di Granata Dell'Ordine dei Predicatori. Nel quale si pongono molte deuotissime Meditationi sopra alcuni Passi, & Misterii principali della Vita del Nostro Saluatore: & in Particolare della sua santa Pueritia, Passione, Resurrettione, & gloriosa Ascensione. Nuouamente Tradotto dalla lingua Spagnuola per Camillo Camilli. Con due Tauole; una dei Capitoli, & l'altra delle cose piu notabili.* Con Privilegii [Escudo del impresor:] *A Poco A Poco.* In Vinegia, Presso Giorgio Angelieri, M.D.LXXXI (1581). 12 hs. + 226 fs. + 4 hs. en blanco. 14 cm.

Signaturas: A-S¹², T¹⁰.

Palau, 107953; Llaneza, vol. II, n.º 1638, que cita únicamente esta *Segunda parte* del *Memorial,* y no el *Trattato Primo* (1581).

Ejemps.: IU.

B) Latinas

Introducción al símbolo de la Fe. (Tr. por Michael ab Isselt),
Köln, 1588

87 [15]

R.P.F. *Lvdovici Granaten. Ordinis S. Dominici, Introdvctionis Ad Symbolvm Fidei, Libri Qvatvor: In Qvibvs De Admirabili Opere Creationis, Fidei ac Religionis Christianae praestantijs, Redemptionis humanae, & alijs Mysterijs ac Articulis, tractatur. A Ioanne Pavlo Gallvcio Saloensi ex Italico sermone Latinitate donati. Nunc Partim Ad Italicam Versionem, Partim Ad ipsos fontes vnde pleraque desumpta sunt, diligenti facta collatione, ab infinitis, quibus antea scatebant, & mirum in modum foedati erant, mendis ac vitijs repurgati, & primum in Germania editi. Opvs Revera Insige, Non Tantvm Theologis, verbique diuini praeconibus, sed & Philosophis ac omnibus pietatem amantibus lectu incundissimum & vtilissimum. Cum Indice Capitum, & Rerum memorabilium copioso.* Coloniae, Apud Geruinum Calenium & haeredes Ioannis Quentelij. Anno M.D.LXXXVIII (1588). Cum gratia & priuilegio Caesareae Maiestatis in decennium. 12 hs. + 826 págs. + 23 fs. 22 cm.

Signaturas: a-c^4, A-Z^4, Aa-Zz^4, Aaa-Zzz^4, 4A - 4Z, 5A - 5P^4. En blanco: 5I$_4$.

Adams, I, n.º. 977; Llaneza, vol. II, n.º 1893; Palau, 108189.

Ejemps.: IU, CEm, CSt. Joh, SBU.

Flores (Tr. por Michael ab Isselt),
Köln, 1588

88 [16]

R.P.F. *Lodoici Granatensis, Ex Omnibvs Eivs Opvsculis spriritualibus iam recens summa fide excerpti, & in octo partes distributi. Collectore Et Interprete Michaele ab Isselt Amorfortio.* [un grabado]. Coloniae, Apud Geruinum Calenium, & haeredes Ioannis Quentelij. Anno M.D.LXXXVIII (1588). Cum gratia & Priuilegio Caes. Maiestatis. 9 hs. + 396 (i.e. 407) fs. + 1 h. 13 cm.

Signaturas: o^{12}, ß^6, A-Z^{12}, Aa-Ll^{12}. En blanco: ß$_6$ y Ll$_{12}$.

Cits.: Adams, I, n.º 976; Llaneza, vol. I, n.º 727.

Ejemps.: IU, CPem, CSid, CTr, CtY, DFo, KBP, LBN, MBN, NN, NNUT-Mc, PBN, SBU.

Guía de Pecadores (Tr. por Michael ab Isselt),
Köln, 1590

89 [17]

[I.ª Parte:] DVX *Peccatorvm R.P.F. Lvdovici Granatensis Ordinis S. Dominici. Opvscvlvm Valde Pivm In duos libros distributum: quo peccatores a via vitiorum & perditionis ad regiam virtutum ac salutis ęterne viam perducuntur. Per Michaelem ab Isselt ex lingua Italica in Latinam antea conuersum, & nunc recognium.* [Escudo del impresor] Coloniae. Apud Geruinum Calenium, & haeredes Ioannis Quentelij. Anno M.D.XC (1590). Cum gratia & priuilegio Caesareae Maiestatis. 22 hs. + 580 págs. 12,5 cm.

Signaturas: •12, ••10, A-Z¹², Aa¹²-Bb².

[II.ª Parte:] *Dvcis Peccatorvm Liber Secvndvs, R.P.F. Lvdovici Granatensis Ordinis S. Dominici. Per Michaelem ab Isselt ex lingua Italica in Latinam conuersus & nunc recognitus* [Escudo del impresor] Coloniae, Apud Geruinum Calenium, & haeredes Ioannis Quentelij. Anno M.D.XC. (1590). Cum gratia & priuilegio Caesareae Maiestatis. 274 págs. 12,5 cm.

Signatures: a-1¹², m⁶. En blanco: m₆.

Cits.: Adams, I, n.º 970; Llaneza, vol. II, n.º 1293; Palau, 107706.

Ejemps.: IU, CEm, CTr, PBN, SBU.

Memorial de la vida cristiana (Tr. por Michael ab Isselt),
Köln, 1598

90 [18]

MEMORIALE *Christianae Vitae. Vna cum Adivnctis duobus, seu Appendicibvs, de eadem materia Avctore R.P.F. Lvdovico Granatensi, Ordinis S. Dominici. Opus valde pium, ex idiomate Italico in Latinum translatum, opera & studio Michaelis ab Isselt Amorfortij.* [Escudo del impresor:] *Iesvs Christvs, Filius Dei Vivi, Salvator Mundi, Rex Regvm, Et Dominvs Dominativm.* Coloniae, Ex officina Arnoldi Quentelij. Anno M.D.XCVIII (1598). 6 partes en 1 t. 16 hs. + 807 págs. 3 hs. 15 cm.

Signaturas: † - ††⁸, †††², A-Z⁸, Aa-Zz⁸, Aaa-Ddd⁸, Eee⁴.

Cits.: Adams, I, n.º 982, Llaneza, vol. II, n.º 1675.

Ejemps.: IU, CSelw, CTr, DCFP, PBN.

Selecciones de las obras de Fray Luis de Granada (Tr. por Michael ab Isselt),
Köln, 1596.

91 [19]

PARADISVS *Precvm, R.P.F. Lvdovici Granatensis Spriritvalibvs Opvscvlis, aliorumque sanctorum Patrum, Illustrium cùm veterum, tum recentium Scriptrorum concinnatus Per Michaelem ab Isselt* [Escudo del impresor]. Coloniae, Ex officina Arnoldi Quentelij. Anno M.D.XCVI (1596). 567 págs. + 4 hs. de Tabla. 13 cm.

Signaturas: •12, A-Z¹², Aa¹².

Cits.: Adams, I, n.º 985. La desconoce Llaneza, que cita otra edición, al parecer como ésta, pero de 1599, en vol. I, n.º 816.

Ejemps.: IU, CSelw, PBN.

C) Inglesas

Libro de la oración y meditación (Tr. por Richard Hopkins),
Rouen, 1584

92 [20]

OF *Prayer, and Meditation. Wherein Are Conteined Fowertien Deuoute Meditations for the seuen daies of the weeke, bothe for the morninges, and eueninges. And in them is treyted of the consideration of the principall holie Mysteries of our faithe. Written*

Firste In The Spanishe tōgue, by the famous Religious father. F. Lewis de Granada, Prouinciall of the holie order of peachers (sic) in the Prouince of Portugall. [un grabado] Imprinted at Roven, by George Loiselet. Anno Domini. M.D.LXXXIIII (1584). 682 págs. + 5 hs. 13,5 cm.

Signaturas: A-Z⁸, Aa-Yy⁸, Zz⁴, AAa - Lll⁸, Mmm² (En blanco: Mmm₃₋₄).

Cits.: Allison, pág. 108, n.° 19,1; Allison and Rogers, n.° 477; Hagedorn, págs. 37-38; Llaneza, vol. I, n.° 81; Palau, 107519; Pollard and Redgrave, n.° 16908.

Ejemps.: IU, CtY, DFo, OBL, PBN.

Libro de la oración y meditación (Tr. por Francis Meres),
London, 1598

93 [21]

GRANADOS *(sic) Devotion. Exactly Teaching how a Man May Trvely Dedicate and deuote himselfe vnto God: and so become his acceptable Votary. Written in Spanish, by the learned and reuerend Diuine F. Lewes of Granada. Since translated into Latine, Italian and French. And now perused, and englished, by Francis Meres, Master of Arts, & student in Diuinity.* London, Printed by E. Allde, for Cuthbert Burby, and are to be sold at his shop vnder the Royall Exchange. 1598. 8 hs. 576 págs. 22 hs. 13 cm.

Signaturas: A-Z¹², Aa-Dd¹², Ee⁴.

Cits.: Allison, pág. 109, n.° 21; Hagedorn, pág. 49; Llaneza, vol. I, n.° 117; Palau, 107521; Pollard and Redgrave, n.° 16902.

Ejemps.: IU, LBM, MiU.

Guía de pecadores (2 partes. Tr. por Francis Meres),
London, 1598

94 [22]

THE *Sinners Gvyde. A Worke Contayning the whole regiment of a Christian life, deuided into two Bookes: VVherein Sinners Are Reclaimed From The By-Path of Vice and destruction and brought vnto the high-way of euerlasting happinesse. Compiled in the Spanish Tongve, by the Learned and reuerend Diuine, F. Lewes of Granada. Since translated into Latine, Italian, and French. And nowe perused, and digested into English, by Francis Meres, Maister of Artes, and student of Diuinities. I. Timothie. 4. verse, 8 Godlines is profitable vnto all things, which hath the promise of the life present, and of that is to come.* At London, Printed by Iames Roberts, for Paule Linley, & Iohn Flasket and are to be sold in Paules Chruch-yard, at the signe of the Beare. Anno. Dom. 1598. 362 págs.

Signaturas: A⁴, B-Z⁸ (págs. 353-525), Aa-Mm⁸, Nn⁵.

[IIª parte] *The Seconde Booke, of the Sinners Guyde. Written in the Spanish tongue, by the learned and reuerend Diuine, F. Lewes of Granada. Since translated into Latine, Italian, and French, and now perused, and digested into English, by Francis Meres, Maister of Arts, and student in Diuinities.* [un grabado] *Romans. 12 verse. Fashion not your selues like vnto this vvorld, but be yee changed by the renuing of your minde, that yee may prooue what is the good will of God, and acceptable, and perfect.* At London, Printed by I.R. for Iohn Flasket and Paule Linly. Anno Dom. 1598. págs. 365-525 + 12 hs. de Tabla. 17,5 cm.

Signaturas: (vid. *supra*).

Primera ed. inglesa.

Págs. 36, 186-87, 190-91, 220, 351, 515 numeradas incorrectamente: 34, 196-97, 200-201, 120, 51 y 516.

Cits.: Allison, pág. 108, n.º 18; Hagedorn, pág. 66; Llaneza, vol. II, n.º 1305; Palau, 107715; Pollard and Redgrave, n.º 16918.

Ejemps.: IU, CLU-C, DFo, LBM, OBL.

Memorial de la vida cristiana (Tr. por Richard Hopkins),
Rouen, 1599

95 [23]
A MEMORIAL *of a Christian Life. *Wherin are Treated Al Svch things, as appertaine vnto a Christian to do from the beginning of his cōuersion, vntil the end of his perfection. Deuided into Seauen (sic) Treatises: the particulars whereof are noted in the page following. Written first in the Spanish tongue, by the famous Religious Father, F. Lewis de Granada, Prouinciall of the holy order of Preachers, in the Prouince of Portugall.* [un grabado] Imprinted at Rouen, by George Loyselet. Anno Domini. 1599. [1] h. + 762 (i.e. 749), [1] págs. [4] hs. 16 cm.

Contiene cuatro de los siete tratados del *Memorial...*

Signaturas: A-Z⁸, Aa-Zz⁸, Aaa⁸, Bbb⁴.

Cits.: Allison, pág. 110, n.º 23.1; Allison and Rogers, n.º 473; Hagedorn, pág. 57; Llaneza, II, n.º 1682; Palau, 107983; Pollard and Redgrave, n.º 16904.

Ejemps.: IU, CSmH, DFo, ICN, LBM, NjP, NNUT-Mc, RBB.

Selecciones de las obras de Fray Luis de Granada (¿Tr. por Thomas Lodge?),
London, 1614

96 [24]
A PARADISE *of prayers, containing the purity of deuotion. Gathered out of all the spirituall excercises of Levves of Granado (sic) and Englished for the benefit of the Christian Reader. Ascendat oratio, descendat gratia.* London. Printed by R. Field for Mathew Law, and are to be sold at his shop in Paules Church-yar neere vnto S. austines (sic) gate 1614. 350 págs. 12,5 cm.

Signaturas: A-O¹², P¹⁰.

Allison, pág. 114, n.º 31. 1; Pollard and Redgrave, n.º 169167.

Edición basada en la versión latina de Michael ab Isselt titulada *Paradisus precum...* Colonia, 1598.

Ejemps.: IU.

Obras espirituales (Tr. por M. Girard),
Paris, 1690

97 [25]

LES *Oeuvres Spirituelles du P. Louis de Grenade de l'Ordre de S. Dominique; Divisées en quatre Parties. La Premiere Contient la Guide des Pecheurs, où le Chrestien apprend ce qu'il doit faire depuis sa conversion jusqu'a la fin de sa vie. La Seconde, le Traité de l'Oraison & de la Meditation que l'on peut faire su les principaux Mysteres de nostre Foy & sur les principales parties de la Penitence, que son, la Priere, le Jeusne & l'Aumosne. Troisiéme, le Memorial de la vie Chrestienne, qui traite de la Confesion, de la Communion, & de ce que doit faire une ame nouvellement convertie à Dieu. Et la Quatriéme, le Traité de l'Amour de Dieu & des principaux Mysteres de la Vie de nostre Seigneur. Traduites De Nouveau En François Par M. Girard Conseiller du Roy en ses Conseils.* [grabado] A Paris, Chez Jacques Villery, ruë vielle Bouclerie, au bas de la ruë de la Harpe, prés le Pont S. Michel, à l'Estoile d'or. M.DC.LXXXX (1690). Avec Approbations Et Privilege De Sa Majeste. 10 hs. + 1049 págs. + 18 hs. a dos columnas. 37 cm.

Signaturas: a-e^4, i^2, A-Z^4, Aa-Zz^4, AAa - ZZz^4, AAaa-ZZzz^4, AAaaa-ZZzzz^4, AAAaaa-ZZZzzz^2, AAAaaaa-BBBbbbb^2.

Cits.: Foulché-Delbosc, *Bibliographie*, V, n.º 1944. La desconoce Llaneza, que cita tres traducciones de las mismas obras, pero con distintos pies de imprenta (vid. vol. III, n.ºs 2256-2258 de su *Bibliografía*).

Ejemps.: IU, BBM, LMBM, OrStbM.

III. TRADUCCIONES POR FRAY LUIS DE GRANADA

Scala paradisi,
Madrid, 1612

98 [26]

LIBRO *De San Ivan Climaco, Llamado La Escala Espiritval, En El qual se descriuen treynta Escalones por donde pueden subir los hõbres a la cumbre de la perfeccion. Agora nueuamente Romançado por el Padre fray Luys de Granada, y con anotaciones suyas en los primeros cinco Capitulos para inteligencia dellos.* [grabado] Año 1612. Con Licencia. En Madrid, Por Iuan de la Cuesta, A costa de Iuan de Berillo Mercader de libros. 239 (*i.e.* 477) págs. 16 cm.

Signaturas: A-Z^8, Aa-Gg^8.

Cits.: Palau, n.º 292610; Pérez Pastor, vol. II, n.º 1181.

Ejempls.: IU. Edición rarísima. Hemos registrado solamente, de momento, un ejemplar en Norteamérica y otro en la Biblioteca Nacional de Madrid. Recuérdese también la traducción del libro de T. Kempis, *De imitatione Christi*, descrita en la ficha n.º 4.

VI

LA COLECCION DE ANTONIO DE GUEVARA[38]

38.   Publicado en *Cuadernos Bibliográficos*, n.º 31. Madrid, C.S.I.C. (1974), págs. 41-63, ahora muy corregido y ampliado.

Con este trabajo de hoy inauguramos una serie de buceos sobre libros raros españoles en la biblioteca de la Universidad de Illinois, en Urbana, Illinois, Estados Unidos. La importancia general de esta biblioteca, que posee más de seis millones de ejemplares, es conocida, gracias a todos los expertos que la sitúan entre las más importantes de los Estados Unidos (la tercera entre las universitarias, la quinta en todo el país) y, por consiguiente, del mundo entero. También su sección de libros raros (más de doscientos mil) ha llamado la atención y empieza a ser más conocida, gracias al catálogo general (*Catalogue of the Rare Book Room*), publicado por la G.K. Hall & Co., de Boston, en 1972.

Lo que se ignoraba hasta ahora era la gran riqueza de fondos españoles. Nosotros estamos procediendo a un inventario general de estos fondos, que publicaremos en su día. Nos atrevemos a sugerir, de momento, que debe figurar en este terreno entre las diez mejores de Norteamérica. Por eso se trata ahora de efectuar buceos especializados en áreas cuya riqueza es sorprendente. Una de estas zonas es la concerniente a Guevara. Nuestra investigación de hoy se limita a los fondos guevarianos de la Universidad de Illinois, que lleguen hasta 1700. Tomando como base este punto de partida, era una magnífica ocasión de recoger la noticia de otros ejemplares en Estados Unidos. A los ya famosos catálogos de J.L. Whitney, *Catalogue of the Spanish Library... by G. Ticknor to the Boston Library,* Boston, 1879 (hay reedición de G.K. Hall & Co., Boston, 1972), y C.L. Penney, *Printed Books 1468-1700 in the Library of the Hispanic Society of America,* New York, 1965, hay que añadir ahora la gigantesca empresa de *The Union Catalogue,* empezada en 1968, en curso de publicación. Por suerte el volumen número 222, London, 1972, páginas 180-203, recoge los datos referentes a nuestro autor.

Primera consecuencia importante. Al cotejar con estas bibliotecas estadounidenses se nota el gran valor y rareza de los ejemplares de Illinois; algunos representan ejemplares únicos en los Estados Unidos. A todo ello nos referiremos de forma esquematizada en las conclusiones de este trabajo. La investigación bibliográfica de Guevara poseía ya un antiguo y modélico trabajo de R. Foulché-Delbosc, *Bibliographie espagnole de Fray Antonio de Guevara,* publicado en *Revue Hispanique,* vol. 33 (1915), págs. 301-384. Esto nos permitía, por lo que se refiere a la zona estrictamente española, recoger otros datos de ejemplares localizados en Europa. Aunque las siglas relativas a los ejemplares localizados por Foulché-Delbosc se añaden a las siglas estadounidenses, en general se destacan aparte estos ejemplares que encontró el hispanista francés. Evidentemente Foulché-Delbosc desconocía los fondos norteamericanos ya que sólo alude a la Biblioteca Pública de Boston. Pero gracias a Foulché-Delbosc podíamos, de nuevo, reafirmarnos en la rareza de los libros de Illinois. El trabajo de Lino G. Canedo, citado oportunamente, ha conseguido ampliar considerablemente los datos aportados por Foulché-Delbosc. Por lo que respecta al British Museum tenemos la reciente nómina de T. Thomas, *Short-Title Catalogue of Spanish...,* edición citada más adelante. El volumen XI de la monumental bibliografía de José Simón Díaz ha contribuido mucho a esclarecer estos problemas.

En los raros ejemplos españoles, se ha añadido la mención específica de algunos repertorios bibliográficos como Palau y Dulcet, Salvá, etc. Esta enumeración de menciones pretende simplemente ayudar al lector, y no intenta ser completa. En el caso de Palay y Dulcet hay que tener sumo cuidado, porque aunque teóricamente el ejemplar que recoge y el nuestro de Illinois representan ejemplos de la misma edición, las diferencias que pueden observarse en la portada, número de páginas, etc., de las descripciones de Palau y Dulcet (que no hemos reproducido), son a menudo reflejo de la poca escrupulosidad bibliográfica del benemérito librero.

Otra característica de los fondos relativos a España en Urbana, es la gran abundancia de traducciones a otras lenguas. En este terreno sorprende la rareza de algunos ejemplares, desconocidos por bibliógrafos como Palau y Dulcet, e inexistentes, a veces, en el British Museum o en la Biblioteca Nacional de París. Aquí, puesto que Foulché-Delbosc no se refería a las traducciones en su trabajo, nuestros datos comparativos se limitan a las bibliotecas norteamericanas y a los dos grandes centros europeos con catálogos accesibles: *Catalogue Générale des Livres Imprimés de la Bibliothèque Nationale,* volumen 65, París, 1916, y *British Museum General Catalogue of Printed Books,* volumen 94, London, 1961. En ambos casos se han revisado también los suplementos correspondientes. Esta zona representa, pues, la segunda parte de nuestro trabajo, aunque no todos los ejemplares se han descrito con el detalle y minuciosidad que nos ha parecido obligado en las ediciones españolas, el corazón de la presente investigación.

La riqueza de traducciones de obras españolas en la Universidad de Illinois se explica por el constante esfuerzo de dos grandes especialistas de la cultura inglesa, que recogían toda la cultura europea que podía tener alguna influencia en los clásicos ingleses. Nos referimos a Harris Fletcher, autor de muchas obras sobre Milton, entre ellas *The Intellectual Development of John Milton,* Urbana, University of Illinois Press, 1956, 2 volúmenes (en las págs. 328-329 de esta obra se refiere a la influencia de Guevara en Milton, sobre todo a través de traducciones italianas), y a T.W. Baldwin, autor de *William Shakespeare's Small Latine & Lesse Greeke*, Urbana, University of Illinois Press, 1944, 2 volúmenes. Precisamente Ernest Grey acaba de publicar *Guevara, a Forgotten Renaissance Author,* The Hague, 1973, en donde también resalta la gran influencia específica de Guevara en las letras europeas. La asombrosa biblioteca particular del profesor Baldwin fue adquirida recientemente por la Universidad de Illinois y allí menudean los fondos españoles, especialmente las traducciones de nuestros clásicos.

La última zona de nuestra investigación, en forma de apéndice, recoge también los fondos relativos a Guevara en microfilm que existen en la biblioteca universitaria de Illinois. Sirve, simplemente, como complemento útil a futuras investigaciones. Para este apartado, así como para varias verificaciones, nos es grato reconocer la valiosa ayuda de la licenciada Sherilyn Freeman, de la Universidad de Illinois. En este caso los datos técnicos se han conservado en inglés, tal como venían enumerados en las fichas.

En resumen, nuestra investigación se centra sobre los fondos bibliográficos de Guevara en la Universidad de Illinois. El trabajo, repetimos, tiene tres zonas. La primera, la española, la que ha merecido nuestra más minuciosa atención: los ejemplares se han examinado minuciosamente, se ha reproducido fidedignamente la portada y, a veces, el *colophon*. Se ha tratado en general la procedencia originaria de estos raros ejemplos y, cuando se considera esencial, se publican reproducciones fotográficas de las portadas y algunos colofones. Los datos de Illinois se han ampliado para recoger los ejemplares en Norteamérica y en Europa, a través de las informaciones de Foulché-Delbosc. La segunda zona tiene también gran importancia bibliográfica. Se recogen las traducciones de Guevara existentes en Illinois, al alemán, francés, inglés, italiano y latín. A estos datos se añaden otros ejemplares que existen en Estados Unidos. Por lo que respecta a Europa nos hemos limitado a dos grandes bibliotecas accesibles a través de catálogos: la Biblioteca Nacional de París y la del British Museum en Londres. Conviene insistir que nuestra investigación se basa únicamente en los fondos illinoienses. Todo lo demás es a mayor abundamiento, y sirve de práctica base comparativa, para realzar precisamente la importancia de los fondos de Urbana. De aquí que, a veces, señalemos que un particular ejemplar no se encuentre en la biblioteca Nacional de París o en el British Museum.

La tercera zona (que recoge ejemplares en microfilm) tiene únicamente una finalidad didáctica para futuros estudiosos de Guevara. Digamos de pasada que la biblioteca de la Universidad de Missouri, Columbia, tiene también grandes existencias de microfilm sobre obras raras de Guevara.

Al final de este trabajo se esquematizarán las conclusiones más importantes a que hayamos llegado.

EDICIONES

Obras

99 [1]

—— —— *Las obras del illustre señor don Antonio de gueuara obispo de Mondo-ñedo predicador y chronista y del consejo de su Magestad. Primeramente: vn solenne prologo y argumento. En q̃ el auctor toca muchas hystorias y notables auisos. Itē vna decada de Cesares: es a saber las vidas de diez Emperadores Romanos q̃ imperaron enlos tiempos del buen Marco aurelio. Item vn libro de Auiso de privados y doctrina d'cortesanos. Enel q̃l se cõtiene de lo q̃ el puado se ha de guardar y el cortesano ha d'hazer. Itē vn libro del Menosprecio dela corte y alabança dela aldea. Enel q̃l cõ pocas palabras se tocã muchas y muy delicadas doctrinas. Item vn libro delos inuen-tores del marear y de sesenta trabajos que ay en las galeras. Obra digna de saber y gra-ciosa de leer. Va toda la obra al estilo y romãce d'Marco aurelio: porque el auctor es todo vno.* M.D.XXXIX (1539) Con privilegio imperial. [Valladolid, Juan de Villa-quiran] 4 partes en 1 vol. a dos columnas. 6 hs. + 133 fs. Fol.

Signaturas: ℂ⁶, a-q⁸, r⁶.

Colofón (f. 133:) "Aqui se acaba la decada delas vidas delos diez cesares y empa-dores (sic) romanos: enlas q̃les se cõtienē muy peregrinas hystorias muy varios casos: y muchos y muy buenos auisos. Fuerō copiladas traduzidas y corregidas por el illustre señor don antonio de gueuara obispo de mondoñedo predicador y chro-nista y del cõsejo de su magestad. Imprimierōse enla muy leal y muy noble villa de valladolid: por industria del honrrado varon impressor de libros juan de villaquirā a veynte d'amayo. Año de mill y quiniētos y treynta nueve. Posui finē curis: spes c̄ fortūa valete".

[A continuación:] *Libro llamado auiso de priuados y doctrina de cortesanos. Dirigido al illustre señor don Francisco de los cobos comendador mayor de Leon y del consejo de su magestad. c̄. Compuesto por el illustre señor don Antonio de gueuara obispo de Mōdoñedo predicador y chronista y del cōsejo de su magestad. Es obra muy digna de leer y muy necesaria de ala memoria se encomēdar.* M.D.XXXIX. con preuilegio. 7 h. + 44 fs.

Signaturas: ❡⁸, A-E⁸, F⁴.

Colofón (f. 44:) "Aqui se acaba el libro llamado auiso de priuados y doctrina de cortesanos. Compuesto por el illustre señor don antonio de gueuara obispo de mondoñedo predicador y chronista y del consejo de su magestad. Enel qual se da alos priuados muchos auisos con que se substenten en la priuāça: y muchas y muy buenas doctrinas alos cortessanos q̄ quieren biuir enla corte. Fue impresso enla muy leal y muy noble villa de valladolid: por industria del honrrado varon impressor de libros juā de villaquirā a veynte y cinco de junio. Año d'mil y quiniētos y treynta y nueue. Posui finem curis: Spes et fortuna valete".

[A continuación:] *Libro llamado menosprecio de corte y alabança de aldea. Dirigido al muy alto y muy poderoso señor rey de portugal dō Juan tercero deste nombre. Cōpuesto por el illustre señor dō Antonio d'gueuara obispo de Mondoñedo predicador y chronista y del cosejo de su Magestad. Muestra el auctor en este libro mas que en ninguno de los otros que ha cōpuesto la grādeza de su eloquēcia y la delicadeza de su ingenio. Va al estilo de marco aurelio: porque el auctor es todo vno. Posui finem curis: Spes et fortuna valete.* Año M.D.XXXIX (1539). Con preuilegio. 4 hs. + 27 fs. a dos columnas.

Signaturas: ❡⁴, A-C⁸, D⁶.

Colofón (f. 27:) "Aqui se acaba el libro llamado menosprecio de corte y alabança de aldea. Compuesto por el señor don antonio de gueuara obispo de mondoñedo predicador y chronista del consejo de su magestad. Enel qual se tocā muchas y muy buenas doctrinas para los hōbres que aman el reposo de sus casas y aborrescen el bullicio de las cortes. Fue impresso enla muy leal y muy noble villa de valladolid: por industria del honrrado varon impressor de libros juan de villaquiran a diez y ocho de junio. Año de mill y quinientos y treynta y nueue".

[A continuación:] *Libro delos inuentores del arte de marear y de muchos trabajos que se passan en las galeras. Cōpilado por el illustre señor dō antonio de gueuara obispo de mondoñedo predicador y chronista y del consejo de su magestad. Dirigido al illustre señor dō francisco delos cobos: comendador mayor de leon y del consejo del estado de su magestad. c̄ c. Tocanze enel muy excellentes antiguedades y auisos muy notables para los que nauegan en galeras.* M.D.XXXIX (1539) Con preuilegio, 13 fs. + 1 h. a dos columnas. Fol.

Signaturas: AA⁸, BB⁶.

Colofón: "Aqui se acaba el libro intitulado de los inuentores del marear y delos trabajos dela galera. Copilado por el illustre señor don antonio de gueuara obispo de mondoñedo predicador y chronista y del consejo du (sic) su magestad. Fue impreso en la muy leal y muy noble villa de valladolid: por industria del honrrado varò impressor de libros juan de villaquiran a veynte y cinco de junio. Año de mil y quinientos y treynta y nueue. Posui finem curis: Spes et fortuna valete".

Cits.: Aguilar, pág. 70; Alcocer, n.º 91; *Catálogo, Letra G,* 1789: Foulché-Delbosc, *Guevara,* n.º 18; Heredia, n.ᵒˢ 2815 y 3747; Laurenti-Porqueras, *Guevara,* n.º 1; Palau, VI, n.º 110072; Salvá, II, n.º 2273; Simón-Díaz, XI, n.º 2926; Ticknor, pág. 64 Canedo, n.º 602.

En: IU, EBSL, ICN, LBM, MB, MBL, MBN, MBP, PBN, SBC, SMP, WBN, ZBU. Nos señala un ejemplar Agustin Redondo de su biblioteca particular.

Primera edición. El ejemplar ilinoyense fue adquirido en la Librería Puvill, de Barcelona. En algún tiempo debió pertenecer al monasterio de Scala Dei, de la provincia de Tarragona.

100 [2]
—— —— *Las obras del illustre señor don Antonio de gueuara, obispo de Mondoñedo, predicador, y chronista, y del consejo de su Magestad. Primeramente vn solene prologo y argumento: en que el auctor toca muchas hystorias y notables auisos. Itē vna decada d'cesares: es a saber las vidas de diez emperadores romanos q̃ imperaron enlos tiempos del buen marco aurelio. Item vn libro de auiso de puados (sic) y dotrina d'cortesanos: en el q̃l se contiene lo q̃ el p̄uado (sic) se ha d'guardar, y el cortesāo ha d'hazer. Yte vn libro del monosprecio (sic) de la corte, y alabança de la aldea: enel q̃l cō pocas palabras se tocā muchas y muy delicadas doctrinas. Item vn libro de los inuentores del marear, y de sesenta trabajos q̃ ay enlas galeras. Obra digna de saber, y graciosa de leer. Va toda la obra al estilo y romāce d'marco aurelio: porq̃ el auctor es todo vno.* M.D.XLV (1545). Con preuilegio imperial. 5 hs. + 214 fs. + 1 h. Fol.

Signaturas: ¶⁴, a-z⁸, aa⁸, aa₈ en blanco.

Colofón (f. 214:) "Aqui se acaba la decada de las vidas delos diez cesares y emperadores romanos, con otros tres libros intitutlados, el vno alabança de aldea y menosprecio de corte, y el otro, auiso de priuados y doctrina de cortesanos: y este prostrero que trata delos inuentores de marear, y de los trabajos que passan los que nauegā in galera. Van todos estos quatro libros, en esta seguenda (sic) impression en vn cuerpo. Copilados por el illustre señor don antonio de gueuara, obispo de mondoñedo, predicador, y chronista, y del consejo d'su magestad. Fue impresso enla muy leal, y muy noble villa de valladoli: (sic) por industria d'l hōrado impressor de libros juā de villaquiran. Acabose a xiii de junio. M.D.XLV. Posui finem curis: Spes y fortuna valete".

Cits.: Alcocer, n.º 118; *Catálogo, Letra G,* n.º 1790; Foulché-Delbosc, *Guevara,* n.º 37; Gallardo, III, n.º 2426; Laurenti-Porqueras, *Guevara,* n.º 2; Palau, VI, n.º 110073; Penney, pág. 248; Canedo, n.º 605; Simón Díaz, XI, n.º 2927.

En: IU, CtY, DLC, GBU, LBN, MBL, MBN, MH, NNH, PBA, OBU, SalBU, VBUn.

El ejemplar ilinoyense, en buen estado, fue adquirido a través de la Libreria Harper. Tiene el *ex libris* de William Stirling.

101 [3]

―― ―― *Epistolas familiares del illustre señor dō Antonio de gueuara, obispo de Mōdoñedo, predicador, y chronista, y del consejo del Emperador y rey nuestro señor. Ay en este epistolario cartas muy notables, razonamientos muy altos, dichos muy curiosos, y razones muy naturales. Ay exposiciones de algunas figuras, y de algūas auctoridades de la sancta escriptura assaz buenas para p̄dicar, y mejores para obrar. Ay muchas declaraciones de medallas antiguas, y de letreros d'piedras, y de epitaphios de sepulturas, y de leyes y costūbres gētiles. Ay doctrinas exemplos y consejos, para Principes, caualleros, plebeyos, y ecclesiasticos: muy prouechosas para immitar (sic) y muy aplazibles para leer. Va todo el epistolario al estilo y romāce de Marco Aurelio,* porque el auctor es todo vno .˙. ˙. M.D.XXXIX (1539) Con preuilegio imperial [Valladolid, Juan de Villaquiran] 127 fs. + 1 h. de "Tabla". 4.°.

Signaturas: a - q⁸.

Colofón: "Aquí se acabā las epístolas familiares del illustre señor dō antonio de gueuara, obispo de mondoñedo, predicador, chronista, y del consejo de su magestad. Obra q̄ es de muy gran doctrina, y de muy alto estilo. Fue impressa enla muy leal, y muy noble villa de valladolid: por industria del honrrado varon impressor de libros Juan de villaquiran, a veynte y nueve del mes de agosto. Año de mil y quiniētos y treyn a (sic) y nueue .˙."

Cits.: Canedo, n.° 345; *Catálogo, Letra G,* n.° 1795; Alcocer, n.° 101; HC: NS4 / 834; Heredia, n.° 2815 y 3743; Laurenti-Porqueras, *Guevara,* n.° 3; Palau, VI, n.° 110205; Penney, pág. 247; Simón Díaz, XI, n.° 3028.

En: IU, EBSL, MB, NNH, VBU.

Foulché-Delbosc, n.° 19, pág. 314, confiesa que no ha visto esta primera edición. En efecto, no hemos localizado ejemplares ni en la Biblioteca Nationale de Paris ni en el British Museum.

El ejemplar de la Universidad de Illinois, en buen estado, y en magnífica encuadernación con pergamino, procede de Luis Bardón, cuyo *ex libris* aparece en el ejemplar.

102 [4]

―― ―― *Libro primero de las epistolas familiares del illustre señor don Antonio de gueuara obispo de Mondoñedo predicador y chronista y del consejo del Emperador y rey nuestro señor...* (Siguen doce líneas en cuatro párrafos). [Zaragoza. George Coci. A expensas de Pedro Bernuz y Bartholome de Nagera, 1543] 107 fs. Fol. gót.

Signaturas: a¹⁰, b-m⁸, n¹⁰.

Colofón: "Aquí se acaban las epistolas familiares del illustre señor don antonio de gueuara obispo de mondoñedo: predicador: chronista: y del consejo de su magestad. Obra q̄ es de muy gran doctrina: y d'muy alto estilo. Fue impressa enla muy leal y muy noble ciudad de çaragoça en casa de george coci a espensas de Pedro bernuz y Bartholome de nagera: a veynte de enero. Año de mil y quinientos y quarēta y tres".

Cits.: Catálogo, Letra G, n.º 1798; Foulché-Delbosc, *Guevara,* n.º 26; Heredia, n.º 2803; Laurenti-Porqueras, *Guevara,* n.º 4 Palau, VI, n.º 110208; Salva, II, n.º 2274; Simón Díaz, XI, n.º 3031; Thomas, pág. 41; Canedo, n.º 351.

En: IU, BBU, LBM, MBN.

Nuestro ejemplar procede de Luis Bardón, con su *ex libris.* Faltan los dos primeros folios y la portada.

103 [5]

—— —— *Segvnda parte de las Epistolas Familiares del Illustre Señor Dõ Antonio de Gueuara, Obispo de Mondoñedo, Predicador y Chronista: y del Consejo de sus Magestades. Va todo este Epistolario al estilo y Romance de Marco Aurelio: porque el autor es todo vno, y lo que en el se contiene se hallara a la buelta desta hoja.* [Un dibujo] Con Licencia. En Salamanca, En casa de Pedro Lasso, Año de 1578. 8 hs. + 380 fs.

Signaturas: +^{8}, A-Z^8, Aa-Qq^8.

Colofon: "Aqui se acaba la segũda parte de las Epistolas Familiares del illustre señor Don Antonio de Gueuara Obispo de Mondoñedo, predicador, Chronista, y del consejo de su Magestad: Obra que es de muy gran doctrina, y de muy alto estilo. En Salamanca, En casa de Pedro Lasso, Año 1578".

Cits.: Canedo, n.º 365; Foulché-Delbosc, *Guevara,* n.º 82; Gallardo, III, n.º 2427; Laurenti-Porqueras, Guevara, n.º 5; Palau, VI, n.º 110209; Simón Díaz, XI, n.º 3072; Thomas, pág. 41.

En: IU, LBM, MBN, OBU, y Biblioteca del Seminario de Mondoñedo.

El ejemplar de la Universidad de Illinois procede de la Librería Barbazán. Encuadernación en mal estado. La portada tiene dos agujeros que no afectan al texto. Lleva el *ex libris* de "Holland House".

104 [6]

—— —— *Epistolas Familiares De Don Antonio De Gvevara, Obispo de Mondoñedo, Predicador, y Chronista, y del Consejo del Emperador, y Rey nuestro señor. Primera Y Segvnda Parte Dirigido à Don Martin de Saavedra Ladron de Guevara, señor de las casas de Saavedra, y Narvaez Pariente Mayor, y Cabeça de la de Gueuara, Conde de Tahalu, &c. Va todo este Epistolario al estilo, y Romance de Marco Aurelio, porque el Autor es todo vno, y aora nuevamente se ha añadido su vida.* [Escudo del impresor] Año 1668. Con privilegio. En Madrid, por Matheo de Espinosa y Arteaga. Acosta de Iuan de Calatayud y Montenegro, Mercader de libros. Vendese en su casa a la Plaçuela de Santo Domingo, y en Palacio. 5 hs. + 705 págs. a dos columnas, 4.º.

Signaturas: [4 sin firmar] + A - Z^8, Aa - Xx^8.

Cits.: Canedo, n.º 383; Foulché-Delbosc, *Guevara,* n.º 119; Laurenti-Porqueras, *Guevara,* n.º 6; Palau, VI, n.º 110229; Simón Díaz, XI, n.º 3055.

En: IU, CRBP, HBP, LSC, MBN, MFL, MRAE, MRAH, SBC, SBU.

El ejemplar de la Universidad de Illinois procede de Luis Bardón, cuyo *ex libris* figura en el libro. Faltan los dos primeros folios, que tienen que ver con el título (puede reconstruirse con la descripción de Foulché-Delbosc) y parte de la "Tabla" del libro. En este volumen reproducimos la portada.

105 [7]

—— —— *Oratorio de religiosos y exercicio de virtuosos: compuesto por el Illustre señor dõ Antonio de Gueuara, obispo de mondoñedo predicador, chronista, y del consejo d'l Emperador, y rey nustro (sic) señor. Van en esta obra grandes doctrinas para religiosos muchos auisos para virtuosos, notables consejos para mundanos, elegantes razones para curiosos, y muy subtiles dichos para hombres sabios. Exponen se grandes figuras dela biblia, declaranse muchas auctoridades dela escriptura sacra, aleganse dichos de muchos sanctos, y explicanse exemplos de los padres antiguos. Es obra en que el auctor mas tiempo ha gastado, mas libros ha rebuelto, mas sudores ha passado, mas sueño ha perdido, y la que el en mas alto estilo ha compuesto. El predicador que es amigo de cosas curiosas predicar, y el religioso que es amigo de religiosamente viuir, y el seglar que tiene gana de los bullicios del mundo salir, lean cõ attencion esta obra, que para otro genero de gentes no vale cosa. Es obra para q̃ los religiosos la leã enlos refictorios: pa q̃ los virtuosos la traygã enlas manos.* M.D. y xliiii. (1544) Con preuilegio imperial. 8 hs. + 110 fs. a dos columnas. Fol. gót.

Signaturas: A^8, a-n^8, o^6.

Colofón: "Aquí se acaba el libro llamado Oratorio de religiosos y exercicio de virtuosos compuesto por el Illustre señor, don Antonio de Gueuara, obispo de Mondoñedo, predicador, chronista, y del consejo de su Magestad: obra que es de muy gran doctrina, y de muy alto estilo. Fue impressa enla muy noble villa de valladolid: por industria del honrrado varon Juan de villaquirã, impressor de libros: a nueue dias de março. Año de mil, y quinientos, y quarenta y cinco".

Cits.: Alcocer, n.º 116; Foulché-Delbosc, *Guevara,* n.º 35 Laurenti-Porqueras, *Guevara,* n.º 7; Palau, VI, n.º 110337; Canedo, n.º 489; Penney, pág. 248; Simón Díaz, XI, n.º 3084; Ticknor, pág. 165.

En: IU, CBP, GBU, MB, MBN, MRAE, NNH, SMP.

El ejemplar ilinoyense fue adquirido en la Librería de Luis Bardón. Debio estar alguna vez en el convento de capuchinos de Segovia, ya que en el texto se lee a mano "Capuchinos de Segovia, año de 1713". Reproducimos la portada en este volumen.

Nótese la diferencia de un año entre la portada y el colofón.

106 [8]

—— —— ——[Igual a la anterior] [Valladolid. Por Juan de Villaquiran. 1546] 8 hs. + 110 fs. a dos columnas. Fol. gót.

Signaturas: A^8, a-n^8, o^6.

Cits.: Alcocer, n.º 131; *Catálogo, Letra G,* n.º 1874; Foulché-Delbosc, *Guevara,* n.º 39; Laurenti-Porqueras, *Guevara,* n.º 8; Maggs, n.º 448; Palau, VI, n.º 110338; Simón Díaz, XI, n.º 3085; Thomas, pág. 41; Canedo, n.º 490.

En: IU, CBU, LBM, MAHN, MBL, MBMu, MBN, MH, SBU, LBN, OBM, MBP.

El ejemplar ilinoyense está falto de portada. Perteneció al convento de Tlaxcala en México, y se leía en el refectorio.

―― ―― *Oratorio de religiosos y ejercicios de virtuosos; compuesto por el Reuerēdissimo señor dō Antonio d'Gueuara d'buena memoria, obispo d'mōdoñedo, predicador, chronista, y d'l cōsejo d'l Emperador y rey nuestro señor. Van en esta obra
grandes doctrinas pa religiosos, muchos auisos pa virtuosos, notables consejos pa
mundanos, elegātes razones pa curiosos, y muy subtiles dichos para hombres sabios.
Exponense grandes figuras dla biblia, declarāse muchas auctoridades dela sacra
escriptura, aleganse dichos d'muchos sanctos, y explicanse exemplos delos padres
antiguos. El predicador que es amigo de cosas curiosas predicar, y el religioso q̃ es
amigo de religiosamente biuir, y el seglar q̃ tiene gana dlos bullicios del mundo salir,
lea con attencion esta obra, q̃ para otro genero de gentes no vale cosa. Es obra pa q̃
los religiosos la leā enlos refitorios; y para q̃ los virtuosos la traygan enlas manos.*
Con preuilegio imperial. Esta tassado este libro por los señores del consejo real, a
dos marauedis el pliego. M.D.L. (1550) Nueuamente corregido y emendado. 128
fs. a dos columnas. Fol. got.

Signaturas: A-O⁸, P⁶.

Colofón: "Aqui se acaba el libro llama (sic) Oratorio de religiosos y exercicios
de virtuosos. Compuesto por el reuerēdissimo señor con Antonio de Gueuara,
obispo de Mondoñedo de buena memoria, predicador, y chronista, y del consejo de
su magestad. Obra que es de muy gran doctrina, y de muy alto estilo. Fue impressa
en la insigne y muy nombrada villa de valladolid. Acosta y en casa d'Sebastiā Martinez, criado q̃ fue del auctor, y la parrochia de sant andres. Acabose viernes a
veinte y dos de agosto. De M.D.L. Años.

Cits.: Adams, I, n.° 1497; Alcocer, n.° 162; *Catálogo, Letra* G, 1877; Foulché-
Delbosc, *Guevara,* n.° 50; Laurenti-Porqueras, *Guevara,* n.° 9; Palau, VI, n.°
110339; Simón Díaz, XI, n.° 3087 y Canedo, n.° 491, que señala un ejemplar en PP
Franciscanos de Lorca.

En: IU, Cath, CBP, MBN, MBP, MFL, SanBU, SBU.

―― ―― *La primera parte del libro llamado Mōte caluario. Cōpuesto por el
Illustre señor dō Antonio de Gueuara: obispo de Mōdonedo, de buena memoria,
predicador, y chronista, y del cōsejo de su M. Trata el auctor en este libro todos los
mysterios del monte caluario, desde que christo fue a muerte condennado (sic) por
pilato, hasta que por joseph y nicodemus fue metido enel sepulchro. Trae el auctor
en este libro muchas prophecias, expone grandes figuras, alega muchas auctoridades, pone muy deuotas contemplaciones, y aun haze muy dolorosas exclamaciones.
La segūda parte deste libro que tracta delas siete palabras que christo dixo en la cruz,
se queda imprimiendo.* Con priuilegio imperial. Nueuamente concedido a Sebastiā
martinez, a doze de julio de mil y quinientos y quarenta y cinco. 1546. 8 hs. + 118
fs. a dos columnas. Fol. gót.

Signaturas: +⁸, a-O⁸, p⁶.

Colofón: "Aqui se acaba la primera parte del libro llamado mōte caluario,
cōpuesto por el illustre señor dō Antonio d'Gueuara de buena memoria, obispo de

Mōdoñedo, predicador y chronista, y del cōsejo de su magestad. Fue impsso enla muy noble villa de valladolid por industria del honrrado varon Juan de villaquiran. Año del señor de mil y quinientos y quarēta y seys años a. xxviii dias del mes de março". Reproducimos la portada en este volumen.

Cits.: Alcocer, n.º 130; Canedo, n.º 535; *Catálogo, Letra G,* n.º 1876; Foulché-Delbosc, *Guevara,* n.º 41, que no localiza ejemplares y se refiere a Juan M. Sánchez, *Bibliografía aragonesa del siglo XVI,* pág. 220; Laurenti-Porqueras, *Guevara,* n.º 10; Palau, VI, 110362; Simón Díaz, XI, n.º 3098; Thomas, pág. 41.

En: IU, CBU, GBU, LBM, MBN, LBN, OBM.

109 [11]
—— —— *Libro Llamado Menosprecio De Corte Y Alabança de aldea, Compuesto por el illustre señor don Antonio de Gueuara, Obispo de Mondoñedo, predicador, y chronista, y del consejo de su De nouueau mis en françois par L.T.L. auquel auons adiousté L'Italien, pour l'vtilité et soulagement de ceux qui prennent plaisir aux vulgaires que son auiourd'huy les plus en estime. Pour plus grand enrichissement de cest oeuure, y ont esté adioustés les vers François des Euesques de Meaux & de Cambray, & les latins de N. de Clemēges Docteur en Theologie, sur la grande disparité de la vie rustique auec celle de cour.* [Florón] M.D. XCI. (1591) Par I e a n De T o v r n e s. Auec priuilege du Roy. 4 hs. + 551 págs. a dos columnas. 16.º

Signaturas: +⁴, A-Z⁸, a-l⁸, m⁴.

Cits.: Adams, I, n.º 1496; *Catálogo,* Letra G, n.º 1838; Foulché-Delbosc, *Guevara,* n.º 92, que localiza ejemplares en el British Museum, Bibliothèque Nationale, de Paris, y Biblothèque Royal de Bélgica; Laurenti-Porqueras, *Guevara,* n.º 11; Maggs, n.º 443; Simón Díaz, XI, n.º 3008; Canedo, n.º 330.

En: IU, BBR, C, CtY, DBRP, LBM, MiU, MRAH, PBN, PBS, MBN, según Canedo.

110 [2]
—— —— *Libro llamado Menosprecio De Corte y alabança de Aldea. Dirigido al muy alto, y muy poderoso señor Rey de Portugal, Don Iuan Tercero deste nombre. compuesto por el illustre señor Don Antonio de Gueuara, Obispo de Mondoñedo, predicador, y chronista y del consejo de su Magestad. Muestra el auctor en este libro, mas que en ninguno de los otros q̃ ha compuesto, la grandeza de su eloquencia, y la delicadeza de su ingenio. Va al estilo de Marco Aurelio, porque el auctor es todo vno.* [Línea] Con todas las licencias neceßaris En Coimbra En la oficina de Manoel Dias impressor de la Vniuersidad: año 1657. 16 hs. + 161 págs. 8.º

Signaturas: § - §⁸, A-R⁸, S⁶.

[A continuación:] *Libro Llamado Aviso De Privados, Y doctrina de cortesanos. Dirigido al illustre señor Don Francisco de los Cobos, Comendador mayor de Leon, y del consejo de su Magestad, &c. Compuesto por el illustre señor Don Antonio de Gueuara, Obispo de Mondoñedo, predicador, y chronista y del consejo de su Magestad. Es obra muy digna de leer, y muy necessaria de a la memoria se encomendar.* [Línea] Con Todas las licencias neceßarias En Coimbra En la officina de Manoel Dias impressor de la Vniuersidad: año 1657. 21 fs. + 1 h. + 275 págs.

Signaturas: § - §§^{8}, §§§^{6}, A-R^8, S^2.

[A continuación:] *Libro de Los Inventores Del Arte De Marear, Y de muchos traba-*
jos que se passan en las galeras. Copilado por el illustre señor Don Antonio de
Gueuara, Obispo de Mondoñedo, predicador, y chronista, y del consejo de su
Magestad. Dirigido al illustre señor D. Francisco de los Cobos, comendador mayor
de Leon, y del consejo del estado de su Magestad, &c. Tocanse en el muy excellentes
antiguedades y auisos muy notables para los que nauegan en galeras. [Línea] En
Coimbra. En la officina de Manoel Dias impressor de la Vniuersidad: año 1657. 4
hs. + 70 págs. 8.°.

Signaturas: - S^8, A-D^8.

Cits.: Foulché-Delbosc, *Guevara*, n.° 114, que señala un ejemplar de su propia
biblioteca; Laurenti-Porqueras, *Guevara*, n.° 12; Palau, VI, n.° 110283; Simón
Díaz, XI, n.ºs 3003 y 3012.

En: IU, CU, EBP, ICU, LBM.

111 [13]

—— —— *Libro Avreo De Marco Aurelio, emperador, y eloquentissimo orador,*
nueuamente impresso. M.D.XXXIX (1539) Vendēse en Enueres por Iuan Steelsio,
en el esuco de Borgoyngna (*sic*). 176 fs. 8.°.

Signaturas: A-Y^8.

Colofón: "Fue impresso en la triunfante villa de Enueres por Iuan Grapheus.
Año del Señor de mill e quiniētos e XXXIX".

Cits.: Catálogo, Letra G, n.° 1824; Foulché-Delbosc, *Guevara,* n.° 21; Laurenti-
Porqueras, *Guevara,* n.° 13; Palau, n.° 110098; Peeters-Fontainas, I, n.° 560; Simón
Díaz, XI, n.° 2943; Vaganay, n.° 125; Canedo, n.° 11.

En: IU, LJ.P.F., MBMu, MBN, PBN, PPBC.

Ex libris: Frederick H. Comstock.

112 [4]

—— —— *Libro Avreo De La Vida Y Cartas de Marco Avrelio Emperador, y elo-*
quentissimo Orador, nueuamente corregido y emendado. Añadiose de nueuo la
Tabla de todas las Sentencias, y buenos dichos que en el se contienen. [Escudo del
impresor] En Amberes, En casa de Martin Nucio, à las dos Cigueñas. M.DC.IIII
(1604) Con Priuilegio Imperial. 12 hs. + 381 págs. + [9] págs. 8.°.

Signaturas: *12, A-Q^{12}, R^4.

Cits.: Canedo, n.° 31; Foulché-Delbosc, *Guevara,* n.° 102; Laurenti-Porqueras,
Guevara, n.° 14; Palau, n.° 110116; Peeters-Fontainas, I, n.° 571; Simón-Díaz, XI,
n.° 2970.

En: IU, CtY, DBRP, LJ.P.F., MBN, MiU, BBR.

113 [15]

—— —— *Aviso de privados y doctrina de cortesanos.* Barcelona. Por Hieronymo
Margarit. 1612. Fols. 81-219 + 1 hoja de "Tabla". 8.°.

Signaturas: L - Z⁸, Aa - Dd⁸, Ee⁵.

Cits.: Laurenti-Porqueras, *Guevara,* n.º 15; Palau, vol. VI, n.º 15; Simón Díaz, XI, n.º 3002; Canedo, n.º 234.

En: IU, BBC, CBU, MB, PBN, MBN.

El ejemplar de la Universidad de Illinois, sin encuadernación, procede de la Librería Puvill de Barcelona. Evidentemente fue desgajado de una previa encuadernación con *Menosprecio de corte* y alabanza de aldea, edición de Barcelona de 1613.

114 [16]

—— —— [Anteportada:] *Vidas De Los Diez Emperadores Romanos que imperaron en tiempo de Marco Aurelio.* [Portada:] *Vidas De Los Diez Emperadores Romanos, que imperarō en los tiempos de Marco Aurelio. Compvestas Por El Ilvstris. Señor D. Antonio de Gueuara, Obispo de Mondoñedo, Predicador, y Chronista, y del Consejo de su Magestad Cesarea. Dedicadas Al Señor D. Antonio De Garnica Y Cordoua, Cauallero de la Orden de Santiago, del Consejo de su Magestad en el Real de Haziēda: su Aposentador Mayor, y Cōtador Mayor de la Ordē de Alcātara &c.* [Escudo del impresor] Año 1669. Con Licencia. En Madrid. Por Mateo de Espinosa. y Arteaga. A costa de Gregorio Rodriguez, Mercader de Libros. 11 hs. + 372 fs. 4.º.

Signaturas: o², oo⁸, A-Z⁸, Z₈ en blanco.

Cits.: Canedo, n.º 222; Foulche-Delbosc, *Guevara,* n.º 120, que señala un ejemplar en la Real Academia Española; Laurenti-Porqueras, *Guevara,* n.º 16; Palau, VI, n.º 110331; Simón Diaz, XI, n.º 2994.

En: IU, LoBP, MAHN, MBN, MRAE, PBN, SanBU, SMP, ZBU, ZSSC.

TRADUCCIONES

a) Alemanas

115 [17]

—— —— [*Reloj de príncipes.* Tr. por Aegidius Albertinus] *Lustgarten vnd Weckvhr.* München. N. Henricum. 1599.

Vid. Capítulo X, n.º 5.

116 [18]

—— —— [*Aviso de privados y doctrina de cortesanos; Menosprecio de corte y alabanzas de aldea.* Tr. por Aegidius Albertinus] *Cortegiano: das ist Der rechte wolgezierte hofmann* ...Leipzig. Henning Grossen. 1619.

Vid. Capítulo X, n.º 6.

117 [19]

—— —— [*Menosprecio de corte y alabanza de aldea*. Va encuadernado su *Cortegiano*, como se ha descrito en el n.º 18 Tr. por Aegidius Albertinus] *Zwey schoene tractaetlein, deren das eine*. Leipzig. Henning Grossen. 1619.

Vid. Capítulo X, n.º 7.

118 [20]

—— —— [*Obras*... Tr. por Aegidius Albertinus] *Opera omnia historico-politica... In drey Theil abgetheilt*... Frankfurt. M. Kempfeern. 1644-45. 3 vols. en 1.

Vid. Capítulo X, n.º 8.

b) Francesas

119 [21]

—— —— [*Libro aureo de la vida y cartas de Marco Aurelio*. Tr. por René Berthault] *Liure dore de Marc Aurele*... Paris. A. Girault. 1538.

Vid. Capítulo XIII, n.º 34.

120 [22]

—— —— [*Libro aureo de la vida y cartas de Marco Aurelio*. Tr. por René Berthault] Lyon. Par Jean de Tournes, 1550.

Vid. Capítulo XIII, n.º 35.

121 [23]

—— —— [*Reloj de príncipes y Libro aureo de la vida y cartas de Marco Aurelio*. Tr. por Nicolas de Herberay, seigneur de Essars] *L'Horologe des princes avec le tresrenomme livre de Marc Avrele*. Paris. Jean Roulle. 1569.

Vid. Capítulo XIII, n.º 36.

122 [24]

—— —— [*Reloj de príncipes y Libro aureo de la vida y cartas de Marco Aurelio*. Tr. por Nicolas de Herveray, seigneur de Essars] Lyon. B. Rigaud. 1592.

Vid. Capítulo XIII, n.º 37.

123 [25]

—— —— [*Epistolas familiares*. Tr. al francés por Seigneur de Guterry y *Libro de los inventores del arte de marear*, traducción del italiano al francés por A. du Pinet] *Les epistres dorees... auec vn traitté des trauaux et priuileges des galeres, le tout du mesme autheur*. Paris. Jean Roulle. 1570.

Vid. Capítulo XIII, n.º 33.

124 [26]

—— —— [*Menosprecio de corte y alabanza de aldea*. Tr. por Antoine Allègre] *Dv mespris de la covrt*... Lyon. E. Dolet. 1543.

Vid. Capítulo XIII, n.º 39.

125 [27]

—— —— [*Menosprecio de corte y alabanza de aldea.* Tr. por Louis Turquet de Mayerne] *Mespris de la covrt, et lovange de la vie rustique...* Geneve. Le Mignon. 1614.

Vid. Capítulo XIII, n.º 40.

c) Inglesas

126 [28]

—— —— [Tr. del *Libro aureo de Marco Aurelio* Por John Bourchier] *The Golden Boke of Marcvs Avrelio emperovr and eloqvent oratorvr. Thus endeth the volume of Marke Aurelie emperour, other wyse called the golden boke translated out of Frenche into english by John Bourchier knythte lorde Barnes... at the instant desyre neuewe syr Francis Bryan knyghte ended at Caleys the thenth day of Marche, in the yere of the reygne of oure Souerayque lorde kynge Henrye the viii, XXIII.* [London. Thomae Bertheleti. 1536. 4 hs. + 167 fs. 4.º

Signaturas: [4 hs. sin firmar] + A-Z⁴, Aa-Vv⁴.

Colofón: "Londini, In aedibus Thomae Bertheleti regii impressoris. Anno M.D.XXXVII. Cvm Privilegio".

Cits.: Allison, pág. 87, n.º 25.2; Canedo, n.º 65; Laurenti-Porqueras, *Guevara,* n.º 28; Palau, VI, n.º 110137; Pollard and Redgrave, n.º 12437; Thomas, *Guevara,* 567.

En: IU, CSmH, CtY.

Nuestro ejemplar está falto de portada.

127 [29]

—— —— [Tr. del *Libro aureo de Marco Aurelio* por John Bourchier. Portada grabada] *The Golden Boke Of Marcvs Avrelius Emperour and eloquente oratour.* Londini AN. M.XLVI (1546) [Al pie de la portada se lee: 1534] 567 págs. sin numerar 8.º.

Signaturas: A⁴, B-Y⁸, Aa-Oo⁸.

Colofón: "Thus endedth the volume of Marke Aurelie. Emperour, otherwyse called the golden booke, translated oute of Frenche into Englishe by John Bourchier knight lord Barners, deputee generall of the kinges town of Caleis and marches of the same, at the instaunt desire of his neuewe sir Francis Bryan knighte, ended at Caleis the tenth daie of Marche, in the yere of the reigne of our souerayue lorde kyng Henry the eyghte the fowre and twentte.

Imprinted at London in Fletestrete, in the house of Thomas Berthelet...".

Cits.: Allison, pág. 87, n.º 25.6; Canedo, n.º 68; Laurenti-Porqueras, *Guevara,* n.º 29; Pollard and Redgrave, n.º 12445; Simón-Díaz, XI, pág. 381; Thomas, *Guevara,* 567.

En: IU, CSmH, CtY, DFo, LBM, MB, MiU.

128 [30]

—— —— [Tr. del *Libro aureo de Marco Aurelio* por John Bourchier. Portada grabada] *The Golden Boke, of Marcus Aurelius Emperoure and eloquent oratour.* Londini. M.D.L V II. (1557) 568 págs. sin numerar. 8.º.

Signaturas: A-Y^8, Aa-Nn^8, Oo^4.

Colofón: "Imprinted at London, in fletestreete, neare to S. Dunstans Churche, by Thomas Marsche. (∴)"

Cits.: Allison, pág. 87, n.º 25.9; Canedo, n.º 70; Laurenti-Porqueras, *Guevara,* n.º 30; Palau, VI, n.º 110188; Pollard and Redgrave, n.º 12443; Simón Díaz, XI, pág. 381, que cita una edición del mismo año, pero impresa por Thomas Berthelet; Thomas, *Guevara,* 567.

En: IU, CSmH, CSt, CU, ICN, LBM, MWiW-C.

129 [31]

—— —— [Tr. del *Libro aureo de Marco Aurelio* por John Bourchier.] *The golden Booke, Of Marcus Aurelius Emperour, and eloquent Oratour.* 1566. Imprynted at London by John Audeley, dwellyng in litle Brittaine streete, beyonde Aldergate. (∴) Cum priuilegio ad imprimendum solum. 567 págs. sin numerar. + 1 h. 8.º.

Signaturas: A-Y, Aa - Nn^8, Oo^4.

Colofón: "Imprynted at London, by John Audeley, dwelling in little Brittaine streete beyonde Aldersgate.

Cits.: Allison, pág. 87, n.º 25.11; Canedo, n.º 74; Laurenti-Porqueras, *Guevara,* n.º 31; Palau, VI, n.º 110139; Pollard and Redgrave, n.º 12445; Simon Díaz, XI, pág. 381; Thomas, *Guevara,* 567.

En: IU, CSmH, CtY, DFo, LBM.

130 [32]

—— —— [Tr. del *Libro llamado reloj de príncipes...,* por Thomas North. Portada grabada] *The Diall of Princes. Compiled by the reuerende father in God, Don Anthony of Gueuara, Byshop of Guadix. Preacher and Cronicler, to Charles the fyft Emperour of Rome. Englyshed oute of the Frenche, by Thomas North, seconde sonne of the Lorde North. Ryght necessary and pleasaunt, to all gentylmen and others whiche are louers of vertue.* Anno. 1557. Imprinted at London by Iohn Waylande. Cum priuilegio, ad imprimendum solum per septennium. *(sic)* 268 fs. Fol.

Signaturas: A^2, a-z^6, [2^a], A-Z^6, P^8, [2^a] Z^2.

Colofón: "Imprynted at London in Fletestreete neare to the Temple barre by John Waylande. Anno Domini M.D.L.VII. Mens Decemb. Cum priuilegio ad imprimendum solum per septenium".

Cits.: Allison, pág. 88-89, n.º 28; Canedo, n.º 181; Laurenti-Porqueras, *Guevara,* n.º 32; Palau, VI, n.º 110189; Pollard and Redgrave, n.º 12427; Simón-Díaz, XI, n.º 3158; Thomas, *Guevara,* 571.

En: IU, CtY, DFo, ICN, MH, NIC, PU.

131 [33]

—— —— [Tr. del *Libro llamado reloj de príncipes...* por Thomas North. Portada grabada] *The Dial of Princes, Compiled by the reuerend father in God, Don Antony of Gueuara, Byshop of Guadix, Preacher, and Chronicler to Charles the fifte, late of that name Emperovr. Englished out of the Frenche by T. North, sonne of Sir Edvvard North Knight,.. And now newly reuised and corrected by hym, refourmed of faultes escaped in the first edition: with an amplification also of a fourth booke annexed to the same, Entituled The fauored Courtier, neuer heretofore imprinted in our vulgar tongue. Right necessarie and pleasaunt to all noble and vertuous persones. Now newly imprinted by Richarde Tottill, and Thomas Marshe.* Anno. Domini. 1568. 20 págs. + 1 h. + 165 fs. + 1 h. + 173 fs. + 24 fs. Fol.

Signaturas: [A]², ₊6 -, ₊6, (∴)⁶, A-2D⁶, 2E⁴, [2.ª], A - [2ª] Y⁶, Z⁶, [2ª], 2A-2E⁶, 2F⁴, +⁶, [2ª], ₊6, +₊6 -₊₊6.

Cits.: Allison, pág. 89, n.º 28.1; Canedo, n.º 182; Laurenti-Porqueras, *Guevara*, n.º 33; Palau, VI, n.º 110189; Simón-Díaz, XI, pág. 381; Ticknor, pág. 164.

En: IU, LBM, MB, MoU.

131 [34]

—— —— [Tr. del *Libro llamado reloj de príncipes* por Thomas North] *A P X O N T O P O ∧ O T I O N, Or The Diall Of Princes: Containing The Golden And Famovs Booke Of Marcvs Avrelivs, Sometime Emperour of Rome. Declaring What Excellency consisteth in a Prince that is a good Christian: And what euils attend on him that is a cruell Tirant. Written By the Reuerend Father in God, Don Antonio of Gueuara, Lord Bishop of Guadix, Preacher and Chronicler to the late mighty Emperour Charles the fift. First translated out of French by Thomas North, Sonne to Sir Edward North, Lord North of Kirthling: And lately reperused, and corrected from many grosse imperfections. With addition of a Fourth Booke, stiled by the Name of The Fauoured Courtier.* [Florón] London, Imprinted by Bernard Alsop, dwelling by Saint Annes Church neere Aldersgate, 1619. 23 págs. + 1 h. + 768 (*i.e.* 752) págs. Fol.

Signaturas: q⁷, *₊*⁶, (a)⁶, A⁴, B-Z⁶, Aa-Zz⁶, Aaa-Rrr⁶, Sss⁴.

Cits.: Allison, pág. 82, n.º 28.3; Canedo, n.º 185; Laurenti-Porqueras, *Guevara*, n.º 34; Pollard and Redgrave, n.º 12430; Simón-Díaz, XI, pág. 381; Thomas, *Guevara*, 571.

En: IU, CtY, DLC, DFo, MBAt, LBM, MH, MHi, MoSU, NcD, NIC, NN, PBN, PPL, PSt, PU, TU, TxU.

133 [35]

—— —— [Tr. de las *Epistolas familiares* por Edward Hellowes] *The Familiar Epistles of Sir Anthony of Gueuara, Preacher, Chronicler, and Counceller to the Emperour Charles the fifth. Translated out of the Spanish toung, by Edvvard Hellovves, Groome of the Leashe, and now newly imprinted, corrected, & enlarged with other Epistles of the same Author. VVherein are contained very notable letters, excellent discourses, curious sayings, and most naturall reasons VVherein are contained expo-*

sitions of certaine figures, authorities of holy Scripture, very good to be preached, and better to be followed. VVherin are contained declarations of ancient stamps of Writtings upon stones, Epitaphes of Sepulchers. Lawes and customes of Gentiles. VVherein are contained Doctrines, Examples, and counselles for Princes, for noble men, for Lawyers, and Church men: uery profitable to be followed, and pleasant to be readde. Printed at London by Henry Bynneman, for Raufe Nevvbery, dvvelling in Fleetstreete, a little aboue the Conduit. [1575] 4 hs. + + 1 h. + 206 fs. + 2 hs. 4.º.

Signaturas: ¶⁴, A-Y⁸, Aa-Bb⁸, Cc⁹, Dd⁸.

[A continuación:] *Golden Epistles, Contayning varietie of discourse both Morall, Philosophicall, and Diuine: gathered as well out of the remaynder of Gueuaraes (sic) workes, as other Authors, Latine, French, and Italian. By Geffray Fenton. Mon heur viendra.* Imprinted at London by Henry Middelton, for Rafe Newbery, dwelling in Fleetstreat a litle aboue the Conduit. 1575. 200 fs.

Signaturas: ¶⁴, ¶ ¶⁴, A-Y⁸, Aa-Bb⁸.

Cits.: Allison, pág. 85, n.º 21.1; Canedo, n.º 449; Laurenti-Porqueras, *Guevara,* n.º 35; Palau, VI, pág. 450; Pollard and Redgrave, n.º 12433; Thomas, *Guevara,* 574-75.

En: IU, CtY, DFo, DLC, LU, MH.

134 [36]
—— —— [Selecciones de las *Epistolas familiares* editadas por Geffrey Fenton] *Golden Epistles, Contayning varietie of discourse, both Morall, Philosophicall, and Diuine: gathered, as wel (sic) out of the remaynder of Gueuaraes woorkes (sic) as other Authours, Latine, French and Italian. By Geffrey Fenton. Newly corrected and amended. Mon heur viendra.* Imprinted at London by Ralph Newberie dwelling in Fleetestreete a litle aboue the Conduite. 15. Octobris. 1582. 347 págs. + 3 págs. de "Tabla". 4.º.

Signaturas: ¶², A - X⁸, Y⁶.

[A continuación:] *The Familiar Epistles of sir Anthonie of Gueuara, Preacher, Chronicler, and Counseller to the Emperour Charles the fift. Translated out of the Spanish tongue, by Edward Hellowes, Groome of the Leash, and now newly imprinted, corrected and enlarged with other Epistles of the same Authour. Wherein are contened verie notable letters, excellent discourses, curious sayings, and most naturall reasons. [Wherein are contened verie notable letters, excellent discourses, curious sayings, and most naturall reasons]. Wherein are contened expositions of certeine figures, authorities of holy Scripture, very good to be preached, and better to be followed. Wherein are contened declarations of ancient stampes, of writinges (sic) vpon stones, Epitaphes of Sepulchres, Lawes and customes of the Gentiles. Wherein are contened doctrines, exampls (sic) and counsels for Princes, for Noble men, for Lawyers, and Churchmen: very profitable to be followed, and pleasaunt to be reade.* Imprinted at London for Ralph Newberrie. 1577. 403 págs. + 5 págs. de Tabla.

Signaturas: A⁴, A-Y⁸, Aa-Cc⁸, Dd⁴.

Cits.: Allison, pág. 86, n.º 21.2; Canedo, n.º 451; Laurenti-Porqueras, *Guevara*, n.º 36; Palau, VI, n.º 110265; Pollard and Redgrave, n.º 12434; Simón Díaz, XI, pág. 381.

En: IU, CSmH, CtY, DFo, DLC, LBM, MB, MH, MWiW, NN, OCU, OU, PU, TxU, WU.

135 [37]

—— —— [Tr. de *Las epistolas familiares* por Edward Hellowes] *The Familiar Epistles of sir Antonie of Gueuara, Preacher, Chronicler, and Counseller to the Emperor Charles the fift: Translated out of the Spanish tongue, by Edward Hellowes, Groome of the Leash, and now newly imprinted, corrected and enlarged vvith other Epistles of the same Author. Wherein are contained verie notable letters, excellent discourses, curious sayings, and most naturall reason. Wherein are contained expositions of certaine figures, authorities of holie Scripture, verie good to be preached, and better to be followed. Wherein are contained declarations of ancient stampes, of writings vpon stones, Epitaphs of Sepulchres, lawes and customes of the Gentiles. Wherein are contained doctrines, examples and counsels for Princes, for Noble men, for Lawyers, and Churchmen: verie profitable to be folovved, and pleasant to be read.* At London, Printed by Ralph Newberie anno salutis, 1584. Cum priuilegio Regia Maiestatis. 401 págs. + 3 hs. de Tabla 4.º.

Signaturas: A³, A-Y⁸, Aa-Cc⁸, Dd⁴.

Cits.: Allison, pág. 86, n.º 21.3; Canedo, n.º 454; Laurenti-Porqueras, *Guevara*, n.º 37; Palau, VI, n.º 110266; Pollard and Redgrave, n.º 12435; Simon Díaz, XI, pág. 381; Thomas, *Guevara*, 576-77.

En: IU, CSmH, CtY, DFo, ICU, LBM (2 ejemplares), MH, MiU, NIC, NjP, NN.

136 [38]

—— —— [Tr. de *Las epistolas familiares* por John Savage] *Spanish Letters: Historical, Satyrical, and Moral; Of the Famous Don Antonio de Guevara: Bishop of Mondonedo, Chief Minister of State, and Historiographer Royal to the Emperor Charles V. Written by way of Essay on different Subjects, and every where intermixt with both Raillerie and Gallantry. Recommended by Sir R. L'S and made English from the best Original by Mr. Savage. Menos Fuera.* London, Printed for F. Saunders in the New-Exchange in the Strand, and A. Roper at the Black-Boy over against St. Dunstans Church in Fleetstreet. 1697. 4hs. + 183 págs. + 4 hs. de Tabla. 8.º.

Signaturas: A⁴, B-M⁸, N⁴.

Cits.: Allison, pág. 187, n.º 24; Canedo, n.º 455; Laurenti-Porqueras, *Guevara*, n.º 38; Palau, VI, n.º 110268; Simón-Díaz, XI, n.º 3164; Thomas, *Guevara*, 577; Wing A, n.º 2182.

En: IU, CLU-C, CtY, DFo, DHN, DLC, FU, IaU, LBM, MB, MH, NjP, PBL, PSt.

137 [39]

—— —— [Tr. de *Una Década de Césares* por Edward Hellowes] *A Chronicle, conteyning the liues of tenne Emperours of Rome. Wherin are discouered, their beginnings, proceedings, and endings, worthie to be read, marked and remembred* [!] *Wherein are also conteyned Lawes of speciall profite and policie. Sentences of singular shortnesse and sweetenesse. Orations of great grauitie and Wisedome. Letters of rare learning and eloquence. Examples of vices carefully to be auoyded, and notable paternes of vertue fruitfull to be followed. Compiled by the most famous Syr Anthonie of Gueuara, Bishop of Mondonnedo, Preacher, Chronicler, and counsellour to the Emperour Charles the fift: an translated out of Spanish into English, by Edward Hellowes, Groome of her Maiesties Leashe. Hereunto is also annexed a table, recapitulating such particularities, as are in this booke mentioned.* Imprinted at London for Raophe Newberrie dwelling in Fleetestrete. Anno Gratia 1577. 4 hs. + 484 págs. + 7 hs. de Tabla. 4.º.

Signaturas: o⁴, A-X⁸, Aa - Kk⁸.

Cits.: Allison, pág. 85, n.º 19; Canedo, n.º 225; Laurenti-Porqueras, *Guevara*, n.º 39; Palau, VI, n.º 110335; Pollard and Redgrave, n.º 12426; Thomas, *Guevara*, 579.

En: IU, CSmH, CtY, DFo, ICN, ICU, LBM, MH, NcD, NIC, NN.

d) Italianas

138 [40]

—— —— [*Aviso de privados y Menosprecio de la corte.* Tr. italiana por Vincenzo Bondi Mantuano] *Aviso De Favoriti Et Dottrina De Cortigiani con la commendatione de la uilla, opera non meno utile che deleteulo, tradotta nouamente di Spagnolo in Italiano per Vincenzo Bondi Mantuano.* [Escudo del impresor M. Tramezino] In Venetia. M.D.XLIIII. (1544). Co'l Priuilegio del summo Pontefice Paulo I I I. et dello Illustriß. Senato Venetiano per anni dieci. 180 fs. 8.º.

Signaturas: ., ..12, A-X⁸, Y¹².

Cits.: Laurenti-Porqueras, *Guevara*, n.º 40; Palau, n.º 110314; *Short-Title*, II, pág. 100; Simón Díaz, XI, n.º 3174; Toda i Güell, *Bibliografia*, II, n.º 2190; Canedo, n.º 256, Bianchini, n.º 1018.

En: IU, BBC, CU, DFo, DHN, ICN, MWelC, VRQ.

Muchos errores en la foliación del texto: fs. 85 y 87 están numerados respectivamente 79 y 81.

Folio 122: *Comincia il libro chiamato Dispregio delle corti, e laude della uilla.*

139 [41]

—— —— [*Aviso de privados y Menosprecio de la corte.* Tr. italiana por Vincenzo Bondi Mantuano] *Aviso De Favoriti, E Dottrina De Cortegiani, Opera non meno Vtile, Che Dilettevole. Composta Per Lo Illustre signor Don Antonio Giauara (sic) Vescouo di Mondogneto, Predicatore, Cronichista, & Consegliero della Casarea Maiesta. Tradotta Nvovamente Dal Spagvolo nell'Idioma Italiano.* [Florón] [Escudo del impresor: VIRTVS LABI NESCIT] In Venetia Appresso P. Gironimo Giglio, e compagni. [Línea] M. D. L I X. (1559). 205 (i.e. 207) fs. 8.º.

Signaturas: a-z^8, aa - cc^8.

Colofón: "In Venetia Appresso P. Gironimo Giglio, e compagni. [Línea] M. D. L I X.

Cits.: Laurenti-Porqueras, *Guevara,* n.º 41; Palau, n.º 110316; *Short-Title,* II, pág. 100; Simón Díaz, XI, pág. 384; Ticknor, pág. 164; Canedo, n.º 256.

En: IU, ICN, MB, LBM.

Folio 144: *Comincia il libro chiamato Dispregio delle corti, e lavde della villa.*

Muchos errores en la foliación del texto: fs. 143-144 duplicados.

140 [42]

—— —— [*Aviso de privados y Menosprecio de la corte.* Tr. italiana por Vincenzo Bondi Mantuano] *Aviso De'Favoriti, E Dottrina De'Cortegiani. Composta Per L'Illvstre Signor Don Antonio Gueuara Vescovo di Mondogneto, Predicatore, Cronichista, & Consegliero della Sacra Cesarea Maestà. Tradotta Nvovamente Dal Spagnuolo nell'Idioma Italiano* [Florón] [Escudo del impresor] In Venetia, [Línea] Appresso Bernardo Giunti. M D L X X X I (1581). 206 fs. 8.º.

Signaturas: A-Z^8, Aa-Cc^8.

Cits.: Laurenti-Porqueras, *Guevara*, n.º 42; Palau, n.º 110318; Simón Díaz, XI, pág. 384; Canedo, n.º 261; Toda i Güell, *Bibliografía,* II, n.º 2193.

En: IU.

141 [43]

[*Libro de Marco Aurelio,* tr. italiana por Sebastiana da Longiano Fausto] *Vita, Gesti, Costvmi, Discorsi, Lettere Di M. Avrelio Imperatore, sapientißimo Filosofo, & Oratore eloquentißimo. Con la gionta di moltissime cose, che ne lo Spagnuolo nō erano, e de le cose spagnuole, che mancauano in la tradottione (sic) italiana. Il Petrarca di M. Aurelio ne'l trionfo d'amore. Vedi il buon Marco d'ogni laude degno Pien di filosofia la lingua, e'l petto.* [Escudo del impresdor] In Vinegria. Apresso Vicenzo Vaugris al segno d'Erasmo. M. D. XLIIII (1544). 183 fs. + 1 h. 8.º

Signaturas: a-z^8, z_8 en blanco.

Cits.: Adams, I, n.º 1499; Laurenti-Porqueras, *Guevara,* n.º 43; *Short-Title,* II, pág. 101; Simón Díaz, XI, n.º 3161; Canedo, n.º 79.

En: IU, C, LBM, MH.

142 [44]

—— —— [Otra edición] *Vita, Gesti, Costvmi, Discorsi, lettere di Marco Aurelio Imperatore, sapientissimo Filosofo, & Oratore eloquentissimo: con la gionta di molte cose, che nello Spagnuolo non erano, e delle cose Spagnuole, che mancauano nella tradottione (sic) Italiana.* [Escudo del impres: AL DVS] In Venegia, M. D. XXXXVI (1546). 148 fs. numerados. 8.º.

Signaturas: A-T^8, A_1 y T_8 en blanco.

Colofón: "In Vinegia, Nell'Anno. M.D.X X X X V I. In Casa De'Figlivoli Di Aldo".

Cits.: Adams, I, n.º 1500; Laurenti-Porqueras, *Guevara,* n.º 44; Palau, n.º 110142; *Short-Title,* II, pág. 101; Simón Díaz, XI, n.º 3169; Toda i Güell, *Bibliografía,* II, n.º 2167; Canedo, n.º 81.

En: IU, CtY, DLC, ICN, MnU, PU, RBC, Tr.

El ejemplar ilinoyense lleva el *ex libris* de "Lumley-Saviles of Rufford Abbey".

143 [45]

—— —— [Otra edición:] *Vita, Gesti, Costvmi, Discorsi, Lettere Di M. Avrelio Imperatore, sapientissimo Filosofo, & Oratore eloquentissimo. Con La Gionta Di Moltissime cose, che ne lo Spagnuolo non erano, & de le cose Spagnuole che mancauano in la tradottione Italiana* [Escudo del impresor] In Vinegia Per Gioambattista Bucciola a San Luca al segno della Cognitione, M. D. X L I X (1549). 182 fs. 8.º.

Signaturas: A-Z⁸, Z₈ en blanco.

Colofón: "In Vinegia per comin de Trino di Monferrato, L'anno M.D.XLIX".

Cits.: Laurenti-Porqueras, *Guevara,* n.º 45; *Short-Title,* II, pág. 101.

En: IU.

Contiene una dedicatoria firmada por Fausto da Longiano.

144 [46]

—— —— [Otra edición:] *Vita, Gesti, Costvmi, Discorsi, Lettere Di Marco Aurelio Imperatore, sapientissimo Filosofo, et Oratore eloquentissimo: con le alte & profonde sue sentenze, notabili documēti amministrabili Essempij, & lodeuole norma di uiuere. Tradotta dal Spagnuolo nella lingua Toscana, Con l'Aguiunta di molte cose, che nello Spagnuolo non erano, e delle cose Spagnuole, che mancauano nella tradottione Italiana. Nuouamente ristampata, & alla sua buona & sana lettione ridotta.* [Escudo del impresor] In Vinegia appresso d'Agostino Bindoni. L'Anno M. D. L. (1550). 150 fs. 8.º.

Signaturas: A-T⁸, T₈ en blanco.

Colofón: "In Vinegia appresso d'Agostino Bindoni nel Anno M.D.L.".

Cits.: Laurenti-Porqueras, n.º 46; Canedo, n.º 85; Toda i Guell, *Bibliografia,* II, n.º 2168.

En: IU, CtY.

145 [47]

—— —— [Otra edición:] *Vita Gesti, Costvmi, Discorsi, Lettere di Marco Aurelio Imperatore, sapientissimo Filosofo, & Oratore eloquentissimo: con le alte, & profonde sue sentenze, notabili documenti, ammirabili Essempij, & lodeuole norma di viuere. Tradotta dal Spagnuolo nella lingua Toscana, Con l'Agiunta di molte cose, che nello Spagnuolo non erano, e delle cose Spagnuole che mancauano nella tradottione Italiana. Nouamente (sic) ristampata, & dal medesimo Autore con somma diligenza da nouo (sic) riconosciuta.* [Escudo del impresor] In Venetia M D L I. (1551). 167 fs. 8.º.

Signaturas: a-x⁸.

Colofón: "In Venetia per Francesco Bindoni, & Mapheo Pasini compagni. Del mese di Iuglio. Nel anno del nostro Signore. M.D.L I".

Cits.: Laurenti-Porqueras, *Guevara*, n.º 47; Simón Díaz, XI, pág. 383; Palau, n.º 110146; Canedo, n.º 86; Vaganay, 340.

En: IU, CtY, LBM.

El ejemplar ilinoyense va encuadernado con la siguiente fragmentación del *Reloj de príncipes* de Antonio de Guevara: *Institvtione Del Prencipe (sic) Christiano. Tradotto Di Spagnvolo in lingua Toscana per Mambrino Roseo da Fabriano. Nvovamente Stampato & con piu diligenza che nell'altre impressioni riconosciuto.* [viñeta] In Venetia M D X L V I I (1547). 178 fs. 8.º.

Signaturas: A-Y⁸, Z⁴.

Cits.: *Short-Title,* II, pág. 100 (suelta); La desconoce Canedo.

En: IU, DFo (suelta).

146 [48]
—— —— [Otra edición:] [Portada grabada] *Vita, Gesti, Costvmi, Discorsi, Et Lettere Di Marco Avrelio Imperatore, Sapientissimo Filosofo, Et Oratore Eloqventiss. con La Givnta Di Moltissime cose, che nello Spagnuolo non erano, & delle cose Spagnuole, che mancano nella traduttione Italiana.* [Florón] *Con Dve Tavole, Vna De'Capitoli, L'Altra Delle Cose Notabili.* [Escudo del impresor] In Vinegia Appresso Gabriel Giolito De'Ferrari. M D L V I I. (1577). 20 hs. + 304 págs. 8.º.

Signaturas: ₊8, ₊₊8, ₊₊₊4, A-T⁸.

Cits.: Adams, I, n.º 1487; Laurenti-Porqueras, *Guevara*, n.º 48; Palau, n.º 110149; *Short-Title,* II, pág. 101; Simón Díaz, XI, pág. 383; Canedo, n.º 90; Toda i Güell, *Bibliografía,* n.º 5852.

En: IU, C, CtY, DFo, MH.

147 [49]
—— —— [Otra edición:] *Vita, Gesti, Costvmi, Discorsi, Et Lettere Di Marco Avrelio Imperatore, Sapientissimo Filosofo, Et Oratore Eloqventiss. Con La Givnta Di Moltissime cose, che nello Spagnuolo non erano, & delle cose Spagnuole, che mancano nella traduttione Italiana.* [Escudo del impresor] In Venetia, Appresso Fran. Rampazetto. 30 hs. + 345 fs. 8.º.

Signaturas: +¹², ++¹², ₊₊₊6, A-O¹², P⁶, P₆ en blanco.

Colofón: "In Venetia, Appresso Francesco Rampazetto. M.D. L X I I I I".

Cits.: Laurenti-Porqueras, *Guevara*, n.º 49; Palau, n.º 110156; *Short-Title,* II, pág. 101; Simón Díaz, XI, pág. 383; Canedo, n.º 93.

En: IU, CtY, DFo, PBA.

148 [50]
—— —— [Otra edición:] *Vita, Gesti, Costvmi, Discorsi, Et Lettere Di Marco Avrelio Imperatore, Sapientissimo Filosofo, et Oratore eloquentissimo. Con La Givnta*

Di Molte Cose, che nello Spagnuolo non erano, & delle cose Spagnuole, che mancano nella traduttione Italiana. [Escudo del impresor] In Venetia, appresso Domenico, & Gio. Battista Guerra, fratelli. M D L X X I I (1572). 8 hs. + 311 págs. 8.°.

Signaturas: a⁸, A-T⁸, V⁴.

Cits.: Laurenti-Porqueras, *Guevara*, n.° 50; Palau, n.° 110158; Simón Díaz, XI, pág. 383.

En: IU, CtY.

149 [51]
—— —— [Otra edición:] *Vita, Gesti, Costvmi, Discorsi, Et Lettere Di Marco Avrelio Imperatore. Sapientissimo Filosofo, & Oratore eloquentissimo. Con la giunta di molte cose, che nello Spagnuolo non erano, & delle cose Spagnuole, che mancauano nella traduttione Italiana.* [Escudo del impresor] In Vinegia, Presso Giouanni Antonio Giuliani. M D C X V. (1615). 9 hs. + 167 fs. numerados. 8.°.

Signaturas: A-Y⁸.

Cits.: Palau, VI, pág. 445; Simón Díaz, XI, pág. 383; Canedo, n.° 98.

En: IU, CtY, RBN.

150 [52]
—— —— [*Epístolas familiares.* Tr. italiana por Alfonso de Ulloa] *Libro Primo Delle Lettere. Dell'Ill. Sig. Don Antonio Di Gvevara, Vescovo Di Mondognedo, Predicator, Chronista, & Consigliero della Maestà Cesarea. Nuouamente tradotto, e riformato dal Signor Alfonso Vlloa. Doue si leggono molte lettere, che nella prima tradottione mancauano. E aggiontoui le postille. Con la tauola de'capitoli, & delle cose piu notabili.* Con Priuilegio della Illustrissima Signoria di Venegia per anni XV. [Escudo del impresor: VIN CENT] In Venetia, Appresso Vincenzo Valgrisi. M.D.L X V. (1565). 4 vols. en 1. 8 hs. + 230 pp. 4.°.

Signaturas: ⁎8, A-O⁸, P⁴.

[A continuación:] *Libro Secondo Delle Lettere Dell'Ill. Sig. Don Antonio Di Gvevara, Vescovo Di Mondogneto, Predicator Chronista, & Consigliero della Maestà Cesarea. Nuouamente di Spagnuolo in Italiano tradotto dal S. Alfonso Vlloa Con la Tauola delle cose più notabili.* Con Privilegio. [Escudo del impresor: VIN CENT] In Venetia, Appresso Vincenzo Valgrisi. M.D. L X V (1565). 269 págs.

Signaturas: ⁎6, a-r⁸, r₈ en blanco.

[A continuación:] *Libro Terzo Delle Lettere Dell'Ill. Sig. don Antonio di Gvevara, Vescovo Di Mondogneto, Predicator, Chronista, & Consigliero della Maesta Cesarea. Nuouamente di Spagnuolo in Italiano tradotto dal S. Alfonso Vlloa. con la Tauola delle cose più notabili. All'Illustriss. Sig. Vespasiano Gonzaga, &c.* Con Privilegio. [Escudo del impresor: VIN CENT] In Venetia, Appresso Vincezo Valgrisi. M. D. L X V. (1565) 4 hs. + 181 págs.

Signaturas: ⁎4, Aa - Ll⁸, Mm⁴, Mm₄ en blanco.

[A continuación:] *Libro Qvarto Delle Lettere Dell'Ill. Sig. Don Antonio di Gvevara, Vescovo Di Mondogneto. Predicator, Chronista, & Consigliero della Maestà*

Cesarea. Nuouamente di Spagnuolo in Italiano tradotto dal S. Alfonso Vlloa. Con la Tauola delle cose più notabili. Con Privilegio. [Escudo del impressor: VIN CENT] In Venetia, Appresso Vincenzo Valgrisi. M. D. L X V. (1565). 4 hs. + 189 págs. + 12 hs. de Tabla. 4.º.

Signaturas: .4, Aaa - Mmm⁸, . - ...4.

Cits.: Catálogo, *Letra G,* n.º 1902; Laurenti-Porqueras, *Guevara,* n.º II, pág. 103; Palau, VI, n.º 110244; Simón Díaz, XI, n.º 3178; Toda i Güell, *Bibliografía,* II, n.º 2158; Damonte, n.º 805; Canedo, n.º 475, Bianchini, n.º 1024.

En: IU, BBC, GenBU, PBN, VFQ.

151 [53]

—— —— [*Libro de Marco Aurelio con Reloj de príncipes,* tr. italiana por Alfonso de Ulloa] *Avreo Libro di Marco Avrelio con L'Horologio De Principi, In Tre Volvmi. Composto Per Il Molto Reuerendo Signor don Antonio di Gueuara, vescouo di Mondognedo, Predicatore, & scrittore delle Croniche della Maesta Cesarea. Nel Qvale Sono Comprese molte sententie notabili, & essempi singolari, appertinenti à i Prencipi (sic) Christiani, & à tutti gli huomini generosi. Libro Primo. Nvovamente Tradotto Di lingua Spagnuola in Italiano dalla copia originale di esso auttore (sic).* Con Privilegio. [Escudo del impresor: F.P.] In Vinegia Appresso Francesco Portonaris Da Trino. M.D. L V I. (1556). 3 partes en 1 vol. Pt. I: 24 hs. + 78 fs. 4.º.

Signaturas: .4, . - ..8, ...*, A-K⁸.

Colofón: "In Vinegia, appresso Francesco Portonaris. M D L V".

[A continuación:] *Il Secondo Libro Di Marco Avrelio Con L'Horologia De Prencipi. Nel Qvale Si Tratta dell'eccellentia del matrimonio, e che i prencipi son necessitati a maritarsi, & insieme la forma di creare i figliuoli piamente, & ammaestrarli al giusto viuere. Novamente Ristampato, Et purgato da gli errori da l'istesso auttore.* [Florón] Con Privilegio. [Escudo del impresor: F. P.] In Vinegia, Appresso Francesco Portonaris da Trino. M D L V I. (1556). Pt. II: 4 hs. + 78 fs.

Signaturas: .4, A-I⁸, K⁶.

Colofón: "In Vinegia, appresso Francesco Portonaris. M D.L.V.".

[A continuación:] *Il Terzo Libro Di Marco Avrelio Con L'Horologio De Prencipi. Nel Qvale Si Tratta, come i Prencipi deuono mantenere in pace, & giustitia i lor stati, con altri ottimi auisi, & reprensioni à i giudici, che per fauori, o presenti non sententiano giustamente. Novamente Corretto con diligentia, dallo istesso auttore, & ristampato.* Con Privilegio. [Escudo del impresor: F.P] In Vinegia, Appresso Francesco Portonaris da Trino. M D L V I. (1556). 4 hs. + 98 fs.

Signaturas: .4, A-L⁸, M¹⁰.

Colofón: "In Vinegia appresso Francesco Portonaris. M. D. L V."

Cits.: Laurenti-Porqueras, *Guevara,* n.º 53; Palau, vol. 6, pág. 444; *Short-Title,* II, pág. 102; Canedo, n.º 191; Toda i Güell, *Bibliografia,* II, n.º 2170; Vaganay, 343-48.

En: IU, CLSU, CtY, DFo, NIC, TBP, TxU.

152 [54]

—— —— [Otra edición:] *Libro Di Marco Avrelio Con L'Horologio De'Prencipi. Destinto In I I I I. Volvmi. Composto Per Il Molto Reverendo Signor Don Antonio di Gueuara, Vescouo di Mondognetto, Predicatore, & Scrittore delle Croniche della Maestà Cesarea di Carlo Qvinto. Nel quale sono comprese molte sententie notabili, & essempi singolari, appertinenti non solamente a i Prencipi Christiani, ma a tutti coloro che desiderano di viuere ciuilmente, e da veri & honorati gentil'huomini. Con la giunta del Quarto Libro, già tradotto di lingua Spagnuola in Italiano, da (sic) la copia originale di esso auttore, si com'era nella quarta impressione. Et con lettere, figure, e postille, si come si conoscerà al segno della mano* [una mano] *posta in margine.* Con Pri [Escudo del impresor: F.P.] uilegio. In Venetia, Appresso Francesco Portonaris, M D L X X V. (1575). 4 partes en 1 vol. Pt. I: 4 hs. + 88 fs. 4.º.

Signaturas: .4, A-L⁸.

[A continuación:] *Il Secondo Libro Di Marco Avrelio, con L'Horologio De Prencipi. Nel Qvale Si Tratta dell'Eccelentia del Matrimonio, e che i Prencipi sono necessitati a maritarsi & insieme la forma di creare i figliuoli piamente, & ammaestrarli al giusto viuere. Nouamente con soma diligentia ristampato con quelle istesse lettere, aggionte già nella quarta impressione, tradotte dalla original copia di esso auttore, come se conoscerà al segno della mano* [una mano] *posta in margine.* Con Privilegio. [Escudo del impresor: F.P.] In Venetia, Appresso Francesco Portonaris. M D L X X V. (1575). 4 hs. + 96 fs.

Signaturas: .4, A-M⁸.

[A continuación:] *Il Terzo Libro Di Marco Avrelio, Con L'Horologio De'Prencipi. Nel Qvale Si Tratta, Come I Prencipi deuono mantenerse in pace, & giustitia, i lor stati, con altri ottimi auisi, & riprensioni à i giudici, che per fauori, o presenti, non sententiano giustamente. Doue anche sono quelle istesse lettere, & figure, agionte già nella quarta impressione, tradotte dalla original copia di esso Auttore, come si conoscerà al segno della mano* [una mano] *posta in margine.* Con Pivilegio. [Escudo del impresor: F.P.] In Venetia, Appresso Francesco Portonaris. M D L X X V. (1575). 4 hs. + 112 fs.

Signaturas: .4, A-O⁸.

[A continuación:] *Il Qvarto Libro Di Marco Avrelio, Con L'Horologio De'Prencipi. Nel Qvale Si Tratta Come il Prencipe si deue gouernare nella sua corte, & casa. Di Nvovo Ristampato, Et Adornato di molte figure, e postile; Et con diligenza coretto.* Con Privilegio. [Escudo del impressor: F.P.] In Venetia, Appresso Francesco Portonaris. M D L X X V. (1575). 4 hs. + 59 fs. 4.º.

Signaturas: .4, A-G⁸, H⁴. •

Cits.: Laurenti-Porqueras, *Guevara,* n.º 54; Palau, vol. 6, pág. 445; Simón Díaz, XI, pág. 383; Canedo, n.º 197; Toda i Güell, *Bibliografia,* II, n.º 2175; Vaganay, 354-56.

En: IU, CtY, DFo, ICU.

153 [55]

—— —— *Horologium Principum, Sive de vita M. Aurelii Imp. Libri III. ab illustri Viro Dn. Antonio De Guevara, Episcopo Accitano, D. Caroli V. Imp. Consiliario & Historico compositi, Illustriβimi ac Celsiβimi Principis, D. Friderici VVilhelmi Ducis Saxonie, &c. jussu ex lingua Castellana, adhibitis Gallicis & Italicis versionibus, in Latinam linguam traducti. Et Myriade, cui nunc Chiliades Aliquot accesserunt, lectissimarum sententiarum exornati atque illustrati, additis indicibus necessariis, & Notatione locorum, ex quibus marginum illustramenta, quae pro Notis esse queunt, depromta sunt. Opera & studio Johannis VVanckelil.* Editio Quarta. [Escudo del impresor] 1615. Cum S. Caesar. Maiest. Privilegio Speciali. Lipsiae, Typis & sumptibus Henningi Gròsii Senioris, &c. 36 hs. + 695 págs. + 13 hs. Fol.

Signaturas: a⁴, b - e⁶, f⁸, A-Z⁶, AA - ZZ⁶, Aaa - Qqq⁶.

Colofón: Lipsiae, Typis & sumtibus Henningi Grosii Senioris Bibliopolae. Excusum per Justum Jansonium Danum. Anno M.DC.XV.

Cits.: Laurenti-Porqueras, n.º 55; Palau, VI, pág. 447; Simón Díaz, XI, pág. 387; Canedo, n.º 209.

Traducción latina por Johan Wanckell de *Reloj de príncipes* y *Libro de Marco Aurelio.*

En: IU, MBN.

APENDICE N.º 1

FONDOS EN MICROFILM EN LA UNIVERSIDAD DE ILLINOIS

TRADUCCIONES AL INGLES:

1.ª *Epistolas familiares del illustre señor dō Antonio de Guevara.*

FAMILIAR (The) epistles of Sir Antony of Gueuara... Translated out of the Spanish toung, by Edvvard Hellovvs... Printed at London for Raufe Newbery... 1574. (Last three leaves [including colophon] lacking.)

——... and now newly imprinted, corrected and enlarged with other epistles of the same author... Imprinted at London for Ralph Newberrie. 1577.

2.ᵇ *Libro aureo de la vida y cartas de Marco Aurelio Emperador, y eloquentissimo orador nueuamente corregido y emendado.*

GOLDEN (The) boke of Marcus Aurelius emperovr and eloquent oratovr. London, Thomas Berthelet, 1535.

——. [London]. Anno M.D.XXXVI. Colophon: Londini in aidibvs Thomae Bertheleti regii impressoris. Anno M.D.XXXVII... Translated by Lord Berners from a French version.

——. [London]. Anno M.D.XXXIX. Colophon: Londini in aedibvs Thomae Bertheleti regii impressoris. Anno M.D.XXXVIII... Translated by Lord Berners from a French version.

——. Londini, in officina Thomae Bertheleti, 1542.

——. Londini, an. M.D.XLVI. Colophon: Imprinted at London in Fletestrete, in the house of Thomas Berthelet... Translated by Lord Berners from a French version.

——. Londini, M.D.L.VII. Colophon: Imprinted at London... by Thomas Marshe. Translation by Lord Berners of a French version of the first edition (unauthorized and unfinished) of Guevara's work, published in 1528 under title "Libro aureo de Marco Aurelio". The first genuine edition, revised and enlarged, was published in 1529 under the titles "Libro llamado Relox de principes en el qual va incorporado el... libro de Marco Aurelio" and "Libro del emperador Marco Aurelio cō relox de principes".

——. Londini, Thomas Berthelet, 1559.

——. Londini, 1559. Colophon: Imprinted at London in Fletestrete, in the late house of Thomas Berthelet... Translation by Lord Berners, of a French version of Guevara's Libro aureo de Marco Aurelio. Microfilm of original in the Bodleian Library. Ann Arbor, Mich., University Microfilm, 1971. (Early english Books, 1475-1640, reel 1239.)

——. London, Imprynted by I. Audely, 1566. Translation by Lord Berners, of a French version of the 1st ed. (unauthorized and unfinished) of Guevara's work, published in 1528 under title "Libro aureo de Marco Aurelio".

——. Londini, Imprinted by J. Awdely, 1573. Translation, by Lord Berners, of a French version of Guevara's Libro aureo de Marco Aurelio. Microfilm of original in the British Museum. Ann Arbor, Mich., University Microfilms, 1972. (Early English Books, 1475-1640, reel 1272).

——. Printed at London by Thomas East 1586. Translation by Lord Berners of a French version of the first edition (unauthorized and unfinished) of Guevara's work, published in 1528 under title "Libro aureo de Marco Aurelio". The first genuine edition, revised and enlarged, was published in 1529 under the titles "Libro llamado Relox de principes en el qual va incorporado el... libro de Marco Aurelio" and "Libro del emperador Marco Aurelio cō relox de principes".

3.ᶜ *Libro de los inventores del arte de Marear, y de muchos trabajos que se passen en las galeras...*
BOOKE (A) of the inuention of the art of nauigation, and of the great trauelles whiche they passe that saile in gallies... London, Imprinted for R. Newberrie, 1578. Translator's dedication signed: Edward Hellowes.

4.ᵈ *Libro llamado Menosprecio de corte y alabança de aldea, compuesto por el illustre señor don Antonio de Guevara...*
DISPRAISE (A) of the life of a Courtier, and a commendation of the life of the labouryng man. London. M.DLVIII. Colophon: Excvsvm Londini, in aedibvs Richardi Graftoni typographi regii. Mense Avgvstii. M.D.XLVIII... "Composed in the Castilian toungue by... Antony of Gueuera... And... drawen into Frenche by Antony Alaygre, and now out of the Frenche toungue into our maternal lãguage, by sir Fraunces Bryant".

165

5.ᵉ *Libro llamado Relox de principes...*

DIALL (The) of princes. Englysshed oute of the Frenche, by Thomas North... 1557. Imprinted at London by Iohn Waylande... Translation of a French version of the first authorized edition of Guevara's work, published in 1529 under titles "Libro llamado Relox de principes en el qual va incorporado el... libro de Marco Aurelio".

——, compiled by... Don Antony of Gueuara... englished out of the Frenche by T. North... And now newly reuised and corrected by hym... with an amplification also of a fourth booke... entituled the fauored courtier, neuer heretofore imprinted in our vulgar tongue... London Now newly imprinted by Richarde Tottill, and Thomas Marshe... 1568. Translation of a French version of the first authorized edition of Guevara's work, published in 1529 under titles "Libro llamado Relox de principes en el qual va incorporado el... libro de Marco Aurelio" and "Libro del emperador Marco Aurelio cō relox de principes". An unauthorized edition of the unfinished work had appeared in 1528 under title "Libro aureo de Marco Aurelio". The fourth book is a translation of Guevara's Aviso de privados.

Αρχοντιορλόγιον, or The diall of princes: containing the golden and famovs booke of Marcvs Avrelivs, sometime emperour of Rome... Written by... don Antonio de Gueuara... First translated out of French by Thomas North... And lately reperused, and corrected from many grosse imperfections. With addition of a fourth booke, stiled by the name of The faoured courtier. London, Imprinted by B. Alsop, 1619. The fourth book has special title page.

6.ᶠ *La primera parte del libro llamado Monte Calvario.*

MOUNT (The) of Calvarie. Compyled by... Anthonie de Gueuara... Wherin is handled all the mysteries of the Mount of Calvarie, from the time that Christ was condemned by Pilat, vntil he was put into the sepulcher, by Ioseph and Nichodemus. London, Printed by A. Islip for Edward White... 1595.

——. London, Printed by E. Allde for I. Grismond, 1618.

7.ᵍ *La segunda parte del libro llamado Monte Calvario.*

MOUNT Caluarie, the second part: compyled by... Anthonie de Gueuara... In this booke the author treateth of the Seuen words which Christ... spake hanging vpon the crosse. Translated out of Spanish into English. London, Printed by Adam Islip for Edward White... 1597.

8.ʰ *Vida de los diez emperadores romanos que imperarō en los tiempos de Marco Aurelio.*

CHRONICLE (A), conteyning the lives of tenne emperours of Rome... Compiled by... Syr Anthonie of Gueuara... London. Ralphe Newberrie. 1577.

CONCLUSIONES

Acabamos de examinar con detalle los fondos bibliográficos raros relativos a Guevara que existen en la Universidad de Illinois. Sin duda la biblioteca de Illinois es la más rica en este autor en los Estados Unidos. Llama la atención, por ejemplo, comparar los fondos de Illinois con los de la Hispanic Society of America, la más rica en fondos españoles en Norteamérica, y una de las mejores del mundo. En el catálogo de C.L. Penney, varias veces citado, Guevara ni siquiera ocupa dos páginas (las 247-248), y son muy pocas las traducciones que poseen. También, remarcablemente, creemos que la Universidad de Illinois es en Guevara una de las más completas del mundo. He aquí unas observaciones:

A) Zona española

1) Illinois posee 16 ejemplares. Prácticamente está representada toda la producción del obispo de Mondoñedo[39].

2) Se encuentran dos ediciones príncipes. Los ejemplares numerados 3 y 1 en este trabajo. La edición príncipe (ejemplar n.º 3) de las *Epístolas familiares,* es ejemplar rarísimo. Foulché-Delbosc confiesa que no ha visto ningún ejemplar.

B) Traducciones

1) Las cuatro traducciones alemanas son de una rareza remarcable. La número 17 (es la única traducción extranjera cuya portada reproducimos) constituye la primera edición alemana de *Relox de príncipes*... Los ejemplares números 18, 19 y 20 son desconocidos por Palau y Dulcet. No se encuentran en la Biblioteca Nacional de París ni en el British Museum. El número 19 (traducción de *Menosprecio de corte y alabanza de aldea,* Leipzig, 1619) es el único que existe en los Estados Unidos. Sin duda que una investigación minuciosa en las bibliotecas alemanas y austríacas arrojaría nuevas localizaciones.

2) a) Las siete ediciones francesas que hemos descrito chocan por su inusitada rareza. Ninguna de ellas está representada en la Biblioteca Nacional de París ni en el British Museum, a excepción del ejemplar número 27, que acaso sea el mismo que registra el British Museum.

b) Los ejemplares números 22, 23, 24 y 26 representan las únicas muestras en los Estados Unidos.

c) El ejemplar número 26 (traducción de *Menosprecio de corte y alabanza de aldea,* Lyon, 1543) es de especial rareza. Nosotros no hemos localizado este volumen en ningún otro lugar. Palau y Dulcet lo desconoce también.

3) Las traducciones inglesas que posee la Universidad de Illinois no se caracterizan por la extrema rareza. Hay que notar, sin embargo, la nutrida representación

---

39.   Ya redactado el presente trabajo, ingresa en la biblioteca *La segunda parte del libro llamada Monte calvario...* Çaragoça, Batholome de Nagera, 1549.

de ellas (12 ediciones). Sólo los ejemplares números 28 y 35 no se encuentran, al parecer, en el British Museum.

4) Son las traducciones italianas las mejor representadas, en cantidad (17 ejemplares) en la Universidad de Illinois. La mayoría de ellas, además, ofrecen singular rareza. Las número 42, 43, 45 y 52 son los únicos ejemplares localizados en Estados Unidos. Es posible que las bibliotecas italianas que no hemos revisado en este trabajo, posean otras muestras abundantes de estas ediciones.

5) Señalamos una edición latina del *Reloj de príncipes,* de Leipzig, 1615, de singular rareza. Es la única que existe en los Estados Unidos y no hay ejemplares ni en la Biblioteca Nacional de París ni en el British Museum.

6) No hacemos observaciones del material en microfilm, porque no tiene relevancia bibliográfica sino didáctica. Todo él se refiere a traducciones inglesas.

* * *

Estas rápidas observaciones pretenden llamar la atención sobre la importancia de algunas muestras recogidas hoy. Nuestras notas no pretenden ser completas ni definitivas. Se basan únicamente en los fondos de la Universidad de Illinois. Ojalá tras metódicas rebuscas en otras bibliotecas europeas, sobre todo, se localicen muchos más ejemplares. De momento, nos sirven para ampliar considerablemente el cuadro bibliográfico sobre el famoso humanista español del siglo XVI.

THE
HERO.

From the *Spanish* of

BALTASAR GRACIAN;

WITH

REMARKS

Moral, Political, *and* Historical,

Of the LEARNED

Father *J. de COURBEVILLE.*

By a GENTLEMAN of *OXFORD.*

It must be observ'd———*That I do not here confine the* Name *and* Character *of* HEROES, *only to* Warriors *and* great Conquerors ; *I extend the Appellation to all* Persons *that are eminent in a high Degree, whether they belong to the* Cabinet *or the* Bar, *whether they are conversant in* human *or* divine Literature.
Hero, Chap. 1. p. 23.

LONDON:
Printed for JAMES MACK-EUEN, at *Buchanan's*-Head, over-against St. *Clement's* Church in the *Strand.* MDCCXXVI.

Portada del ejemplar único en el mundo de la traducción inglesa de *El héroe* de Baltasar Gracián, London, 1726, con dos líneas nunca encontradas en los otros ejemplares reseñados: "Printed for James Mack-Even, [etc.]". Véase ficha 65 [22].

Portada de una de las ediciones vallisoletanas de *Oratorio de Religiosos* de Antonio de guevara, Valladolid. Juan de Villaquirás, 1544. Véase ficha 105 [7]. En esta portada y en la otra que se reproducirá de otra obra de Guevara se ha reducido en el grabado el tamaño. En el original se trata de tamaño folio.

¶La primera parte del libro llamado Montecaluario. Cópuesto por el Illustre señor dó Antonio de Guenara: obispo de Módoñedo/de buena memoria/predicador/y chronista/y del cósejo de su. M̄.

¶Trata el auctor en este libro todos los mysterios del monte caluario/desde que christo fue a muerte condennado por pilato/hasta que por joseph/y nicodemus fue metido en el sepulchro..

¶Trae el auctor en este libro muchas prophecias/expone grandes figuras/alega muchas auctoridades/pone muy deuotas contemplaciones/y aun haze muy dolorosas exclamaciones.

¶La segúda parte: deste libro que tracta de las siete palabras que christo dixo en la cruz se queda imprimiendo.

¶Con priuilegio imperial. Nuevamente concedido a Sebastiã martinez/a doze de julio de mil y quinientos y quarenta y cinco.

1546.

Portada de una de las ediciones vallisoletanas de Juan de Villaquirán, 1546, de *Primera parte del libro llamado Monte Calvario*. Véase ficha 108 [10].

EPISTOLAS
FAMILIARES
DE DON ANTONIO DE GVEVARA,
Obispo de Mondoñedo, Predicador, y Chronista,
y del Consejo del Emperador, y
Rey nuestro señor.
PRIMERA Y SEGVNDA PARTE

*Dirigido à Don Martin de Saavedra Ladron de Gue-
vara, señor de las casas de Saavedra, y Narvaez,
Pariente mayor, y Cabeça de la de Guevara,
Conde de Tabalu, &c.*

Và todo este Epístolario al estilo, y Romance de Marco Aurelio,
porque el Autor es todo vnò, y aoı   evamente se
ha añadido su vida.

*Lady Hollands
Sitting Room.*

Año   1668.

Con privilegio. En Madrid, por Matheo d.   najas y Arteaga.
ostade Ivan de Calatayud y Montenegro, Mercader de libros, vendese en su

---

Portada de la edición madrileña de *Epístolas familiares* de Antonio de Guevara, de 1668 por Mateo de Espinosa. Véase ficha 104 [6]. La portada de la
edición príncipe de *Epístolas familiares* se publica en el catálogo nuestro
The Spanish Golvan Aye... y también en el artículo originario donde abundan las reproducciones.

VII

UNA RARA COLECCION DE TRADUCCIONES INGLESAS DEL "LAZARILLO" (SIGLOS XV, XVII Y XVIII)[40]

40.   Publicado en *Actas del I Congreso Internacional de la Picaresca,* Madrid, 1979, 1195-1212.

Una zona que avalora la Biblioteca de la Universidad de Illinois, en Urbana, es la relativa a traducciones de clásicos españoles, especialmente traducciones al inglés. La colección relativa al *Lazarillo* anónimo y a su "continuación" por Juan de Luna, en versiones inglesas, en una de las más importantes del mundo[41]. A todo ello nos referiremos, con detalle, en las páginas que siguen.

Presentamos ocho unidades bibliográficas: una del siglo XVI, cuatro del siglo XVII y tres del siglo XVIII.

El *Lazarillo* anónimo de 1554 cuenta en Illinois con la primera traducción inglesa conservada de esta obra, la de London, 1586, efectuada con competencia por David Rowland (véase n.º 1). De esta misma traducción hay otras dos ediciones de London, 1596 (una también por el impresor A. Jeffes y otra con el pie de imprenta de London, T.C. for J. Oxenbridge) cuyos originales no posee Urbana, pero sí microfilms de los mismos. En Urbana se encuentra la edición de London, 1624, que utiliza la misma versión de Rowland, y lleva una dedicatoria del librero Thomas Walkley (*fl.* 1619-1658) (véase n.º 2). Se publicó otra edición, London, 1653, por el librero W. Leake, que también se alberga en Urbana. Hay otra edición, de gran rareza, London, Printed by R. Hodgkinson, 1655, que ha escapado a muchos bibliógrafos. La Universidad de Illinois posee dos ejemplares. Urbana no posee las otras ediciones londinenses de 1639 (E.G. for W. Leake), 1669 (B.G. for W. Leake) y 1677 (for E. Hodgkinson).

---

41. En Urbana existe también la primera traducción, publicada en alemán del *Lazarillo* por Nicolás Ulenhart, Augsburg, 1617. Nos referimos a ella, con detalle, en el capítulo X del presente trabajo.

De la continuación de Juan de Luna, que apareció en español en Paris, en 1620, se hizo muy pronto en London, en 1622 una versión inglesa por el librero e impresor Thomas Walkley, de la que Urbana sólo posee el microfilm. La segunda vez que se reimprimió la versión de la obra de Luna fue en London, 1631, ejemplar que se encuentra en Urbana, encuadernado con la edición del *Lazarillo* de 1624 (véase n.º 3). El público británico, ávido de seguir las aventuras del Lazarillo, continuado por Juan de Luna y traducido por Thomas Walkley, recibió ya como cosa normal las dos obras impresas al mismo tiempo, formando un solo volumen. Este uso se regulariza desde 1639, y en Urbana se encuentran estas continuaciones con las ediciones londinenses de 1653 y 1655, ya citadas (véanse n.ᵒˢ 4 y 5).

Por lo que se refiere al siglo XVIII, existe en Urbana una rarísima edición de Edinburgh, que ha escapado a los bibliógrafos. En el ejemplar de Urbana se lee a lápiz la fecha de 1700 (véase n.º 6). Hay otras dos de London, 1777 y London, 1789 más conocidas y representadas en varias bibliotecas.

Los ejemplares de Urbana tenían, a veces, una curiosa historia y hemos podido localizar algunos de sus antiguos propietarios y la mayoría de fechas de ingreso en Illinois, fechas todas ellas relativamente recientes, en lo que va de siglo. Recogemos estos datos informativos en unas *observaciones* que suelen ir tras la minuciosa descripción de los ejemplares ilinoyenses. Además de la sigla correspondiente a la Universidad de Illinois (IU), se indican otras localizaciones, sobre todo en Norteamérica, utilizando para ello los datos del *Union Catalog,* en proceso de publicación. Aunque estas localizaciones no pretenden ser exhaustivas, representan, por lo general, la nómina más completa presentada hasta la fecha. Se acompaña también una lista de repertorios bibliográficos revisados para la redacción de este trabajo. Añadimos un breve *Apéndice* con cinco unidades en microfilm que pueden ser de ayuda para futuros estudiosos que quieran ahondar el fascinante tema de la penetración del *Lazarillo* anónimo y de su continuación por Juan de Luna, en el mundo británico.

154 [1]

The Pleasaunt / Historie of Lazarillo de / *Tormes a Spaniarde, where-/* in is conteined his mar-/*ueilous deedes and life.* / With the straunge ad-/*uentures happened to him* in the seruice of sun-/ *drie Masters.* / Drawen out of Spanish by Da-/*unid Rouland of Anglessey.* / *Accuerdo, Oluid.*/   Imprinted at London / *by Abell Ieffes, dwelliug* (sic) in the / fore streete without Crepell / gate nere Groube streete / at the signe of the Bell. / 1586. 8vo 64 fols. 8.°.

Signs.: A-H^8.

Hay un grabado que representa el escudo del impresor Abel Jeffes. Se trata de una campana flanqueada por dos escudos (el de London y el de Stationer's Company) y las letras A e I. Hay una orla alrededor de la campana con el lema: "Praise the Lorde with Harpe and Songe". Ronald B. McKerrow, *Printed and Publishers Devices in England and Scotland 1485-1670,* London, 1913, pág. 98 (grabado n.º 253) registra el grabado del impresor Jeffes y se nos explica que la campana alude al nombre cristiano de Abel Jeffes.

Prólogo del traductor David Rowland: To the right wor-/shipfull Sir Thomas / *Gressam Knight* [f.: Aij - v.º de Aij] - Prólogo de Lázaro: The Prologue of Lazaro de / *Tormes, vnto a Gentleman of* / Spaine, which was desi - /*rous to vnderstand the discourse of his life.* [f.: Aiii - V.º de Aiiii] - Texto.-   To the Reader (firmado por G. Turbervile). Colofón: Imprinted at London / *by* Abell Ieffes. / 1586.

Cits.: Allison, p. 99, n.º 2; Collier, pág. 335; Chandler, pág. 406; Graesse, IV, pág. 395; Hazlitt, pág. 504; Laurenti, n.º 783; Lowndes, III, pág. 1327; Pollard and Redgrave, n.º 15336; Pane, pág. 25; Watt, pág. 529a.

Ejemps.: IU, CSmH (Col. Bridgwater), LBM, NIC, OBL.

Obsers.: Se trata de la primera traducción inglesa conservada del *Lazarillo*. Está realizada con competencia por David Rowland[42]. Se sabe muy poco de la vida de este traductor, salvo que había nacido en Anglesey, que estudió en St. Mary's Hall de Oxford y que no obtuvo ningún título. Fue tutor de Earl of Lenox, viajó y trabó conocimiento de lenguas clásicas y modernas. Al volver de sus viajes por el extranjero, se instaló en Londres y se consagró a la labor de tutor de griego y latín. Entonces publicó, *A Comfortable Aid for Scholars, Full of Variety of Sentences, Gathered Out of an Italian Author,* London, 1578, y la traducción del *Lazarillo* que se nos ha conservado en la edición de 1586. Era amigo del famoso poeta George Turbervile, autor del libro, *The Noble Arte of Venerie or Hunting.* Precisamente en la rara edición que presentamos hoy, se encuentran al final unos versos de Turbervile dedicados al lector.

Nos es seguro que Rowland hubiese estado en España, ya que no menciona este hecho en su dedicatoria a Sir Thomas Gresham, buen conocedor de España y de los españoles (éste había participado en una misión económica en Sevilla y había sido embajador en una corte española). La traducción de Rowland se basa fundamentalmente, en el texto francés de Jean Saugrain, publicado por primera vez en 1560, en Lyon. La segunda edición de la versión francesa es de Paris, de 1561. Evidentemente se trata de una versión expurgada, donde se evitan los ataques a la iglesia y se añade al final el primer capítulo de la segunda parte espúrea publicada en Amberes en 1555. Todos estos elementos de la versión francesa pasan a la traducción de Rowland, aunque, a veces, se mueve con cierta independencia del modelo francés[43].

El ejemplar ilinoyense ofrece mucho interés. Es uno de los cinco que sólo, al parecer, se han conservado en el mundo. Existen otros dos en Estados Unidos: en la biblioteca Huntington de San Marino en California y en la biblioteca de la Universidad de Cornell. En Inglaterra, de momento, sólo se conocen el ejemplar del British Museum y el de la biblioteca Bodleyana de Oxford.

Observemos algunos curiosos detalles del ejemplar que se alberga en Urbana. Su estado de conservación es excelente, tiene una encuadernación en vitela, del siglo XVIII. Su propietario fue George Steevens[44], 1736-1800 y aparecen notas

42. La impresión del libro fue concedida a T. Calwell en 1568-69, pero parece que nunca llegó a imprimirse. Aparece fichada de nuevo en el *Stationer's Register,* como vendida a Bynneman el 19 de junio de 1573. Si es que llegó a publicarse (como hace suponer la portada fechada en 1576, que se conserva en la colección Bagford del British Museum) no se ha preservado ningún ejemplar.

43. Véase especialmente la introducción de J.E.V. Crofts en la moderna reimpresión de la traducción de Rowland, publicada en Oxford, 1924. Véanse también, Allison, *op. cit.* págs. 99-100 y B.J. Randal, *The Golden Tapestry. A Critical Survey of Non-chivalric Spanish Fiction in English Translation (1543-1657),* Durham, North Carolina, Duke University Press, 1963, págs. 65-67, especialmente pág. 59, donde sugiere que el traductor francés es Jean Garnier de Laval y no Jean Saugrain.

44. Un buen panorama biográfico de George Steevens ofrece *Dictionary of National Biography,* por Sidney Lee, London, 1909, vol. XVIII, págs. 1031-5. Fue famoso erudito en Shakespeare. Estudió en la Universidad de Cambridge. Adquirió una casa en Hampstead Heath, donde formó una asombrosa biblioteca. Murió solterón en 1800.

suyas manuscritas en una solapa, de carácter erudito. Allí, por ejemplo, se lee que fue adquirido en una venta de la biblioteca particular del doctor Chairnays, el 15 de abril de 1790 y que nunca había podido ver otro ejemplar de esta rara obra. En la obra de W.T. Lowndes, *op. cit.,* pág. 1327, se menciona el ejemplar del British Museum y el de Steevens, que, según se nos indica pasó a Library Bindley, y fue vendido de nuevo, en 1819. Por curiosos caminos, pues, ha llegado este ejemplar a Urbana, comprado al librero estadounidense Stonehill (New Haven, Connecticut) en 1949. Hemos careado el ejemplar de Illinois con el microfilm del ejemplar de Huntington Library y ambos coinciden en todos los pormenores. Reproducimos la portada en el presente volumen.

London, 1624

155 [2]

THE / PLEASANT HISTORY OF / LAZARILLO de Tormes / a Spanyard, vvherein is contai-/ ed his maruellous deeds / and life. / *With the strange aduentures* / happened to him, in the / seruice of sundry / Masters. / Drawn out of Spanish, by *Dauid / Rowland of Anglesey. / Accuerdo, Oluido.* / [Filete] London, / Printed by J.H. 1624. 2 vols. en 1. 192 págs. 8.º. [Reproducimos esta portada en el presente volumen].

Signs.: A-K⁸, L⁴.

En la contraportada hay un hermoso huecograbado de madera, que representa al ciego y al Lazarillo con cuatro versos que rezan: "Here is Lazarillo's birth and life, / His wily feats and honest wife, / With his seuen Masters shall you finde, / Expressing Spanyards in their kinde".

Dedicatoria a Charles Stanhope por Thomas Walkley: TO THE HONOVRABLE, SIR / CHARLES STANHOPE, / Knight of the Bath, Heyre / Apparant to the right Honourable, / Iohn, Lord Stanhope, / one of his Maiesties most honourable Priuy / Counsel [f. A³ - f. A⁴].

— Dedicatoria a Thomas Gressama por David Rowland: To the right worshipfull, Sir / Thomas Gressam, Knight. — Prólogo de Lázaro: The Prologue of Lazaro de Tormes, vnto a Gentleman / of Spaine, which was desirous / to vnderstand the dis-/ course of his life.

— Texto.

Cits.: Allison, pág. 99, n.º 2.2; Chandler, pág. 408; Graesse, IV, pág. 395; Hazlitt, pág. 504; Laurenti, n.º 786; Palau, vol. 7, n.º 133504; Pane, pág. 25, n.º 368; con erratum del impresor: William Leake en vez de J.H.; Pollard and Redgrave, n.º 15338.

Ejemps.: IU, CSmH, DFo, LBM.

Observ.: El ejemplar de Illinois, se encuentra encuadernado con la traducción de la *Segunda parte...,* de Juan de Luna, London, 1631. Es curioso notar que esta edición de 1624 con la traducción de David Rowland, escapó a Crofts, *op. cit.,* pág. XI, que sólo menciona dos reimpresiones: la de 1596 y 1639 (ambas no se encuentran en la biblioteca universitaria de Urbana). Allison sí menciona esta edición, que debe ser de gran rareza (nosotros sólo hemos localizado, además del de Illinois, otros tres ejemplares en el mundo). Es interesante recalcar la dedicatoria de Thomas Walkley a Charles Stanhope. Thomas Walkley es precisamente el traductor de

179

la continuación del *Lazarillo* de Juan de Luna qúe había ya publicado, por primera vez, en London, 1622. Hemos careado el ejemplar de Illinois de 1631 con el del British Museum (a través de un microfilm que posee la Universidad de Illinois), y coinciden en todo.

London, 1631

156 [3]

THE PVRSVIT / OF THE HISTORIE / OF LAZARILLO / DE TORMES. / GATHERED OVT / of the Ancient Chroni - / cles of *Toledo*. / *BY IEAN DE LVNA. / a Castilian. / And novv done into English,* / and set forth by the same / Author. / [Viñeta] London: / Printed by G.P. for *Richard Hawkins,* / and are to be sold at his Shop, neere / Sargeants Inne in Chancery-lane. / 1631. / 8.º.

Signs.: A-N⁸.

Tr. por Thomas Walkley.

Dedicatoria de Thomas Walkley a Lord Strange: TO THE RIGHT / HONORABLE, / IAMES, LORD STRANGE, / MR. ROBERT STANLEY, / And / The Lady Anne Carre. / The Hopefull Issue of the Truly / noble*william,* Earle of Darby, and his Vertuous Countess *Elizabeth, a* / fruitfull Branch of the Ancient / and Illustrious House of / Oxford. / *T.W. in humble acknowledgement* / of his Duty and Seruice to their / Parents, themselues, and both the / *Families* / from whence they / are deriued, / Dedicateth this strangely recouered / Continuation of the pleasant / History of LAZARILLO / DE TORMES. — Carta dedicatoria de Juan de Luna a Roberto Car: CARTA / DEDICATORIA. / al illustrissimo y excellentissimo / Don Roberto Car. de Ancram, / senhor titulado, y de la Camara Priua— /da, gran Tesorero de cosas extraordina-/ rias de su Alteça el Principe de / Galles. — Prólogo de Juan de Luna al lector: THE AVTHOR / to the Reader. — Texto: THE PVRSVIT OF / THE HISTORY OF / LAZARILLO DE / TORMES: / Gathered out of the an-/ cient Chronicles of / *Toledo.* — Texto.

Ex libris [*Viam Aut Inveniam Aut Faciam*] Jacobi P.R. Lyell.

Cits.: Allison, pág. 100, n.º 4.1; Hazlitt, pág. 471; Laurenti, n.º 1086; Lowndes, III, pág. 1327; Pane, págs. 25-6, n.º 370 (con error del pie de imprenta); Pollard and Redgrave, n.º 16928; Rudder, p. 198.

Ejemps.: IU. El ejemplar de Illinois va encuadernado con el ejemplar descrito en la ficha n.º 2; CSmH (encuadernado con la edición descrita en la n.º 2); DFo, LBM.

London, 1653

157 [4]

LAZARILLO, / OR, The Excellent History / OF / LAZARILLO de TORMES, / The witty Spaniard. / Both Parts. / The first translated by / David Rowland*, and the second ga- / ther'd out of the Chronicles of / *Toledo by Iean de Luna* a Ca-/ stilian, and done into / *English* by the same / Authour. / [filete] Accuerdo, Oluido. / [filete] *London,* Printed for William Leake, at / the Crown in Fleetstreet, betwinxt / the two Temple-Gates, 1653. 2 vols. en 1. 13.5 x 7.5 cm. Vol. I: 79 fols. sin numerar.

Signs.: A-K^8. A$_1$ en blanco.

Dedicatoria de James Blakeston a George Chandos: [fs. A^3-A^5] TO THE / Right Honourable, / GEORGE Lord Chandos / Baron of Sudeley, &c. — Prólogo del impresor al lector: The Publisher to the Reader. — Dedicatoria de Juan de Luna: CARTA DEDICATORIA. / Al Illustrissimo y excel- / lentissimo Senhor / Don, &c. — Texto.

A continuación:

THE / PURSUIT / OF THE / HISTORY / OF / Lazarillo De Tormes. / Gathered out of the an- / cient Chronicles of Toledo. / *By Jean de Luna,* a Castilian. / And now done into English, and set / forth by ythe same Authour. / LONDON, Printed for *William Leake,* 1653. 96 fols. sin numerar.

Signs.: (cont.) L-Y^8. R$_2$ incorrectamente firmada V$_2$; Y$_7$ y verso de Y$_8$, son anuncios publicitarios.

Dedicatoria de Juan de Luna a Don Roberto Car de Ancram: [fs. L^2 - verso de L^2] *Carta Dedicatoria.* / Al Illustrissimo y excellentissi- / mo Senhor Don *Roberto Car* de An- / *cram,* Cauallero titulado, y de la Cama- / ra Priuada, gran Tesorero de cosas / extraordinarias de su Alte- / ça el Principe de Galles. — Prólogo de Juan de Luna al lector: [fs. L^3 - L^5] THE / Authour to the Reader. — Texto.

Ex libris: [*Viam Aut Inveniam Aut Faciam*] Jacobi P.R. Lyell.

Cits.: Allison, pág. 101, n.º 5.1; Chandler, pág. 408; Graesse, IV, pág. 395; Hazlitt, pág. 471; Laurenti, n.º 788; Lowndes, III, pág. 1327; Palau, 7, n.º 133507; Pane, pág. 25, n.ºs 368 y 370; Rudder, pág. 198 (solamente la *Segunda parte...,* de Juan de Luna y con erratum del tr.: Juan de Luna, en vez de Thomas Walkley)[45], Wing, L. n.º 761.

Ejemps.: IU, CLU-C, CtY, LBM, MH.

Obsers.: Tenemos la traducción del *Lazarillo,* de Rowland que James Blakeston dice que ha retocado para llegar a una nueva versión de la obra. En realidad James Blakeston sigue al pie de la letra la traducción de Rowland.

Para la continuación de Juan de Luna se usa la traducción del librero londinense Thomas Walkley, que ya se había publicado en 1622 y en 1631 (véase ficha n.º 3), y ambas traducciones (la de Rowland y la de Walkley) se publican juntas, lo que confirma la gran aceptación de la obra de Juan de Luna por el público inglés[46]. Como en la edición de 1631, aparece la dedicatoria de Juan de Luna (especialmente hecha para la versión inglesa) a Don Roberto Car de Ancram, gran tesorero de cosas extraordinarias para el Príncipe de Gales.

Se trata de otra rara edición de la que, de momento, sólo hemos localizado cinco ejemplares. El ejemplar ilinoyense, encuadernado en piel azul marroquina, lleva

45. Cf. H.R. Plomer: *A Dictionary of the Booksellers and Printers... in England... from 1641-1666.* London, Bibliographical Society, 1968, pág. 187.

46. Para comprender la importancia literaria del libro de Juan de Luna, véase *Juan de Luna. Segunda parte de la vida de Lazarillo de Tormes sacada de las corónicas de Toledo.* Edición, prólogo y notas de Joseph L. Laurenti. Madrid. Col. "Clásicos Castellanos", Madrid, 1979.

también el *ex libris* de P.R. Lyell. La encuadernación lleva ornamentaciones de Charles Lewis[47], y figuran las iniciales del famoso coleccionista George Daniel. Este ejemplar perteneció, pues, a George Daniel[48], y pasó a la colección de H. Huth[49] vendida en 1913. Estos datos aparecen manuscritos en el ejemplar que pasó a la Universidad de Illinois en 1943, adquiriendo a través del librero Rosenthal, de Philadelphia. Reproducimos la portada en el presente volumen.

London, 1655

158 [5]

LAZARILLO: / Or the Excellent / HISTORY OF / *Lazarillo de Tormes,* / The witty Spaniard. /   Both Parts. / The first translated by David / *Rowland,* and the second / gather'd out of the Chroni- / cles of *Toledo* by Iean de Luna / a Castilian, and done into / English by the same Authour. / [filete] *Accuerdo, Oluido.* / [filete] LONDON, / Printed by R. Hodgkinsonne 1655. 2 vols. en 1. 75 fs. sin numerar. 8.°.

Signs.: A⁴, B-K⁸.

Dedicatoria de James Blakeston (posible pseud.) a George Lord Chandos: [fs. A² - verso de A²] TO THE / Right Honourable, / GEORGE Lord CHANDOS / Baron of Sudeley, &c. — Prólogo del Impresor al Lector: [fs. A³-verso de A³] The Publisher to the Reader — Dedicatoria de Juan de Luna: [fs. A⁴ - verso de A⁴] Carta Dedicatoria. / *Al illustrissimo y excel- / lentissimo Senhor / Don, &c.* — Texto.

A continuación:

THE PURSUIT / OF THE / HISTORY / OF / *Lazarillo De Tormes.* / Gathered out of the ancient / Chronicles of Toledo: / [filete] By Jean de Luna, a Castilian. / [filete] And now done into English, and set / forth by the same Author. / [filete] LONDON, Printed by R. / Hodgkinsonne 1655. / 93 fs. sin numerar.

Signs.: (cont.) L-X⁸, Y⁴.

Dedicatoria de Juan de Luna a don Roberto Car de Ancram: [fs. L- verso de L] Carta Dedicatoria. / al Illustrissimo y excellentis- / simo Senhor Don *Roberto Car* de / *Ancram,* Cauallero titulado, y de la Camara Priuada, gran Tesorero / de cosas extraordinarias de su / Alte ca (sic) el Principe de / Galles. — Prólogo de Juan de Luna al Lector: [fs. L² - verso de L³] THE / Authour to the Reader. — Texto: [L⁴] THE / Pursuit of the History / OF Lazarillo de Tormes. / Gathered out of the ancient Chro- / nicles of *Toledo.* /

---

47.   Charles Lewis (1786-1836) es uno de los más famosos encuadernadores ingleses. Véase un resumen de su vida en *Dictionary of National Biography, op. cit.,* vol. XI, pág. 1051 donde, por ejemplo leemos: "Lewis bindings are characterised by elegant and classic taste". En efecto, el ejemplar ilinoyense destaca por su lujosa encuadernación, verdadera obra maestra de este arte.

48.   George Daniel (1789-1864) fue un conocido escritor de carácter miscelánico y famoso coleccionista de libros. Véase *Dictionary of National Biography, op. cit.,* vol. V, págs. 472-4.

49.   Existe un voluminoso catálogo de la famosa colección de H. Huth (*Huth Collection Catalogue of the famous Library of printed books collected by Henry Huth, and since maintained and augmented by his son A. H. Huth,* London, 1911-20) y en el volumen correspondiente a 1913, aparece descrito este mismo ejemplar de George Daniel (véase pág. 1.128, n.° 3913).

Ejemps.: IU (dos ejemplares), CtY, MiU, NjP.

Observ.: Illinois posee dos ejemplares de esta rarísima traducción al inglés. No la hemos localizado en ninguna biblioteca de Europa. La desconocen Watt, Wing, Pollard and Redgrave y, más recientemente A.F. Allison, que no la cita en su catálogo de obras españolas traducidas al inglés. Los demás bibliógrafos y críticos (Chandler, Hazlitt, Lowndes, Palau, Pane y Rudder), a guisa de repetición, se limitan a indicar la existencia de esta rarísima edición londinense de 1655, pero sin describirla ni localizarla. El ejemplar de Urbana, en magnífico estado, tiene el *ex libris* de William Hash Skillihorne. Ingresó en 1930, a través del librero George. Urbana, como vimos posee otro ejemplar, idéntico, del mismo año, pero defectuoso, falta la portada y la carta dedicatoria de Juan de Luna a Don Roberto Car de Ancram. Este segundo ejemplar ingresó en Urbana en 1940. Reproducimos, en este volumen, la portada del primer ejemplar.

Edinburgh [17??]

159 [6]

THE / LIFE / AND / ADVENTURES / Of that most and ingenious Spaniard, / *Lazarillo de Tormes:* / Containing / A great Variety of humorous Exploits in / the uncommon Fortunes and Misfortunes / of his Life, from his Cradle to his Grave. / [filete] Written by Himself. / [filete] From the Spanish, carefully Corrected [dos filetes] E D I N B U R G H, Printed. / Price Bound in Calf, Two Shillings. [17??] 4 fs. + 113 págs. numeradas 14.5 x 7.5 cm. [Reproducimos esta portada en el presente volumen].

Signs.: A-L^{12}, M^{10}. M$_{10}$ en blanco.

[fs. 3-4:] The Contents /. - Texto [págs. 1-113. A continuación:]

THE LIFE. / AND / ADVENTURES / OF LAZARILLO DE TORMES. / [filete] Part II. págs. 115-257.

[Pág. 257:] Epitaph.

Ejemps.: IU, MWA.

Obser.: Ejemplar rarísimo, con la *Segunda parte* de Juan de Luna. Se desconoce el traductor. Se trata, al parecer, de una traducción posterior a 1700, ya que no aparece documentada en el reciente catálogo de Harry G. Aldis: *A List of Books Printed in Scotland Before 1700 Including those Printed Furth of the Realm for Scottish Booksellers with Brief Notes on the Printers and Stationers...* Edinburgh, 1970. El único que cita esta traducción anónima es Rudder (*op. cit.*), que debió verla citada en el reciente vol. del *Union Catalog* (vol. 320 [1974] pág. 94).

London, 1777

160 [7]

THE / LIFE / AND / ADVENTURES / OF / Lazarillo Gonzales, / Surnamed de Tormes. / Written by Himself. / Translated from the Original Spanish, and / illustrated with Sixteen Copper Plates, neatly / engraved. In T W O P A R T S. / The NINETEENTH EDITION, Corrected. / [Viñeta] LONDON: / Printed for S. Blandon, in Paternoster-Row. / M.DCC.LXXVII. xl fs. + 165 págs. + 1 h. 8.º.

Sing.: A-I⁶.

[fs. iii-iv:] THE / EDITOR / TO THE READER. – [fs. v - viii:] CONTENTS / OF THE / FIRST PART. / – [fs. ix - xi:] CONTENTS / OF THE / SECOND PART. – Texto. [pág. 166:] – Advertisement. – [pág. 167:] E P I T A P H.

Contiene la Segunda parte de Juan de Luna y el capítulo de los alemanes de la *Segunda* continuación anónima de Amberes de 1555).

Tr. anónima de la versión francesa del Abad A. de Charnes y, naturalmente, desfigurada del título original.

Cits.: Chandler, pág. 410; Laurenti, n.º 795; Lowndes, III, pág. 1327; Palau, vol. 78, n.º 133509; Pane, pág. 25, n.º 368; Ticknor, pág. 178.

Ejemps.: IU, CtY, LBM, MB, MiU, MWelc.

London, 1789

161[8]

[Anteportada:] LIFE AND ADVENTURES / OF / LAZARILLO DE TORMES.

[Portada:] THE LIFE AND ADVENTURES / OF / LAZARILLO DE TORMES. / [doble filete] IN TWO VOLUMES. / [doble filete] VOL. I. / [doble filete] LON-DON: PRINTED BY J. BELL, BRITISH LIBRARY, STRAND. / M D C C L X X X I X. viii págs. + 174 págs. 4.º.

Signs.: B-H¹², I⁴.

[págs. v-viii:] Contents of vol. I. – [págs. 1 - 174:] Texto.

A continuación:

[Anteportada:] LIFE AND ADVENTURES / OF / LAZARILLO DE TORMES. / [Portada:] THE / LIFE AND ADVENTURES / OF / LAZARILLO DE TOR-MES. / [doble filete:] IN TWO VOLUMES. / [doble filete]] VOL. II. / [doble filete:] LONDON: / PRINTED BY J. BELL, BRITISH LIBRARY, STRAND. / M D C C L X X X I X. viii págs. + 186 págs.

Signs.: B-H¹², I⁶, K⁴.

[págs. v-viii:] Contents Of Vol. II. – [págs. 1 - 186:] Texto. – [págs. 187:] Epitafio de Lazarillo: *Here lies the Body of / Brother Lazarillo Gonzales, / surnamed De Tormes.*

Cits.: Chandler, pág. 410; Laurenti, n.º 796; Lowndes, III, pág. 1327; Pane, pág. 25, n.º 368.

Ejemps.: IU, DLC, LBM, MH, TU.

Obsers.: El Vol. II es traducción de la *Segunda parte...*, de Juan de Luna.

* * *

APENDICE N.º 1
(colección en microfilm7[50]

London, 1586

1[A]

LAZARILLO *de Tormes. The Pleasaunt historie of Lazarillo de Tormes... Drawen out of Spanish by Dauid Rouland...* Imprinted at London by Abell Ieffes... 1586.

London, 1596

2[B]

LAZARILLO *de Tormes. The Plesant historie of Lazarillo de Tormes a Spaniarde... Drawne out of Spanish by Dauid Rouland...* London Printed by Abell Ieffes... 1596.

London, 1596

3[C]

LAZARILLO *de Tormes. The most pleasaunt and delectable historie of Lazarillo de Tormes... The second part. Translated out of Spanish into English, by W.P.* [*histon?*] Printed at London by T.C. [reed] for Iohn Oxenbridge... 159 [6] (Con la *Segunda parte* anónima de Amberes de 1555).

London, 1622

4[D]

LAZARILLO *de Tormes. The Pvrsvit of the historie of Lazarillo de Tormez. Gathered ovt of the ancient chronicles of Toledo. By Iean de Lvna. And now done into english, and set forth by the same author.* London, Printed by B. Alsop for T. Walkley, 1622. (*Segunda parte* de Juan de Luna).

London, 1631

5[F]

LAZARILLO *de Tormes. The Pvrsvit of the historie of Lazarillo de Tormes. Gathered ovt of the ancient chronicles of Toledo. By Iean de Luna, and now done into English, and set forth by the same author.* London, Printed by G.P. [urslow] for R. Hawkins, 1631. (Tr. por Thomas Walkley de la *Segunda parte* de Juan de Luna).

---

50. Se copian exactamente los datos de las fichas del catálogo de Illinois, a saber: *Catalog of the Rare Book Room.* University of Illinois Urbana-Champaign, vol. 5. Hen-Lim. Boston: G.K. Hall & Co., 1972, pág. 654.

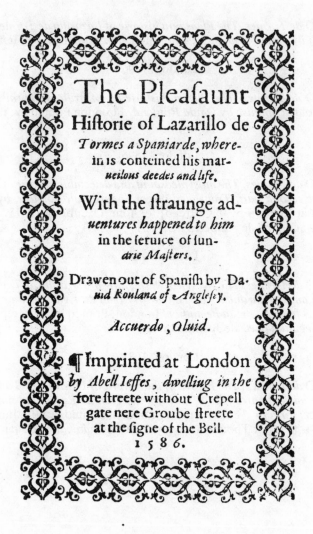

The Pleasaunt
Hiſtorie of Lazarillo de
Tormes a Spaniarde, wherein is conteined his mar-
uellous deedes and life.

With the ſtraunge ad-
uentures happened to him
in the ſeruice of ſun-
drie Maſters.

Drawen out of Spaniſh by Da-
uid Rouland of Anglesey.

Accuerdo , Oluid.

❡Imprinted at London
by Abell Ieffes, dwelliug in the
fore ſtreete without Crepell
gate nere Groube ſtreete
at the ſigne of the Bell.
1 5 8 6.

Portada de la rarísima primera traducción inglesa, conservada del *Lazarillo de Tormes*. London, 1586. Véase ficha 154 [1].

THE
PLEASANT
HISTORY OF
Lazarillo de Tormes

a Spanyard, wherein is contained his maruellous deeds
and life.

With the strange aduentures
happened to him, in the
seruice of sundry
Masters.

Drawen out of Spanish, by *Dauid
Rowland* of *Anglesey*.

Accuerdo, Oluido.

LONDON,
Printed by *J. H.* 1624.

Portada de la rarísima segunda reimpresión conocida de la traducción de
Rowland del *Lazarillo*, London, 1624. Véase ficha 155 [2].

LAZARILLO,

OR,
The Excellent History
OF
LAZARILLO de TORMES,

The witty Spaniard.

Both Parts.

The first translated by *David Rowland*,* and the second gather'd out of the Chronicles of *Toledo* by *Iean de Luna* a Castilian, and done into *English* by the same Authour.

Satyr Varron:

Accuerdo, Oluido.   a

London, Printed for *William Leake*, at the Crown in *Fleetstreet*, betwixt the two Temple-Gates, 1653.

Portada de la rarísima edición inglesa de London, 1653, que contiene las traducciones del Lazarillo y la continuación de Juan de Luna. Véase ficha 157 [4].

LAZARILLO:

Or the Excellent

HISTORY

OF

Lazarillo de Tormes,
The witty Spaniard.

¶ *Both Parts.*

The firſt tranſlated by *David
Rowland* , and the ſecond
gather'd ou of the Chronicles of *Toledo* by *Iean de Luna*
a Caſtilian, and done into
Engliſh by the ſame
Authour.

Accuerdo, Oluido.

LONDON,
Printed by *R; Hodgkinſonne* 1655.

Portada de la extremadamente rara edición de la traducción inglesa del
Lazarillo y su continuación. En Urbana existen 2 ejemplares. Véase ficha
158 [5].

THE
LIFE
AND
ADVENTURES

Of that moſt witty and ingenious *Spaniard,*

Lazarillo de Tormes:

CONTAINING

A great Variety of humorous Exploits in the uncommon Fortunes and Misfortunes of his Life, from his Cradle to his Grave.

Written by Himſelf.

From the *Spaniſh,* carefully Corrected.

EDINBURGH, Printed.

Price Bound in Calf, Two Shillings

Portada de una rarísima y misteriosa (17..). Edición de Edimburgo. Véase ficha 159 [6].

VIII

LA COLECCION DE EDICIONES Y TRADUCCIONES DEL SEVILLANO PERO MEJIA (1496-1552)[51]

51.   Publicado en *Archivo Hispalense* (1974), n.º 175, págs. 121-28. Ahora corregido y ampliado.

La producción literaria de Pedro Mejía, que necesita todavía muchos estudios tras los lejanos toques pasajeros de M. Menéndez y Pelayo, precisa de momento detalladas exploraciones bibliográficas que localicen ejemplares de raras ediciones. La obra de Mejía tuvo en los siglos áureos un poderoso impacto y menudearon las ediciones[52]. Hoy los ejemplares de Mejía de los siglos XVI y XVII constituyen ya una rareza codiciada.

---

52. R. Foulché-Delbosc editó en 1918, con el seudónimo de J. Deloffre, en *Revue Hispanique,* 44 (1918) la *Historia de Carlos Quinto* que había permanecido manuscrita. Allí, al final, presenta un útil panorama de las ediciones, págs. 557-564. Debemos a Juan de Mata Carriazo otra buena edición de *Historia del emperador Carlos V,* Madrid, Espasa-Calpe, 1945, donde señala otros manuscritos y revisa interesantes aspectos de la vida de Mejía. Miguel Romero Martínez publica *Pero Mexía, el sevillano imperial y ecuménico. Notas bibliográficas para un ensayo,* en *Archivo Hispalense,* vol. II, segunda época, 1944, págs. 4-17. Se trata de un utilísimo panorama de conjunto. Allí se señala (contando original y traducciones) la existencia de 33 ediciones conocidas de los *Coloquios* (entre el original y las traducciones); 31 de *Historia Imperial y Cesárea;* 110 de la *Silva de varia lección.* Justo García Soriano hizo una bella edición de esta última obra, la más popular de Mejía, para la colección Bibliófilos Españoles, Madrid, 1933. En su introducción, García Soriano dice haber anotado 33 ediciones castellanas de la *Silva.* Lástima que nos dé pocas noticias de las traducciones italianas e inglesas. Una científica edición de los *Diálogos o Coloquios* la representa la de Margaret L. Mulroney, publicada por la University of Iowa, Iowa City, Iowa, 1930, pero es poco el aparato bibliográfico que aporta. Un interesante rastreo de la influencia de Mejía en Holanda lo representa el artículo de J.A. van Praag, *Sobre la fortuna de Pedro Mejía,* en *Revista de Filología Española,* vol. XIX (1932), págs. 288-293.

Procedemos ahora a un buceo minucioso en la biblioteca de la Universidad de Illinois, en Urbana, Estados Unidos, y nos limitamos a las existencias que lleguen hasta 1700. Sorprende que sea esta biblioteca la más nutrida en Mejía en toda Norteamérica. Sólo basta comparar los fondos relativos al sevillano (22 ediciones, donde abundan rarísimas traducciones en otras lenguas) y la *Hispanic Society of America,* que es la más rica en fondos españoles y que sólo posee 12 ediciones, aunque bien es verdad que la mayoría son españolas, y de gran importancia[53].

Era ésta una magnífica ocasión, tomando como base los fondos de Illinois, de registrar otros ejemplares en Estados Unidos. Además del citado catálogo de Penney (véase nota, n.º 2), hemos utilizado el de J.L. Whitney, *Catalogue of the Spanish Library... by G. Ticknor to the Boston Library.* Boston, 1879 (hay reedición de la casa G.K. Hall & Co., Boston, 1972). Varias calas han arrojado localizaciones en la Biblioteca del Congreso de Washington, en la Public Library de Nueva York y en la Universidad de Princeton. Por supuesto que estas localizaciones se han aumentado ahora con la publicacion del volumen correspondiente de *The Union Catalogue,* iniciado en London, 1968, y en curso de publicación. También hemos anotado localizaciones europeas, especialmente en el British Museum de Londres y en la Biblioteca Nacional de París. Por ello hemos manejado los datos de *Catalogue Général de Livres Imprimés de la Bibliothèque Nationale,* Paris, 1932, vol. 113, y del *British Museum General Catalogue of Printed Books,* London, 1962, vol. 159, además de los suplementos correspondientes. Repetimos que nuestra investigación se limita a los fondos de la biblioteca de la Universidad de Illinois, cuyos ejemplares se describen con todo detalle, especialmente las ediciones españolas, en donde se ha registrado incluso la signatura de los pliegos del libro. Todo lo demás es a mayor abundamiento, insistiendo que estas notas no pretenden ser completas ni definitivas, y tras otras rebuscas especializadas será posible señalar muchos otros ejemplares. El cuadro presentado hoy ojalá aporte, además de una contribución concreta, un estímulo para otros. De momento presenta al público culto un núcleo de ediciones de Mejía, en una biblioteca norteamericana.

Queremos patentizar nuestra gratitud a la licenciada Sherilyn Freeman, de la Universidad de Illinois, que nos ha ayudado en la verificación de diversos datos.

53.   Véase Clara Louise Penney, *Printed Books 1468-1700 in the Hispanic Society of America,* New York, 1965, pág. 347.

I. EDICIONES

A) *HISTORIA IMPERIAL Y CESAREA* (1547)

162 [1]

HISTORIA *imperial y Cesarea: en la qval en summa se contienen las vidas y hechos de todos los Cesares Emperadores de Roma: desde Iulio Cesar hasta el Emperador Maximiliano: dirigida al muy alto y muy poderoso Principe y señor nuestro don Philippe, Principe de España y de las dos Sicilias, &c. la qual compuso y ordenò el Magnífico cauallero Pero Mexia, vezino de la ciudad de Seuilla.* [Grabado del impresor]. *Con gracia y priuilegio Cesareo por cinco annos.* En Basilea. En casa de Ioan Oporino. MDXLVII. 4 págs. + 717 págs. fol.

Preliminares: Dedicatoria al muy alto y muy poderoso señor Don Philipe [Dos págs. sin numerar].

Al lector [Tres págs. sin numerar].

[Dos epigramas en latín]: Francisci de Infante. Praesbyteri, lingua Latinae Professoris. Ioannis Qvirosii. Praesbiteri Epigramma.

Signaturas: a-z^1, A-Z^4, Aa-Oo^4, Pp^3 (Pp^4 y verso de Pp^3 en blanco).

Colofón: "Acabose de imprimir esta obra en Basilea en casa de Iohan Oporino, con Gracia y Priuilegio Cesareo concedido al mismo Iohan Oporino por cinco annos".

Ejemplares: Procede el ejemplar de Illinois de la biblioteca del Conte Antonio Cavagna, comprado por la Universidad de Illinois en 1921. IU, LBM, LBP, MBL, MBN, MBSS.

Cit. por: Deloffre, p. 559; Graesse, p. 512; Palau, n.º 167342; Rómero Martínez, p. 13; Salvá, n.º 3473; Thomas, p. 60, *Catálogo* letra M. n.º 1252.

163 [2]

HISTORIA *Imperial y Cesarea: Enla qual en summa se contiene las vidas y hechos de todos los Cesares emperadores de Roma: desde Julio Cesar hasta el emperador Maximiliano Dirigida al muy alto y muy poderoso Principe y señor nuestro don Philippe, principe de España, y de las dos Sicilias &c. La qual compuso y ordeno el muy magnificio cauallero Pero Mexia, vezino de la ciudad de Seuilla. Agora enesta vltima impression nueuamente emendada y corregida.* [Sevilla, Sebastian Trugillo]. Año de M.D.LXIIII. 5 págs. + 334 fols. Fol. [Grabado con el águila imperial y el escudo de España].

Preliminares: Epistola Al muy algo y muy poderoso señor el principe Philipe nuestro señor [una pág. sin numerar].

Al lector [tres págs.].

Carta de Felipe II [al final de la tercera pág. que contiene *Al lector*].

Tabla por la orden del *Alphabeto de todos los Emperadores...* [dos págs. sin numerar].

[En esta segunda página se contienen los epigramas latinos de Francisci Infanti, Ioannis Qvirosii y Gasparis Lopidis distichon al lector].

· [En otra página]: Epigrama latino de Arias Montano "Soneto del mismo Benito Arias que es el Epigrama traduzido". Gasparis Lopidis epigramma. "Soneto del mismo Gaspar Lopez que es el epigrama precedente traduzido".

Otra página con dos sonetos de carácter epitáfico (no se indica el autor) y Epitaphivm Petri Mexiae, a Petro Fernandes Hispalensis compositum.

Signaturas: Cinco folios sin signaturas, A-Z[8], Aa-Ss[8], Tt[6].

Ejemplares: IU. El ejemplar de Illinois tiene el ex libris de "Bibiblioteca de D. Feliciano Ramírez de Arellano, Marqués de la Fuensanta del Valle". No reproduce las ediciones y tábula de la edición reseñada en n.º 3 de nuestro trabajo, es decir, edición 1655; CU, MBL, MBN, SBN, ToBP.

Cits. por: Deloffre, p. 559; Escudero, n.º 452; Gallardo, III, n.º 2996; Palau, n.º 16734; Adams, I, n.º 1383.

164 [3]

HISTORIA *imperial y Cesarea. En que svmariamente se contienen las vidas, y hechos de todos los Emperadores, desde Iulio Cesar, hasta Maximiliano Primero. Compvesta por el Magnífico Cavallero Pedro Mexia, vezino de la Ciudad de Seuilla. Prosigvela el Padre Basilio Varen, Assistente Prouincial de los Clerigos Reglares Menores, enriqueziendola con las proezas de los vltimos siete Cesares Austriacos, desde Carlos Quinto à Ferdinando Tercero. Dirigida al señor don Lorenzo Ramirez de Prado, Cauallero del Orden de Santiago, del Consejo Real de Castilla, y de Cruzada, &c.* [Grabado del impresor]. Año 1655. Con Privilegio. En Madrid: Por Melchor Sanchez. Acosta de Gabriel de Leon, Mercader de libros. 5 págs. + 1 h. + 725 págs. + 31 págs. de tabla Fol.

Preliminares: Dedicatoria de Gabriel de León [el librero] "Al Señor Don Lorenzo Ramirez de Prado, Caballero de la Orden de Santiago, del Consejo Supremo de su Magestad, y del de la Santa Cruzada: Embaxador al Rey Christianissimo de Francia Luis Dezimotercio". [dos págs. con signatura q³].

Censvra de don Ioseph Pellizer de Tobar, Madrid, 4 de Noviembre de 1654. ["Mandome V. A. en repetidos ordenes, viesse con rigurosa diligencia, y examinasse con sumo cuidado las Adiciones que el Padre Basilio Varen de los Clerigos Reglares Menores ha hecho al libro de los Cesares del Cauallero Pedro Mexia, Cronista en su tiempo de V.A. Por que incluyendose en lo añadido, las Vidas, y Acciones de Siete Emperadores, por espacio de ciento y treinta años, era preciso que en su Narracion quedassen interessados, Reynos, Provincias, y Personas Grandes; cuyos sucessos desea vnicamente V. A. que no solo se escriuan con verdad, sino con Prudencia, Templança, y graue juizio: Y en particular los que pertenecen à los Reynados de los Dos Cesares vltimos; donde han padecido Europa, y España tan peligrosas turbaciones, y mouimientos tã irregulares; que dan motiuo à que V. A. mande que este genero de escritos se censure con apretadissima obseruancia. He procurado obedecer à V.A. con quanta puntualidad, y acierto han podido caber en mi atencion, y caudal. Sin bien el Autor, diestro en tales Materias (por otras Historias que ha publicado) tenia muy preuenidos en esta aquellos inconuenientes que podian repugnar a la justissima intencion de V. A. pues en estilo, en verdad, en decoro, y en los demas requisitos que piden la pureza, y grauedad, de semejanza escritura, sale (segun mi entender) tan ajustada, que juzgo ha cumplido dignamente con el argumento, y que merece que V. A. le honre, y conceda la licencia que suplica, para que salga à la luz publica. Tal es mi sentir: Saluo otro mas acertado parecer. Y ansi lo firmè en Madrid à quatro de Nouiembre de 1654 años".] [una pág.].

Licencia del M.R.P. Lvis de Medina, Preposito Provincial de la Prouincia de España de los Padres Clerigos Reglares Menores.

Tassa, firmada por Miguel Fernández de Noriega.

Svma de privilegio, firmada por Martín de Villela.

Erratas por el Licenciado Don Carlos Murcia de la Llana.

Carta de Felipe II que escribio a Pero Mexía correspondiendo a su primera edición que le dedicó [estas cinco aportadas en una pág.].

Al lector [4 págs. sin numerar].

Signaturas: q⁶, A-Z⁶, Aa-Zz⁶, Aaa⁴-Nnn⁶, Ooo-Qqq⁸.

Ejemplares: IU, DLC, LBM, IaU, MiU, NNH, OU, PU, MFL.

Cits. por: Bustamante, n.º 2408; HC 384/480; Graesse, IV, página 512; Palau, n.º 167347; Penney, pág. 347.

Encuadernación en pergamino; márgenes restaurados que no afectan al texto.

B) *COLOQUIOS O DIALOGOS* (1570)

165 [4]

DIALOGOS *eruditos compuestos por Pedro Mexia Cronista de la Magestad Cesarea del Señor Carlos V.* [Grabado del impresor] *Con privilegio.* En Savilla [*sic*] en la imprenta de Hernando Diaz. Año 1570. 8 hojs. + 269 págs. 8.º.

Preliminares: Carta nuncupatoria para el ilustrissimo señor D. Perafan de Ribera, Marqués de Tarifa, en que le dedica la obra [varias págs. sin numerar].

Gasparis Lupi and studiosum lectores hexastichon [una página].

Ejemplares: IU, CU, DPU, LBM, MH, MoU, NIC, NjP, NNH, RPB, WU, LBP, MBN, MFL, MBP.

Signaturas: A-R⁸.

Cit. por: Palau, n.º 167374, *Catálogo, Letra M,* n.º 1248-9.

El ejemplar de Illinois procede de un fondo jesuítico de Manresa. Tiene el ex libris: "Palrum Soc. Jesu. Col. Manresani". Encuadernación sencilla de cartón. Se trata de la edición fraudulenta del siglo XVIII, ya señalada por Foulché-Delbosc, [Deloffre], p. 560; por M. L. Mulroney, ed. citada, p. 14, que dice: "I have seen the spurious one dated 1570 but showing signs of having been printed two centuries later…"; y por el anónimo editor de los *Coloquios* en Bibliófilos Sevillanos, Sevilla, 1947, que señala en la bibliografía del final del volumen: "Existe otra edición, contrahecha hacia 1756, y bajo el mismo pie de imprenta y año de 1570…". Coincidimos plenamente con estos eruditos en la fácil identificación de tan clara falsificación.

C) *SILVA DE VARIA LECCION* (1673)

166 [5]

SILVA *de varia leccion. Compvesta por Pedro Mexia, natural de Sevilla. En la qval se trata mvchas cosos* [sic] *muy agradables, y curiosas. Van Añadidas en Esta Vltima Impresion quinta y sexta parte, y un Paneresis de Isocrates, traducido de Latín en lengua Castellana por el mismo Autor, con muchas sentencias Morales. A Don Francisco De San Martin Ocina, Cavallero de la Orden de Calatrava, del Consejo de su Magestad, y su Secretario, Contador del Consejo de la Santa Cruzada, y mayor de estos reynos de Castilla, y Leon, y Secretario de su Deputacion, &c.* [Un grabado] *Con Licencia.* En Madrid, por Matheo de Espinosa y Arteaga. Año de 1673. A costa de Antonio del Ribero Rodríguez, Librero à la subida de la Red de San Luis. 7 hojs. + 703 págs. + 8 págs. 4.º.

Preliminares: Dedicatoria A Don Francisco de San Martin Ocina por Antonio del Ribero Rodriguez [3 págs.].

Licencia, por Juan de Acipreste. Madrid 12 de mayo de 1673. Fe de Erratas.

Suma de la Tassa [estos tres últimos apartados en una pág.].

Proemio, y Prefacio de la obra.

Tabla.

Fin [notas manuscritas después de *Fin,* muy interesantes].

Signaturas: q⁷ A - Z⁴, Aa - Zz⁴, Aaa - Zzz⁴, Aaaa - Gggg⁴.

Ejemplares: IU, MB, MiU, NcD, NIC, RPJCB.

Cit. por: García Soriano, p. XLIV; Graesse, p. 511; Deloffre, p. 559; Palau, n.º 167284.

II. TRADUCCIONES

A) Italianas

HISTORIA IMPERIAL Y CESAREA (1558)

167 [6]

VITE *(Le) di tvtti gl'imperadori [sic] da Givlio Cesare insino a Massimiliano, tratte per M. Lodovico Dolce dal libro spagnvolo del nobile cavaliere Pietro Messia, con alcvne vtili cose in diversi lvoghi aggivnte. Con vna tavola copiosissima de'fatti piv notabili in esse vite contenvti...* In Vinegia. Appresso Gabriel Giolito de'Ferrari. M. D. LVIII. 34 págs. [sin numerar] + 1054 págs. + 1 hoj. 4.º.

[Un grabado con el lema "De la mia morte eterna vita i vivo."].

Preliminares: Dedicatoria - "All'illustriss. Signore, il Signor Gio. Battista Castaldo, marchese di Casçano..." [8 págs.].

Ai lettori (Lodovico Dolce) [2 págs.].

Signaturas: *6, ** - ****8, ...4, A-Z⁸, AA-ZZ⁸, AAA - VVV⁸.

Ejemplares: IU, ICN, KU, LBM.

Cit. por: Palau, n.º 167384; *Short-Title,* II, pág. 389.

168 [7]

VITE *di tutti gli Imperadori [sic], nelle quali si contengono tutte le cose piu degne di memoria vniuersalmente auenute nel mondo, cominciando da Giulio Cesare fin'a Massimiliano. Composte in lingva spagnvola da Pietro Messia, et nuouamente in lingua italiana tradotte dal signor Alfonso Vlloa.* Venetia. Appresso Vincentio Valgrisio. MDLXI [1561]. 15 hojas + 30 págs. [sin numerar] + 1119 págs. 4.º.

Preliminares: Al Molto illustre signore, il signor Giovanbattista Gavardo, gentilhvomo bresciano. Alfonso Ulloa [8 págs.]. Ai lettori [2 págs. + 1 hoja].

Tavola delle Memorabili cose... [12 hojas - 24 págs.].

Signaturas: *8, **, ***6, A-Z⁴, Aa-Zz⁴, AA-ZZ, AAA⁴.

Ejemplares: IU, ḊFo, DCU, LBM, RPB, MBN.

Cit. por: Palau, n.º 167351; *Short-Title,* II, pág. 389.

El ejemplar de Illinois estuvo en el Oratorio S. Luigi de Roma, según un sello en una hoja del comienzo.

169 [8]

VITE *(Le) de gli [sic] Imperadori Romani da Giulio Cesare fino à Massimiliano tratte per M. Lodovico Dolce Dal Libro Spagnuolo del Signor Pietro Messia. A queste già furono accopiate le Vite di Ridolfo, e Matthias, descritte da Paolo Santorio Napolitano, con tutte le Effigie di essi imperadori dal naturale, cosi antichi, come moderni, in particolare della Casa d'Austria. Ma in questa vltima impressione sono state perfettionate con l'Aggionta (sic) della Vita di Ferdinando Secondo, Ferdinando Terzo, e la Coronatione di Leopoldo regnante* [grabado con el lema: "Venetia"] In Venetia MDCLXIV (1664). Presso Gio.: Maria Turrini, e Gio.: Brigonci. Con Licencia de' Superiori, e Priuilegio. 980 págs. 4.º.

Signaturas: a-c⁴, d⁶, A-Z⁸, Aa-Zz⁸, Aaa-Ppp⁸, Qqq⁶.

Preliminares: Ai lettori. Lodovico Dolce [1 pág.]. Tavola de' nomi de gl'imperadori... [3 págs.]. Tavola di tutte le cose notabili... [18 págs.].

Ejemplares: IU.

Cit. por: Palau, n.° 167358.

El ejemplar de Illinois, encuadernado en pergamino de la época, procede de la biblioteca del Conte Antonio Cavagna, comprada por la Universidad de Illinois en 1921.

SILVA DE VARIA LECCION (1556)

170 [9]

[Tr. italiana por Lucio Mauro] *Selva Di Varia Lettione, Dall'Avttore Pietro Messia Di Nvovo Corretta, & aggiuntaui la quarta parte. Tradotta Di Spagnvolo In Italiano, Per Lvcio Mavro. Con Dve Tavole, Vna De'Capitoli, Et L'Altra Delle Cose Notabili Et postillata nel margine.* Con Privilegio. [Escudo del impresor] In Venetia, Appresso Giordano Ziletti, all'Insegna della Stella. M. D L V I. (1556) 46 hs. sin numerar + 856 págs. 8.°.

Signaturas: a - f⁸, A-Z⁸, AA-ZZ⁸, AAA-LLL⁸, MMM⁴.

Preliminares: Dedicatoria al magnifico M. Antonio Veniero [por Giordano Ziletti, librero].

El prólogo de Mejía, traducido al italiano.

Tavola [46 hojas].

Ejemplares: IU, MB, LBM, RBM.

Cit. por: Doublet, pág. 92; Graesse, IV, pág. 512.

El ejemplar de Illinois muy mal encuadernado, de la época. Hay letras a mano en la portada que pertenecía a algún convento de frailes menores franciscanos.

171 [10]

SELVA *Di Varia Lettione di Prieto Messia Spagnvolo, Da Lvi Divisa In Tre Parti: Alle Qvali S'è Aggivnta La Qvarta Di Francesco Sansovino; Nuouamente riueduta, & riformata con le postille in margine. Dopo Qvesta Haveranno In Breve I Lettori Vna Nvova seconda Selva non piu data in luce* [florón] Con Privilegio [Escudo del impresor: TARDE SED TVTO] In Venetia Presso Giorgio De'Cavalli. M D L X I I I I (1564). 8 hs. + 380 págs. 4.°.

Signaturas: +⁴, +⁴, A-Z⁴, Aa - Zz⁴, Aaa⁶.

Preliminares: Al serenissimo inclito signore il signor Girolomo Privli, principe di Venetia... Pietro Ochieri [3 págs.] Proemio di Pietro Messia [2 págs.].

Tavola [4 hojas = 7 págs. en blanco].

Ejemplares: IU, ICU, LBM (dos ejemplares); WU (fechada 1574).

Cit. por: Palau, n.° 167291; *Short-Title,* II, pág. 389.

Encuadernación, pergamino de la época. Edición anotada por C. Passi y editada por Pietro Ochieri.

172 [11]
[Tr. por Mabrino da Fabriano] *Selva Di Varia Lettione Di Pietro Messia, Divisa In Cinqve Parti. Nelle Qvali Sono Vtili Cose, dotti ammaestramenti, & uarij discorsi appartenenti, così alle Scientie, come alle Historie de gli huomini, & de gli animali. Ampliate Et Di Nvovo riuedute per Francesco Sansouino.*

[Escudo del impresor] [filete] In Venetia Appresso Alessandro Griffio. M D L X X I X. (1579) 8 hs. + 444 fs. 8.º.

Signaturas: a⁸, A-Z⁸, Aa-Zz⁸, Aaa-Iii⁸, KKK⁴.

Preliminares: Proemio [2 págs.] Tavola [6 hojas, última pág. en blanco]

Ejemplares: IU.

Cit. por: Palau, n.º 167296.

NUOVA SECONDA SELVA... (1581)
173 [12]
[Tr. por Gieronimo Giglio] *Nvova Seconda Selva Di Varia Lettione, che segue Pietro Messia; Nella quale sono gloriosi fatti, & detti degli di cognitione, tratti con breuità dalli piu nobili, & eccellenti Autori Antichi, et Moderni. A commune vtilità di quelli, che desiderano con gli altrui imparare, & essere ammaestrati. Nvovamente Posta In Lvce, & con somma diligentia corretta.* [Escudo del impresor] In Venetia, Presso Fabio, & Agostino Zoppini fratelli, 1581. 8 hs. + 198 págs. 8.º.

Signaturas: a⁸, A-Z⁸, Aa - Bb⁸, Bb₈ en blanco.

Preliminares: Dedicatoria "All'illustrissimo reverendissimo signore il signor Bernardo Giustiniani" [2 hojas + 3 págs. en blanco] Tavola dei capitoli.

Ejemplares: IU, ICU.

Cit. por: Laurenti, *Mexía.*

Colofón: "In Venetia, Presso Fabio, & Agostino Zopini (*sic*) fratelli. 1581".

DELLA SELVA DI VARIA LETTIONE (1615-16)
174 [13]
DELLA *Selva Di Varia Lettione Di Pietro Messia Parte Prima In Cvi Si Legge...* [Venezia] [Escudo de Venecia] L'Anno M D C XV. (1615) [5 partes en 1 vol.] [Partes 1 - 3 paginadas continuamente] 11 hs. + 357 págs. 4.º.

Signaturas: [Pts. 1-3] a-b⁴, c², A-Y⁸, Z³.

[Parte 4.ª revisada y aumentada por Mambrino da Fabriano y Bartolome Dionigi da Fano] *Della Selva Rinovata Di Pietro Messia Parte Qvarta Aggivnta Da Mambrin Roseo Da Fabriano Nella qual si narra notabili, & curiose historie delle quatro parti del Mondo Asia, Africa* [adorno] *Evropa & Mondo Nvovo. Et In Particolare Dell'Italia oue si racconta cose singolari per ogni stato & qualità di persone. Novamente Ampliata Da Bartolomeo Dionigi da Fano, con diligenza. Con due Tauole, vna delli Capitoli l'altra delle cose Notabili.* Con Licenza de' Superiori, & priuilegio. [Escudo de Venecia] In Venetia, M DC XVI. [filete] Appresso Ambrosio, & Bartolomeo Dei, Fratelli. 8 hs. + 213 págs. 4.º.

Signaturas: a-b⁴, A-N⁸, O³.

[Parte 5.ª] *Della Selva Rinovata Di Varia Lettione Di Pietro Messia Parte Qvinta. Aggivnta Da Francesco Sansovino Oue si narrano cose notabili, e curiose, con diletteuoli successi in diuersi tempi. Novamente Da Bartolomeo Dionigi da Fano, diligentemente riueduta, & ampliata. Con due Tauole, vna delli capitoli l'altra delle cose Notabili.* Con Licencia de' Superiori, & priuilegio. [Escudo de Venecia] In Venetia, M DC XVI. (1616) [filete] Appresso Ambrosio, & Bartolomeo Dei, Fratelli. 6 hs. + 186 págs. 4.º.

Signaturas: a⁴, b², A-M⁸, N⁶, N₆ en blanco.

[A continuación:] *Nvova Seconda Selva Rinovata Di Varia Lettione. Che Segve Pietro Messia, diuisa in quatro Parti, nelle si leggono gloriosi fatti, & notabili successi de diuersi tempi. In questa nouissima impressione ampliata, & con diligenza reuista da Bartolomeo Dionigi da Fano. Con discorsi varij, dotti & curiosi per cadauno (sic) che si diletta in belle lettere. Con due Tauole vna de' Capitoli l'altra delle cose Notabili.* Con licencia de'Superiori, & Priuilegio. [Escudo de Venecia] In Venetia, M DC XVI. [filete] 12 hs. + 277 págs. 4.º.

Signaturas: a-c⁴, A-R⁸, S³.

Colofón: [Escudo de Venecia] "In Venetia M DC XVI. Della Stamparia d'Ambrosio Dei. All'Insegna del San Marco".

Cits.: Graesse, IV, pág. 512; Palau, n.º 167302.

En: IU.

SELVA RINOVATA (1616)

175 [14]
[Tr. por Mambrino Da Fabriano y Francesco Sansovino, con los *Raggionamenti* tr. por Alfonso de Ulloa] *Selva Rinovata Di Varia Lettione Di Pietro Messia Ill.ʳᵉ Cavallier Di Siviglia.*
   Mambrin Roseo.
Di
   Francesco Sansovino.
Diuisa in cinque Parti: doue si leggono historie particolari antiche & moderne, del principio del Mondo fino a tempi nostri. Con L'Aggionta Delli Raggionamenti Filosofici in Dialogo Dell'Istesso Avtore curiosissimi. Con La Nvova Seconda Selva Opera Accrescivta Da Bartolomeo Dionigi Da Fano: Ripiena di cose notabili e singolari, per Oratori, Historici, Predicatori, & ogni qualità di persone. Parte Prima. Con due Tauole, vna de' Capitoli, l'altra per alfabeto delle cose notabili. Con Licenza de'Superiori, & Priuilegio. [Escudo de Venecia] In Venetia. M DC XVI. (1616) [filete] Appresso Ambrosio, & Bartolomeo Dei, Fratelli. [5 partes en 1 vol.] [Partes 1-3 paginadas continuamente:] 24 hs. + 337 págs. 4.º.

Signaturas: +⁴, ++², a-d⁴, c², A-Y⁸, Z³.

Colofón [Partes 1-3] Escudo de Venecia + [filete] "In Venetia M DC XV Nella Stamparia di Ambrosio Dei. Alla Insegna dal (sic) San Marco".

[A continuación:] *Della Selva Rinovata Di Pietro Messia Parte Qvarta Aggivnta Da Mambrin Roseo Da Fabriano Nella qual si narra notabili, & curiose historie delle quatro parti del Mondo Asia, Africa [adorno] Evropa & Mondo Nvovo. Et In Par-*

ticolare Dell'Italia oue si racconta cose singolari per ogni stato & qualità di persone. Novamente Ampliata Da Bartolomeo Dionigi da Fano, con diligenza. Con due Tauole, vna delli Capitoli l'altra della cose Notabili. Con Licenza de'Superiori, & priuilegio. [Escudo de Venecia] In Venetia. M DC XVI. (1615). 8 hs. + 214 págs.

Signaturas: a-b⁴, A-N⁸, O⁴, O₄ en blanco.

[A continuación:] *Della Selva Rinovata Di Varia Lettione Di Pietro Messia Parte Qvinta. Aggivnta Da Francesco Sansovino Oue si narrano cose notabili, e curiose, con diletteuoli successi in diuersi tempi. Novamente Da Bartolomeo Dionigio da Fano, diligentemente riueduta, & ampliata. Con due Tauole, vna delli capitoli l'altra delle cose Notabili.* Con Licenza de'Superiori, & priuilegio. [Escudo de Venecia] In Venetia. M DC XVI. (1616) [filete] Appresso Ambrosio, & Bartolomeo Dei, Fratelli. 6 hs. + 186 págs. 4.º.

Signaturas: a⁴, b², A-L⁸, M⁶, M₆ en blanco.

Colofón: "In Venetia M DC XVI Della Stamparia d'Ambrosio Dei All'Insegna di Sam Marco".

[A continuación:] *Nnova Seconda Selva Rinovata Di Varia Lettione. Che Segve Pietro Messia, Diuisa in quatro Parti, nelle quali si leggono gloriosi fatti, & notabili successi de (sic) diuersi tempi. In questa Nouissima impressione ampliata, & con diligenza reuista da Bartolomeo Dionigi da Fano. Con discorsi varij, dotti & curiosi per cadauno che si diletta di belle lettere. Con due Tauole vna de' Capitoli l'altra delle cose Notabili.* Con licenza de'Superiori, & Priuilegio. [Escudo de Venecia] In Venetia, M DC XVI. (1616) [filete] Appresso Ambrosio, & Bartolomeo Dei, Fratelli, 12 hs. + 277 págs. 4.º.

Signaturas: a - c⁴, A-R⁸, S³.

[A continuación:] *Ragionamenti Dottisimi Et Cvriosi Del Illustre e Nobil Caualiere Pietro Messia De Siviglia. Ne i quali filosoficamente trattandosi di diuerse materie, si viene in cognitione di molte, & varie cose, non più dette, nè scritte da altri. Tradotti dalla Lingua Spagnuola nella nostra Italiana dal Sig. Alfonso Vlloa.* [filete] *Al Clarissimo Sig. Gio. Battista Contarini Fv Dell'Illvstriss. sig. Domenico.* [Escudo de Venecia] In Venetia, M DC XV (1615) [filete] Appresso Ambrosio, & Priuilegio. 4 hs. + 112 págs. 4.º.

Signaturas: a⁴, A-O⁴.

Ejemplares: IU, CaBViPA, MiU, NcD.

Cits.: Palau, n.º 167301.

176 [15]
[Tr. por Mambrino Da Fabriano y Francesco Sansovino, con los *Raggionamenti* tr. por Alfonso de Ulloa] *Selva Rinovata Di Varia Lettione Di Pietro Messia Illvst.*^RE *Cavalier Di Siviglia.*
    Mambrino Roseo
Di
    Francesco Sansovino.

    Diuisa in cinque Parti: doue si leggono historie particolari antiche, & moderne dal principio del Mondo fino a' tempi nostri. Aggivntovi di Nvovo Alcvni Raggiona-

menti Filosofici in Dialogo Dell'Istesso Avttore curiosissimi. Con La Nvova Seconda Selva. Accrescivta Da. Bartolomeo Dionigi Da Fano: Ripiena di questioni, e dubbij singolari per Oratori, Historici, Predicatori, & ogni qualità di persone. Con due tauole, vna de' Capitoli, l'altra per alfabeto delle cose notabili. Con Licenza de' Superiori, & Priuilegio. [Escudo del impresor Imberti con el lema: *Spes Mea In Deo Est*] In Venetia, M.DC. XXVI. (1626) [filete] Appresso Ghirardo Imberti. 16 hs. + 311 págs. 4.º.

Signaturas: $+^8$ - $++^8$, A-T^8, V^4.

[A continuación:] *Nvova Seconda Selva Rinovata Di Varia Lettione, Che Segve Pietro Messia Diuisa in quattro Parti, nelle quali si leggono gloriosi fatti, & notabili successi de diuersi tempi. In questa nouissima impressione ampliata, & con diligenza reuista da Bartolomeo Dionigi da Fano. Con i discorsi varij, dotti, & curiosi per cadauno che si diletta di belle lettere. Con due Tauole vna de' Capitoli l'altra delle cose Notabili.* Con Licenza de'Superiori, & Priuilegio. [Escudo del impresor con el lema: *Spes Mea In Deo Est*] In Venetia, M.DC.XXVI. (1626) [filete] Appresso Ghirado Imberti. 8 hs. + 252 págs. 4.º.

Signaturas: $+^8$, A-O^8, Q^4.

Colofón: "In Venetia M. DC. XXVI. Nella Stamparia di Ghirardo Imberti. All'Insegna della Gazza".

[A continuación:] *Ragionamenti Dottissimi Et Cvriosi Dell'Illustre, & Nobil Caualliere Pietro Messia De Siviglia. Ne i quali filosoficamente trattandosi di diuerse materie, si viene in cognitione di molte, & varie cose non piu dette, ne scritte da altri. Tradotti dalla Lingua spagnuola nella nostra Italiana del Signor Alfonso Vlloa.* Con Licenza de'Superiori, & Priuilegio. [Escudo del impresor con el lema: *Spes Mea in Deo Est*] In Venetia, M.DC.XXVI. (1626). [filete] Appresso Ghirardo Imberti. 90 págs.

Signaturas: A-E^8, F^4.

[A continuación:] *Della Selva Rinovata Di Pietro Messia Parte Qvarta Aggivnta Da Mambrin Roseo Da Fabriano Nella qual si narra notabili, & curiose historie delle quattro parti del Mondo. Asia Africa* [adorno] *Evropa & Mondo Nvovo. Et In Particolare Dell'Italia oue si racconta cose singolari per ogni stato, & qualità di persone. Novamente Ampliata Da Bartolomeo Dionigi da Fano, con diligenza. Con due Tauole, vna delli Capitoli l'altra delle cose Notabili.* Con Licenza de'Superiori, & Priuilegio. [Escudo del impresor con el lema: *Spes Mea in Deo Est*] In Venetia, M.DC.XXVI. [filete] Appresso Ghirardo Imberti. 6 hs. + 182 págs. 4.º.

Signaturas: $+^6$, A-L^8, M^3.

[A continuación:] *Della Selva Rinovata Di Varia Lettione di Pietro Messia Parte Qvinta Aggivnta Da Francesco Sansovino, Oue si narrano cose notabili, e curiose, con diletteuoli successi in diuersi tempi. Novamente Da Bartolomeo Dionigi da Fano, diligentemente riueduta, & ampliata. Con due Tauole, vna delli Capitoli l'altra delle cose Notabili.* Con Licenza de'Superiori, & Priuilegio. [Escudo del impresor con el lema: *Spes Mea In Deo Est*] In Venetia, M.DC.XXVI. (1626) [filete] Appresso Ghirardo Imberti. 4 hs. + 167 págs. 4.º.

Signaturas: +⁴, A-L⁸.

Ejemplares: IU.

Cits.: Palau, n.º 167303.

B) Francesas

COLOQUIOS O DIALOGOS (1579)

177 [16]

DISCOVRS *de septs sages de Grèce...* [Paris. Chez Federic More. 1579].

Vid. Capítulo XIII, n.º 45.

C) Holandesas

SILVA DE VARIA LECCION Y COLOQUIOS (1617)

178 [17]

[Portada grabada] [Tr. anónima] DE *Verscheydē lessen Petri Messiae, Edelman van Sibilien. VVaer inne beschreven worden de we erdichste gheschiedeniseen aller Keyseren, Conningen, ende loflycker mannen; Mitsgaders' tleven ende de treffelycste sententien der Philosophen, met verclaringe der twijfelachtiger ende wonderlycker dingen: Seer geneuchelyc eñ stichtelyc om lesen. Ende is ghedeelt in vijf bysondere Boecken, ende een yeder van dien onderscheyden in syne sekere Capittelen. Mitsgaders een Register, aenwijsende over een yegelyck Capittel den sommarischen inhoudt. Hier zyn noch by gevoecht seven verscheyden tsamensprekinghen: overgheset nyt den Franzoysche, in onse Nederduytsche tale.* Amsterdam, Voor Pieter Iacobß. Paets. Anno 1617. 674 págs. + 6 hs. de tabla. 8.º.

Signaturas: A-Z⁸, Aa - Vv⁸, Vv₈ en blanco.

Colofón: "Finis [Grabado] t'Amsterdam, [filete] Ghedruckt by Paulus van Ravesteyn. Anno 1617".

[A continuación:] *De Seven verscheyden tsamensprekinghē Petri Messiae. Edelman van Sivilien...* 168 págs.

Signaturas: a - k⁸, l 4.

Ejemplares: IU, Univ. de Amsterdam, de Leyden y biblioteca particular de van Praag. Praag, pág. 290, que localiza los tres ejemplares holandeses mencionados.

Cits.: por Palau, n.º 167339.

D) Inglesas

HISTORA IMPERIAL Y CESAREA (1604)

179 [18]

[Portada gradaba] [Tr. por W. Traheton] THE *Historie Of All The Romane Emperors, Beginning with Caivs Ivlivs Caesar, and successiuely ending with Rodvlph the second now raigning. Wherein (in summe) are contained their liues and acts together with the rising, greatnes, and declining of the Romane Empire: the original and suc-*

cesse of al the most famous nations of the world: the erecting and alterations of sundrie estates and kingdoms: and generally the most part of all the memorable warres and battailes that haue bin in the world since that time. First collected in Spanish by Pedro Mexia, since enlarged in Italian by Lodovico Dvlce and Girolomo Bardi and now englished by W.T. London Printed for Matthevv Lovvnes. 1604. 5 hs. + 1 h. + 890 págs. Fol.

Signaturas: A-Z⁶, Aa-Zz⁶, Aaa-Zzz⁶, Aaaa - Eeee⁶, Ffff⁸, Ffff₈ en blanco.

Ejemplares: IU, DLC, LBM, MB, NN.

Cit. por: Allison, pág. 124, n.° 16; Palau, n.° 163361; Ticknor, pág. 226.

180 [19]
[Anteportada] *The Imperiall History. From the first foundation of the Roman Mōarchy to this present tyme. By Ed. Grymestone Sariant at Armes.* London Printed by Mathew Lownes 1623. [Portada:] *The Imperiall Historie: Or The Lives Of The Emperovrs, From Ivlivs Caesar, The First Fovnder Of The Roman Monarchy, Vnto This Present Yeere: Containing their Liues and Actions, with the Rising and Declining of that Empire; the Originall, and Successe, of all those barbarous Nations that haue inuaded it, and ruined it by peece-meale: With an ample Relation of all the memorable Accidents that haue happened during these last Combustions. First witten in Spanish by Pedro Mexia: And since continued by some others, to the death of Maximilian the Second; Translated into English by W.T.: And now Corrected, amplified and continued to these times by Edvvard Grimston Sergeant at Armes.* [filete] [adorno] [filete] London, Printed by H.L. for Mathevv Lovvnes, dwelling at the signe of the Bishoppes head in Pavles Church-yard. 1623. 3 hs. + 867 págs. Fol.

Signaturas: A-Z⁶, Aa-Zz⁶, Aaa-Zzz⁶ Aaaa-Cccc⁶, Dddd⁸.

Ejemplares: IU, CSt, CtY, CU, CU-S, DFo, DLC, IaU, ICN, ICU, InU, LBM, NcU, NjP, NN.

Cit. por: Allison, pág. 124, n.° 16.2p Palau, n.° 167362; Pollard and Redgrave, n.° 17852.

SILVA DE VARIA LECCION (1571)

181 [20]
[Portada grabada] [Tr. por Thomas Fortescue] *The Foreste or Collection of Histories, no lesse profitable, then pleasant, and necessarie, dooen out of Frenche into Englishe, by Thomas Fortescue. Aut vtile, aut incundum, aut vtrumq.* Imprinted at London by Jhon (sic) Kyngston, for Willyam Iones. 1571. G. Steevens. 6 hs. + 187 págs. 4.°.

Signaturas: a⁴, b², A-Z⁴, Aa-Zz⁴, + +⁴, (.)³.

Colofón: "Imprinted at London by Ihon Kingston, for VViliam Iones, and are to be soulde at his newe long Shoppe at the Weste ende of Paules".

Ejemplares: IU, CSmH, DFo, ICN, LBM, MH, RPJCB, WaU.

Cit. por: Allison, pág. 125, n.° 18; Palau, n.° 167333; Pollard and Redgrave, n.° 17849.

21

[Portada grabada] [Tr. por Thomas Fortescue] *The Forest or Collection of Historyes no lesse profitable, then pleasant and necessary doone out of Frenche into English, by Thomas Fortescue. Aut vtile, aut incundum, aut vtrumq, Seene and allowed.* Imprinted at London by John Day dwelling ouer Aldersgate. 1576. 6 hs. + 152 fs. + 4 de tabla. 4.º.

Signaturas: A-Z⁴, Aa-Qq⁴, Qq₄ en blanco.

Ejemplares: IU, CSmH, DFo, ICU, LBM, MH, NNC, PPL.

Cit. por: Allison, pág. 125, n.º 18.1p Palau, n.º 167334; Pollard and Redgrave, n.º 17850.

182 [22]
―― ――: [Otro ejemplar igual al anterior] London. Printed by John Day. 1576. 152 fs. + 3 hs. 4.º.

Signaturas: A-Z⁴, Aa-Qq⁴, Qq₄ en blanco.

Faltan las primeras seis hojas preliminares, la portada y la signatura K⁴ [f. 40].

III. SELECCIONES

A) Inglesas

183 [23]
[Tr. por J. Baildon Gent.] *The Rarities Of The World Containing Rules and Observarions touching the beginning of Kingdoms and Common-Wealths, the Division of the Ages, and the memorable things that happened in them: Why men lived longer in those days than in these present times. Also The opinion of the great Emperours, and Egyptians, touching the life of Man; and the strange thins that have befallen Kings and Princes. With Excellent discourses of Creatures bred in the Sea, to the likenesse of Man; and others on Earth. Very Pleasant and Profitable.* [filete] *First written in Spanish by Don Petrus Messie, afterward translated into French, and now into English By J.B. Gent.* [filete] London, Printed by B.A. 1651. 4 hs. + 134 págs. + 1 h. 8.º.

Signaturas: A-S⁴.

Colofón: "London, Printed by Bernard Alsop, dwelling near the upper Pump in Grubstreet. 1650".

Ejemplares: IU, CtY, InU, LBM, MnU, MH.

Cit. por: Allison, pág. 125, n.º 20, Palau, n.º 167337.

CONCLUSIONES

Acabamos de examinar los fondos illinoyenses sobre el sevillano Mejía y anotamos a guisa de conclusión las siguientes observaciones:

1) Son 5 las ediciones españolas que se albergan en Urbana. Ninguna de ellas es edición príncipe. La obra mejor representada (3 ediciones) es *Historia imperial y cesárea* que posee la bella y rara edición de Basilea, 1547, que de momento es el único ejemplar que hemos localizado en Estados Unidos. Ofrece gran interés bibliográfico la edición de Sevilla, 1564, y de momento es el único ejemplar que hemos encontrado en Norteamérica. El ejemplar de Illinois procede, como hemos indicado, de la biblioteca particular del Marqués de Fuensanta del Valle.

2) La biblioteca de Illinois es, sin duda, una de las más ricas del mundo en traducciones italianas de la obra literaria de Mejía. Las obras representadas son dos: La *Historia imperial y cesárea,* con tres distintas ediciones (Venecia, 1558, 1561, 1664) y *Silva de varia lección* (¡con siete ediciones!). Estas obras cuentan con eximios traductores como Dolce y el misterioso Alfonso de Ulloa, ahora más conocido gracias al reciente libro de Antonio Rumeu de Armas, *Alfonso de Ulloa, introductor de la cultura española en Italia,* Madrid, Gredos, 1973.

3) La biblioteca de Illinois posee una rara traducción francesa de los extractos de *Coloquios,* París, 1579. Véase la ficha 316 de este libro.

4) Existe también en Illinois otra rarísima traducción de los *Coloquios* al holandés (Amsterdam, 1617). De momento sólo hemos localizado 3 ejemplares en Holanda, gracias a un documentado artículo (ya citado) del famoso hispanista van Praag.

5) Las traducciones inglesas están también nutridamente representadas en Urbana. Se trata de 2 ediciones de la *Historia imperial y cesárea* (London, 1604, y London, 1623) y de 3 ediciones de la *Silva:* London, 1571; London, 1576 (con dos ejemplares), y London, 1651. Todas ellas están también en el British Museum de Londres.

* * *

Con estas notas bibliográficas, limitadas a las existencias de Illinois, hemos intentado rendir homenaje a una gloria indiscutible del humanismo español. Hemos aprovechado la ocasión de anotar existencias en otras bibliotecas, para realzar precisamente el valor de los fondos de Illinois. Pero estos datos tendrán que ser completados con rebuscas constantes en las bibliotecas españolas, primero, y del resto de Europa, después, trabajo ahora imposible de acometer por nosotros, radicados allende el Atlántico, en las inmensas praderas de Illinois.

IX

IMPRESOS RAROS DE LOS SIGLOS XVII-XIX DE JUAN DE PALAFOX Y MENDOZA (1600-1659), OBISPO DE PUEBLA[54]

---

54. Publicado en *Anuario de Letras*, XII (1974), págs. 241-54. Ahora se amplía considerablemente.

En este trabajo pretendemos llamar la atención hacia una de las mejores colecciones que existen en Estados Unidos sobre Palafox y Mendoza. La obra del obispo de Puebla, y después de Osma, precisa todavía de muchos estudios monográficos[55]. Su producción está mal conservada, y conviene recoger cuantas noticias sean posibles sobre la localización de ejemplares. Además de la gran riqueza que existe en México sobre Palafox y Mendoza, conviene destacar la biblioteca de la Universidad de Illinois. A los ejemplares que ya existían se unió una nutrida colección, que contenía verdaderas rarezas, adquirida a través de un librero de Filadelfia. Ello ocurrió hace pocos años y gracias a los buenos oficios del Prof. Luis Leal[56]. Era ésta una buena ocasión, tomando como base la colección illinoyense, de registrar otras exis-

55.   Tenemos, por suerte, algunos libros de conjunto que pueden orientar al futuro investigador. Citaremos, entre otros, el de Genaro García, *Don Juan de Palafox y Mendoza, Obispo de Puebla y Osma, Visitador y Virrey de la Nueva España,* México, Bouret, 1918 (contiene una nutrida lista de ediciones); el de F. Sánchez Castañer, *Don Juan de Palafox, Virrey de Nueva España,* Zaragoza, Imprenta Provincial, 1961; y el de Paul A. Sicilia Vojtecky, *El Obispo Palafox y su lugar en la mística española,* México, Universidad Nacional Autónoma de México, 1965. Es fundamental la edición, con documentada y amplísima introducción, del profesor Francisco Sánchez Castañer, de los *Tratados Mejicanos,* en Biblioteca de Autores Españoles, vols. 217 y 218, Madrid, 1968.

56.   Queremos patentizar nuestra gratitud a nuestro colega de la Universidad de Illinois, Prof. Luis Leal, por sus orientaciones durante la preparación de este trabajo y a la licenciada Sherilyn Freeman, que localizó para nosotros diversos ejemplares en varias bibliotecas norteamericanas.

tencias en los Estados Unidos, que posee buenas colecciones en la Bancroft Library de Berkeley (California), en la biblioteca de la Universidad de Texas, y en la Biblioteca Pública de Nueva York. Esta lista bibliográfica que presentamos hoy no puede ser exhaustiva, pero representa el cuadro más completo —siempre tomando como punto de partida las existencias de Illinois— recogido en Estados Unidos hasta la fecha. También, como base comparativa, hemos revisado las existencias de la *Union Catalog,* del British Museum y de la Biblioteca Nacional de Paris, a través de catálogos accesibles[57]. Repetimos que nuestra investigación bibliográfica se centra en los fondos de Illinois. Todo lo demás es a mayor abundamiento, para prestar un servicio a la investigación futura. Recordemos que otras bibliotecas norteamericanas poseen distintas muestras palafoxianas no contenidas en Illinois, especialmente las tres bibliotecas ya citadas. De ahí que los Estados Unidos, aparte de México y España, nos parecen el país más apropiado para emprender serias investigaciones literarias sobre Palafox y Mendoza.

57. Vid. *The Union Catalog Pre-1956 Imprints,* vol. 438 (Mansell, 1976), págs. 233-46; *Catalogue Géneral des Livres Imprimés de la Bibliothèque Nationale,* t. CXXIX (Paris, 1936), págs. 283-91 y *British Museum General Catalogue of Printed Books,* vol. 178 (London, 1962), págs. 645-50.

EDICIONES

Obras (1659-71)

184 [1]

OBRAS [Madrid. A costa de la Viuda de Iuan de Valdés, 1659-71], 8 vols. En fol.
Vol. I: *Historia Real Sagrada Lvz De Principes Y Svditos. Inivsticias Qve Intervinie-ron en La Mverte De Christo Bien Nvestro. Por El Ilvstrissimo y Reuerendissimo señor Don Iuan de Palafox y Mendoza, Obispo de la Puebla de los Angeles, del Con-sejo de su Magestad. Vistos, corregidos, añadidos, y enmendados por el mismo Autor, y dedicados al Principe nuestro Señor.* Con Privilegio. [filete]. En Madrid. Por Melchor Alegre. Ano de 1668. A costa de la Viuda de Iuan de Valdès, Merca-der de libros. Vendese en su casa enfrente de Santo Tomàs. 40 hs. de preliminares + 275 fs. + 10 hs. Fol.

Signaturas: a^8, b^6, d^2, D^2, e^6 - g^8, A^6 - Z^6, Aa^6 - Y^4.

117-4

Vol. 2: *Luz A Los Vivos, Y Escarmiento En Los Muertos Por El Ilvstrissimo, Y Reverendissimo Señor Don Juan de Palafox y Mendoza, Obispo de Osma, del Con-sejo del Rey nuestro Señor.* [filete] Con Privilegio. En Madrid: Por Bernardo de Villa-Diego. Año de M.DC.LXVIII. (1668). [filete] A costa de la viuda de Iuan de Valdès. Vendese en su casa, en la calle de Atocha, frontero de Santo Thomàs. 18 hs. + 380 págs. + 14 hs. Fol.

Signaturas: 9 - 99^6, 999^8, A-Z^6, Aa - Ll^6.

Contenido: Luz a los vivos y escarmiento a los muertos; Direcciones pastorales, instrucción de la forma con que se ha de gobernar el prelado, en orden a Dios, a sí mismo, a su familia, y súbditos; Deducida, y reducida a breve volumen, de las obras de San Carlos Borromeo; Pastoral de San Gregorio; y otros documentos de santos, y concilios de la Santa Iglesia; Carta pastoral de la debida paga de los diezmos y primicias.

Vol. 3: *Excelencias De San Pedro Principe De Los Apostoles, Vicario Vniversal De Iesv Christo Nvestro Bien. Qve Ofrece Al Aprovechamiento De Las Almas, El Ilvstrissimo Y Reverendissimo Señor Don Ivan De Palafox Y Mendoza, Obispo De Osma, Del Consejo De Sv Magestad. Dedicale A Nvestro Santissimo Padre Alexandro VII* [filete] Con Privilegio. En Madrid, Por Pablo de Val, Año de 1659. Acosta de Iuan de Valdès, Mercader de libros. 40 hs. + 516 fs. + 19 hs. Fol.

Signaturas: a-z^6, Aa-Zz^6.

Contenido: el que aparece en la portada.

Vol. 4. *Tomo Qvarto De Las Obras Del Ilvstrissimo Y Reverendissimo Señor Don Ivan De Palafox Y Mendoza. Obispo De Osma, Del Consejo De Sv Magestad.* [un grabado] Con Privilegio, [filete] En Madrid, Por Maria de Quiñones, Año 1664. A costa de Iuan de Valdès, Mercader de Libros: Vendese en su casa en la calle de Atocha, enfrente de Santo Tomàs. 8 hs. + 622 fs. + 13 hs. Fol.

Signaturas: 9 9 9^{10}, A^8, B - Z^6, Aa - Zz^6, Aaa^6 - Ggg^{10}.

Contenido: Semanas espirituales; Suavidad de la virtud; Reverencia del matrimonio; Miserias de la vida; Peligros del agrado; Riesgos de sacerdotes; Ejercicios de recogimiento interior; Carta de un caballero de esta corte; Vida de la serenísima infanta sor Margarita de la Cruz; Vida de San Juan el limosnero, patriarca y obispo de Alejandria y Preregrinación de Philotea.

Vol. 5: *Tomo Qvinto. De Las Obras Del Ilvstrissimo Y Reverendissimo Señor Don Ivan De Palafox Y Mendoza, Obispo de Osma, Del Consejo Del Rey Nvestro Señor* [un adorno] Con Privilegio. [filete]. En Madrid. Por Pablo De Val. Año de 1665. A costa de Iuan de Valdès, Mercader de libros. Vendese en su casa en la calle de Atocha, enfrente de Santo Tomàs. 39 hs. + 515 págs. Fol.

Signaturas: a^8, b^6-f^8, A - Z^6, Aa^6, Xx^4.

Contenido: Breve tratado de la señal de la Santa Cruz, que es la introducción de estos libros; Verdades historiales de la Religión Católica; Libro segundo. Luces de la Fe en la Iglesia; Explicación de los Artículos de la Fe, consideraciones, y oraciones sobre ellos; De los otros cinco Artículos que están en el Credo; Explicación de los siete Sacramentos; Soliloquios espirituales; Diario, y ejercicios en que se ocupaba el Ilustrisimo y Reverendisimo señor Don Juan de Palafox y Mendoza las veinte y cuatro horas del día; Diversos dictamenes espirituales, morales, y políticos; Respuesta a un prelado grave, que pidió direcciones para seguir perfectamente la pobreza evangélica; Respuesta a un prebendado, que consultó al señor Obispo acerca del gobierno espiritual de su persona; Respuesta y discurso sobre las frecuentes translaciones, que se hacen de los señores Obispos de unas iglesias a otras; Epístola exortatoria de los curas, y beneficiados del Obispado de la Puebla de los Angeles; Carta Pastoral, previniendo los ánimos a la consagración del celebre templo de la Puebla de los Angeles;

Ejemplos de los príncipes y señores que favorecieron las iglesias, y del buen suceso de sus cosas. Y de los príncipes que fueron contra ellas, y del mal suceso de las suyas; Carta Pastoral, con un excelente abecedario espiritual, dirigido a las almas de todos los fieles; Carta Pastoral, conocimientos de la divina gracia, y bondad.

Vol. 6: *Tomo Sexto De Las Obras Del Iluvstrissimo, Y Reverendissimo Señor Don Jvan De Palafox Y Mendoza, Obispo de Osma, Del Consejo Del Rey Nvestro Señor.* [florones] [filete] Con Privilegio [filete] En Madrid. Por Melchor Alegre, Año De M.DC.LXVII (1667) [filete] Acosta de Juan de Valdès, Mercader de Libros, vendese en su casa, frontero del Colegio de Santo Thomàs. 4 hs. + 718 págs. + 12 hs. Fol.

Signaturas: 9 9^6, A - Z^6, Aa - Zz^6, Aaa - Ppp^6, Qqq^4.

Contenido: Sucesos del año de 38; Sitio y socorro de Fuente-Rabia, que escribió el Señor Obispo por especial decreto del Rey nuestro Señor, que santa gloria haya; El Pastor de Nochebuena; Preguntas que un devoto hizo al Señor Obispo, y sus respuestas; Carta Pastoral de la paciencia en los trabajos, y amor a los enemigos; Carta Pastoral dictamenes de curas; Carta Pastoral a los curas, y beneficiados del Obispado de Osma; Carta Pastoral a los sacerdotes, que es la trompeta de Ezequiel; Diario espiritual, para curas, y sacerdotes, y Santa Escuela de Christo, fundada en la Ciudad de Soria; Epístolas a la Reina de Suecia, y otras; Carta a la Excelentísima Señora Marquesa de Guadaleste; Bocados espirituales, políticos, místicos, y morales; Texto de la doctrina cristiana; Ejercicios devotos, en que se pide su favor a la Virgen, para la muerte; Carta Pastoral de Jesus orando en el huerto; Breve tratado de la oración; Meditaciones de postrimerias, repartidas por los días de la semana; Rosario del corazón; De la naturaleza del Indio; Tratado de bien escribir, y de la ortografía perfecta; Varias poesías espirituales.

Vol. 7: *Tomo Septimo, De Las Obras Del Ilvstrissimo, Y Reverendissimo Señor Don Juan De Palafox Y Mendoza, Obispo De Osma; Del Consejo Del Rey Nuestro Señor.* Con Privilegio. [En Madrid. Por Bernardo de Villa-Diego. Año de M.DC.LXIX. (1669) A costa de la viuda de Juan de Valdès en su casa, en la calle Atocha, enfrente de Santo Thomàs. 10 hs. + 494 págs. + 18 hs. Fol.

Signaturas: 9^6, 9 9^4, A-Z^6, Aa - Xx^6.

Contenido: Año espiritual; Manual de estados y profesiones por el ilustrísimo y reverendísimo señor Don Juan de Palafox y Mendoza, Obispo de Osma, del consejo de su Magestad. Dedícalo al mayor aprovechamiento espiritual de las almas. Cartas de la seráfica, y mística doctora Santa Teresa de Jesus, Madre y Fundadora de la Reforma, de la Orden de nuestra Señora del Carmen de la Primitiva Observancia. Con notas del excelentísimo, y reverendísimo señor Don Juan de Palafox y Mendoza, Obispo de Osma, del consejo de su Magestad, &c. Recogidas por orden del reverendísimo Padre Fray Diego de la Presentación, General de los Carmelitas Descalzos de la Primitiva Observancia.

Vol. 8: *Tomo Octavo De Las Obras De El Ilvstrissimo Y Reverendissimo Señor Don Ivan De Falafox Y Mendoza, Obispo De Osma, Del Conseio.*

Cits.: Graesse, V, pág. 104; Laurenti-Porqueras, *Palafox,* n.º 1; Palau, n.º 209560, Krauss, pág. 76.

En: IU, MH, BPS.

De El Rey Nvestro Señor. Con Privilegio, [filete] En Madrid. Por Bernardo de Villa-Diego. Año de M.DC.LXXI (1671) A costa de la viuda de Iuan de Valdès. Vendese en su casa, en la calle de Atocha, enfrente de Santo Tomás. 16 hs. + 562 fs. + 18 hs. Fol.

Signaturas: a-c^6, A-Z^6, Aa - Zz^6, Aaa - Ddd^6.

Contenido: Tabla de los tratados que se contienen en este octavo tomo de las obras del señor Don Juan de Palafox y Mendoza, Obispo de Osma. Introducción al varón de deseos; Primera parte del varón de deseos; Vida del venerable Padre San Henrique Susón, de la Orden de Santo Domingo, alemán de nación, de la Provincia de Suevia; Memorial al Rey nuestro Señor, sobre la inmunidad eclesiástica; Historia de las guerras civiles de la China, y de la conquista de aquel dilatado imperio por el Tártaro; Suspiros de un pastor ausente, atribulado, y contento: ofrécelos a Dios por sus ovejas; Cartas a la Excelentísima Señora Doña Ana de Ligne, Marquesa de Guadaleste.

185 [2]

Al Rey Nuestro Señor. Satisfacion Al Memorial De Los Religiosos De La Compañía De Jesus De La Nueva-España. Por La Dignidad Episcopal De La Puebla De los Angeles Sobre La Execución, Y Obediencia Del Breve Apostolico de Nuestro Santissimo Padre Innocencio X. Expedido En Su Favor A XIIII De Mayo. de M.DC.XLVIII Y Passado Repetidamente, Y Mandado Executar por el Supremo Consejo de las Indias. En El Qual Determino Su Santidad Veinte y seis Decretos Sacramentales, y Jurisdiccionales, importantes al bien de las Almas. Año [Grabado con el lema: *Lucet Charitas. Nec extinguitur*] 1652. [filete] En Madrid. Por Gregorio De Mata. A costa de Antonio Riero, y Texada, Familiar del Santo Oficio, y Mercader de Libros en las quatro Calles. 157 fs. numerados. Fol.

Signaturas: A-Z^4, Aa - Qq^4, Rr^2.

Cits.: Goldsmith, pág. 130, n.º 42; Graesse, V, pág. 104; Laurenti-Porqueras, *Palafox,* n.º 2; Palau, n.º 209718.

En: IU, CU, LBM.

186 [3]

—— : —— [*s.l.-s.i.*] Año de M.DC.LII (1652). 1 pág. + 1 h. + 158 fs. Fol.

Signaturas: A-Z^4, Aa-Qq^4, Rr^6.

Cits.: Bustamante, n.º 2297; HC 327/470; Laurenti-Porqueras, *Palafox,* n.º 3; Palau, n.º 209717; Penney, pág. 404, que indica México, como posible lugar de impresión.

En: IU, CtY, CU, DLC, InU, MH, NN, NNH, NNC, RPB, RBM, RPJCB, TxU.

Se diferencia de la anterior en la portada y foliación del texto.

187 [4]

*Carta Pastoral De La Paciencia En Los Trabajos, Y Amor A Los Enemigos. Por,
El Ilvstrissimo, Y Reverendissimo Señor D. Iuan de Palafox y Mendoza Obispo de
Osma, del Consejo de su Magestad.* [un adorno] Con Privilegio. [filete] En Madrid
por Diego Diaz de la Carrera Impressor del Reyno, Año M.DC.LV. (1655). 168 fs.
8.º.

Signaturas: §⁸, A-X⁸.

Cits.: Laurenti-Porqueras, *Palafox,* n.º 4; Palau, n.º 209592.

En: IU.

"A la santa escvela de Christo nuestro Señor, de la imperial villa de Madrid": fs.
122-168. El ejemplar de Illinois estuvo algún tiempo en el convento de los Capuchinos de Tarazona.

188 [5]

*Carta Que El'Illustrissimo, Excelentissimo, Y Venerable Señor Don Juan De Pala-
fox Y Mendoza, Del Consejo De Su Magestad, Virrey de la Nueva España, Visita-
dor, y Legislador de todos sus Tribunales, Juez de Residencia de tres Virreyes, Arzobispo electo de Mexico, Obispo de la Puebla de los Angeles en aquellos Reynos, y de
Osma en los de Castilla, Escribio Al Padre Oratio Carocchi, Preposito de la Casa
Professa de la Sagrada Compañia de Jesus. Sacada de su Original, que se halla en el
Noviciado de Carmelitas Descalzos de la Puebla de los Angeles en la Nueva España.*
Año [un grabado con el lema: *Sol lucet: Dies Est.*] 1646. En Madrid [filete] Por Gre-
gorio Rodriguez, à costa de Francisco Serrano, Mercader de Libros. Vendese en su
casa enfrente de San Felipe. 248 (*i.e.* 228) págs. 8.º.

Signaturas: a - s⁸.

Cits.: Laurenti-Porqueras, *Palafox,* n.º 5; Palau, n.ᵒˢ 209675-209689.

En: IU, ICN, InU, LNT-MA, NN, NNH, RPJCB.

El ejemplar ilinoyense va encuadernado con su *Carta segunda de tres...* (Véase
n.º 8).

189 [6]

——: —— En Lovaina. [filete] Por Egidio Denique. Anno M.DCCXIII (1713) 183
págs. 4.º.

Signaturas: A-Z⁴.

Cits.: Laurenti-Porqueras, *Palafox,* n.º 6; Medina, BHA, n.º 2217; Palau, XII,
n.º 209677; Peeters-Fontainas, II, n.º 1025, que registra un ejemplar en su biblioteca particular; Sommervogel, II, col. 762.

En: IU, DLC.

Va encuadernado con su *Carta. Relación abreviada de los últimos hechos... de
los religiosos jesuitas de Portugal.* [Lisboa. 1758] y su *Memorial presentado por el
padre general de los jesuitas à Su Santidad* [s.l.-s.i.] ¿1758?

190 [7]

—— : —— En Lovaina: Por Egidio Denique. Anno M.DCCXII (1713) 280 págs.
+ 2 págs. 8.°.

Signaturas: A-R⁸.

Cits.: Laurenti-Porqueras, *Palafox,* n.° 7; Medina, BHA, n.° 2219; Peeters-Fontainas, II, n.° 1025, que señala varios ejemplares, uno de ellos en el Monasterio de Escorial; Sommervogel, II, col. 762.

En: IU, DLC, LBM, NNH, MBN.

Se diferencia de la anterior en el número de páginas y varios detalles.

191 [8]

Carta Segunda De Tres, Que El Venerable Señor Don Juan De Palafox, Escribio Al Sumo Pontifice Inocencio X. Sobre Los Dos Pleytos, Que Litigaba con los Padres Jesuitas; sobre Diezmos, y Jurisdicion. [grabado representando el sol: *Sol Fac Ut Re Michi*] En Sevilla [filete] Por Francisco Lira. Año 1650. 94 págs. 8.°.

Signaturas: A-F⁸.

Cits.: Laurenti-Porqueras, Palafox, n.ᵒˢ 5 y 8; Palau, XII, n.° 209689. No la cita Escudero en su *Tipografía hispalense.*

En: IU, NN, RPJCB.

Va encuadernada con su *Carta al padre Oratio Carocchi* (véase n.° 5).

Traducción de *Epistola. Ad Summum Pontificem Innocentium X.*

192 [9]

Carta Del V. Siervo de Dios D. Juan De Palafox Y Mendoza Al Sumo Pontifice Inocencio X. Traducida del Latin al Castellano Por Don Salvador Gonzalez [grabado] Con Superior Permiso [filete] En Madrid. [filete] M.DCC.LXVI. (1776). 16 hs. + 1 h. + 171 págs. 4.°.

Cits.: Laurenti-Porqueras, *Palafox,* n.° 9; Palau, XII, n.° 209595.

En: IU, DLC, NN.

"Todo lo contenido en este libro - se ha sacado de - las obras - de Palafox". Madrid. 1762 (vid. 16ª pág.) "Decreto de la Suprema general inquisición de España" (págs. 13-15). Firmada por Manuel, Arzobispo, Inquisidor general [*i.e.* Manuel Quintana Bonifaz].

193 [10]

Carta Pastoral del ... siervo de Dios, Don Juan de Palafox y Mendoza, sacada á la letra del tomo tercero parte segunda de sus obras impresas en Madrid el año de 1762. Reimpresa en Valencia en la Imprenta de B. Monfort. 1820. 84 págs. 4.°.

Cits.: Laurenti-Porqueras, *Palafox,* n.° 10; Palau, XII, n.° 209595.

En: IU.

194 [11]
Constituciones de la real y pontificia Universidad de México. 2.ª ed., *dedicada al rey nuestro señor, Don Carlos III.* Mexico, Impr. de D.F. de Zúñiga y Ontiveros. 1775. 16 págs. + 1 f. + 238 págs. + [21] págs. Fol.

Cits.: Laurenti-Porqueras, *Palafox,* n.° 11.

En: IU (dos ejemplares).

El otro ejemplar ilinoyense va encuadernado con la obra del autor: *Suplemento a las Constituciones...* Mégico (*sic*) 1839. "Fueron extendidas por ... Juan de Palafox y Mendoza". La cita Genaro Garcia, *op. cit.,* pág. 381.

195 [12]
Defensa Canonica Por La Dignidad Del Obispo De La Pvebla De Los Angeles; Por Sv Ivrusdiccion Ordinaria I Por La Avctoridad De Svs Pvestos. En El Pleito Qve Han Movido Los padres De La Compañia De Iesvs De La Dicha Civdad; Sobre No haber querido perdirle las Licencias que deben tener, i que les offresciò (sic) para Predicar, i Confessar en su Obispado: ni exhibir las antiguas, o Privilegios en contrario, para guardarselos. Dirigida Al Rei Nvestro Señor. [Madrid, 1648] 240 págs. + [36] págs. 4.°.

Signaturas: A-Z⁴, Aa-Zz⁴, Aaa - Sss⁴, Ttt².

Cits.: Laurenti-Porqueras, *Palafox,* n.° 12; Palau, XII, n.° 209720.

En: IU, RPJCB.

Colofón: "En Madrid a XVI de Iunio de M.DC.LXVIII. Don Fernando Ortiz de Valdés".

Carta escrita en parte por Fernando Ortiz de Valdés.

196 [13]
Excelencias De San Pedro Principe De Los Apostoles, Vicario Vniversal De Iesv Christo Nvestro Bien. Qve Ofrece Al Aprovechamiento De Las Almas, El Ilvstrissimo, Y Reverendissimo Señor Don Ivan De Palafox Y Mendoza, Obispo De Osma, Del Consejo De Sv Magestad. Dedicale A Nvestro Santissimo Padre Alexandre VII. Con Privilegio. En Madrid, Por Pablo de Val, Año de 1659. Acosta de Iuan de Valdès, Mercader de libros. 42 hs. + 516 págs. + 20 hs. Fol.

Signaturas: a-f⁶, g⁴, S², A-Z⁶, Aa - Yy⁶, Zz⁸.

Cits.: Graesse, V, pág. 104; Laurenti-Porqueras, *Palafox,* n.° 13; Medina BHA, n.° 1300; Palau, XII, n.° 209560.

En: IU, LBM, MH, PBN.

197 [14]
Forma Qve Se Debe Gvardar En El Pararse, Sentarse, Hincar Las Rodillas, Y Inclinarse; Asi en las Missas Solemnes, Feriales, y Rezadas: como también en las horas Canonicas, en el Coro; cõforme al rito del Ceremonial nuevo romano, mandado imprimir, con sus reglas por el Illustrissimo, y Reverendissimo Señor, Don Iuan de Palafox, y mendoza Obispo de la Puebla de los Angeles. [florones] Con Licencia Del

Ordinario Impresso en la Puebla de los Angeles, por el Bachiller Iuan Blanco de Alcaçar. año 1649. 62 págs. 4.º.

Signaturas: A⁴, B¹.

Cits.: Laurenti-Porqueras, *Palafox,* n.ᵒˢ 14 y 20; Medina, IPA, n.º 25; Palau, XII, n.º 209706.

En: IU, RPJCB.

Va encuadernado con su *Reglas, Y Ordenanzas Del Coro Desta Santa Iglesia Cathedral de la Puebla de los Angeles.* Con Licencia Del Ordinario. Impresso en la Puebla de los Angeles, por el Bachiller Iuan Blanco de Alcaçar. Año 1649. 12 fs. 4.º.

198 [15]

Historia Real Sagrada, Lvz De Principes. Y Svbditos [florón] *Dedicada Al Principe Nvestro Señor Por el Illvstrissimo, Y Reverendissimo Don Iuan de Palafox, y Mendoça, Obispo de la Puebla de los Angeles, del Consejo de su Magestad.* [grabado] [filerte] Con Licencia, [filete] En la Ciudad de los Angeles, Por Francisco Robledo, Impressor del Secreto del Santo Oficio. Año de 1643. [84] págs. + 242 (*i.e.* 484) págs. + [28] págs. Fol.

Signaturas: a - d⁴, §⁸, §§⁶, ¶⁶, ¶⁴, A-Z⁶, Aa - Aa - Qq⁶, Rr⁸, ¶², ✠⁴ - ✠✠⁶.

Cits.: Laurenti-Porqueras, *Palafox,* n.º 15; Medina, IPA, n.º 4; Palau, XII, n.º 209621; Ticknor, pág. 257.

En: IU, DLC, MB, RPB.

199 [16]

Memorial Del Pleyto, Qve En gouierno, y justicia siguen el señor Fiscal, y las Iglesias Metropolitanas, y Catedrales de las Indias Occidentales, Con Las Religiones De S. Domingo, S. Agustin, N.S. de la Merced, Compañia de Iesus, y las demàs que tienen haziendas de labor, y ganados en aquellos Reynos, y Prouincias: Sobre Qve Las Dichas Religiones Pagven diezmo haziendas, que han adquirido, y que en adelante adquieren [s.l.-s.f.] [¿Madrid? ca. 1650] XII hs. + 794 fs. Fol.

Signaturas: ¶ ¶ ¶⁶, A-Z⁸, Aa - Zz⁸, Aaa-Zzz⁸, Aaaa-Zzzz⁸, Aaaaa-Fffff⁸, Ggggg¹⁰.

Cits.: Laurenti-Porqueras, *Palafox,* n.º 16.

En: IU, DLC, RPB, UU.

200 [17]

Opusculos y fragmentos marianos escritos por el V.D. Juan de Palafox y Mendoza, obispo de Osma, sacados de sus obras completas. Lérida. Imprenta de Carruez. 1875. 152 págs. 8.º.

En: IU.

201 [18]

El Pastor De Noche Bvena; Avtor El Illvstrissimo, I Reuerendissimo Señor Don Ivan Palafox, I Mendoza, Obispo de la Puebla de los Angeles: Del Consejo de su

Magestad en el Real de las Indias. Encaminale. Al señor D. Francisco Antonio de Alarcon, Cavallero del Orden de Santiago i Presidente de Hazienda. El Licenciado Lvis Mvñoz. Van añadidas al fin vnas consideraciones, i remedios para conseruar la amistad de Dios, del P. Eusebio Nieremberg. Con Licencia, En Valencia, Por Claudio Macè, junto al Colegio del Patriarca. Año M.DC.XLVI (1646) [44] págs. + 94 (i.e. 188) págs. + [6] págs. 8.º.

Signaturas: a-c⁸, A-M⁸.

Cits.: Laurenti-Porqueras, *Palafox,* n.º 18; Palau, XII, n.º 209631; Ticknor, pág. 249.

En: IU, MB, MBi.

202 [19]
Peregrinacion De Philotea Al Santo Templo, Y Monte De La Crvz. Del Illvstrissimo, Y Reverendissimo Señor Don Ivan de Palafox y Mendoza, del Consejo de su Magestad, Obispo de Osma, &c. A La Mas Casta Asvsena; Al mas fino Eliotropo; A la mas temprana flor de Almendro; Esposo de Maria, y Padre Putatibo de Iesvs San Ioseph. Con Licencia [filete] En Barcelona, en casa Cormellas, por Iayme Cays, Año 1683. Vendese en Casa Francisco Llopis à la Libreria, y à su costa. 12 págs. + 215 págs. 4.º.

Signaturas: ¶⁴ - ¶ ¶ ¶⁴, A-N⁸, O⁴.

Cits.: HC 346/182; Laurenti-Porqueras, *Palafox,* n.º 19; Palau, XII, n.º 209764; Penney, pág. 404.

En: IU, InU, NNH.

203 [20]
Reglas, Y Ordenanzas Del Coro Desta Santa Iglesia Cathedral de la Puebla de los Angeles. Con Licencia Del Ordinario. Impresso en la Puebla de los Angles, por el Bachiller Iuan Blanco de Alcaçar. Año 1649. 12 fs. 4.º.

Signaturas: A-B⁴, C⁵.

Cits.: Laurenti-Porqueras, *Palafox,* n.ᵒˢ 14 y 20; Medina, IPA, n.º 25; Palau, XII, n.º 209706.

En: IU, RPJCB.

204 [21]
Semana Santa Inivsticia Qve Intervinieron En La Mverte De Christo Nvestro Redemptor. Al Eminentissimo, Y Reuerendissimo Señor, Don Baltasar de Moscoso y Sandoual, Cardenal de la Santa Iglesia Romana, Obispo de Iaen, del Consejo de Estado de su Magestad. Por El Illvstrissimo, Y Reverendissimo Señor, Don Iuan de Palafox y Mendoça Obispo de la Puebla de los Angeles, Y Visitador general de la Nueva España, y del Consejo de su Magestad. Con licencia. En Mexico, por Francisco Robledo, Impressor del Secreto del Santo Oficio. [1644] 8 hs. + 236 fs. numerados. 4.º.

Signaturas: q⁸, A-Z⁸, Aa - Ff⁸, Gg⁴.

Cits.: Goldsmith, pág. 131, n.º 56; Laurenti-Porqueras, *Palafox,* n.º 20; Medina, IM, n.º 584; Palau, XII, n.º 209683.

En: IU (dos ejemplares), InU, NN, NNH, TxU.

205 [22]
Sitio y socorro de Fventerabia y svcesos del año de mil y seiscientos y treinta y ocho. Escritos de orden de Sv Magestad. En Madrid con Licencia en la Imprenta de Cat.ª del barrio Ano (*sic*) 1.6.3.9. 2 hs. + 450 págs. 4.º.

Signaturas: q¹, A-Z⁴, Aa - Zz⁴, Aaa - Kkk⁴, Lll¹.

Cits.: Laurenti-Porqueras, *Palafox,* n.º 22; Medina, BHA, n.º 998; Palau, XII, n.º 209570.

En: IU, NIC, PBN.

206 [23]
Varon de deseos, en qve se declaran las tres vias de la vida espiritval. Purgatiua, Illuminatiua, y Vnitiua. Dedicado a la Reyna Nvestra Señora y ofrecido al aprovechamiento espiritual de las almas deuotas. Por el Illvstrissimo, y Reverendissimo Don Iuan de Palafox, y Mendoça, Obispo de la Puebla de los Angeles. Con privilegio [filete]. En Madrid, en la Imprenta Real, Año 1652. Acosta de Iuan de Valdes, Mercader de libros: y vendese en su casa enfrente del Colegio de Atocha. 18 hs. + 422 págs. a dos columnas + 28 hs. sin numerar. 4.º.

Signaturas: ¶⁸ - ¶ ¶⁸, ¶ ¶ ¶⁴, A-Z⁸, Aa - Hh⁸, Ii⁴.

Cits.: Goldsmith, pág. 131, n.º 58; Laurenti-Porqueras, *Palafox,* n.º 23; Medina, BHA, n.º 1177; Palau, XII, n.º 209615.

En: IU, CCSC, DLC, LBM, WU.

207 [24]
Vida de S. Ivan el Limosnero, Patriarca, y Obispo de Alexandria. Escrita por el Ilvstrissimo, y Reuerendissimo Señor Don Iuan de Palafox y Mendoza, Obispo de la Puebla de los Angeles, del Consejo de su Magestad, y del Supremo de Aragon. Al aprouechamiento de las almas de su cargo. Y vna carta consolatoria a sus subditos, de la resignacion en los trabajos. Dedicada al Excelentissimo Señor Duque de Medina-Celi, y de Alcalà, Marques de Tarifa, y Cogolludo, Capitan General del Mar Oceano, Costas y Exercitos del Andaluzia. Con privilegio En Madrid: Por Domingo Garcia y Morràs. Año 1650. A costa de Iuan de Valdes, Mercader de libros. 15 hs. sin numerar + 150 fs. + 2 hs 4.º.

Signaturas: q⁸ - qq⁸, A-T⁸.

Cits.: Laurenti-Porqueras, *Palafox,* n.º 24; Medina, BHA, n.º 1149; Palau, XII, n.º 209709; Simón Díaz, *Impresos,* n.º 877.

En: IU, PBN.

208 [25]
Vida interior del Excelentissimo Señor Don Juan de Palafox y Mendoza, Obispo antes de la Puebla de los Angeles, Virrey, y Capitan General de la Nueva-España. Visitador de tres Virreyes de ella; Arzobispo electo de Mexico, de el Consejo Supremo de Aragon. La qval vida el mismo señor Obispo dexò escrita. [adorno] En Bruselas, por Francisco Foppens, y Mercader de Libros. Año de 1682. 6 hs. sin numerar + 220 págs. a dos columnas. 4.°.

Signaturas: §⁴, B-Z⁴, Aa-Ff⁴.

Cits.: Laurenti-Porqueras, *Palafox,* n.° 25; Medina, BHA, n.° 1733; Palau, XII, n.° 209799; Peeters-Fontainas, II, n.° 1032; Sabin, n.° 58303.

En: IU, DLC, LJ.PF., NN, RPB, RPJCB, TxU.

Ed. probablemente contrahecha.

209 [26]
—— : —— En Barcelona: Por Antonio Ferrer, y Compañia, con las licencias ordinarias, Año de 1687, 3 hs. sin numerar + 327 págs. 4.°.

Signaturas: q⁴, A-V⁸, X⁴.

Cits.: Laurenti-Porqueras, *Palafox,* n.° 26; Medina, BHA, n.° 1804; Palau, XII, n.° 209800.

En: IU, CU, CU-B, MBN, TxU.

210 [27]
Vida interior del Ilvstrissimo, y Venerable Señor D. Juan de Palafox y Mendoza, del consejo de Su Magestad, y su Consejero en los Supremos de Guerra, Indias, y Aragón, Obispo de la Puebla de los Angeles, Arçobispo electo de Mexico, Virrey, Presidente, Governador, y Capitan General de la Nueva-España, Visitador de todos sus Tribunales, Juez de residencia de tres Virreyes, y Obispo de la Santa Iglesia de Osma, Copiada fielmente por la qve el mismo escrivio contitutlo (sic) de Confesiones, y Confusiones, que Original se conserva oy en el Archivo del Convento de S. Hermenegildo de Madrid de la Esclarecida Religion de Carmelitas Descalços. Dedicada al Ilvstrissimo, y Reverendissimo Señor D. Jayme de Palafox y Cardona, su Sobrino, Dignissimo Arçobispo de Sevilla, y del Consejo de su Magestad. Sacala a lvz Don Miguel de Vergara, Cavallero del Avito de Santiago, para el mayor aprovechamiento de las Almas. En Sevilla, por Lvcas Martin, Año 1691. 31 hs. sin numerar + 465 págs. + 17 hs. sin numerar. 4.°.

Signaturas: ¶⁴ - ¶ ¶ ¶ ¶ ¶ ¶ ¶ ¶, A-Z⁸, Aa - Ff⁸, Gg - Kk⁴, Ll².

Cits.: Escudero, n.° 1872; Laurenti-Porqueras, *Palafox,* n.° 28; Medina, BHA, n.° 1872; Laurenti-Porqueras, *Palafox,* n.° 28; Medina, BHA, n.° 1875; Palau, XII, n.° 209802.

En: IU, CtY, LBM, MB, MWiW-C, NjP, NN (tres ejemplares), RPJCB, WU, MBN, SBP, ZBP.

211 [28]

—— : —— Sevilla, L. Martin, impresa [1691] vi hs. + 583 págs. 4.º.

Signaturas: §². §§⁶, §§⁴ - §§§§§§⁴, A - Z⁸, Aa - Mm⁸, Nn⁴, Qq⁴.

Cits.: Laurenti-Porqueras, *Palafox,* n.º 27; Palau, XII, n.º 209801.

En: IU, LBM, NN.

212 [29]

Vida interior, o Confesiones... Madrid, Impr. de J. Doblado, 1772. 472 págs. 4.º.

Cits.: Laurenti-Porqueras, *Palafox,* n.º 29; Medina, BHA, n.º 4562; Palau, XII, n.º 209805.

En: IU, CU-B, TxU.

[Palafox y Mendoza: a collection, vol. 15].

213 [30]

—— : —— Madrid, Impr. de H. Santos Alonso, MDCC.LXXXII (1782). 8 págs. + 1 h. + 472 págs. 4.º.

Cits.: Laurenti-Porqueras, *Palafox,* n.º 30; Palau, XII, n.º 209808.

En: IU, DLC, MH.

[Palafox y Mendoza: a collection, vol. 16] El ejemplar de Illinois estuvo algún tiempo en un convento de Carmelitas descalzos.

214 [31]

Vida interior, por Juan de Palafox y Mendoza. (En su *Virtudes del Indio*) Madrid, 1893. 1 pág. + 1 h. + I - clxxiii págs. 8.º.

Cits.: Laurenti-Porqueras, *Palafox,* n.º 31; Palau, XII, pág. 197.

En: IU, DLC, CU, TxU.

[Palafox y Mendoza: a collection, n.º 20].

215 [32]

Virtudes del Indio, por D. Juan de Palafox y Mendoza, obispo de la Puebla de los Angeles. Madrid, Impr. de T. Minuesa. 1883. 3 págs. + 1 h. + clxxiii págs. + 94 págs. + 1 h. + [8] págs. 8.º.

Cits.: Laurenti-Porqueras, *Palafox,* n.º 32; Palau, XII, n.º 209714.

En: IU, CU, DLC, LNT-MA, PBN, TxU.

El ejemplar de Illinois lleva el *ex libris* de José Soto y Molina, de Jerez de la Frontera.

TRADUCCIONES

A) Francesas

216 [33]

Histoire De La conqueste De La Chine Par Les Tartares. Paris M.DC.LXX. (1670).

Vid. Capítulo XIII, n.º 55.

217 [34]

Lettre De l'Illustrissime Iean De Palafox De Mendoza... Du *8. Iannuier 1649.*
¿1659?

Vid. Capítulo XIII, n.º 54.

B) Inglesas

218 [35]

[Tr. de *Historia de la conquista de China.* Traductor desconocido] *The History Of The Conquest Of China By The Tartars. Together with an Account of Several remarkable things, concerning the Religion, Manners, and Customes of both Nations, but especially of the latter.* [filete] *First writ in Spanish, by Señor Palafox Bishop of Osma, and Vice-Roy of Mexico.* [filete] *And now rendred (sic) English.* [filete] London, Printed by W. Godbid, and sold by M. Pitt, at the White Hart in Little Britain, 1671. 12 págs. + 1 h. + 588 págs. + 2 hs. 8.º.

Signaturas: A⁸, a⁴, B-Z⁸, Aa - Pp⁸.

Cits.: Allison, pp. 137-38, n.º 3; Laurenti-Porqueras, *Palafox,* n.º 35; Palau, XII, n.º 209795.

En: IU, DLC, ICN, NN, TxU.

219 [36]

[Tr. de *El pastor de noche buena* por A.P.] *The New Odyssey, By The Spanish Homer: Being The Travels Of The Christian Hero, Ulysses Desiderius Pius, Throughout the Universe, To the Palace of that Sovereign Princess, styled, the Science of Salvation. Contained in Nineteen Chapters, Rhapsodies, or Visions; To be Read, a Chapter every Night, between Twelfth-Day and Candlemans-Day, as so many most diverting and instructive Christmas-Nights Entertainments. The whole making a fine Spiritual Romance, or, rather, a Sublime Allegorical Poem* [filete]. *Being the valuable Work of the learned and pious bishop of Osma, (sirnamed* [sic] *by the late Marquis of Fenelon, Archbishop of Cambray, the Divine) Don John de Palafox & Mendoza, Marquis of Hariza in the Kingdom of Arragon (sic). Translated into most Languages of Europe, applauded universally through many Editions; and vastly Recommended, as an inimitable Master-piece of that fine Visionary and Allegorical Manner of Writing, by the late Archbishop of Cambray, in his Original Preface to his Excellent Books of Telemachus.* [filete] *Now first Translated into English.* [filete] *Now first Translated into English.* [filete] D U B L I N: Printed for Ignatius Kelly, Bookseller at the Stationers Arms in Mary's - lane. M, DCC, XLV. (1745). 160 págs. 8.º.

Cits.: Laurenti-Porqueras, *Palafox,* n.º 36; Palau, XII, n.º 209812, que cita sólo la primera edición de 1735.

En: IU, LBM.

El ejemplar ilinoyense procede de la colección de James Collins, Drumcondra, Ireland, comprada en 1918.

* * *

Acabamos de presentar las obras de Palafox contenidas en la Universidad de Illinois. Además esta Universidad posee algunas otras obras raras relacionadas con la vida y polémicas de Palafox, pero no debidas a la pluma del obispo. De las obras presentadas hoy, llaman su atención por su especial rareza la carta pastoral que hemos descrito en la entrada 4. Es la única muestra que hemos localizado en los Estados Unidos. La segunda edición de las *Constituciones de la real y pontificia Universidad de México,* México, 1775, es de gran rareza. La registra Genaro García, en la edición citada, como existente en su biblioteca particular. Illinois posee dos ejemplares. Las entradas n.º 12 (*Defensa canónica por la dignidad del obispo de la Puebla...* Madrid, 1648), n.º 14 (*Forma que se debe guardar...* Puebla de los Angeles, 1649), n.º 16 (*Memorial del pleyto...* Madrid, ca. 1650), n.º 20 (*Reglas y ordenanzas del coro desta Santa Iglesia Cathedral...,* Puebla de los Angeles, 1649), n.º 22 (*Sitio y socoro* [sic] *de fventerabia* [sic]*...* Madrid, 1639) y n.º 24 (*Vida de S. Ivan el limosnero...* Madrid, 1650), son de ejemplar rareza. La entrada n.º 20 la registra también Genaro García (*op. cit.,* p. 401) como existente entonces en su biblioteca particular. Todas las obras presentadas hoy tienen gran valor bibliográfico y bibliofílico. Aquí, en estas conclusiones, hemos llamado la atención especial sobre algunas; ojalá que estas páginas provoquen nuevas localizaciones, para que pronto poseamos un cuadro completo de lo que se conserva de Palafox en el mundo.

X

TRADUCCIONES ALEMANAS DE LIBROS DE LA EDAD DE ORO ESPAÑOLA (SIGLOS XVI Y XVII)[58]

58.   Publicado en *Annali dell'Istituto Universitario Orientale - Sezione Romanza*, t. XX (1978), n.º 1, pp. 241-55.

Efectuamos un sondeo en la rica sección de libros raros de la Universidad de Illinois, en Urbana. En otras ocasiones hemos presentado importantes colecciones que se albergan en esta biblioteca universitaria. Se trata ahora de llamar la atención sobre todas las traducciones al alemán, de libros españoles o de españoles, que hemos localizado en la citada biblioteca. Registramos diez unidades bibliográficas, todas rarísimas. Tomando como base de partida las existencias de Illinois hemos registrado otras localizaciones en Estados Unidos. También hemos recogido otras localizaciones en bibliotecas europeas a través, sobre todo, de los datos recogidos por otros investigadores que citaremos más adelante, tales como Christoph E. Schweitzer para Antonio de Guevara y Hermann Tiemann para el *Lazarillo*. El famoso e incompleto *Gesamtkatalog der preussischen Bibliotheken mit Nachweis des identischen Besitzes der bayerischen Staatsbibliothek in München und der Nationalbibliothek in Wien...* Berlin, 1931... por desgracia solo incluía a dos de nuestros autores: José de Acosta (y significativamente sólo registraba dos ejemplares en este caso) y Francisco Arias (de éste registraba varias obras pero no la edición que se alberga en Urbana que, al parecer, es completamente desconocida; y hemos de considerar, de momento, el ejemplar ilinoyense como único en el mundo).

Es curioso que los catálogos publicados de la Bibliothèque Nationale de Paris y del British Museum de Londres no indicasen poseer ninguna muestra de los volúmenes que estudiamos hoy. La diez obras que aquí presentamos son de gran rareza; constituyen ejemplares de los poquísimos que quedan en el mundo de una particular edición. He aquí algunas observaciones presentativas al material reunido en estas notas bibliográficas.

A) Cuatro de los libros descritos son traducciones al alemán basadas en el texto latino de humanistas españoles: el jesuita y americanista José de Acosta, Francisco Arias, jesuita también, el franciscano Juan de la Cerda y el gran humanista Juan Luis Vives (véanse fichas n.ᵒˢ 1, 2, 3 y 10 de nuestro trabajo). La traducción alemana de la obra de Acosta (presente, al menos en 1931, según el *Gesamtkatalog,* en las bibliotecas estatales de Berlin y München) debe ser de gran rareza, y de momento, además de los dos ejemplares de bibliotecas alemanas, solo conocemos el de la Universidad de Illinois y dos más de Estados Unidos (Universidad John Carter Brown y la Newberry Library de Chicago). Es desconocida, por ejemplo, por Adam Schneider, *Spaniens Anteil an der deutschen Litteratur des* 16. *und* 17. *Jahrhunderts...* Strassbourg, 1898 y por José Toribio Medina, *Biblioteca Hispano-Americana* (1493-1810), Santiago de Chile, 1898-1907. La versión alemana del *Thesaurus...* de Francisco Arias, de 1689, es completamente desconocida. La traducción alemana de *Paedia Religiosorum* de Juan de la Cerda no aparece citada en los famosos repertorios bibliográficos de A. Palau y Dulcet y J. Simón Díaz. Sí la recoge Adam Schneider. De momento nosotros sólo conocemos el ejemplar de Illinois y el de la Universidad de St. John en Collegeville, Minnesota. De inusitada rareza bibliográfica hay que denominar la traducción alemana de 1534, del tratado latino de Juan Luis Vives, *De Concordia et Discordia in Humano Genere,* publicado por primera vez en 1529. Por el momento solo tenemos noticia del ejemplar ilinoyense, y Adam Schneider desconoce la existencia de esta traducción alemana.

B) Una de las obras presentadas, la traducción alemana del *Oráculo Manual* de Baltasar Gracián (véase n.º 4), llega a la lengua germana a través de la versión francesa de Amelot de la Houssaie. En Estados Unidos sólo conocemos el ejemplar de la Universidad de Illinois y el de la Universidad de Yale. Esta obra de Gracián cuenta con abundantes traducciones posteriores en Alemania. En 1715 August Friedrick Müller publicó otra traducción en Leipzig, basada directamente en el original español[59].

C) Capítulo aparte merece la presencia de Guevara en Illinois, sin duda una de las bibliotecas más importantes y completas del mundo para este autor (véase nuestro artículo sobre Guevara en la lista de repertorios citados). No es, pues, del todo sorprendente que existan en Urbana cuatro traducciones alemanas de obras guevarianas, debidas a la pluma del famoso traductor Aegidius Albertinus. La traducción del *Reloj de príncipes,* München, 1599, es la primera atestiguada, basada directamente en el texto original castellano. La primera traducción alemana, basada en el texto francés, es la de Conrad Egenberger von Wertheim, Franckfurt am Main, 1572. Esta primera traducción de Aegidius Albertinus, aunque es bien conocida en los repertorios especializados, es de gran rareza, y, de momento, sólo se conocen,

---

59.   Sobre la influencia de Gracián en Alemania véanse Karl Borinski, *Baltasar Gracián in Deutschland,* Halle, 1894, y Adolphe Coster, *Baltasar Gracián* en "Revue Hispanique", vol. XXIX (1913), págs. 689-90. Véase ahora también nuestro artículo, *La colección de Baltasar Gracián en la biblioteca de la Universidad de Illinois: fondos raros (siglos XVII, XVIII y XIX)* en "Bulletin Hispanique", t. LXXIX (1977), n.ᵒˢ 3-4, págs. 347-79. Allí enumeramos otras raras traducciones alemanas posteriores, algunas de gran rareza también. Está incluido ahora en este volumen.

además del de Illinois, otros cuatro ejemplares en el mundo. También son de gran rareza otras tres traducciones, que presentamos hoy, debidas a la pluma del famoso traductor radicado en Munich. Se trata de *Aviso de privados*, Leipzig, 1619: *Menosprecio de corte y alabanza de aldea*, Leipzig, 1619; y tres volúmenes encuadernados en uno de *Opera omnia historico-politica*, Franckfurt am Main, 1644-45 (véanse n.ºs 6, 7 y 8). Se trata de obras de inusitada rareza que han escapado a Adam Schneider, A. Palau y Dulcet y Lino G. Canedo[60], aunque sí son conocidas y descritas con precisión por Christoph E. Schweitzer[61]. Nosotros hemos indicado, además, las signaturas internas de los pliegos de los ejemplares ilinoyenses. Son muy pocos los ejemplares que Schweitzer consigue localizar en Alemania. Ofrecemos, pues, hoy, para las ediciones mencionadas de Guevara, la lista más completa de ejemplares presentada hasta la fecha.

D) Más conocida, y bien representada con 6 ejemplares desde ahora, es la primera traducción, publicada, al alemán del *Lazarillo de Tormes*, Augsburg, 1617[62].

* * *

En estas notas bibliográficas, de carácter presentativo y enumerativo, se trata de llamar la atención sobre los escasos ejemplares que existen de traducciones alemanas. Hemos descrito, con exactitud, las portadas completas y hemos dado la paginación y tamaño de los volúmenes. Hemos indicado también, en muchos casos por primera vez en esta clase de descripción, la signatura interna de los pliegos de los ejemplares de Urbana. Se han recogido los repertorios o artículos bibliográficos que citen la particular edición a que pertenece el ejemplar de Illinois y hemos localizado, tras laboriosas pesquisas, cuantos ejemplares pudiesen existir diseminados por el mundo. Ojalá que con esta modesta aportación nuestra animemos a otros investigadores a localizar más ejemplares de las raras ediciones descritas, y ojalá también se pudiese dar noticia, poco a poco, de todas las traducciones alemanas de la Edad de Oro española que se conserven en el mundo. Para ello hace falta efectuar calas en concretas bibliotecas, que puedan ofrecer inesperadas sorpresas, como las que pretendemos difundir ahora por el campo hispanístico.

* * *

60.   *Las obras de Fray Antonio de Guevara. Ensayo de un catálogo completo de sus ediciones*, en "Archivo Ibero-Americano", vol. 6 (1946), págs. 441-603. En este trabajo se menciona *Reloj de Príncipes*, München, 1599, pero no se localizan ejemplares.

61.   Véase la alusión a este trabajo, el mejor que existe sobre Guevara en Alemania, en nuestra lista general de repertorios. Lástima que Schweitzer desconociera por completo los fondos ilinoyenses. Este autor cita una tesis doctoral de Carlton L Iiams sobre *Aegidius Albertinus und Antonio de Guevara* (University of California, Berkeley, 1956), que nosotros no hemos consultado, pero cuyos datos bibliográficos más importantes han sido ya recopilados por Schweitzer. No hay que olvidar que tanto para Guevara como Gracián siguen siendo útiles las documentadas observaciones de una ya obra clásica como la de Hermann Tiemann, *Die Spanische Schrifttum in Deutschland von der Renaissance bis zur Romantik* (Hamburg, 1936; hay reimpresión, por la casa Georg Olms de Hildesheim, de 1971). Respecto a Guevara afirma Tiemann que entre 1592 y 1645 se publicaron unas cincuenta ediciones en alemán debidas a la pluma de Albertinus (véase pág. 50).

62.   La primera traducción que existe en manuscrito de 1614 se encuentra hoy en Hamburgo. Fue publicada por H. Tiemann: véase H. Tiemann, *Leben... ob. cit.* en nuestro repertorio, especialmente, pág. 143.

220 [1]

Acosta, Jose de, ca. 1539-1600. *America, Oder wie mans zu Teutsch nennet Die Neuwe Welt / oder West Jndia. Von Herrn Iosepho De Acosta in Sieben Büchern / eins theils in Lateinischer / vnd eins Theils in Hispanischer Sprach / Beschrieben. Im ersten vnd andern Buch wird Beschrieben der Antactische Himel vnd die Zona Torrida (Brennendt Schnur oder Resier des Himmels) vnd bewiesen / dass dieselbig wider der Alter furgeben / gantz Feucht / mittelmässig Warm / vnd lieblich zu bewohnen seye. Im dritten Buch wird gehandelt von den Winden so inn der Torrida wehen: Auch von Enge Magallanes vnnd jhrer Eygenschaft Vber das auch von der Seen / Flüssen / Bächer vnd Fischen / vnd wie die selbige / auch die grosse vngehewere Walfische / von einem eintzigen Indianer Gefangen werden. Jm Vierdten werden erzehlt die Metallen des Landts America / Gold / Silber / Quecksilber / Kupffer / vnd andere. Wird auch angezeiget wie die Indianer dieselbe Graben vnd Zubereyten. Auch wird meldung gethan der Smaragden / Perlen / Mays oder Jndischen Korns / Würtzelen / Obst / Bäumen / Balsam Gummi vnd Oel grosses vnd kleines Viehs vnd Thieren in America sind / in Ebenem vnd Gebirg / darnach von den Vögelen so daselbst sind. Jm Fünfften wird gemeldt die Abgotterey welche die Jndianer geübet / jhre Opffer Religionsorden / Kloster der Jüngling vnd Jungfrawen / Buss / Fasten / Sacrament Festen vnd Feyertagen. Jm Sechsten werden angezeigt der Indianer Calender / Monat / Zeit vnd Jahr rechnung: jhre weise zu Schreiben. Jtem / wie jhre König regiert / vnd die Ampter aussgetheilt. Auch wird Beschrieben die Historia der Könige in Peru. Jm Siebenden vnd Letzten Buch wird gesagt / wie die erste Volcker in New Spanien vnd Mexico komen sind vñ jhren ersten König haben erwehlt //* [sic] *auch*

233

wie Derselbe vñ seine Nachfolger regiert / biss auff den grosse vnnd Letzen König Moteçuma / den die Spanier vmbgebracht. [Escudo del impresor con el lema:] *In spe Et Labore Transigo Vita. Cornelivs Svtorivs* 1605. Gedruckt zu Vrsel / Durch Cornelium Sutorium im jahr M. DC. V. 4 hojs. + 18 fols., con mapas del nuevo mundo. 26 cm.

El ejemplar de Illinois procede de la colección privada del historiador Heinrich Armin Rattermann, de Cincinnati, comprada por la Universidad de Illinois en 1915.

Cit.: Gesamtkatalog, I, pág. 574: Palau, I, pág. 56; Sabin, n.º 130: Simón Díaz, IV, n.º 1500.

En: IU, ICN, BPS, MBS, RPJCB.

221 [2]
Arias, Francisco, 1633-1605. *Thesaurus Inexhaustus Bonorum, Quae in Christo habemus. Unerschöpffter Shatz deren Güttern / so wir in Christo haben / Durch dessen unterschiedliche Ehren = Namen / Tugend = Zeugnussen / und Beyspiele auf neue weyss / sowol zu eines jeden Rechtglaubigens besonderem Auffnehmen / als zu offentlichem Gebrauch der Prediger erklaret / und in dreyfächtiges Buchband abgeteilet: Mit jedem Band / beygelegtem Register deren Haubstücken: zum Ende aber aller dreyen / Für die Predige beygeschlossener lateinischer Anleitung. In Spanischer Sprach beschrieben / von P. Francisco Arias: Ins Latein übersetzet / Von P. Leonardo Creder: Num aber verdeutschet / Von P. Bartholomaeo Christelio. Gesambten (sic) Priestern der Societät JESU. Mit guttsprechen der Obern.* [Línea] Glatz / gedruckt bey Andreas Pegen / Anno 1689. 3 vols. Vol. I: 13 hojs. + 668 págs.: vol. II: 5 hojs. + 671 págs.: vol. III: 4 hojs. + 587 págs. + 22 hojs. 34 cm.

Edición rarísima. Se debe tratar de una reimpresión de la edición de 1685 cit. por José Simón Díaz, VI, n.º 166. No la conoce Adam Schneider ni el *Gesamtkatalog,* que solo cita la edición de 1685. El ejemplar de Urbana lleva una nota manuscrita en la portada que reza: *Pro Conventu Pragensi B. Y. M. ad. Rives. ... Ref. Anno ...*

Cit.: Porqueras-Laurenti, n.º 100.

En: IU.

222 [3]
Cerda, Juan de la, 1560-1646. *Paedia Religiosorum: Oder Der Religiosen Mans = vnd Weibspersonen Schulzucht. Begreifft drey Theyl: Im ersten wird gehandlet / wie die Lehrmeister vnd Lehrmeisterin der Nouitzen oder Jungen Closterpersonen beschaffen sein / vnd in was für Tugenten vnd Sitten sie dieselben vnterweisen vnd abrichten sollen. Im andern wird von den Praelaten vnd Abtissin geredt / vnd beynebens vier vnd zwainzig sehr schöne Ermahnungen eingeführt / welche den Closterpersonen zur zeit ihrer Profession fürzuhalten. Im dritten wereden die Religiosen in gemein ihres Ampts vnd pflicht erinnert. Anfangs durch den Ehrwürdigen Ioannenem De La Cerda Franciscaner Ordens in Hispanischer Sprachen beschrieben. Und anjetzo durch Aegidivm Albertinvm mit fleiss verteutscht.* Cum licentia Superiorum permissu. Gedruck zu München / durch Nicolaum Henricum. M. DC. V. (1605). 4 págs. + 1 fol. + 164 fols. + 16 fols. 19.5 cm.

234

Signaturas: A-Z⁴, Aa-Tt⁴, A-D⁴.

Se trata de la traducción de la obra del franciscano Juan de La Cerda, *Paedia Religiosorum,* por Aegidio Albertino.

Edición rarísima. La desconocen Palau y Simón Díaz.

Muchos errores en la foliación del texto: n.º 6 se repite; falta el folio n.º 100.

En los últimos 16 folios al final del texto: "Dess heiligen algemeinen Jungst zu Triendt gehaltenen Concilij Decret von den ordenspersonen closterfrawen".

Cit.: Schneider, pág. 17.

En: IU, MnCS.

223 [4]

Gracián y Morales, Baltasar, 1601-1658. [Anteportada:] *L'Homme de Cour / oder Balthasar Gracians Vollkommener = Staats = und Weltweise, mit Chur = Saechsischer Freyheit* [Escudo] Leipzig, Verlegts Adam Gottfried Kromayer, M. DC. LXXXVI (1686). [2ª Portada:] *L'Homme de cour / Oder der heutige politische Welt = und Staats = Weise / fürgestellet von Balthsar (sic) Gracian / Soc. Jesu / Und wegen seiner hohen Würde in unsere hochteutsche Sprache übersetzet / anitzo aus dem Original vermehret / und zum Andermahl herausgegeben / von Joh. Leonhard Sauter J.U.D.* Mayntz / Verlegts Adam Gottfried Kromayer M. DC. LXXXVII (1687). 10 fols. + 32 fols. + 20 fols. + 690 págs. + 163 fols. + 1 h. 14 cm.

[Al fin:] *Index rerum oder Verzeichnuss derer in der Hoff = Staats = und Welt = Weissheit gegrundeten Maximen.*

Se trata de la traducción del *Oraculo manual, y arte de prudencia sacada de los aforismos que se discurren en las obras de Lorenzo Gracian* (pseud.), *publicada D. Vincencio Juan de Lastanosa...* hecha por Johann Leonhard Sauter, abogado, traductor y, conocido también como experto, "redactor de documentos históricos"[63]. Correa Calderón, Arturo del Hoyo y Miguel Romera - Navarro (*Vid. Infra.*) atribuyen erróneamente esta traducción al impresor, Adam Gottfried Kromayer.

Esta edición se basa en la traducción al francés por Amelot de la Houssaie, publicada en París en 1684.

Signaturas: (?)⁸, A-Z⁸, Aa⁸ - AB⁴.

Cit.: Correa Calderón, pág. 339; Hoyo, pág. CCLII; Romera-Navarro, pág. XXIX; Schneider, pág. 156.

En: IU, CtY.

224 [5]

Guevara, Antonio de, obispo de Mondoñedo, m. ¿1545? *Lustgarten vnd Weckvhr. In welchem die Könige / Fürsten vnd Herrn / so wol auch die vom Adel / Officier und Beampten / nicht weniger die stattliche Frawen vnd Jungkfrawen / wie auch menigklich sich trefflich vnnd nach allem jhrem gefallen recreiren vnnd erlustigen können.*

---

63. Vid. Adam Schneider, *op. cit.*, pág. 156.

Anfangs durch Hernn Antonium de Gueuara Bischouen zu Mondonedo, Weilandt Keyser Carls dess fünftten / rc [etc.] *Rath / Hof-Predige vnnd Chronisten, in Hispanischer Sprachen beschrieben. Anjetzo aber durch Der Fürstl: Durchl: Hertzog Maximiliani in Bayern /* [etc.] *Secretarium Egidium Albertinum inn die Teutsche Sprach trewlich verwendt.* Gedruckt zu München / durch Nicolaum Henricum. M. D. IC. (1599). 12 hojs. + 255 fols. 15 cm.

Traducción de *Reloj de Príncipes...,* por Aegidius Albertinus.

Es la primera traducción alemana de esta obra. Para más detalles, véase la reproducción fotográfica de la portada en nuestro artículo (*Cuadernos bibliográficos,* vol. 31. Madrid: C.S.I.C., 1974, n.º 17) del ejemplar de la Universidad de Illinois. Nuestro ejemplar se diferencia por el citado de Schweitzer (pág. 332, A, n.º 2) por no tener al pie de la portada las palabras *Jm Jar.*

Signaturas: (:)^8,):(, A-Z^8, Aa^8 - Ji^6.

Colofón: "Gedruckt zu München durch Nicolaum Henricum, im Jar. M. D. IC".

Cit.: Laurenti-Porqueras, n.º 17; Palau, VI, n.º 110193; Canedo, n.º 123; Schweitzer, A, n.º 2 que cita también una 2ª y 3ª partes que no se encuentran en Urbana; *Gesamtkatalog,* II, n.º 746.

En: IU, MBS, CtY, IEN.

225 [6]
———— : Cortegiano: *Das ist: Der rechte wolgezierte Hofmann / darin viel schöner Regel vnd Anweisungen / wie sich ein jeder Adelicher Hofmann / Rath / vnd Diener gegen seinem Herrn / vnd desselben Hofgesind / in allen seinem Thun vnd Wesen / fleissig / getrew / verschwiegen / Mannhafft / Sittsam / vnd Ehrsam verhalten solle / damit er nicht allein seines Herrn Genad erlangen vnd behalten: Sondern auch mit allen anderen seinen Hofes Genossen / freundlich / vnd vnverweisslich leben möge / Erstlichen in Hispanischer Sprach Durch: Herrn Antonium De Guevara beschrieben. Jetzund aber allen Hofleuten / vnd denen so sich der Welt gebrauchen vnd zu einem tugendthafften / Erbarn Leben vnd Wandel / Lust vnd Neigung haben nütz / vnd dienlich zu lesen in Deutsche Sprach versetzet / Durch Aegidium Albertinum, Fürstl. Durch. in Bayern Hofraths Secretarium.* Bey Henning Grossen dem Jügern Buchhändlern zu Leipzig / zu finden. Gedruckt im Jahr 1619. 7 hojs. + 373 (*i.e.* 374) fols. + 1 hoj. 16 cm.

Signaturas:):(^{8} (muchas irregularidades) A-Z^8, Aa^4.

Se trata de la traducción de *Aviso de privados.* Va encuadernada con otra traducción de Albertinus, a saber: *Zwey schoene Tractätlein.* Leipzig, 1619. (*Menosprecio de corte y alabanza de aldea*).

Cit.: Laurenti y Porqueras, n.º 18. Schweitzer, B, n.º 9. No la citan Palau ni Schneider.

En: IU, MBS, CtY, WAB.

226 [7]

—— : Zwey schöne Tractätlein / deren das eine. De Molestiis Aulae et Ruris Laude, Darinen die müheseligkeit des Hofs vñ gluckseligkeit des Landlebens angezeiget / vnd mit denckwürdigen Exempeln erwiesen wird / Wie viel herrlicher / nützlicher / sicherer / vnd erspriesslicher das Privatleben vor dem Hofleben sey / vnd was für gefährligkeiten dieses vor jenem habe. Anfangs durch Herrn Antonium de Guevarra (sic) Bischofn zu Mondonedo / vnd Weyland Keyser Caroli 5 Historico / in Hispanischer Sprach beschrieben, Das Andere / De Convivijs & Compotationibus Von Gastereyen vnd zutrincken / In welchem beschrieben werden / die antiquiteten, gebrauche / effect, vnd Wirckungen / der gastereyen / vnd des zutrinckens &c. Alles mit schönen lustigen Historien / vnd kurtzweiligen reden gezieret vnd eingeführet / Durch: Aegidium Albertinum Fürstl. Durchl. in Beyern Hofraths (sic) Secretarium verdeutzscht / vnd in Druck gegeben. Bey Henning Grossen dem Jüngern Buchhändelern in Leiptzig zufinden. / Vnd Gedruckt im Jahr 1619. 2 vols. en 1. 8 hojs. + 271 págs. + 192 págs. + 3 hojs. 16 cm.

Va encuadernado su Cortegiano, como se ha descrito en la ficha n.º 6. Este volumen lleva encuadernado también el tratado cuyo título acabamos de transcribir, ya anunciado en el título general, y del que no se indica autor.

Colofón: "Gedruckt zu Hall in Sachsen. Bey Peter Schmidt, jm Verlegung Henning Grossen, des Jungern Buchhändlern in Leiptzig anno M. DC. XIX.".

Trad. de *Menosprecio de corte y alabanza de aldea.*

Edición rarísima. No la citan ni Palau ni Schneider.

Cit.: Laurenti y Porqueras, n.º 19; Schweitzer, C, n.º 10.

En: IU, MBS, WAB.

227 [8]

—— : [Anteportada grabada:] Herrn Antonii de Guevara Bischoffen zu Mondonedo / Opera Politica Et Historica. Darinnen begriffen, 1. Güldene Sendschreiben / 2. Fürstliche Weckvhr vnd Lüstgarten / 3. Fürstliche Dischredt. 4. Höffssmühseligkeit vnd Glückse: dess Landtsleben. 5. Der wohlgezierte Hoffmann oder Hoffschül. Alle durch Aegidium Albertinum verteutscht in Dreytheill abetheilt Vnd zum Erstenmahl in truck gebeben, Erster theill. In verlegung Johann Gottfriedt Schönwettere Anno 1644.

[Vol. I:] *Antonii De Guevara, Barfüsser Ordens / Bischoffens zu Mondonedo, Keysers Caroli V. Hoffpredigers / Canonisten / Chronisten vnd Raths. Opera Omnia Historico-Politica. 1. Güldene Sendschreiben. 2.Fürstliche Weckvhr vnd Lüstgarten. 3. Missbrauch dess = Hoffs vnnd Lob dess LandtsLeben 4. Der wolgezierte Hoffmann / oder Hoffschul. 5. Von Gastereyen vnd Zutrincken. In welchen viel schöne subtile Politische vnnd Moralische Discursen / (sonderlich wie sich Fürsten vnd Herren im Regiment / wie dann auch ihm Ehestandt zuverhalten) auch artliche Historien / herrliche Antiquitäten, Gebräuch Effecten, vnd Würckungen des Gastereyen / wie dann auch die Mühseligkeit dess HoffLebens vnnd Glückseligkeit dess LandsLeben / neben andern Exemplarischen Sachen / vnd vortrefflichen Geistlichen vnd Weltlichen Exempeln begriffen. In Drey Theil abgetheilt. Allen vnd jeglichen /*

hohen vnd niedern / Geistlichen vnd Weltlichen Standts Personen sehr kurtzweillig / annehmlich vnd nutzlich zu lesen. Durch Herrn Aegidium Albertinum. Fürstl: Durchl: in Bayrn Hoffrahts Secretarium, auss der Hispanischen in die Teutsche Sprach auffs fleissigste versetzt. An jetzo auffs new vbersehen: zu mehrerm Verstand vnd Nachrichtung von vnzahlbaren frembden vnd in gemeiner Sprach vnannemblichen Worten corrigirt / verbessert / vnd mit Marginalien, sampt einem vollkömlichen Register. gemehret. [Dibujo] Gedruckt zu Franckfurt am Mayn / bey Matthaeo Kempffern / In Verlegung Johann Gottfried Schönwetter / ANNO XLIV. (*sic*) 1644. 7 hojs. + 750 págs. 25 cm.

Signaturas:):(- (:)⁴, A-Z⁴, Aa-Zz⁴, Aaa-Zzz⁴, Bbbb-Zzzz⁴, Aaaaa-Ccccc⁴.

[Vol. II:] *Herrn Antonii de Gueuara Bischoffen zu Mondonedo Fürstlicher Lüstgardten / Weckvher vnd Dischredt / Ander theill. Durch Aegidium Albertinum Chür. Fürstl: Durchl: in Beyern Hoffraths Secretarium der Deutscht.* In verlegung / Johann Gottfried Schönwetters. Anno 1644. 388 págs. 25 cm.

Signaturas: a-z⁴, aa-zz⁴, aaa-ccc².

[Vol. III:] *Drey schöne Tractätlein / deren Das Eine De Molestiis Aulae, & Ruris Laude. Das ist: Missbrauch dess Hofflebens. Das Ander: Der rechte wolgezierte Hoff-Mann / oder Hoff-Schul gennant. Das Dritte: De Conviviis & Comporationibus, von Gastereyen vnd Zutrincken. Dritter Theyl. Durch Herrn Antonium De Guevara In Hispanischer Sprach beschrieben. Jetzund aber durch Aegidium Albertinum Fürstl. Durchl. in Bayern Hoffrahts Secretarium in Teutsche Spraach versetzt.* [Escudo con el lema:] *Milita Bonam Militam MK.* Gedruckt zu Franckfurt bey Matthaeo Kampffern / Jn Verlegung Johann Gottfrid Schonwettern. Jm Jahr M. DC. XLV. (1645). 207 págs. + 2 hojs. 25 cm.

Signaturas: A-Z⁴, Aa-Dd².

Trad. de Aegidius Albertinus.

El ejemplar de la Universidad de Illinois tiene adosadas unas hojas manuscritas que constituyen un índice de nombres.

Rarísimo ejemplar. No la cita Palau ni Schneider.

Cit.: Laurenti y Porqueras, n.º 20: Schweitzer, H, n.º 1.

En: IU, MBS, CtY, CU, WAB.

228 [9]
ZWO *kurtzweilige / lustige / vnd lächerliche Historien / die Erste von Lazarillo de Tormes / einem Spanier / was für Herkommens er gewesen / wo vnd was für abenthewrliche Possen er in seinen Herren Diensten getrieben / wie es jenen auch darbey / biss er geheyrat / ergangen. Auch wie er letzlichen mit etlichen Deutschen in Kundschafft gerahten vnd was sich nach Absheid derselben mit ihne ereignet vnd zugetragen. Auss Spanischer Sprach ins Teutsche gantz trewlich transferirt. Die ander / von Isaac Winckelfelder / vnd Jobst von der Schneid / Wie es disen beyden Gesellen in der weitberümten Stadt Prag ergangen / was sie daselbst für win wundersetzame Bruderschafft angetroffen / vnd sich in dieselbe einverleiben lassen. Durch Niclas Vlenhart beschriben.* Gedruckt zu Augspurg / durch Andream Aperger / In Verlegung Niclas Hainrichs. M.DC.XVII (1617). 8 hojs. + 389 págs. 17.5 cm.

El título en colores rojo y negro. Nuestro ejemplar va encuadernado con un cuento de Isaac Winckelfelder y Jobst von der Schneid, que es una libre adaptación de *Rinconete y Cortadillo,* de Cervantes.

Signaturas:)?(-)?(^{8}, A-Z^8, Aa-Bb^4.

Se trata de la primera traducción alemana publicada, del *Lazarillo de Tormes,* por Nicolas Ulenhart.

Cit.: Alewyn, pág. 203: Laurenti, n.º 684: Palau, VII, n.º 133518: Tiemann, pág. 143: Schneider, pág. 220.

En: IU, BerBU, HUB, WAB, WL, ZZ.

229 [10]
Vives, Juan Luis, 1492-1540. *Wannenher Ordung menschlicher beywonung Erschaffung der speiss, anfang der Staett, allerley handthierüg, aussteylüg der güter, Ursprung der Mintz, wie die Metall in die welt kommen, Von Schûl vnnd lermeistern. Wie man sol gûts thûn mit radtschlag, fleiss, arbeit, vndersichtung, gelt. Das grosser Herrn macht auff den vnderthonen fuget, Von warem Gemeinem nutz, Wie mann der Bertlerey weren, vnd der Armût in Repub. bey zeit sol zu hilfe kummen. Von zucht armer leüt kinder.*

Von dem Meiner vnd Deinen, dadurch alle vnrûg in der welt entstadt. Das Christenthumb sey in wolthat. Und wie vil vn auff was weiss einem yeden seye gûts zûthû n. Wie die Oberkeiten yeder statt vnd Pollicey dem verarmen yrer burger begegnen. Von Spitalen, Weysenheûsern, Von gemeinem almûsen gegen armen gefangnen im krieg, verbreten, schiffbrüchigen, Zangkfrawen bey eren zubehalten, Christen von Türkē zu entledigen, Vom letsten willē der stiffter, so mit soll geendert sunder gehalten werdē. Alles nutzlich zû lesen für frumme Oberheit und liebe Underthonen. Johannes Ludovicus Vives. Im Jar M. D. XXXiiij [Strassburg] 1534. 1 hoj. + 3 fols. + 53 fols. sin numerar. + 2 fols.

Signaturas: A^2-O^2.
135-22

Se trata de la trad. del *De Concordia et Discordia in Humano Genere,* traducida por C. Hedio. Contiene también un curioso comentario del mismo traductor sobre las casas de caridad de Estrasburgo.

Edición rarísima, la desconocen casi todos los bibliógrafos. Hay, sin embargo, una traducción de la misma obra de Basel de 1537. (vid. *Catalogue général des livres imprimés de la Bibliothèque Nationale.* Paris, 1972, t. ccxii, pág. 1036).

Cit.: Graesse, VII, pág. 380: Palau, VII (Barcelona 1.ª ed. 1926), pág. 216.

En: IU.

ADDENDA

Después de terminado este capítulo notamos que la Universidad de Illinois alberga otras dos raras ediciones con traducciones alemanas de obras de la Edad de Oro española. Se trata de la versión de Georg Martzi (Franckfurt, 1692) del *Dictamen de espíritu* de Juan Eusebio Nieremberg (véase nuestro citado Catálogo General, *The Spanish Golden Age...* pág. 307), y también de una versión alemana del *Menosprecio de corte* de Antonio de Guevara, publicada en Ginebra en 1614 (véase la ficha 311 [40] de este volumen de *Estudios bibliográficos...*).

XI

EDICIONES SEVILLANAS DE LOS SIGLOS XV, XVI Y XVII[64]

64. Publicado en *Archivo Hispalense,* LIX (1976), n.º 181, págs. 153-73.

La biblioteca de la Universidad, de la que ya hemos hablado en este libro con ocasión de ocuparnos del humanista Pero Mejía[65], posee 30 impresos sevillanos de la Edad de Oro. Algunos, como explicaremos más adelante, son de gran rareza.

Conviene, entre todos, dar a conocer los libros hispalenses que se albergan en las diversas bibliotecas del mundo, para así completar y matizar los datos de bibliógrafos especializados como Escudero y Peroso, Hazañas y la Rúa, Montoto... (citamos en otros lugares del presente trabajo las ya clásicas obras de los mencionados investigadores). Pero hacen falta rebuscas minuciosas, como las que representan los sondeos de A. Pérez Gómez[66] y de F. Aguilar Piñal[67]. Este último erudito ha ido multiplicando las aportaciones concretas, y citamos algunas otras muestras de su labor en estas páginas nuestras. Por supuesto nunca hay que olvidar la magna obra bibliográfica de José Simón Díaz, en curso de publicación, y a la que nos referimos a menudo en nuestras fichas.

---

65.   Véase *Rarezas bibliográficas. La colección de ediciones y traducciones del sevillano Pero Mejía (1496-1552) en la biblioteca de la Universidad de Illinois,* "Archivo Hispalense" (1974), núm. 175, págs. 121-138. Incluido ahora en el presente volumen.

66.   Véase su *Impresos sevillanos no mencionados por Escudero ni Montoto,* "Revista Bibliográfica y Documental", III (1949), págs. 197-214.

67.   Véase su *Relaciones desconocidas impresas en Sevilla en el siglo XVII,* "Revista de Literatura", vol. XXXII (1967), núms. 63-64, páags. 105-130.

Nuestro buceo de hoy se limita a las existencias de la Universidad de Illinois. Tomando como base de partida los ejemplares ilinoyenses, hemos procurado localizar otros ejemplares en Norteamérica, manejando los abundantes —pero no completos— datos de la *Union Catalog Pre 1956 Imprints* (1968-1976), 439 vols., que, por desgracia, llega hasta ahora sólo hasta la letra *P*. Y también hemos tenido en cuenta muchos otros repertorios y catálogos. Podemos afirmar que, en algunos casos, la lista de ejemplares conocidos que ofrecemos hoy es la más extensa presentada hasta este momento, sin que pretendamos que sea exhaustiva. Además de los fondos estadounidenses se han tenido en cuenta importantes bibliotecas como el British Museum, Bibliothèque Nationale de Paris, y otras muchas bibliotecas europeas, especialmente españolas. Nuestros datos se podrán redondear con más localizaciones concretas, sobre todo el día que se haya completado en España el inventario del rico tesoro bibliográfico, sin olvidar las colecciones privadas. Ojalá, pues, otros se animen a indicar más ejemplares de los descritos aquí, con las limitaciones que supone para nosotros el residir habitualmente fuera de España. Repitamos, una vez más, que no pretendemos que este trabajo sea completo, ni definitivo. Lo que nos importa ahora son los fondos ilinoyenses y, al ampliar el horizonte hacia otras bibliotecas, ha sido posible aquilatar la verdadera rareza de algunas ediciones que se conservan en la biblioteca universitaria de Urbana.

Veamos, a guisa de resumen, las curiosidades más notables que saltan a la vista:

A) Ofrecemos dos sermones de gran rareza. Uno es el de Diego de Alburquerque con una curiosísima edición de Sevilla, 1613, de la que, de momento, sólo se conoce otro ejemplar en la Biblioteca Nacional de Madrid (véase ficha núm. 2 de nuestro trabajo). Otro sermón presentado hoy, el de Alonso de la Serna (núm. 29) es de extremada rareza y ha escapado a todos los bibliógrafos sevillanos. Es desconocido también por F. Herrero Salgado en su *Aportación bibliográfica a la oratoria sagrada española,* Madrid. C.S.I.C., 1971. Lo remarcable, y que indica el rico filón norteamericano, es que además del volumen ilinoyense, hemos localizado otros dos ejemplares en la Hispanic Society de Nueva York.

B) Localizamos dos *relaciones,* impresas en Sevilla, de gran rareza también. Nuestra ficha núm. 4 describe (y acaso sea éste el más concreto descubrimiento bibliográfico de este artículo) un incendio que sufrió Londres el 12 de septiembre de 1666, que no hemos visto citado en ningún lugar. Rara también, pero no tan inusitada rareza, es otra *relación,* ya mencionada por Montoto también (véase núm. 28).

C) He aquí otras obras de gran importancia y rareza que presentamos hoy: a) Francisco de Castro, *De arte rhetorica,* Sevilla, 1625 (núm. 6); b) la preciosa edición de la *Demanda del Sancto Grial,* Sevilla, 1537 (núm. 8), cuya existencia conoce Escudero, pero confiesa que no ha podido ver ningún ejemplar, aunque alude al testimonio de Gayangos que dice haberla visto en Edimburgo. Además del ejemplar de la Universidad de Illinois, de momento sólo hemos podido localizar otro ejemplar, casualmente también en el estado de Illinois, en la Newberry Library de Chicago. Al parecer sólo se conoce un ejemplar en España, el de la Biblioteca Nacional de Madrid; c) debe ser muy rara la edición sevillana de 1627 de la obra de Juan Vicente Peligero, *Primera y segunda parte del estilo y metodo de escribir cartas missivas...* (núm. 24), escapada a Escudero, Montoto, etc.; d) ofrecé cierta curiosidad la edición sevillana, 1633, de Pérez de Montalbán, *Sucesos y prodigios de amor...* (núm. 25), que si bien citada por Escudero, no señala ejemplares localizados.

D) Presentamos hoy dos incunables sevillanos. Se trata de la obra de Ramón Llull, *De Conceptione B.V. Mariae,* Sevilla, 1491 (núm. 12), que, misteriosamente, ha llegado a las praderas de Illinois procedente de la biblioteca particular sevillana del Marqués de Fuensanta del Valle (otro ejemplar ilinoyense de idéntica procedencia es la edición sevillana, 1564, de la *Historia imperial y cesárea* de Pero Mejía). El otro incunable que presentamos hoy es la *Crónica* de Diego de Valera, Sevilla, 1482 (núm. 30), del que Escudero confiesa no haber visto ningún ejemplar. Por fortuna sabemos ahora que lo poseen también la Biblioteca Nacional de Madrid y la Biblioteca de la Academia de la Historia. Y hemos localizado tres ejemplares más (otro en Estados Unidos, en California, y los otros dos en las ricas bibliotecas del British Museum de Londres y la Bibliothèque Nationale de Paris).

E) Gran rareza ofrecen las ediciones sevillanas de Juan de Palafox y Mendoza que posee la Universidad de Illinois (son tres, pero de gran rareza son las fichas núms. 21 y 22), sobre las que ya hemos llamado la atención en otro lugar[68], y que, dos de ellas han escapado, al parecer, a todos los bibliógrafos sevillanistas.

En resumen, ojalá estas notas bibliográficas nuestras animen a otros investigadores a rebuscas parecidas, en lejanas bibliotecas del mundo, para que todos, con devoción y seriedad, rindamos el homenaje que se merece la gloriosa historia de la imprenta sevillana.

---

68. Véase nuestro artículo: *Impresos raros de los siglos XVII-XIX de Juan de Palafox y Mendoza, Obispo de Puebla, en la biblioteca de la Universidad de Illinois,* en "Anuario de Letras" (México), vol. XII (1974), págs. 241-254. Incluido ahora en este volumen.

230 [1]

ACOSTA, José de, *ca.* 1539-1600. *Historia natvral y moral de las Indias en qve se tratan las cosas notables del cielo y elementos, metales, plantas y animales dellas y los ritos, y ceremonias, leyes, y gouierno, y guerras de los Indios. Compuesta por el padre Ioseph de Acosta religioso de la Compañia de Jesus. Dirigida a la serenissima infanta Doña Isabelle Clara Eugenia de Austria.* [Seuilla. Impr. en casa de Iuan de Leon. 1590]. 535 págs. + 15 hs. de tabla. 4.º.

Signaturas: $A^2 + B^8 - Z^8$, $Aa^8 - Nn^8$.

Cits.: Aguilar, *Lisboa,* n.º 128; *Catálogo,* n.º 90; Escudero, n.º 772; Gallardo, I, n.º 29; Graesse, pág. 15; Palau, I, n.º 1918; Simón Díaz, IV, n.º 1464, Bianchini, n.º 21.

En: IU, CBP, CCC, DLC, LBM, LBN, LoBP, MBN, MBP, MH-A, NjP, NN, NNH, NWM, PBN, PHi, PPL-R, PPULC, RPB, RPJCB, SBU, ScU, TBP, ViW, VBM, ZBU.

Colofón: "Fue impresso en Sevilla en casa de Iuan de Leon, junto a las Siete Rebueltas 1590".

Falta la portada y las últimas cinco páginas.

231 [2]

ALBURQUERQUE, Diego de. *Sermon, qve predico el Padre...,* en el Convento de S. Antonio de Sevilla a la onras, que hizo el insigne Colegio de San Buenaventuras, en la muerte del Reverendissimo P. General Frai Iuan del Hierro. Sevilla. Alonso Rodriguez Gamarra. 1613. 16 fs. 4.º.

Signaturas: A-A[16].

Cits.: Escudero, n.º 988, cita una edición de 1614, pero no de 1613. Félix Herrero Salgado, en su *Aportación bibliográfica a la oratoria sagrada española.* Madrid. C.S.I.C., 1971, cita también la misma edición de 1614 citada por Escudero. Simón Díaz, en cambio (t. V, n.º 255), es el único que la localiza con un ejemplar de la Biblioteca Nacional.

En: IU.

232 [3]

BRAONES, Alonso Martín, de. + *A Mayor Gloria De Dios. Epitome De Los Trivnfos De Jesvs, Y Finezas De Su Amor En La Redempcion Del Hombre. En Cuya Meditacion Dessea el espiritu conocer la Suprema, y Divina Magestad por medio de su Humanidad Santissima, y á su amor, adoración, y alabança combida á las criaturas. Escrivialo En Quinientas Octavas Don Alonso Martin Braones, Dedicandola A La Santissima Trinidad Padre, Hijo, Y Espiritv Santo, Tres Personas Distintas Y Vn Solo Dios Verdadero. Lleva Añadiduras Al Fin Las Aspiraciones Jaculatorias del mismo Autor para los siete dias de la semana.* Vendese En casa de Pedro Ponce, Mercader de libros, en la Plaza de San Francisco en frente de la pila. Con Licencia. En Sevilla, Por Lvcas Martin De Hermosillas, Año de 1686. 5 págs. + 1 h. + 88 fs. 4.º.

Signaturas: §[5], A-[4] Z[2].

Cits.: Escudero, n.º 1814; Jerez, pág. 19; Palau, II, n.º 3449; Penney, pág. 75; Simón Díaz, VI, n.º 5280; Ticknor, pág. 43.

En: IU, CtY, MB, MBN, NNH, SBP.

233 [4]

[ANON.] BREVE *relacion del horroroso incendio que ha padecido la Ciudad de Londres, desde Domingo 12. de Septiembre, hasta Iueves 16. del mesmo mes, de este Año de 1666.* [Sevilla, por Iuan Gomez de Blas, su Impressor mayor. Año de 1666.] 4 fs. 4.º.

Signaturas: A-A[4].

Colofón: "Con licencia, impresso en Sevilla, por Iuan Gomez de Blas, su Impressor mayor - Año de 1666".

Se trata de un ejemplar totalmente desconocido. No lo cita F. Escudero en su *Tipografía hispalense.* Madrid, 1894. Tampoco aparece en la nueva edición de bibliografía hispalense de Santiago Montoto, *Impresos sevillanos,* Madrid, C.S.I.C., 1948, ni en las diversas rebuscas de Francisco Aguilar Piñal, especialmente en sus *Impresos raros sevillanos del siglo XVII, conservados en el British Museum,* en *Archivo Hispalense* (1971), n.º 166, págs. 241-67.

En: IU.

234 [5]

CASAS, Cristobal de las, *m. 1576. Vocabulario de las dos lengvas toscana y castellana de Christoval de las Casas. En qve se contiene la declaración de Toscano en*

Castellano, y de Castellano en Toscano. En dos partes con vna introdvcion para leer, y pronunciar bien entrambas lenguas. Sevilla, vendese en casa de Francisco de Aguilar, impresso en casa de Alonso Escriuano, 1570. 12 hs. + 249 págs. 4.º.

Signaturas: +, A-Z⁸, Aa-Hh⁸.

Cits.: Catálogo, n.º 894; Doublet, pág. 41; Escudero, n.º 637; Palau, n.º 47000; Penney, pág. 98; Simón Díaz, VII, n.º 6069; Thomas, pág. 20; Viñaza, n.º 722; Bianchini, n.º 570; Krauss, pág. 40.

En: IU, BBR, CU, DLC, EBSL, ICN, LBM, LBP, MB, MBN, MFL, MiU, MoSW, NNH, OU, RBM,, SanBU, SorBP, WBN, BPS, BBC, BBU (3 ejemplares), MBRE, MBS, SorBP, ToBP, VBM, VBUn, VBM.

235 [6]
CASTRO, Francisco de, *m.* 1632. *De arte rhetorica. Dialogi qvator.* Hispali. In typographia Francisci de Lyra. 1625. 9 hs. + 247 págs. + 22 hs. 8.º.

Signaturas: o⁸, A⁸-T².

Cits.: Palau, III, n.º 48672; Simón Díaz, VII, n.º 7091.

En: IU, CBP, MBN.

Se trata de una reimpresión de la edición de Córdoba de 1611.

236 [7]
COLLENUCCIO, Pandolfo, 1444-1504. *Historia Del reyno De Napoles Auctor Pandolfo Colenucio de Pesaro Iurisconsulto. Traduzida de lengua por (sic) Toscana por Iuan Vazquez del Marmol, Corrector general por su Magestad. Dirigida al Illustrissimo Señor don Agustin de Herrera y Rojas Marques, Conde de las yslas de Fuente ventura, y Lançarote, del Cōseio de su Magestad.* Con Privilegio. En Seuilla por Fernando Diaz. Año 1584. A costa de Iuan de Medina Mercader de libros. 2 hs. + 167 fs. numerados 8.º.

Signaturas: [*]², A - X⁸ (el último en blanco).

Colofón: "Fue impressa la presente hystoria de la Coronica de Napoles en la muy noble y leal ciudad de Seuilla en casa de Hernando Diaz. Año 1584".

Cits.: Adams, I, n.º 2347; *Catálogo,* n.º 2350; Escudero, n.º 734 ("A costa de Diego Montoya); HC: 436/1215; Graesse, II, pág. 222; Palau, n.º 56780; Penney, pág. 139.

En: IU, CBP, LBM, MBL, MBN, MBP, NNH, PBN, SBU, ZBU.

Aguilar, *Lisboa,* n.º 120, cita un ejemplar de la Biblioteca Nacional de Lisboa.

237 [8]
DEMANDA *del sancto Grial. La demanda del sancto Grial: Con los marauillosos fechos de Laçarote y de Galaz su hijo 1535.* [Seuilla 1535] [8] hs. + cxciiij (i.e. 190) fs. Fol.

Signaturas: A⁸, a-k⁸, i-m⁶, n-z⁸, r¹⁰.

Muchos errores en la foliación del texto. Se omiten fs. xciiixcvi. Errores en la encuadernación: signaturas A está encuadernada entre [a¹⁻] y a² (fs. [1] y 2).

"Las profecias del sabio Merlin": entre fs. lxxxviij-xcvij (*i.e.* xcvii).

Colofón: "Aqui se acabe (*sic*) el primero y el segundo libro de la demanda del sancto Grial: con el baladro del famosissimo poeta y nigromante Merlin con sus profecias. Ay por consiguiente todo el libro de la demanda del santo grial: en el ql̄ se contiene el principio y fin dla mesa redonda recabamiento: y vidas de ciento y cincuenta caualleros conpañeros della. El ql̄ fue Impresso enla muy noble y leal Ciudad de Seuilla: y acabose en el año dla encarnacion de nuestro redemptor Jesu Christo de Mill y quinientos y treynta y cinco Años. A doze dias del Mes de Octubre. M.D.XXX. O   O".

Cits.: Catálogo, n.º 357; Graesse, II, pág. 355; Palau, IV, pág. 352; Escudero, n.º 367.

En: IU, ICN, MBN.

238 [9]
GARCILASO DE LA VEGA, 1503-1536. *Obras De Garcilaso De La Vega Con Anotaciones De Fernando De Herrera, Al Ilvstrissimo I Ecelentissimo Señor Don Antonio de Guzman, Marques de Ayamonte, Governador del Estado de Milan, i Capitan General de Italia* [Escudo con el lema: *Hoc Qvam Illvd Non Minvs Praeclarvm*] En Sevilla Por Alonso De La Barrera, Año de 1580. 4 hs. + 691 (*i.e.* 687) págs. + 2 hs. 8.º.

Signaturas: A⁶, A-N⁸, O⁴, P-Z⁸, Aa⁸, Bb⁴, Cc-Xx⁸, Yy⁴.

Cits.: Adams, I, n.º 244; Aguilar, *Lisboa,* n.º 112; Escudero, n.º 700; Gallego Morell, pág. 36, nota 57; Graesse, II, pág. 25; Jerez, pág. 56; Keniston, n.º C5; Penney, pág. 225; Salvá I, n.º 706; Simón Díaz, X, n.º 4436, Bianchini, n.º 1808, Krauss, pág. 96.

En: IU, BBC, BPS, CU, EBSL, IaU, GBG, LBM, MB, MBN, MH, MoU, NNH, OU, PBN, PU, RPB, SBC, SBFL, SBU, SMP, VBM, VBV.

Hay, además, un ejemplar en la Biblioteca Nacional de Lisboa, sign. Res. 898 P y en el Trinity College de Cambridge.

Poseen ejemplares asimismo Eugenio Asensio (Lisboa), José Manuel Blecua (Barcelona), William M. Fichter (Providence, Rhode Island), David A. Kossoff (Providence, Rhode Island), herederos de E. Glaser (Ann Arbor, Michigan), viuda A. Rodríguez Moñino (Madrid) y A. Pérez Gómez (Cieza, Murcia). (Vid. Gallego Morell, *op. cit.,* pág. 36, nota 57).

239 [10]
HERRERA, Fernando de, 1534-1597. *Versos de Fernando de Herrera Emendados i dividídos por el En tres libros. A Don Gaspar de Gvzman, Conde Olivares, Gentilombre de la Camara de Principe nuestro Señor, Alcaide de los Alcaçares Reales de Sevilla, i Comendador de Bivoras en la Orden de Calatrava.* Año 1619. Con privilegio. Impresso en Sevilla, Por Gabriel Ramos Vejarano. 15 hs. incluso el retrato + 447 págs. + 10 hs. de tabla. 4.º.

Signaturas: .-··4, ···6, +++⁶, (+++₆ en blanco) A-Z⁴, Aa-Zz⁴, Aaa - Mmm⁴, Nnn².

Cits.: Escudero, n.º 1189; Goldsmith, pág. 82, n.º 35; Jerez, pág. 50; Krauss, pág. 56; Palau, n.º 114060; Penney, pág. 257; Salvá, I, n.º 668; Simón Díaz, XI, n.º 4249; Ticknor, pág. 171.

En: IU, BBC, BWA, CBP, CtY, GBU, ICU, LBM, MB, MBN, MRAE, MRAH, NIC, NNH, PBA, PBN, PU, SalBU, SanBU, SBC, SBU, SMP (2 ejemplares).

Se trata de la publicación póstuma de la más amplia colección de poesía herrerianas. Contiene 308 sonetos, 33 elegías, 18 canciones, 4 sextinas y 2 estancias.

Según José Manuel Blecua[69], "Abundan ejemplares en la Biblioteca Nacional de Madrid, R./10.971, R./14143; Academia de la Historia, 2-37-1148; Biblioteca Menéndez Pelayo, Santander; Biblioteca Universitaria de Santiago; Biblioteca Colombina, de Sevilla, 10-3-16-N; Biblioteca de Cataluña, de Barcelona, y Biblioteca del Arsenal de Paris, 4.º BL 4056.

240 [11]

JAUREGUI Y AGUILAR, Juan de, 1583-1641. *Rimas de Don Ivan de Iavregvi.* Sevilla, Por Francisco de Lyra Varreto, M.DC.XVIII (1618). 16 hs. + 307 págs. + 6 hs. de tabla. 8.º.

Signaturas: ₊3 + o⁴ - oo⁴ + o⁴, + A-Z⁴, Aa + Tt².

Cits.: Escudero, n.º 1138; Graesse, III, pág. 455; Jerez, pág. 54; Palau, VII, n.º 123296; Penney, pág. 279; Salvá, I, n.º 690; Ticknor, pág. 188.

En.: IU, LBM, MB, MiDW, NN, NNH, PBN (1718).

Se trata de la primera edición con la traducción de Jáuregui de *L'Aminta* de Torquato Tasso (págs. [1] 92).

El *catálogo* de la *Bibliothèque Nationale* de París (Cat. 77, págs. 484, sign. Yg1502) cita la misma edición, con fecha de 1718, seguramente errata.

241 [12]

LLULL, Ramón, 1235-1315. *De Conceptione B.V. Mariae.* [Sevilla, Paulus de Colonia et Socii, para Marinus Almodovar, 12 de marzo de 1491]. [28] fols. 20,3 x 13 cm.

Signaturas: a-a⁴; b-b⁴; c-c⁴; d-d⁴.

Colofón: "*Ad laudem honore intemerate virginis mariae: liber de ei' conceptu ab omni labe originali inmuni: ab egregio viro magistro Raymundo lull doctore illuminato compilatus (qui pro fide catholica laipidum ictibus occubuit apud tunicem ciuitatem agareno) felici numine est explicitus. Impressus hispali impensis religiosi viri fratris martini almodouar militie de calatravua. opera vero ingenio magistri pauli & colonia sociorum ei' alemanorum duodecima die martii. Anno ab incarnatione dni. 1491*".

69.   Véase su reciente obra *Fernando de Herrera. Obra Poética.* Edición de... Madrid, 1975 (Anejos del Boletín de la Real Academia Española, 32), pág. 75.

Se trata de una edición rarísima, publicada por los famosos "Cuatro alemanes compañeros impresores de Sevilla" (Pablo de Colonia, Juan Pegnizer, de Nuremberga, Magno Herbst y Tomás Glockner), llegados a Sevilla, procedentes de Italia, a principio del año 1490[70].

Nuestro ejemplar, falto de título, pero en buen estado de conservación, encuadernado con piel marroquí negra, procede de la biblioteca de Feliciano Ramírez de Arellano, Marqués de Fuensanta del Valle.

El primer folio empieza: *"Ihesu christe gloriose in quo vniuersi creati nobilitas..."*

Cit.: Biblioteca, núm. 696; Escudero, núm. 23; Faye, núm. 402; Goff, núm. 1-389; Graesse, IV, pág. 296; Haebler, núm. 385; Hain, núm. 5603-10326; Hazañas y la Rúa, 10323 = H 5603; Littré y Hauréau, pág. 257; Reichling, núm. 1026; Rogent, págs. 11-12, núm. 13; Stillwell, núm. 1-350; Vindel, núm. 22. Palau (vol. 7, pág. 717, núm. 143752), cita únicamente la edición de Tarragona, de 1518, impresa por Juan Vinyau.

En: IU, BBC, BBU, CSmH, MBN, MBU, SBC, ZBU.

Según Rogent, *op. cit.,* pág. 12, poseía un ejemplar asimismo, "Admirablement conservat", en su biblioteca privada, don Jaume Planes, de Mallorca.

242 [13]
MEJIA, Pedro, 1496-1552. *Dialogos eruditos compuestos por Pedro Mexia...* [Sevilla, 1570]
Vid. capítulo VIII, n.º 4.

243 [14]
———— : *Historia Imperial y Cesarea...* [Sevilla, 1564].
Vid. capítulo VIII, n.º 2.

244 [15]
MERCADO, Thomas de, m. 1575. *Svmma de tratos, y contratos. Compvesta por el muy reuerendo padre fray Thomas de Mercado de la Orden de los Predicadores, Maestro en sancta Theologia. Diuidida en seys libros. Añadida a la primera addicion,* [sic] *muchas nueuas resoluciones. Y dos libros enteros, como paresce en la pagina siguiente.* [grabado] Con licencia, y Preuilegio Real. En Sevilla. En casa de Hernando Diaz Impressor de Libros, en la calle de la Sierpe. 1571. 6 hs. + 1 h. + 153 (*i.e.* 156) fs. + 226 (*i.e.* 220) fs. + 13 hs. 4.º.

Signaturas: **[12], A-T[8], V[10], Aa-Zz[8], Aaa-Ggg[8], Hhh[6].

---

70. Vid. Don Joaquín Hazañas y la Rúa, *La imprenta en Sevilla. Noticias inéditas de sus impresores desde la introducción del Arte Tipográfico en esta ciudad hasta el siglo XIX. Por...* (Obra póstuma). Publícala la junta de patronato del Archivo y sección de publicaciones de la Excma. Diputación Provincial de Sevilla. Prólogo de Don Cristóbal Bermúdez Plata. Volumen I. Sevilla, MCMXLV., págs. 19-24. Los datos sobre esta rara obra atribuida a Llull, aparecen ahora muy ampliados en nuestro trabajo *La col.lecció lul.liana...* citado en la nota n.º 2, de la introducción general a este libro de *Estudios bibliográficos...*

Cits.: Escudero, n.º 652; HC: N5, n.º 27; Palau, IX, n.º 165052; Penney, pág. 356; Salvá, II, n.º 3704.

En: IU, DLC, InU, MBN, MH, MH-BA, MH-L, MnU, NN, NNH, RPJCB, BBP, CBP, MBN, MBL, MBP, PBP, SBU.

245 [16]
MONARDES, Nicolás, ca. 1512-1588. *Dos Libros, El Vno Qve Trata De Todas Las Cosas que traen de nuestras Indias Occidentales, que siruen al vso de la Medicina, y el otro que trata de la Piedra Bezaar, y de la Yerua Escuerçonera. Cōpuestos por el doctor Nicoloso de Monardes Medico de Seuilla.* [Grabado del impresor: *Effigies Nicolai Monardis Medici Hispalensis: Aetatis Svae Anno 57. **] Impressos En Sevilla En Casa De Hernando Diaz, en la calle de la Sirpe. Con Licencia y Priuilegio de su Magestad. Año de 1569. 3 págs. + 271 págs. sin numerar. 8.º.

Signaturas: A-R⁸, S⁴.

Cits.: Antonio, II, pág. 154; Escudero, n.ᵒˢ 630 y 647; Graesse, IV, pág. 573; HC: 327, n.ᵒˢ 349 y 1168; Heredia, I, n.º 486; Medina, BHA, n.º 195; Palau, X, n.º 175485-II; Penney, pág. 364; Sabin, n.º 49937; Thomas, pág. 61.

En: IU, DLC, ICN, InU, KU-M, LBM, MH, MH-A, MoSU, NN, NNH, NNBG, NNNAM, OU, RPJCB, VBV, MBN.

246 [17]
MOSQUERAS DE BARNUEVO, Francisco, m. 1612. [Portada grabada: *Soria Pvra Cabeça De Estremadvra*]. *La Nvmantina De el Licen.*ᵈᵒ *Don Franc.*ᶜᵒ *Mosquera De Barnueuo Natural de la dicha Ciudad. Dirigida A La Nobilissima Ciudad de Soria I a sus Doze Linages I Casas a ellos agregadas.* [Sevilla. Luys Estupiñan, 1612] [12] hs. preliminares con retrato del autor y árbol genealógico + 371 fs. + [29] hs. de *Tabla.* 4.º.

Signaturas: q⁸, A-Z⁸, Aa-Zz⁸, Aaa-Ddd⁸.

Colofón: "Impresso en Sevilla, en la imprenta de Luis Estupiñan, en este Año de M.DC.XII.".

Cits.: Doublet, pág. 94; Escudero, n.º 966; Goldsmith, pág. 121; Graesse, IV, pág. 615; Jerez, pág. 71; Palau, X, n.º 183470; Salvá, I, n.º 821; Ticknor, pág. 243.

En: IU, LBM, MB, MBN, MH, NNH, PU, PBN, RBM, SPB, VBP.

Lleva elogios poéticos entre ellos un soneto del hijo de Francisco, llamado Diego de Barnuevo.

247 [18]
NIEREMBERG, Juan Eusebio, ¿1595? - 1658. *Obras Christianas Del P. Juan Evsebio Nieremberg, De La Compañia De Jesvs. Qve Contienen Lo Qve Debe El Hombre hazer para viuir, y morir Christianamente, temiendo á Dios, despreciando el mundo, estimando la gracia, entendiendo la Doctrina Christiana, y preparandose para la muerte. Tomo Primero. Corregidas, y enmendadas en esta vltima impression. Al Señor D. Gonzalo Guillermo Fernandez De Cordova Cabeza de Baca, Cauallero del Orden de Santiago, del Consejo de su Magestad, en el Tribunal de su*

Contaduria Mayor de Cuentas, Señor de las Villas de Sariagos, Sanzenes, y Fuenco-llada en las Montañas de Leon. [Estampa jesuítica] Con Privilegio. En Sevilla, Por Lvcas Martin De Hermosilla. Año 1686. 8 hs. + 752 págs. Fol.

Signaturas: q^4, A-Z^8, Aa-Zz^8, Aaa^8, Bbb^3.

[t. II:] *Obras Christianas Del P. Jvan Evsebio Nieremberg, De La Compañia De Jesvs. Qve Contienen Los Tratados, que mas ayudan al Christiano à leuantar el espiritu, y vnirse con Dios, con vida perfecta. Tomo Segvndo. Corregidas, y enmendadas en esta vltima impression.* [Estampa jesuítica] Con Privilegio, En Sevilla, Por Lvcas Martin De Hermosilla. Año 1686. Año 1686. 3 hs. + 2 hs. + 387 fs. Fol.

Signaturas: A-Z^8, Aa-Zz^8, Aaa^6, Bbb^4.

[t. III:] *Obras Filosoficas del P. Juan Evsebio Nieremberg, De La Compañia De Jesvs. Ethicas, Politicas, Y Fisicas, Que contienen lo principal de la Filosofia Moral, Ciuil, y Natural, todo conforme à la piedad Christiana. Tomo Tercero. Corregidas, y enmendadas en esta vltima impressions.* [Estampa jesuítica] Con Privilegio. En Sevilla, Por Lvcas Martin De Hermosilla. Año 1686. 2 hs. + 391 fs. + 16 hs. Fol.

Signaturas: A-Z^8, Aa-Zz^8, Aaa-Ddd^8.

Cits.: Escudero, n.º 1839, que señala ejemplares en la Biblioteca Nacional de Madrid y en las bibliotecas de Sevilla, Huesca y Zaragoza; Palau, XI, n.º 190598; Salvá, II, n.º 3956; Simón Díaz, *Jesuitas,* n.º 1093.

En: IU, CLU, EBSL, LBM, MnU, PBDF, SanBU, SBU.

248 [19]
OÑA, Pedro de, 1570-1643. [Portada grabada]. *El Ignacio De Cantabria Por el Lic.^{do} Pedro de Oña Dirigido a la Compañia de IHS.* Con Privilegio En Sevilla Por Francisco De Lyra Año De MDCXXXIX (1639). 4 hs. + 214 fs. 4.º

Signaturas: §^{4}, A-Z^8, Aa-Cc^8, Dd^4.

Cits.: Escudero, n.º 1542; Jerez, pág. 76; Palau, XI, n.º 201624; Penney, pág. 393; Salvá, I, n.º 831.

En: IU, DLC, LBM, MBN, NNH, RPB.

Poema dividido en doce "libros".

249 [20]
OSSUNA Y RUS, Martín de. *Memorias, Y Recuerdos De Lo Sagrado, Y Real De La Repvblica De Dios. Dedicadas Al Serenissimo Sr. El Señor D. Jvan De Avstria Por El P. Fr. Martin De Ossvna Y Rvs, del Orden de N. Señora del Carmen de Observancia, y Colegial de S. Alberto de Seuilla.* Con Privilegio. En Seuilla, por Jvan Cabeças, año de M.DC.LXXIX (1679). 18 hs. + 602 págs. 4.º.

Signaturas: q^9, q^8, A-Z^8, Aa-Oo^8, Pp^5.

Cits.: Escudero, n.º 1795, que localiza ejemplares en la Biblioteca Nacional de Madrid, y en Sevilla; Palau, XII, n.º 206769.

En: IU, PBN.

Grabado de don Juan de Austria en la portada.

El título del primer volumen, las aprobaciones y el colofón llevan la fecha de 1679. El segundo volumen lleva la fecha de 1678.

El título del segundo volumen es *Memorias Sagradas. Segvnda Parte. Sigveses El Origen. I Progressos De Las Sagradas Religiones, Qve Prometimos Escrito Por el Padre Fray Martin de Ossuna y Rus, de la Orden de nuestra Señora del Carmen, Colegial de San Alberto, &c.* Con Licencia. Impresso en Sevilla, por Jvan Cabeças, año 1678. 384 págs. + 15 hs. 4.º.

Signaturas: A-Z⁸, Aa-Cc⁸.

Cits.: Escudero, n.º 1795, que localiza ambos ejemplares en la Biblioteca Nacional de Madrid, y en Sevilla; Palau, XII, n.º 206769 (ambos ejemplares).

En: IU, PBN.

250 [21]
PALAFOX Y MENDOZA, Juan de, 1600 - 1659. *Carta Segunda De Tres, Que El Venerable Señor Don Juan De Palafox...* [Sevilla. Año 1650].

Vid. capítulo IX, n.º 8.

251 [22]
—— —— : *Vida interior del Ilvstrissimo, y Venerable Señor D. Juan de Palafox y Mendoza...* [Sevilla, 1691]

Vid. capítulo IX, n.º 27.

252 [23]
—— —— —— : [Sevilla, L. Martin, 1691]

Vid. capítulo IX, n.º 28.

253 [24]
PELIGERO, Juan Vicente. *Primera Y Segvnda Parte Del Estilo Y Metodo de escrivir cartas missivas, y responder, como conviene a ellas en qualquier genero de conceptos, negocios, y ocasiones, conforme a la nueva prematica de Castilla. Cōpuesto, y traçado por Iuan Vicente Peliger, natural dela insigne y leal ciudad de Valēcia de Aragō. Agora en esta vltima Impression corregido, y enmendado.* Año 1627. [Escudo del impresor] Con Licencia. En Sevilla, por Simón Faxardo. [8] hs. + 99 (*i.e.* 104) fs. + [4] hs. + 85 fs. + 1 h. 8.º.

Signaturas: ¶⁸, A-Z⁸, Aa⁸, Bb⁴.

Cits.: No la cita Escudero ni tampoco Montoto. Palau, XII, n.º 216535.

En: IU.

Muchos errores en la foliación del texto. Folios 89 - 104 (del primer grupo) numerados 83-99.

La primera edición (Madrid, 1599) tiene título distinto: *Formulario y estilo curioso de escribir cartas misivas.*

254 [25]

PEREZ DE MONTALBAN, Juan, 1602-1638. *Svcessos, Y Prodigios De Amor. En Ocho Novelas Exemplares. Por El Doctor Ivan Perez De Montalvan, natural de la villa de Madrid, Notario del Sancto Oficio de la Inquisicion. Dirigidas a diuersas personas. Sexta impression.* 42. [floron] *Gloria paecedit humilitas. Prouerb. 15.* [florón] Con Privilegio. En Seuilla, Por Andres Grande. Año de M.DC.XXX.III (1633). 4 hs. + 164 fs. + 21 fs. + 18 fs. + 24 fs. + 20 fs. 4.º.

Signaturas: ¶⁴, A-V⁸, X⁴.

Va encuadernada con su:

A) *Amor, Privança, Y Castigo Tragedia. Del Doctor Ivan Perez de Montaluan. Representòla Andres de la Bega* [*s.l-s.f.*] 21 fs. *Signs.:* A-B⁸, C⁵.

B) *Comedia Famosa, El Divino Nazareno Sanson. Del Doctor Juan Perez De Montalvan.* [*s.l. - s.f.*] 19 fs. sin numerar.

Signs.: A-D⁴, E².

C) *Don Florisel De Niqvea. Comedia Famosa Del Doctor Ivan Perez de Montaluan.* [*s.l.-s.f.*] fs. 281-328. Signs. X-Z⁸.

D) *Comedia Famosa El Principe Prodigioso. Del Doctor Iuan Perez de Montalvan.* [*s.l.-s.f.*] 20 fs. sin numerar. *Signs.:* A-E⁴.

Cits.: Bourland, págs. 131-32; Escudero, n.º 1476; Graesse, IV, pág. 582; Jerez, pág. 80; Palau, XIII, n.º 221605; Penney, pág. 419; Salva, n.º 1929.

En: IU, NNH.

255 [26]

PRAGMATICA *que s.m. manda publicar para que se guarde, execute y observe la que se publicó el año 1684 sobre la reformación en el excesso de trages coches y otras cosas.* Sevilla. Por Juan Francisco de Blas. 1691. 4 fs. Fol.

Signaturas: A⁴.

Cits.: Aguilar, *British,* n.º 87; Escudero, n.º 1877, que localiza ejemplares en Sevilla; Palau, XIV, n.º 235540; Penney, pág. 539.

En: IU, LBM, MBN, NNH.

256 [27]

QUEVEDO Y VILLEGAS, Francisco Gómez de, 1580-1645. *Ivgvete De La Niñnez, y trauessuras de el Ingenio. De Don Francisco de Quevedo Villegas, Cauallero de la Orden de Santiago. Corregidas De Los Descvidos de los transladadores, y añadidas muchas cosas que faltauan, conforme a sus originales, despues del nueuo Catalogo.* [grabado] Año 1634. Con Privilegio. En seuilla, Por Andres Grande. 8 hs. + 168 fs. 8.º.

Signaturas: q⁸, A-X⁸.

Cits.: Astrana, pág. 661, n.º 59; Buendía, pág. 1285; Escudero, n.º 1485; Fernández-Guerra, pág. xcv, n.º 1634; Jerez, pág. 86; Palau, XIV, n.º 244284; Penney, pág. 446.

En: IU, LBM, MBN, NNH.

257 [28]
RELACION *Verdadera Del Viage, Seqvito, Y Entrada, Qve Hizo En Londres el Excelentissimo señor Principe de Ligni, de Amblice, y del Sacro Imperio, Cavallero del Insigne Orden del Tuson de Oro, Capital General de la Caualleria de los Estados de Flandes, Embaxador extraordinario al Serenissimo Carlos Segundo, Rey de la gran Bretaña, por la Magestad del Rey Don Felipe Quarto nuestro Señor (que Dios guarde) para darle la norabuena de la possession de sus Reynos, en que al presente se halla. Refiese Assimesmo La Resolvcion que el Rey de la Gran Bretaña tomò, de mandar hazer justicia de 28. personas, que fueron Iuezes, y solicitaron la muerte del Rey Carlos Primero, su padre, y otras cosas particulares sucedidas en aquellos Reynos. Este año de 1660.* Con licencia, impresso en Sevilla, por Iuan Gomez de Blas, Impressor mayor de dicha Ciudad. Año de 1660. [4] Fol.

Signaturas: A⁴.

Cits.: Montoto, n.º 172; Palau, XVI, n.º 258594.

En: IU.

258 [29]
SERNA, Alonso de la. *Sermon. En Las Onras Qve El Cabildo De La Santa Iglesia de Sevilla celebrò al Ilustrissimo señor don Pedro de Castro y Quiñones su Arçobispo, el siete de Enero de 1624. Por el Maestro don Alonso de la Serna, Racionero de la misma Iglesia, Consultor del Santo Oficio, y Administrador del hospital del Cardenal. A don Pedro Giron de Ribera, Marques de Alcala, señor de las villas de Lobon, Chuzena, y el Alpicar, de la Orden de Santiago de la Espada, &c.* [grabado] Con Licencia. Impresso en Sevilla, por Francisco Lyra. Año de 1624. 12 12 fs. 8.º.

Signaturas: [A⁴] - C⁴.

Cits.: Palau, XXI, n.º 309696; Penney, pág. 514.

En: IU, NNH (2 ejemplares).

259 [30]
VALERA, Diego de, 1412-¿1486? *La siguiente coronica y lustrissima prĩcesa es partida en quatro partes principales. La primera trata... Comiença la coronica de españa dirigida ala muy alta y muy excelente princesa Serenissima Reyna y Senora nuestra sennora donna ysabel Reyna de espanna de secilia y de cerdenna Duquesa de athenas Condessa de barcelona. abreuiada por su mandado por mosen diego de ualera su maestresala y del su consejo, Escrive latancio Serenissima Reyna... Fue acabada esta compilacion enla villa del puerto de santa maria bispera de san iuan de iunio del año del señor de mil y quatrocientos y ochenta y vn años seyendo el abreuiador della en hedad de sesenta y nueve años. sean dadas infinitas gracias a nuestro redenptor y ala gloriosa virgen su madre señora nuestra.*

Muchas cosas son illustrissima princesa queme persuaden asi alguna cosa por ingenio o trabaio de estudio fallar se pueda a nuestros contenporaneos y aun alos que venirse esperan por modo de breuedad, la qual es amiga de todo sano entendimiento la comuniquemos. por que nuestra hedad o tiempo que alos antes pasados varones en parte paresce auer enbidia no sea engañada.

o la qual hedad a pena cede ni lugar quiere a algun siglo delos que fueron antes del nuestro presente. y por que las istorias cronicas que por luengos interualos de tienpo por guerras y otras varias dissensiones parescen ser sepultas y enmudecidas sin fruto. o cabsa dela penuria de originales y trasuntos. que por pereza o flaca liberalidad es interuenida.

o agora de nueuo serenissima princesa de singular ingenio adornada de toda dotrina alunbrada de claro entendimiento manual, asi como en socorro puestos ocurren con tan marauillosa arte de escreuir do tornamos enlas hedades aureas restituyendonos por multiplicados codices en conoscimiento delo pasado presente y futuro tanto quanto ingenio humano conseguir puede. por nascion alemanos muy espertos y continuo inuentores enesta arte de inpremir que sin error. diuina dezir se puede. delos quales alemanos es vno michael dechauer de marauilloso ingenio y dotrina muy esperto de copiosa memoria familiar de vuestra alteza a espensa del qual y de gracia del castillo vezino de medina del canpo tesorero dela hermandad dela cibdad de seuilla la presente istoria general es multiplicada copia por mandado de vuestra alteza. a honrra de soberano y inmenso dios vno en esencia y trino en personas. y a honrra de vuestro real estado y instrucion y auiso. delos de vuestros reynos y comarcanos en vuestra muy noble y muy local cibdad de seuilla. fue impresa por alonso del puerto. enel año del nascimiento de nuestro saluador ihesu xpo de mill y quatrocientos y ochenta y dos (1482) *años.* [Sevilla. Por Alonso del Puerto. A costa de Michael Dachauer y García del Castillo. 1482]. Fol. got. 184 fols. de 36 líneas mayúsculas romanas.

Edición príncipe.

"Sirvió de base a esta copilación, y a las demás que se hicieron en los siglos XV y XVI, la antigua *Crónica general* mandada escribir por Alfonso el Sabio.

Pero Valera ilustró su obra con ficciones inventadas o tomadas de malos textos". (Palau, XXV, pág. 68).

Signaturas: $+^{10}$, A-X^8, Y^6.

Cits.: Goff, pág. 615, n.º V-13; Haebler, n.º 654; HC: [W.A. Copinger], n.º 15766; Madsen, n.º 4052; Palau, XXV, n.º 348586; Proctor, n.º 9519A; Salva, II, n.º 3204; Simón Díaz, III, n.º 6481; Thomas, pág. 96; Vindel, vol. 44: 12; Escudero 8, que dice no haber visto ejemplar alguno en España.

En: IU, CSmH, LBM, MdBJ-G, MBN, MRAH, PBN.

XII

IMPRESOS TOLEDANOS DE LA EDAD DE ORO[71]

---

71. Se publica en *Anales toledanos*, XIII (1980), 93-106.

Hoy efectuamos una cala centrada únicamente en los impresos toledanos que se albergan en Urbana.

Nadie duda de la gran importancia que revistió la imprenta toledana en los siglos XVI y XVII. Y C. Pérez Pastor publicó una monumental investigación a la que nos referimos continuamente en estas páginas. A ella remitimos al lector curioso en busca de más detalles (aprobaciones, dedicatorias, etc.) que no nos ha parecido necesario duplicar aquí. Por lo que respecta a los siglos XVI y XVII Pérez Pastor consigue enumerar cerca de 600 ediciones. El documentado erudito se basa para su descripción en ejemplares que se encuentran, en general, en Toledo. De aquí la importancia de completar tan parca información (en cuanto a existencias) con los fondos que se vayan conociendo en otras bibliotecas, cada vez mejor inventariadas, algunas de ellas. Eso pretendemos hoy por lo que respecta a Urbana. Con alegría hemos constatado, en una rebusca reciente en la Biblioteca Nacional de Madrid, que la mayoría de los ejemplares ilinoyenses también se hallan representados en la biblioteca madrileña. Y así lo hemos consignado ahora. Nuestro trabajo arroja como resultado la localización de once ediciones toledanas en Urbana, todas de gran importancia y rareza. Se halla una buena representación de los famosos impresores de Toledo: Juan de Ayala, Juan de la Plaza, Juan Rodríguez, Pedro Rodríguez, Bernardino de Guzmán, Diego Rodríguez, Doña María Ortíz de Saravia y Francisco Calvo (hemos seguido el orden cronológico que utiliza Pérez Pastor en sus tablas de págs. XIX y XX).

Además del ejemplar ilinoyense, y con ocasión de él, hemos localizado otros ejemplares dispersos por el mundo. Esta nómina no pretende ser completa, aunque podemos asegurar que, en algunos casos, se trata de la más amplia que se conoce hasta la fecha. Hasta la letra *R* ha sido posible utilizar los datos del *Union Catalog*, en curso de publicación, por lo que se refiere a Norteamérica, y para los libros del siglo XVI que alcanzaban hasta la letra *M*, se ha podido manejar el *Catálogo colectivo de bibliotecas españolas,* también en curso de publicación. Todo ello se ha completado con calas esporádicas en otros repertorios bibliográficos que se citan oportunamente[72].

En la lista de ediciones que presentamos podríamos establecer ciertas características y núcleos especiales.

A) Abundan los libros de carácter religioso o relacionados con personajes importantes de la iglesia. Ello es lógico teniendo en cuenta que Toledo representa la sede primada de la iglesia española. No olvidemos tampoco un hecho archiconocido y obvio: Toledo durante buena parte del siglo XVI (hasta su traslado a Madrid) era la capital de la nación más religiosa del mundo.

B) Por su rareza destacan en el presente artículo el *Calendario romano* impreso por Juan de la Plaza en 1578. Sólo se conocen hasta el momento 3 ejemplares en el mundo, uno de ellos precisamente en la Universidad de Illinois (véase ficha n.º 1).

También es de gran rareza el libro de Gregorio López y Madera, *Excelencias de San Juan Baptista,* Toledo, 1617 (véase ficha n.º 4). Los dos únicos ejemplares que se conocen en Norteamérica están casualmente localizados en el estado de Illinois: uno en Urbana y otro en Chicago, en la Newberry Library. También escaso es el libro de Francisco de Miranda y Paz, *El desengañado. Filosofia moral,* Toledo, 1663 (ficha n.º 7). El ejemplar ilinoyense procede nada menos que de la biblioteca particular del famoso político del siglo XIX, Antonio Cánovas del Castillo. De misma rareza parece ser también el *Flos Sanctorum,* publicado por Alonso de Villegas Selvago en 1591 (ficha n.º 11).

C) El descubrimiento más importante de la presente contribución lo constituye el bello postincunable *Aurea expositio hymnorum una cum texta,* de 1504, que en la

---

72. Estando en prensa el presente artículo hemos recibido amable contestación (2, XI, 1977) desde Cambridge del Sr. Norton, quien, en efecto confirma nuestras suposiciones. Reproducimos (traduciéndolos del inglés al castellano), varios párrafos de tan importante carta: "Durante el cuarto de siglo en que he ido coleccionando material para mi catálogo, nunca he encontrado otro ejemplar (o mención de otro) de su *Aurea expositio hymnorum,* Toledo, 1504. Cuando, hace años, su ejemplar salió a la venta ofrecido por Herbert Reichner, intenté adquirirlo para la biblioteca de la Universidad de Cambridge, pero su biblioteca [es decir la de Illinois] lo había comprado ya, y amablemente me permitieron obtener un microfilm, con el que he efectuado la descripción en mi catálogo (núm. 1039).

Su libro fue impreso, basándome en la incontrovertible evidencia de los tipos de imprenta, por el anónimo sucesor de Pedro Hagenbach, quien había muerto en 1502; el sucesor imprimió unas cuarenta obras entre 1503-1511 y son, en general, los tipos introducidos por Hagenbach pero ocasionalmente añadió material por su propia cuenta, por ejemplo los tipos más pequeños que se encuentran en el ejemplar de Illinois. El editor de esta recensión de la *Aurea expositio hymnorum,* era Jacobus a Lora, quien compuso los dos himnos al final del libro. En otras ediciones se le denomina Jacobo Alora. Nunca he podido determinar si tomó el nombre de Lora del Río, entre Sevilla y Córdoba, o de Alora en la provincia de Málaga". Después de haber redactado la presente nota, ha aparecido *A descriptive Catalogue of printing in Spain and Portugal 1501-1520*, Cambridge, Cambridge University Press, 1978 donde se incorpora, basándose en el ejemplar ilinoyense, una ficha, la núm. 1039, pág. 373.

ficha de Illinois se atribuye a las prensas de Pedro Hagenbach, y se señala como editor a Jacobus Alora. Véanse los grabados que acompañan este trabajo donde se reproduce la portada y el colofón, ya que no se indica ninguna fecha en la que parece portada. Es un libro totalmente desconocido: no aparece en el catálogo del British Museum, en Pérez Pastor, en Palau, en Simón Díaz... Y tampoco en la obra de F.J. Norton, *Printing in Spain 1501-1520...* Cambridge, University Press, 1966. Sólo tras un estudio muy especializado y a la vista de otros ejemplares impresos por Hagenbach o su imprenta, se podría llegar a conclusiones más seguras. Ojalá que un especialista en el período como al Sr. Norton a quien hemos comunicado nuestro hallazgo, pueda resolver este problema.

D) El jesuita padre Mariana se encuentra bien representado en Urbana con dos importantes ediciones príncipes, ambas en latín (véanse fichas 5 y 6). También se alberga en Urbana una de las más positivas defensas de la historia de Mariana. Nos referimos a la de Tamayo de Vargas (véase ficha n.º 10). Digamos de pasada que en Urbana se encuentra una de las mejores colecciones en Norteamérica del Padre Mariana, con títulos impresos en muchos lugares del mundo, y de ello nos hemos ocupado al publicar el catálogo general de fondos raros españoles.

En conclusión, acabamos de presentar una colección de libros toledanos todos raros e importantes, y ojalá otros investigadores se animen a recoger otras muestras dispersas por las muchas bibliotecas del mundo y a completar, con más ejemplares, las fichas presentadas hoy, con las que se pretende rendir homenaje a la ilustre historia de la imprenta en Toledo.

260 [1]

CALENDARIVM / perpetuum & Generale breuiarii / + ‡ romani ‡ + / Ex decreto Sacrosancti concilii Tridentini nuper editi Triginta sex Tabulis constans, protota Hispania cum festis que generaliter in Hispaniarum Regnis auctoritate / Apostolica celebrantur. In quo de concurrentia, & ocurrentia off-/ciorum singulis cuius q; Anni diebus, dèq; alijs dubijs copio siús, / ac euidentiùs quam alias, PETRO RVYSSIO presbitero. / Toletano annotatur auctore. [Grabado en madera representando el martirio de San Lorenzo] CVM LICENTIA MAIESTATIS REGIAE. / EXCV-DEBAT *TOLETI* IOANNES A PLAZA. / Typographus, Anno MDLXXViij (1578). 32 hs. + 891 págs. + 104 págs. + 2 hs. 8.º.

Signaturas: . - ....⁸, A-Z⁸, Aa-Zz⁸, Aaa-Qqq⁸, A-G⁴.

Cits.: Catálogo, n.º 129; Palau, n.º 40355; Pérez Pastor, n.º 355.

Ejemps.: IU, PBP, TBPr.

Observs.: Port. a dos tintas, en rojo y negro. *Colofón:* Toleti, / Excudebat Ioannes a Plaza Typographus, Anno a partu virgineo, / 1578.

261 [2]

CEVALLOS, Jerónimo de. ARTE REAL / PARA EL BVEN GOVIERNO / de los Reyes, y Principes, y de sus vassallos. En el / qual se refieren las obligaciones de cada vno, con los prin-/cipales documentos para el buen gouierno. CON VNA TABLA DE LAS MA-/terias reduzida a trezientos Aforismos de Latin y Romance. / DIRIGIDO A LA CATOLICA MAGESTAD / del Rey don Felipe IIII. N.S.

Monarca y Emperador de las / Españas, no reconociente superior en lo temporal. / LEGE, [Escudo de armas] ET REGE. POR EL LICENCIADO GERONIMO DE ZEVA - / llos, Regidor de la Imperial ciudad de Toledo, en el vanco y assiento de / los Caualleros, y vnico Patron del Monasterio de los Descalzos / Franciscos de la dicha ciudad. / Año M.DC. XXIII (1623) [Filete] En Toledo. A costa de su autor. 8 hs. + 190 fols. [*i.e.* 380] + 15 hs. 4.º.

Signaturas: a⁸, A-Z⁸, Aa-Zz⁸, Aaa-Ccc⁸.

Cits.: Agulló, pág. 55; Goldsmith, pág. 40, n.º 513; Pérez Pastor, n.º 515; Simón Díaz, VII, n.º 7597; Krauss, pág. 43.

Ejemps.: IU, C, DBRP, LBM, LBMun, MBN, MFL, PBN, SanBU, TBPr, TxU, ZBU.

Observ.: Portada. - Verso en blanco. - Censura del Dr. Pedro de Rosales. - Dedicatoria al conde de Olivares: Toledo, 1.º de enero de 1623. *Colofón:* En Toledo, en casa de Diego / Rodriguez, Impresor del / Rey nuestro señor. / Año de M.DC.XX.III. /

262 [3]
IGLESIA CATOLICA [Liturgía] [Grabado de la última cena] Aurea expositio hymno / rum vna cum texta. / [Toledo: Pedro Hagenbach 28 de agosto de 1504] 46 fols. 4.º.

Signaturas: a⁸ - f⁶.

Ejemps.: IU. Ejemplar único, desconocido por los bibliógrafos.

Observs.: Edición rarísima, totalmente desconocida. Acaso se trate de un ejemplar impreso en la imprenta de Pedro Hagenbach, impresor alemán en Toledo, muerto antes de 1502. Sabido es, según Haebler (*Die deutschen Buchdrucker des XV. Jahreshunderts in Auslande,* pág. 251), que la imprenta de Hagenbach continuó funcionando después de su muerte. Sin embargo se ignora quién imprimió este bellísimo ejemplar en letras góticas. He aquí lo que dice Pérez Pastor (*ob cit.,* pág. XX) sobre tan famoso impresor: "Después de trabajar en Valencia en compañía de Leonardo Hutum o Hutz, aparece en Toledo Pedro Hagenbach, imprimiendo de 1498 a 1502 varios libros de condiciones tipográficas tan excelentes, que se pueden comparar, sin desmerecer, con las mejores incunables, no solo de España, sino de fuera de la Península. Además de usar siempre un papel magnífico y de las mejores marcas, inmejorables tintas y fundiciones nuevas, sus obras ofrecen la particularidad de estar exentas de erratas, hasta el punto de ser sumamente difícil encontrar una de ellas. Tuvo la suerte, además, de encontrar un editor entendido y rico en Melchor Gorricío, y ambos la protección de un Mecenas tan espléndido como el Cardenal Cisneros". F.J. Norton en *Printing in Spain 1501-1520 with a note on the early editions of the Celestina,* Cambridge, 1966 cita otras varias ediciones con el mismo título en fechas posteriores, y en otras ciudades pero no ésta de 1504. Tampoco en el Catálogo del British Museum en que aparecen varias ediciones europeas con el título *Aurea Expositio Hymno,* se conoce este rarísimo impreso toledano.

263 [4]

LOPEZ MADERA, Gregorio. [Portada grabada en cobre con las siguientes palabras: *Hic Venit in Testimonivm Vt Omnea Crederent per Illvm*] EXCELLEN [Grabado de San Juan Bautista] CIAS DE SÃ / IVAN BAPTISTA. / Dirigidas Al Rey Don PHelippe, III. *Nú-* / **estro Señor;* / Y Recopila [Escudo de armas] das por el D.°r Gregorio Lopez Madera / Alcalde de Su Casa, Y. / Corte Co [Escudo de armas] Regidor de La Imperial Cibdad de Î / Impressas en ella por bernardino de guzman, Año de, 1617 [firma] Petrus Angelus, In, et f. 12 hs. + 305 fols. + 26 hs. 4.°.

Signaturas: ¶ - ¶¦¶ ¶⁴, A-Z⁸, Aa-Pp⁸, Qq¹, a-h⁴, (h₃₋₄ en blanco).

Cits.: Graesse, IV, pág. 258; Palau, n.° 141355; Pérez Pastor, n.° 490; Simón Díaz, *Cien escritores,* n.° 42; Vindel, n.° 1927.

Ejemps.: IU, CBP, ICN, GBU, MBN, MFL, SBU, TBPr.

Observs.: Muchos errores en la foliación del texto. *Colofón:* Con Privilegio. En Toledo, por Bernardino de Guzman: Año de 1617.

264 [5]

MARIANA, Juan de, S.J., 1536-1624. I O A N N I S / MARIANAE / Hispani, / E SOCIE. IESV, / DE PONDERIBVS ET / mensuris. / Anno [Escudo jesuítico con letras: IHS] 1599. / CVM PRIVILEGIO. / *Toleti, Apud Thomam Gusmanium.* 4 hs. + 192 págs. 4.°.

Signaturas: ¶⁴, A-Z⁴, Aa⁴.

Cits.: Adams, I, n.° 580A; *Catálogo,* n.°s 661 y 662; Graesse, IV, pág. 395; HC: NS4 / 1033; Heredia, n.°, 7993; Maggs Bros., n.° 573, que cita a Colmeiro, n̈.° 265 y Picatoste, n.° 446; Palau, n.° 151724; Penney, pág. 335; Pérez Pastor, n.° 436; Salvá, II, n.° 2584; Simón Díaz, *Jesuitas,* n.° 711; Thomas, pág. 56; Ticknor, pág. 215.

Ejemps.: IU, C, CBP, CLU, CtY, CtY-M, CU, LBM, LBP, MAH, MB, MBL, MBN, MBP, MBSd, MH, MH-BA, NBG, NNH, PBN, PBDF, SalBU, SanBU, SBU, SMP, TBPr, ZBU y CSt-H.

Observs.: Se trata de la primera edición de esta obra que Salvá calificaba de "rara". También en el catálogo de Maggs Brothers (n.° 495) se indica que es "una de las obras más raras del distinguido jesuita español". Después de los extensos censos que representan por una parte el *Union Catalog* (para Norteamérica) y el *Catálogo Colectivo* (para las bibliotecas españolas) habrá que rectificar lo relativo la rareza de la obra. Nosotros en esta ocasión hemos localizado 28 ejemplares y no sería difícil añadir alguno mas. La obra fue muy popular ya que estudia los pesos y medidas en Grecia, Roma y el pueblo hebreo, y su comparación con los equivalentes toledanos. Esta edición lleva el siguiente *colofón:* Toleti, Apud Thomas Gus / manium, Anno 1599.

265 [6]

—— IO MARIANAE / Hispani. / E SOCIE. IESV. / HISTORIAE / DE REBVS HISPA- / NIAE / LIBRI XX [Escudo de armas] Toleti, / Typis Petri Roderici / 1592. / Cum facultate & Priuilegio. 4 hs. + 959 págs. + 6 hs. Fol.

Signaturas: ()², A-Z⁸, Aa-Zz⁸, Aa-Ooo⁸, + 6 hs.

Cits.: Adams, I, n.º 580c; *Catálogo,* n.ᵒˢ 665-6; Damonte, n.º 1085; Graesse, IV, pág. 395; Heredia, n.º 7282; Krauss, pág. 64; Millares, n.º 54, que cita a Sommervogel, V, col. 547; Palau, n.º. 151660; Pérez Pastor, n.º 402; Salvá, II, n.º 3016; Simón Díaz, *Jesuitas,* n.º 705; Thomas, pág. 56.

Ejemps.: IU, BWB, CBP, GenBU, LPMC, MaBP, MBN, NNH, PBN, OBU, SalBU, SanBU, Sid, SMP, WSB.

Observ.: Ya el hispanista francés G. Cirot afirma, refiriéndose a las varias ediciones latinas de esta obra: "Les exemplaires des éditions latines ne sont pas rares". en su artículo *Les éditions de l'Historia de España de Mariana, Bulletin Hispanique,* III (1901), pág. 83. El mismo investigador en su importante libro *Mariana historien,* Bordeaux, 1904, estudia los problemas referentes a las varias ediciones de esta misma obra de 1592. El señala (en págs. 452-453) 5 distintas ediciones y se refiere a ejemplares concretos. El ejemplar de Illinois coincide con la edición descrita por Pérez Pastor, *ob. cit.,* n.º 402, págs. 159-60; y lleva el *ex libris* de Mr. George Carre Advocate. Cirot, como acabamos de señalar, hace alusión a otros cuatro distintos tipos de ediciones, publicadas en 1592, que categoriza y localiza del modo siguiente: 2.º tipo (Salvá, n.º 3016), con un ejemplar en BBM; 3.º tipo (con las dos hojas que faltan en tipo 2.º), con ejemplares en LBM y MBN; 4.º tipo (Salvá, n.º 3015 y Pérez Pastor, n.º 403), con ejemplares en MAH y MBP) y, por último, otro tipo de edición, una en la Biblioteca Nacional de Madrid y otra de propiedad del mismo Cirot.

266 [7]
MIRANDA Y PAZ, Francisco de [Portada grabada en cobre y firmada *"Pˢ. de Villafranca sculpsit Matriti".* EL DESENGA / ÑADO / PHILOSOPHIA / MORAL / [Grabado con el lema: "VANITAS VANITATUM ET OMNIA VANITAS Eccles. C. 1"] POR D. FRANCISCO DE MIRANDA Y PAZ. / *Salmanticense Capellan de su Mag.ᵈ en la Real capilla de los Señores / Reyes nueuos sita en la S.ᵗᵃ Iglesia de Toledo. / Con privilegio en* Toledo por Francisco Caluo Impressor. Año 1663. 6 hs. + 205 fols. + 3 hs. 4.º.

Signaturas: ₔ4, A-Z⁴, Aa-Zz⁴, Aaa-Fff⁴.

Cits.: HC 387 / 4746; Palau, n.º 172279; Penney, pág. 362; Pérez Pastor, n.º 567.

Ejemps.: IU, MBN, NNH, OU, TBPr.

Observs.: Tasa: Madrid, 27 Setiembre 1663. - Aprob. de Don Antonio Castañon: Toledo, 30 abril 1659. - Aprob. del P. Agustin de Castro: Colegio Imperial de la Compañia de Jesús, 19 junio 1660. En el ejemplar de Urbana los datos de la portada se reproducen a mano. Lleva el *ex libris* de Biblioteca de Don A. Cánovas del Castillo.

267 [8]
RADES Y ANDRADA, Francisco de. [Portada con adornos laterales de las cruces de Santiago, Calatrava y Alcántara]. CHRONICA DE LAS / tres Ordenes y Cauallerias de San- / ctiago, Calatraua y Alcantara: en la qual se trata de su origen y successo, y / notables hechos en armas de los Maestres y Caualleros de ellas: y de mu- / chos Señores de Titulo y otros Nobles que descienden de los / Maestres: y de muchos otros Linages de España. Com / puesta por el Licenciado Frey Francisco de

/ Rades y Andrada Capellan de su / Magestad, de la Orden de Calatraua. [Escudo de armas] ¶ Dirigida a la C.R.M. del Rey don Philippe nuestro señor, / Administrador perpetuo destas Ordenes. / ¶ Impressa con licencia en Toledo, en casa de / Iuan de Ayala. Año. 1572 ⁾ Con Priuillegio (*sic*) Real por diez años. [4] hs. + 73 fols. + 85 fols. + 55 fols. 3 partes en un vol. Fol.

Signaturas: ✠ ^{4}, ¶^{8}, A-L^6, M^8, A-H^6, I^8, I$_8$ en blanco.

Cits.: Cosens, n.º 3613; Damonte, n.º 147Q; Magg Bros., pág. 518, n.º 801; Palau, n.º 246034; Pérez Pastor, n.º 332; Salvá, II, n.º 1664; Simón Díaz, *Religiosos,* n.º 159, *Catálogo... letras Q-R,* n.ᵒˢ 21-23.

Ejemps.: IU, CBU, CrBU, CU-A, DFo, EBSL, GenBU, ICN, ICU, InU, MH, MBN, NN, NNH, PBN, OU, TBPr, BBP, LBP, MaBP, MBL, MBP, OrBP, SBU.

Observ.: Tasa: Madrid, 22 abril 1572. En la portada la palabra "Priuillegio" aparece con dos *ll.*, seguramente erratum de imprenta. Se contiene un *Catálogo de las obligaciones q̃ tenian los Comendadores e Caualleros de la orden de Calatraua en razon de su Hacienda y Profession:* Madrid, 1.º Julio 1571.

Ya Salvá calificaba así este libro: "obra rara, importante y de mucho interés". También en el catálogo de Maggs Bros. se lee: "A rare and important work..." La importancia literaria (además de histórica) de esta obra es inmensa ya que inspiró la tragicomedia *Fuenteovejuna* de Lope de Vega. Es curioso que ahora, además del ejemplar ilinoyense, hayamos podido localizar diez ejemplares más en Norteamérica.

268 [9]
SALAZAR DE MENDOZA, Pedro, biógrafo, *m.* en 1629. CRONICA / DE EL GRAN CARDE / NAL DE ESPANA DON PE- / DRO GONÇALEZ DE MEN-DOÇA, / Arçobispo de la muy santa Yglesia Primada de las / Españas: Patriarcha de Alexand.ª Can- / ciller mayor de los Reynos de Castilla, y de Toledo. / AL DVQUE DE EL INFANTADO, DON RODRIGO Diaz de Vibar de Mendoça de la Vega, / y de Luna, Conde de el Cid. / POR EL DOCTOR PEDRO DE SALA-ZAR, / Y DE Mendoça Canonigo Penitenciario de la mesma muy Santa Yglesia. [Lema: Improbe Neptunum accusat, / qui aeternum naufragium facit] / EN TOLE-DO, / En la Emprenta de doña Maria Ortiz de Sarauia, Impressora / de el Rey Catholico nuestro Señor. / [Línea] Año de MDCXXV (1625). 4 hs. + 479 págs. Fol.

Signaturas: ✠ ^{6}, A-Z^8, Aa-Gg^8, ¶^{6}.

Cits.: Goldsmith, pág. 161, n.º 97; Knapp-Huntington, pág. 289; Octavio, n.º 429; Palau, n.º 286873; Penney, pág. 492; Pérez Pastor, n.º 523; Salvá, II, n.º 3509; Ticknor, pág. 318.

Ejemps.: IU, LBM, MB, MBN, NNH, TBC.

Observs.: El ejemplar de Illinois está falto de portada. Privilegio al autor por diez años: Madrid, 17 Setiembre 1624. Se trata de la misma edición descrita por Pérez Pastor (*ob. cit.* pág. 208).

269 [10]

TAMAYO DE VARGAS, Thomas. HISTORIA / GENERAL / DE ESPAÑA / DEL P.D. Iuan de Mariana / DEFENDIDA / POR EL DOCTOR DON / THOMAS TAMAIO DE VARGAS / CONTRA LAS ADVERTENCIAS / de Pedro Mantuano, / Al Illustriss. Don Bernardo de Sandoual i / Rojas Cardenal, Arçobispo de Toledo, / Primado de las Españas, Inquisidor / General, Chanciller maior / de Castilla, &c. / CON PRIVILEGIO, / [Línea] En Toledo, por Diego Rodriguez, / Año MDC XVI. (1616). 14 hs. + 341 págs. + 55 págs. 4.º.

Signaturas: ¶⁴, a-b⁴, A-X⁸, Y⁴.

Cits.: Goldsmith, pág. 188, n.º 16; Graesse, pág. 24; HC 327 / 557; Palau, n.º 327108; Penney, pág. 549; Pérez Pastor, n.º 487; Salvá, II, n.º 3195; Simón Díaz, Cien escritores, n.º 765.

Ejemps.: IU, CBP, LBM, MBN, MFL, MRAH, NNH, SanBU, SBC, SBU, TBC.

Observ.: La edición representada contiene además: *Razón de la His / toria del P.D. Iuan de Mariana: de / las Aduertencias de Pedro Mantuano contra ella: y de la defensa / del Doctor Don Thomas / Tamaio de Vargas,* pero *no* tiene:

Defensa / de la Descen / sion de la Virgen N.S. a la S. Iglesia de Toledo / a dar la casvlla a / sv. B. Capellan S. / Ildephonso. / Por el D. Don Thomas / Tamaio de Vargas. / Al Il. S. Cardenal Arço / bispo de Toledo, Prima / do de las Españas. Véase Pérez Pastor que en el ejemplar toledano que él describe sí incluye la *Defensa de la Descencsion de la Virgen...* Otra diferencia es que Pérez Pastor sólo menciona seis hojas preliminares. El ejemplar de Urbana tiene el *ex libris* de Heredia.

270 [11]

VILLEGAS SELVAGO, Alonso de, n. en 1534 - *m.* después de 1602. Flos Sanctorvm / y / Historia general, de la vida y hechos de Iesu Christo, / Dios y señor nuestro, y de todos los Santos de que reza y haze fiesta la Iglesia catolica, con- / forme al Breuiario Romano, reformado por el decreto del Sancto Concilio Tridentino: junto cõ / las vidas de los santos propios de España, y de otros Extrauagantes. Quitadas algunas cosas / aprocrifas e inciertas. Y añadidas muchas figuras y autoridades de la sagrada Escrituras, tray / das a proposito de las historias de los santos. Y muchas anotaciones curiosas, / y consideraciones prouechosas. Colegio todo de autores / graues y aprouados. / Dirigido al Rey Don Felipe Nvestro Señor, / Segvndo deste nombre. / por el Maestro Alonso de Villegas, Capellã en la capilla moçaraue de la Santa yglesia de Toledo, y natural / de la misma ciudad. En esta vltima impression vna añadidas algunas cosas, y puestas / otras en mejor estilo, por el mismo autor. [Grabado que representa a Jesús rodeado de ángeles y santos] Con Priuilegio. / Impresso en Toledo por la viuda de Iuan Rodriguez. 1591. / Esta tassado a tres marauedis y medio el pliego. 4 hs. + 5 hs. + 2 hs. + 432 fols. + 128 fols. Fol.

Signaturas: o⁶, A-Z⁸, Aa-Zz⁸, Aaa-Hhh⁸, A-S⁸.

Cits.: Pérez Pastor, n.º 401.

Ejemps.: IU, MBN.

Observaciones: El ejemplar de Urbana carece de la portada y de algunas páginas finales. Ejemplar rarísimo. Hemos registrado, además del ejemplar ilinoyense, otro en la Biblioteca Nacional.

XIII

TRADUCCIONES HISPANO-FRANCESAS DE LOS SIGLOS XVI Y XVII[73]

73.   Se publica en *Bulletin Hispanique,* 83 (1980), 436-481.

En la Universidad de Illinois se alberga una importante colección de traducciones hispano-francesas que conviene señalar y describir minuciosamente:[74] se trata de más de medio centenar de ediciones, algunas muy raras, tres, al parecer, totalmente desconocidas. Sobre una de ellas, la edición desconocida de una traducción de *El Criticón* I, de Gracián, Paris, 1699, ya llamamos recientemente la atención[75]. Muchas de las ediciones que presentamos hoy, hemos comprobado, tras una visita a la Biblioteca Nacional de Madrid, que no se encuentran en el primer depósito bibliográfico de España. La consulta de los catálogos publicados del British Museum y de la Bibliothèque Nationale de Paris nos confirman que, en varios casos, las muestras ilinoyenses tampoco se ven representadas en las dos mejores bibliotecas de Inglaterra y Francia. Todo ello, pues, pensamos, justifica la difusión de estas pesquisas concretas centradas en la biblioteca universitaria de Urbana. Ampliamos los datos, siempre basándonos en las muestras ilinoyenses, a otras

74. Algunos de estos frutos de manera más incompleta, en general se presentaron en los trabajos nuestros que se citaron oportunamente. Desde ahora conviene siempre utilizar los datos presentados en el presente artículo que corrige errores notados, y amplía considerablemente la localización de ejemplares y otros detalles técnicos.

75. Véase nuestro artículo *La colección* de *Baltasar Gracián en la biblioteca de la Universidad de Illinois: fondos raros (siglos XVI, XVII y XIX)* en *Bulletin Hispanique*, t. LXXIX, n.ᵒˢ 3-4 (juillet-décembre 1977), págs. 347-79. Allí en la nota n.º 1 se citaban los trabajos basados en colecciones de la biblioteca universitaria de Urbana publicados hasta entonces. Véase ahora este trabajo incluido en el presente volumen, cap. IV.

bibliotecas, sobre todo norteamericanas, a través de la consulta del *Union Catalog,* todavía en curso de publicación (nos alcanza, para nuestro propósito, en este momento, hasta la ficha de Ambrosio Salazar, es decir, casi la totalidad de nuestro trabajo) y de otros catálogos o repertorios bibliográficos citados en la bibliografía general que sigue a esta introducción.

Es casi un campo virginal el estudio de las traducciones del español a las diversas lenguas europeas durante la Edad de Oro, aunque ahora empieza a notarse cierto interés. Un trabajo amplio en este sentido sólo podrá realizarse cuando localicemos las ya escasas ediciones que existen dispersas por el mundo. Por lo que respecta a las relaciones hispanofrancesas contamos afortunadamente con un instrumento de trabajo ya clásico para cualquier aproximación. Nos referimos a R. Foulché-Delbosc, *Bibliographie hispano-française 1540-1700,* New York-Paris, 1912... Nosotros seguimos su criterio, con exclusión de autores portugueses. Excepcionalmente hemos incorporado la ficha relativa a Johan van Husel, *El grande diccionario de las tres lenguas Española, Francesa y Flamenca...* por este autor flamento dada su importancia y rareza y porque toca de lleno en un aspecto de las relaciones franco-españolas (véanse fichas n.ºs 32 y 41). El mismo Foulché-Delbosc nota en su introducción que, a pesar de cubrir más de 2.000 fichas, "...il est certain que le nombre est grand des ouvrages qui son encore a signaler". Son pocas, por otra parte, las localizaciones de ejemplares concretos que Foulché-Delbosc ofrece. Para el siglo XVII contamos ahora con una oportuna aportación. Se trata del reciente libro de Alejandro Cioranescu, *Bibliografía francoespañola* (1600-1715), Madrid, 1977. El autor recoge localizaciones de ejemplares, sobre todo en bibliotecas parisinas. Y hemos incorporado estos datos a nuestras fichas. Las descripciones bibliográficas de Cioranescu son, por desgracia, a veces, muy deficientes. Como confiesa el autor: "los títulos no se reproducen todos con la deseable exactitud, ya que a menudo se citan de segunda mano" (pág. 7). La cantidad de fichas, sin embargo, cerca de 5.000, es realmente impresionante.

La utilidad de nuestro trabajo, limitado a una biblioteca concreta, consiste en que, por primera vez, en muchos casos, se copia exactamente la portada, se añade casi siempre el colofón, especialmente cuando aporta datos de importancia, y se indica la signatura de los pliegos internos del libro. Todo ello sólo puede realizarse con un contacto directo con los ejemplares estudiados. Para la mayoría de fichas presentadas ofrecemos el mayor acopio de ejemplares conocidos hasta hoy, y ojalá estas localizaciones se amplíen considerablemente en otras investigaciones con estudios específicos en otras bibliotecas.

Veamos ahora los núcleos más destacados que constituyen el perfil de la presente colección ilinoyense. Indicaremos también ciertas peculiaridades técnicas de estos núcleos, cuando su importancia y rareza lo justifiquen.

Una zona de esta colección está constituida por tema americanista. Se trata de ediciones bien conocidas, tales como la traducción de Robert Regnault Cauxois de José de Acosta, *Historia natural y moral de las Indias,* Paris, 1598 y Paris, 1606 (fichas 1 y 2); la traducción de Jean Baptiste Morvan de Bartolomé de las Casas, *Historia de las Indias,* Paris, 1697 y Amsterdam, 1698 (fichas 20 y 21); de la traducción de P. Richelet del Inca Garcilaso, *Historia de la Florida,* Paris, 1670 (ficha 26).

Estas obras, a causa de su temática americanista, están muy bien representadas en las bibliotecas norteamericanas.

Capítulo aparte, por su extraordinaria importancia, merece el núcleo constituido por las traducciones (en sentido extenso del término) del *Amadís* y otros libros de caballerías. Observaremos, pues, este apartado con cierto detalle. Por lo que respecta al *Amadís*, se trata de 17 unidades bibliográficas. Las partes de traducción francesa del *Amadís* son: la 7.ª, 8.ª, 11.ª, 12.ª (con dos ejemplares), 13.ª (con dos ediciones distintas), 14.ª, 15.ª, 16.ª (con dos traducciones, y consiguientemente ediciones distintas), 17.ª, 18.ª, 19.ª, 20.ª, 21.ª, 22.ª, 23.ª y 24.ª. Se trata, pues, de una colección incompleta formada, en parte, por la voluntad coleccionista de un propietario. En efecto, a partir de la Parte 13.ª (con excepción de una de las dos traducciones de la Parte 16.ª que posee Urbana, la de G. Chappuys), todos estos libros pertenecieron al británico William Stewart Rose (1775-1843), poeta amigo de Sir Walter Scott. No es sorprendente que tan importante hombre de letras quisiera tener una buena colección del *Amadís,* en francés, ya que estimulado por el ejemplo de Herberay des Essarts publicó una versión rimada del primer libro: *Amadís de Gaul; a Poem in Three Books; Freely Translated from the First Part of the French Version... with Notes: by William Stewart Rose,* London, 1803. El mismo año Sir Walter Scott le dedicó un artículo: *A Review of the Translations of Amadis by Robert Southey our William Stewart Rose* en *Edinburgh Review,* n.° 5 (1803), págs. 109-36[76].

La penetración del *Amadís* en Francia, donde llegó a ser más popular que en España, es un capítulo apasionante, del que acaso valga la pena, porque arrojará luz a problemas que yacen en la presencia de estas ediciones en Urbana, resumir los trazos más importantes. Recibió el impulso de Francisco I que se aficionó al *Amadís* durante su prisión en Madrid (1525-6), y lo hizo traducir al oficial de artillería Nicolás de Herberay. En 1540 aparece en Paris el *Libro* 1.° y se van publicando los sucesivos libros hasta el 8.°, publicado en 1548. Después ya intervienen otros traductores como en 1551 Giles Boileau, revisado por Claude Colet, para el *Libro* 9.° (no presente en Urbana) y siguieron, para otras partes, las traducciones de otros intérpretes, como Guillaume Aubert y Jacques Gohory, hasta llegar al *Libro* 14.°[77] con lo que se abarca hasta el *Libro* 12.° del original español. A partir del *Libro* 15.° de las traducciones francesas, se buscan las ampliaciones del material español, inventado en las traducciones italianas de Mambrino Roseo y así se llega a las traducciones de Gabriel Chappuys (presentes en Urbana) hasta el Libro 20.°. Henry Thomas[78], a quien seguimos, en estas noticias, nos aclara lo que pasa posteriormente:

---

76.   Hemos copiado estos datos del libro de Henry Thomas, *Las novelas de caballerías españolas y portuguesas,* traducción de E. Pujals (Madrid, C.S.I.C., 1952), págs. 242-3. Una amplia biografía de W. Stewart Rose se encontrará en *Dictionary of National Biography,* editado por L. Stephen Y S. Lei (London, 1917), XXXVIII, 244-5. En los volúmenes mencionados de Urbana, además del *ex libris* de W. Stewart Rose, se encuentra el *ex libris* del siguiente propietario: Biblioteca Lindesiana (la biblioteca del Earl of Crawford).

77.   No siempre se corresponden las partes de los libros originales españoles con las partes de las traducciones francesas. Véase Henry Thomas, op. cit., pág. 152.

78.   Henry Thomas, op. cit., pág. 153.

"...en 1615, después de un período de treinta y cuatro años, aparecieron tres libros más, elevando el total a veinticuatro. Como sus predecesores, estos tres libros pretenden pasar por traducciones del español; pero son idénticos a los libros veintidós-veinticuatro alemanes...". No es sorprendente que un romántico apasionado del *Amadis* como W. Stewart Rose, los fuese coleccionando. Lo curioso es que, después de más de un siglo viniesen (por variados caminos) a parar a la Universidad de Illinois. En Urbana no se encuentra ninguna edición en folio, que es como aparecieron por primera vez las traducciones francesas del *Amadis*. Pronto estas ediciones en folio sufrieron la competencia de ediciones de más cómodo manejo, impresas en Paris, Lyon y Amberes. Estas ediciones posteriores son las que se encuentran en Urbana.

Después de consultar los diversos trabajos de Hugues Vaganais, constatamos la extraordinaria importancia de algunas muestras ilinoyenses. Se destaca el *Libro* 8.º, traducción de Nicolás de Herberay (ficha n.º 4), Paris, Pour Vincent Sertenas, 1555. Vaganay, en 1929, sólo conocía el ejemplar de su biblioteca particular: "Seul exemplaire de ce huitième livre dans cette edition de 1555 que nous ayons rencontré ou vu signaler".[79] Y explica la desaparición de esta *Parte* 8.ª por los episodios eróticos que contiene que podrían haber motivado la destrucción, por mandato de la autoridad eclesiástica, de los ejemplares publicados. Nosotros, además del ejemplar de la Bibliothèque Nationale de Paris, hemos localizado 3 ejemplares en Norteamérica. La edición de Amberes, Guillaume Silvius, 1573 de *l'Onziesme livre d'Amadis,* traducción de Jacques Gohory (ficha n.º 5) es también de inusitada rareza. Vaganay confiesa que no ha podido ver ningún ejemplar[80]. Hemos localizado, además del ejemplar de Urbana (único en Norteamérica) tres ejemplares en Europa.

La sección de libros de caballerías de esta colección cuenta, además, con las traducciones francesas de tres obras más: la traducción de Gilles Corrozet de Juan de Flores, *Historia de Aurelio e Isabel,* Amberes, 1556 (ficha n.º 25); la traducción de Jean Maugin del *Palmerín de Oliva,* Amberes, 1572 (ficha n.º 57)[81] y la traducción de Gabriel Chappuys (aunque el nombre del traductor no aparece en la portada) de *Primaleón de Grecia,* Lyon, 1609 (ficha n.º 59)[82], ediciones de gran rareza también.

Ya hemos llamado la atención, en el artículo citado en la nota n.º 2, sobre la importante colección de Gracián en Urbana. Allí enumerábamos las traducciones francesas (incluiamos entonces las del siglo XVIII también) para subrayar la pre-

79. *Les éditions in-octavo de l'Amadis en française,* en *Revue Hispanique,* t. LXXV (1929), pág. 36.

80. *Amadis en français. Essai de bibliographie.* Firenze, 1906, pág. 135.

81. Véase Alan Freer, *Palmerín de Oliva en Francia* en *Studi sul Palmerín de Oliva,* Pisa, Università di Pisa, 1966, 3 vols. Véase vol. III, págs. 177-237. Se cita la edición de Amberes, 1572, pero no se señalan ejemplares. Se afirma "L'edizione stampata da Waesberghe, per esempio, contribuí forse a dare alla traduzione una certa popolarità nell'Europa settentrionale" (pág. 184).

82. Esta edición de Lyon, 1609 es desconocida, por ejemplo, de Henri Louis Baudrier, en su famosa *Bibliographie lyonnaise.*

sencia de la edición de Paris, 1699, con la traducción de Maunory, edición totalmente desconocida. Entonces reproducíamos las portadas de la edición parisina de 1696, la príncipe, y esta segunda de 1699 totalmente desconocida. En el artículo mencionado los problemas gracianescos se presentan con detalle. De aquí que nuestra información ahora sobre Gracián sea más escueta, aunque localizamos algún ejemplar más.

Un núcleo igual en importancia y rareza a las traducciones de los libros de caballerías, es el relativo a Antonio de Guevara, con 8 interesantes muestras. Sabida es la popularidad de Guevara en Francia[83]. Por ello sorprende la escasez en el mundo de estas ediciones, aunque a veces el desgaste que supone la excesiva popularidad explica estas desapariciones. Por lo que se refiere a las presentes en Urbana, podemos afirmar que ninguna, al parecer, está representada en la Biblioteca Nacional de Madrid, y, en su mayoría, tampoco en la Bibliothèque Nationale de Paris. De cuatro de ellas (fichas n.ºs 35, 36, 37 y 39), nosotros sólo hemos conseguido localizar, de momento, los ejemplares de Urbana. Destacaríamos la edición de Lyon, Par Jean de Tournes, 1550 de la traducción de René Berthault del *Libro aureo... de Marco Aurelio* (ficha n.º 35) desconocida por Baudrier en su *Bibliographie lyonnaise*. Sí la cita Alfred Cartier en su *Bibliographie des éditions de Tournes,* pero no localiza ningún ejemplar. El ejemplar de Urbana es posible, pues, que sea de los pocos, o el único, que se conserve en el mundo. La edición de la misma traducción, Lyon, Par Benoist Rigaud, pero, además ahora, con el *Reloj de Príncipes* (ficha n.º 37) es también de gran rareza. Baudrier, aunque la cita, no consigue localizar ningún ejemplar. La muestra ilinoyense se albergó en la biblioteca de Gilbert Burnet, obispo de Salisbury[84]. Hay en Urbana otra edición de la misma obra, con la traducción de N. de Herberay, Paris, 1569 (ficha n.º 36), de gran rareza también. De momento, sólo conocemos, aunque es citada por varios bibliógrafos, el ejemplar de Urbana. Lo más sensacional en esta colección francesa de Guevara es la edición de la traducción de Antoine d'Alaigre[85] de *Menosprecio de Corte,* Lyon, Estienne Dolet, 1543 (ficha n.º 39), que ha escapado a todos los guevaristas y bibliógrafos. Podemos considerarla como totalmente desconocida hasta este momento. El ejemplar de Urbana es único en el mundo, que sepamos.

Urbana posee una excelente colección de diccionarios y gramáticas de la lengua española, de los siglos XVI y XVII, de la que nos ocuparemos algún día. Por ello no es sorprendente un núcleo importante de traducciones lingüísticas relacionadas con el idioma francés. Se encuentra una edición de *Dialogues en quatre langues,*

83.   Ya A. Morel-Fatio señaló que entre los moralistas españoles ningún otro tuvo "plus de succés che nous" que Guevara, *Etudes sur l'Espagne,* Paris, 1895, 2.ª ed., I, 27.

84.   Véase la amplia biografía sobre el famoso obispo (1643-1715) en el citado *Dictionary of National Biography,* III, págs. 394-405.

85.   Simón Díaz, *Bibliografía de la literatura hispánica,* XI, núm. 3151 cita la primera edición de la traducción de Antoine d'Alaigre publicada también en Lyon, Estienne Dolet, pero en 1542. Esta edición tiene 170 págs. Se localiza un ejemplar en la Bibliothèque Nationale de Paris. Ya Foulché-Delbosc, había descrito esta edición en su *Bibliographie hispano-Française,* V, n.º 62. Nótese que la edición de Lyon, Estienne Dolet, 1543 que se encuentra en Urbana tiene 111 págs.

françoise, espagnole, italienne et allemande. Par P. Garnier, François. M. Fernández, Espagnol et L. Donati, Italien, Amsterdam, 1656, salida de las famosas prensas de Luis y Daniel Elzevier. Es de gran rareza. El único conocido en Norteamérica (véase ficha n.º 23, donde se enumeran detalles significativos). Gran rareza también representa la obra de Husel *El grande diccionario de las tres lenguas españolas, francesa y flamenca,* Amberes, 1646 (véase ficha n.º 42). Otros importantes, y raros diccionarios son el *Den Grooten Dictionaris...,* de Joaquim Trogney y los de Palet y Vittori. Cierta rareza ofrece también una de las posteriores ediciones del diccionario de Lacavalleria. Se encuentra en Urbana una buena representación —7 ediciones— de obras de César Oudin: tres de los *Refranes,* Paris, 1609, 1659 y Bruselas, 1612; dos de *Tesoro de las dos lenguas,* Bruselas, 1625, y Bruselas, 1660; y dos de la *Grammaire Espagnolle,* Paris, 1616 y Paris, 1632 (véanse fichas n.ᵒˢ 49-53). Las dos últimas ediciones mencionadas son también de gran rareza. También se encuentra en Urbana una de las muchas ediciones, la de Rouen, 1636 (ésta de cierta rareza) que se publicaron del *Espejo de la gramática*[86] (véase ficha n.º 64) de Ambrosio de Salazar.

Otra sección en el presente artículo la constituyen cuatro ediciones (fichas n.ᵒˢ 60-63) de Quevedo[87], bien conocidas pero de extrema rareza también. Se trata de dos ediciones de *Obras,* en dos volúmenes cada una, de Paris, 1664 y Bruselas, 1699 y de dos ediciones con la traducción del Sieur de la Geneste de los *Sueños* de Quevedo, Paris, 1633 y Paris, 1634[88].

El humanista Juan Luis Vives está representado por tres ediciones con la traducción francesa de Benjamin (véanse fichas n.ᵒˢ 66-68), todas impresas por Gabriel Buon: Paris, 1564; Paris, 1571 y Paris, 1588. Las tres son de extrema rareza. La de Paris, 1564 es totalmente desconocida y ha escapado, al parecer, a todos los bibliógrafos (véase el grabado que ilustra el presente artículo).

Hay otros ejemplares que sobresalen por su rareza. Destacamos la traducción del *Guzmán de Alfarache* de Mateo Alemán, Rouen, 1632 (ficha n.º 3); la traducción de *La garduña de Sevilla* de Castillo Solórzano (ficha n.º 22); la de *El político cristianísimo* de Manuel Fernández de Villarreal, Paris, 1645 (ficha n.º 24). Las *Obras espirituales* de Fray Luis de Granada, Paris, 1690 (ficha n.º 31); unos extractos de obras de Pedro Mejía, Paris, 1579 (ficha n.º 45), la relativa a la *De la afición y amor de María,* de Nieremberg, Lyon, 1688 (ficha n.º 46). Esta última desconocida de Baudrier en las varias veces citada *Bibliographie lyonnaise.* Y, finalmente, destaca también por su rareza la *Historia de las guerras civiles de Granada* de Pérez de Hita, Paris, 1683 (ficha n.º 58).

86. Para el tema de la enseñanza del español en Francia, y en especial de la producción (y consecuentes polémicas) de Oudin y Salazar sigue siendo útil la consulta del libro de Alfred Morel-Fatio, *Ambrosio de Salazar et l'étude de l'espagnol en France sous Louis XIII,* Paris-Toulouse, 1901.

87. En un próximo trabajo sobre la colección de Quevedo en Urbana, la mejor en Norteamérica y una de las mejores en el mundo, nos ocuparemos con más detalle sobre estas ediciones.

88. Sobre la identificación de La Geneste con Scarron véase Andreas Stoll, *Scarron als Übersetzer Quevedos. Studien zur Rezeptions des pikaresken Romans "El Buscón" in Frankreich,* Frankfurt am Main, 1970.

Se trata, pues, de presentar estos materiales de trabajo con la esperanza de que otros completen estas fichas con más ejemplares o emprendan excursiones bibliográficas parecidas en otras bibliotecas que pueden, sin duda, albergar ejemplares muy raros, e incluso desconocidos, como en la presente ocasión.

271 [1]

ACOSTA, José de, *ca.* 1539-1600. [*Historia natural y moral...* tr. de Robert Regnault Cauxois] *Histoire Natvrelle Et Moralle des Indes, tan Orientalles qu'Occidentalles. Où il traitté des choses remarquables du Ciel, des Elemens, Metaux, Plantes & Animaux que sont propres de ce païs. Ensemble des moeurs, ceremonies, loix, gouuernemens, & guerres des mesmes Indiens. Composée en castillan par Ioseph Acosta, & traduite en François par Robert Regnault Cauxois.* DEDIE AV ROY. [Un adorno] A Paris, Chez Marc Orry, ruë S. Iaques, au Lyon Rampant [Filete]. M.D.XCVIII (1598). 8 hs. + 375 fs. + 17 hs. 8.º.

Signaturas: ã-ã^8, A-Z^8, Aa-Zz^8, Aaa-Ccc^8.

Cits.: Bartlett, n.º 519; Graesse, pág. 15; HC 327, n.º 368; Palau, I, n.º 1996; Penney, pág. 6; Porqueras-Laurenti, n.º 9; *Gesamtkatalog,* I, col. 514; Simón Díaz, IV, n.º 1502.

En: IU, BPS, DLC, LBM, MH, MH-A, MWiW-C, NjP, NN, NNH, OCl, PBN, RPJCB, SCN.

272 [2]

——— ——— ——— 2.ª ed. [Tr. de Robert Regnault Cauxois] *Derniere edition, reueuë & corrigée de nouueau.* [Escudo del impresor con el lema: AD ASTRA PER ASPERA VIRTVS]. A Paris, Chez Marc Orry, ruë sainct Iaques, au Lyon Rampant. [Filete] M. D C V I (1606) 8 hs. + 352 (*i.e.*) 354 fs. + 37 hs. 8.º.

Signaturas: ã-ã^8, A-Z^8, a-z^8, A^5.

Cits.: Bartlett, II, n.º 43; *Catal. Col.,* I, pág. 281; Cioranescu, n.º 197; Palau, I, n.º 1988; Porqueras-Laurenti, n.º 10; Simón Díaz, IV, n.º 1504.

En: IU, DLC, LBM, MH, MNB, MSB, NNE, NNH, PBA, PBSG, PBN, PPULC, PU-M, RPJCB, WN.

273 [3]
ALEMAN, Mateo, 1547-¿1614? [*Guzmán de Alfarache,* I y II. Tr. por Jean Chapelain] *Le Gvevx Ov La Vie De Gvzman D'Alfarache, Image de la vie humaine...* [Rouen, Jean de la Mare, 1632].

[II.ª pt.:] *Le Volevr Ov La Vie De Gvzman D'Alfarache. Povrtraict Dv Temps, & Miroir de la Vie Humaine. Seconde Partie...* [Rouen, Jean de la Mare, 1633].

Vid. Capítulo I, n.º 3.

274 [4]
AMADIS DE GAULA [*Libros* 7 y 8. Tr. del Seigneur des Essars Nicholas de Herveray]. *Le Septiesme Livre D'Amadis De Gavle, Mis En Françoys Par Le Seigneur des Essars Nicolas de Herberay, Commissaire ordinaire de l'artillerie du Roy, & Lieutenant en icelle, es pais & gouuernement de Picardie, monsieur Brissac, Cheualier de l'ordre, grand maistre & Capitaine general d'icelle artillerie. Acuerdo Oluido:* [Escudo del impresor] *Auec priuilege du Roy. A Paris. Pour Vincent Sertenas, Libraire tenant sa boutique au Palays, en la Gallerie d'Albret.* 1555. 7 hs. + cxcii fs. numerados. 8.º

Signaturas: ã, A-Z⁸, &8.

Colofón: "*Fin du Septiesme liure d'Amadis de Gaule, imprimé nouuellement à Paris, par Estienne Groulleau, pour luy, Ian Longis, & Vincent Sertenas Libraires*".

Cits.: Brunet, I, col. 214; Foulché-Delbosc, n.º 189; Porqueras-Laurenti, n.º 52; Simón Díaz, III, vol. II, n.º 6737; Vaganay, *Les éditions,* pág. 34.

En: IU, MH, PBN.

[A continuación: *Libro* 8]. *Le Hvtiesme Livre D'Amadis De Gavle, Mis En Françoys, Par Le Seigneur des Essars Nicolas de Herberay, Commissaire ordinaire de l'artillerie du Roy, & Lieutenant en icelle, es pais & gouuernement de Picardie, monsieur Brissac, Cheualier de l'ordre, gran maistre & Capitaine general d'icelle artillerie. Acuerdo Oluido:* [Escudo del impresor con el lema: *Vincenti Non Victo Gloria*] *Auec Priuilege du Roy. A Paris. Pour Vincent Sertenas, Libraire tenant sa boutique du Palays, en la Gallerie par ou lon va à la Chancellerie: & au mont S. Hylaire en l'hostel d'Albret.* 1555. 8 hs. + cccii fs. numerados. 8.º

Signaturas: ã⁸, ẽ⁴, A-Z⁸, Aa⁸ - Pp⁷.

Colofón: "*Fin du Huitiesme liure d'Amadis de Gaule, Imprimé à Paris par Estienne Groulleau*".

Cits.: Brunet, I, col. 214; *Catal. Col.,* 4, pág. 105; Porqueras-Laurenti, n.º 52; Simón Díaz, III, vol. II, n.º 6747; Vaganay, *Les éditions,* pág. 36.

En: IU, FBN, NNH, PBN.

275 [5]

—— —— [*Libros 11 y 12. Libro 11,* tr. de Jacques Gohory; *Libro 12,* tr. de Guillaume Aubert]. *L'Onziesme Livre D'Amadis De Gavle: Continuant les entreprises cheualereuses, & auentures estranges, tant de luy que des Princes de son sang: ou reluisent principalment les hauts faitz d'armes de Rogel de Grece, & ceux d'Agesilan de Colchos. ou long pourchas de l'amour de Diane, la plus belle Princesse du monde.* Envie D'Envie En Vie SCRV [Escudo del impresor] TAMINI. En Anvers, Par Guillaume Silvius, imprimeur du Roy. L'An M.D.LXXIII (1573). 4 hs. + 219 págs. 4.º a dos columnas.

Signaturas: ·4, A⁸-O⁶.

Cits.: Brunet, I, col. 216; Foulché-Delbosc, n.º 390; Porqueras-Laurenti, n.º 53; Simón Díaz, III, vol. II, n.º 6776; Vaganay, *Amadis,* pág. 135.

En: IU, BBR, LBM, PBA.

[A continuación: *Libro 12*]. *Le Dovzieme Livre D'Amadis De Gavle, Tradvit Novvellement D'Espagnol En François, Contenant quelle fin prindrent les loyalles amours d'Agesilan de Colchos, & de la Princesse Diane & par quel moyen la Royne Sidonie se rapaisa, apres auoir longuement pourchassé la mort de dom Florisel de niquee, auec plusieurs estranges auentures non moins recreatiues que singulieres, & ingenieuses sur toutes celles qui ont esté traitees es liures precedentes. Traduit d'Espaignol en François par G. Aubert de Poitiers.* SCRV [Escudo del impresor] TAMINI. En Anvers, Par Guillaume Silvius, imprimeur du Roy. L'An M.D. LXXIII. (1573). 4 hs. + 355 págs. a dos cols. 4.º.

Cits.: Brunet, I, col. 216; *Catálogo, Letra A,* n.º 1211; Foulché-Delbosc, n.º 391; *Gesamtkatalog,* 3, col. 789; Porqueras-Laurenti, n.ᵒˢ 53-54; Simón Díaz, III, vol. II, n.º 6783; Vaganay, *Amadis,* pág. 150.

En: IU (2 ejemplares del *Libro 12*), BBR, LBM, MBN, MSB, MüUB, NNC, PBA (2 ejemplares), PBN.

276 [6]

—— —— [*Libros 12 y 13,* tr. respectivamente por G. Aubert de Poitiers y Jacques Gohory].

Libro 12 igual a la edición anterior. Véase ficha n.º 5, *Libro 12.* [Encuadernado a continuación, *Libro 13:*]. *Le trezieme livre d'Amadis de Gavle, Tradvit novvelement d'Espagnol en François, par I.G.P. Traittant les hauts faits d'armes du gentil Cheualier Sylves de la selue filz de l'Empereur Amadis de Grece, & de la Royne de Thebes Finistee: auec les auentures estranges d'armes & d'amours de Rogel de Grece, Agesilan de Colcos & autres, auenues sur l'entreprise & cours de la guerre du grand Roy Bulthazar (sic) de Russie, contre les Chrestiens. Et apres, les mariages de Diane, Leonide & autres. Adresse a Madame la Comtesse de Retz.* En Anvers, Par Guillaume Silvius, imprimeur du Roy. L'an M.D.LXXII (1572). 4 hs. + 259 págs. (*i.e.* 155) + 4 hs. 4.º.

Signaturas: ã⁴, A-V⁴.

Cits.: Adams, I, n.º 894; Brunet, I, col. 216; *Catálogo, Letra A,* n.º 1214; Foulché-Delbosc, n.º 374; *Gesamtkatalog,* 3, col. 789; Porqueras-Laurenti, n.º 54; Simón Díaz, III, vol. II, n.º 6800; Vaganay, *Les traductions,* pág. 551.

En: IU, C, BBR, LBM, MBN, MSB, MüUB, NNC, PBN.

Errores de paginación: págs. 81-155 numeradas 85-159. Escudo del impresor Silvio en la portada. El ejemplar ilinoyense contiene una carta dedicatoria firmada por "Iaques Gohory Parisien, le solitaire". Vaganay copia la portada y escribe *"Balthazar",* indudablemente por error. Vaganay no describe las signaturas internas de los pliegos.

277 [7]

—— [*Libro* 13, tr. de I.G.P.] *Le tresiesme Livre D'Amadis De Gavle: Traduit nouuellement d'Espagnol en François par I.G.P. Traittant les hauts faits d'armes du gētil Cheualier Sylves de la Selue, filz de l'Empereur Amadis de Grece, & de la royen de Thebes Finistee: auec les auentures estranges d'armes & d'amours de Rogel de Grece, Angesilan de Colcos & auentures sur l'entreprise & cours de la guerre du grand Roy Balthazar de Russie, contre les Chrestiens. Et apres, les mariages de Diane, Leonide & autres, Adressé a ma Dame la Contesse de Retz.* [Adorno] A Montlꞏ vel, Par Bartholemy Pro. [Filete] 1576. 507 págs. 8.°.*

Signaturas: a - z⁸, A - I⁸, K⁵.

Cits.: Brunet, I, col. 216; *Catálogo, n.° 1218; Foulché-Delbosc, n.° 432; Gesamtkatalog,* 3, col. 790; Porqueras-Laurenti, n.° 56; Simón Díaz, III, vol. II, n.° 6803; Vaganay, *Les traductions,* pág. 560.

En: IU, MBN, MSB, PBN (2 ejemplares), WN.

Edición con el *ex libris* de William Stewart Rose que aparece también en los once volúmenes siguientes, es decir hasta la ficha n.° 19 (excepto la ficha n.° 11), que no pertenece a esta colección de Stewart Rose.

278 [8]

—— —— [*Libro* 14, tr. desconocido]. *Le Qvatorziesme Livre d'Amadis de Gavle. Traittant les hauts faicts d'armes & amours du Prince Sylu es (sic) de la Selue, & les estranges auentures mises à fin tant pour luy que par autres magnanimes Princes de la Grece. Dedié a la tres-illustre & magnifique Princesse Henriette de Cleues Duchesse de Neurs.* [Escudo del impresor] A Paris, Par Nicolas Bonfons, ruë neuue nostre Dame à l'ensegne S. Nicolas. 1577. 16 hs. + 352 fs. 8.°.

Signaturas: ã⁸, ẽ⁸, A - Z⁸, Aa-Xx⁸.

Cits.: Brunet, I, col. 216; Foulché-Delbosc, n.° 462; *Gesamtkatalog,* 3, col. 791; Porqueras-Laurenti, n.° 57; Simón Díaz, III, vol. II, n.° 6809; Vaganay, *Les traductions,* pág. 581.

En: IU, LBM, MBP, PBN (3 ejemplares), WN.

279 [9]

—— —— [*Libro* 15, tr. de Gabriel Chappuys Tourangeau] *Le Qvinziesme Livre d'Amadis de Gavle, Continuant les hauts faits d'armes & amours de dom Silues de la Selue & de maints autres notables cheualiers, par vn discours autāt beau & plaisant comme il est grandement profitable: qu'auec belles sentences, lon y peu parfaictement remarquer l'example d'vn bon vertueux & secourable Prince. Mis en François par*

Gabriel Chappuys Tourangeua. [Viñeta]. A Lyon Par Benoist Rigavd. [Filete]. 1578. Auec priuilege du Roy. 526 págs. 16.º.

Signaturas: a-z⁸, A-L⁸.

Cits.: Baudrier, III, pág. 345; Brunet, I, col. 217; *Gesamtkatalog,* 3, col. 791; Palau, I, n.º 10514; Porqueras-Laurenti, n.º 58; Vaganay, *Les traductions,* pág. 584.

En: IU, KSUB, BPS, LBM.

280 [10]

—— —— [*Libro 16,* tr. de Nicolas de Moutreux, Gentilhomme du Mans]. *Le Seiziesme Livre d'Amadis de Gavle. Traictant les plusque humaines & admirables prouësses & amours des inuincibles & incõparables Princes Spheramõde, & Amadis d'Astre: auec la deliurance du Roy Amadis de Gaule, d'Esplãdian, de Don Rogel, & de Fortune. Mis en Lumiere Françoise par Nicolas de Moutreux. Gentilhombre du Mans.* A Paris, Chez Iean Parant, ruë sainct Iaques, M.D.L. XXVII (1577) [Filete] Avec Privilege Dv Roy. 249 págs. + 7 de Table. 8.º.

Cits.: Brunet, I, col. 217; Palau, I, n.º 10515; Porqueras-Laurenti, n.º 59.

En: IU, LBM.

281 [11]

—— —— [*Libro 16,* tr. de Gabriel Chappuys Tourangeau] *Le Seiziesme Livre D'Amadis De Gavle, Traitant des amours, gestes & faicts heroiques des illustres & vertueux Princes Sferamond & Amadis d'Astre: ensemble de plusieurs autres grands Seigneurs y denommez, par le plaisant & profitable discours d'vne histoire belle entre les plus belles que ont procedé, cõme chucun pourra facilement iuger par la lecture d'icelle.* [Escudo del impresor]. A Lyon, Par Françoys Didier. [Filete] 1578. Auec priuilege du Roy. 845 págs.

Signaturas: a-z⁸, A-Z⁸, AA - GG⁸ (verso de GG⁸ en blanco).

Carta dedicatoria firmada por Gabriel Chappuys Tourangeau.

Cits.: Baudrier, IV, pág. 92; Brunet, I, col. 217; *Catálogo,* n.º 1223; *Gesamtkatalog,* 3, col. 791; Palau, I, n.º 10514; Porqueras-Laurenti, n.º 60.

En: IU, BPS, DLC, GUB, LBM, MBN, PBM, WN, TCH.

282 [12]

—— —— [*Libro 17,* tr. de Gabriel Chappuys Tourangeau] *Le Dixseptieme Livre d'Amadis de Gavle, Continuant à traiter des amours, gestes & faicts heroiques des illustres & vertueux Princes Sferamond & Amadis d'Astre: ensemble de plusieurs autres grãds Seigneurs y denõmez, ... (Traduict d'Italien en François par Gabriel Chappuys Tourangeau.)* A Lyon, Par Estienne Michel [1578]. 16 hs. + 431 fs. Fols. 432-447 en manuscrito. 8.º.

Signaturas: Brunet, I, col. 217; *Catálogo,* n.º 1224; *Gesamtkatalog,* 3, col. 791; Palau, I, n.º 10514; Porqueras-Laurenti, n.º 61.

En: IU, BPS, GUB, LBM (4 ejemplares), MBN, WN.

El ejemplar de Illinois está falto de Portada. En la última página manuscrita aparece como impresor Etienne Brignol. La portada la hemos copiado de la ficha de la Biblioteca Nacional de Madrid. El colofón del ejemplar de Illinois (a mano) coincide también con los datos de la Biblioteca Nacional de Madrid.

283 [13]

—— —— [*Libro 18*, tr. de Gabriel Chappuys]. *Le Dixhvictiesme Livre d'Amadis De Gavle, Continuant les amours, gestes & faits heroiques des illustres & vertueux princes Sferamond & Amadis d'Astre, ensemble de plusieurs autres grands Seigneurs y denommez, par le plaisant & profitable discours d'vne histoire en inuention subtile & emerueillable, autant & plus que les precedents. Traduict d'Espagnol en François* [Escudo del impresor] A Lyon, Pour Loys Cloquemin. [Filete] 1579 Auec Priuilege du Roy. 997 págs. + 10 hs. de Tabla. 16.º.

Signaturas: a-z⁸, A-Z⁸, Aa-Rr⁸, Ss⁵.

Cits.: Baudrier, IV, pág. 53; Brunet, I, col. 217; *Gesamtkatalog*, 3, col. 791; Palau, n.º 10514; Porqueras-Laurenti, n.º 62.

En: IU, BPS, DBM, DLC, GUB, LBM (2 ejemplares), MBS, PBM, WN.

284 [14]

—— —— [*Libro 19*, tr. de Gabriel Chappuys]. *Le Dixneviesme Livre d'Amadis De Gavle. Traittant des amours, gestes, & faicts heroiques, de plusieurs illustres & magnamines princes nepueux d'Amadis de Gavle, & faisant mention de plusieurs autres grands Seigneurs, par le plaisant & profitable discours, d'vne hystoire belle & agreeable, sur toutes les precedentes. Traduit d'Espagnol en langue Françoyse, Par Gabriel Chappuys Tourangeau.* [Escudo del impresor] A Lyon, Par Iean Beravd, [Filete]. M.D.LXXXII (1582). Auec priuilege du Roy. 16 hs. + 446 fs. 16.º.

Signaturas: ⁕-⁕⁕8, a-z⁸, A-Z⁸, Aa-Mm⁸.

Cits.: Baudrier, V, pág. 39; Brunet, I, col. 217; *Gesamtkatalog*, 3, col. 792; Palau, I, n.º 10514; Porqueras-Laurenti, n.º 63.

En: IU, ABM, BPS, DLC, LBM, LBMun, MBM, MBS, PBN, WN, TBM, TCH.

285 [15]

—— —— [Libro 20, tr. de Gabriel Chappuys]. *Le Vingtiesme Et Penvltime Livre D'Amadis de Gavle, Traittant des amours, gestes & faicts heroïques de plusieurs illustres & vertueux princes de la race & souche dudict Amadis, ensemble de plusieurs autres grands Seigneurs, par l'agreable & vtile discours d'vne histoire aussi belle & plaisante que l'on sçauroit voir. Mis d'Hespagnol en François* par Gabriel Chappvys, Tourangeau. [Escudo del impresor] A Lyon, Povr Loys Cloqvemin. [Filete] 1581. Auec priuilege du Roy. 16 hs. + 539 fs. 16.º.

signaturas: ⁕-⁕⁕8, a-z⁸, A-Z⁸, Aa - Xx⁸, Yy³.

Cits.: Baudrier, IV, p. 6, Brunet, I, col. 217; *Catálogo*, n.º 1226; Palau, n.º 10514; Porqueras-Laurenti, n.º 64.

En: IU, DBM, DLC, KMK, LBM (2 ejemplares), MBN, PBM, TCH.

286 [16]

—— —— [Libro 21, tr. desconocido] *Le Vingt Vniesme Et Dernier Livre D'Amadis De Gavle, Contenant la fin & mort d'iceluy, les merueilleux faicts d'armes & amours de plusieurs grands & notables Princes de son sang, & les diuers & estranges effects d'vne amour chaste & honneste: d'où, en fin l'on peut recueillir grand fruict, plaisir & contentement. Traduict d'Hespagnol en François.* [Escudo del impresor] A Lyon, Povr Loys Cloqvemin. [Filete] 1581. Auec Priuilege du Roy. 16 hs. + 448 fs. 16.º.

Signaturas: .-..8, A-Z⁸, Aa-Zz⁸, BB - KK⁸.

Cits.: Baudrier, IV, pág. 60, Brunet, I, col. 217; *Catálogo,* n.º 1227; *Gesamtkatalog,* 3, col. 792; Palau, I, n.º 10514; Porqueras-Laurenti, n.º 65.

En: IU, BPS, DLC, GUB, LBM, MBN, PBM, WN.

287 [17]

—— —— [*Libro 22,* tr. desconocido]. [Anteportada grabada:] Le Vingt Et Devxiesme Livre Damadis De Gavle Au Roy. M.DC.XV.]. [Portada:] *Le Vingt Et Devxiesme Livre D'Amadis De Gavle. Traitant Les Havts Faits d'Armes, Amours & vertus nompareilles, auec les estranges Auantures mises à fin tant par les Princes illustres yssus de la noble maison D'Amadis, qu'autres vaillans Cheualiers, en la queste & pourchas de la deliurance des deuxieunes Princes Safiraman & Hercules d'Astre. Histoire non encores Veuë en nostre langue, mais au reste belle entre les plus belles qui ont precedé, & d'vn discours non moins plaisant que profitable: comme chacun pourra facilement iuger par la lecture d'icelle, faict d'Espagnol François.* A Paris. Chez Gilles Robinot ruë vielle Drapperie au plat d'estain, Et au Pallais en la petite Gallerie. [Filete] M.D.C.XV. (1615). Auec priuilege du Roy. 26 págs. + 857 págs. + 3 págs. de Tabla. 8.º.

Signaturas: ã⁸, ẽ⁴, i¹, A-Z⁸, Aa-Zz⁸, Aaa-Hhh⁸.

Cits.: Brunet, I, col. 217; *Gesamtkatalog,* 3, col. 792; Palau, I, n.º 10515; Porqueras-Laurenti, n.º 66.

En: IU, LBM, WN.

288 [18]

—— —— [*Libro 23,* tr. desconocido]. *Le Vingt Et Troisiesme Livre D'Amadis De Gavle. Continvant a Traiter des Amours, gestes & faicts Heroiques de plusieurs illustres & vertueux Princes descendus de la race du grand Amadis: & notamment du vaillant Fulgoran, fils de Rogel de Grece & de la Roine Florelle: Discours non moins plaisant que profitable, comme chacun pourra facilement iuger par la lecture, fait d'Espagnol François.* A Paris, Chez Clavde Rigavd, ruë sainct Iacques au Chesne Verd, Et en sa boutique au Palais Pres la Chappelle sainct Michel. [Filete] M.DC.XV. (1615). Auec priuilege du Roy. 6 hs. + 6 manuscritas + 880 (*i.e.* 879) págs. 8.º.

Signaturas: a⁶ + 6 hs. manuscritas sin signaturas, A-Z⁸, Aa-Zz⁸, Aaa-Iii⁸.

Cits.: Brunet, I, col. 217; Graesse, I, pág. 4; Palau, I, n.º 10515; Porqueras-Laurenti, n.º 67.

En: IU, LBM (2 ejemplares).

Contiene una "Carta dedicatoria" dirigida "A la Royne" en vez de "Au Roy".

289 [19]

—— —— [*Libro* 24, tr. desconocido] [Anteportada grabada con las mismas viñetas de ficha n.º 17] *Le Vingt Et Qvatriesme Livre D'Amadis De Gavle A Madame La Princesse de Conty. M.DC.XV.* [Portada:] *Le Vingt Qvatrie'-Me Et Dernier Livre D'Amadis De Gavle. Continvant A Traiter des Amours, gestes & faicts Heroïques de plusieurs illustres & vertueux descendus de la race du grand Amadis: & notamment du vaillant Fulgoran, fils de Rogel de Grece, & de la Roine Florelle. Discours non moins plaisant que profitable, comme chacun pourra facilement iuger par la lecture, fait d'Espagnol François. A Paris, Chez Gilles Robinot, ruë de la vielle Drapperie au plat d'estaing, & au Palais en la petite Gallerie.* [Filete]. M.DC.XV (1615). Auec Priuilege du roy. 3 hs. + 853 págs. + 8 hs. de Tabla. 8.º.

Signaturas: A-Z⁸, Aa-Zz⁸, AAa⁸ - HHh², Iii⁸.

Cits.: Brunet, I, col. 217; Graesse, I, pág. 94; Palau, I, n.º 10515; Porqueras-Laurenti, n.º 68.

En: IU, ICN, LBM, WU.

290 [20]

CASAS, Bartolomé de las, obispo de Chiapa, 1474-1566. [*Historia de las Indias,* tr. de Jean Baptiste Morvan de Bellegarde]. [Anteportada grabada: *La Découverte des Indes Occidentales. Fernand Cortez (sic) Montezume.* Avec Privilege du roi.] [Portada:] *La Decouverte Des Indes Occidentales Par Les Espagnols. Ecrite par Dom Balthazar de Las-Casas, Evêque de Chiapa. Dedié à Monseigneur la Comte De Toulouse.* [Escudo del impresor con el lema: INIMICOS (sic) VIRTUTE SVPERA BIS] A Paris, Chez Andre' Pralard, ruë Sainct Jacques, à l'Occasion. [Filete]. M.DC.XCVII. (1697). Avec Privilege du Roi. 6 hs. + 382 págs. + 1 h. de Tabla. 8.º.

Signaturas: ₓ6, A-Q¹².

Cits.: Cioranescu, n.º 4108; Palau, n.º 46966; Simón Díaz, VI, n.º 5847; Doublet, pág. 41.

En: IU, CaBViPA, CtY, CU, DLC, LBM, MBAt, MBN, MoBM, MiU-C, NjP, NN, PBN, PPL, PPULC, RBM, RPJCB.

291 [21]

—— —— [*Historia de las Indias,* tr. de Jean Baptiste Morvan de Bellegarde]. *Relation Des Voyages Et Des De'Couvertes (sic) Que les Espagnols ont fuit dans les Indes Occidentales; Ecrite par Dom B. de Las-Casas, Evêque de Chiapa. Avec la Relation curieuse des Voyages du Sieur de Montauban, Capitaine des Filbustiers, en Guinée l'an 1695.* [Escudo del Impresor] A Amsterdam, [Filete] Chez J. Louis De Lorme Libraire sur le Rockin, à l'enseigne de la Liberte'. M.DC. XCVIII. (1698). 5 hs. + 354 págs. + 2 hs. de Tabla. 4.º.

Signaturas: ₓ5, A-P¹².

[A continuación:] *Relation Du Voyage Du Sieur De Montauban Capitaine Des Filbustiers en Guinée, en l'Année 1695. Avec une Description du Roïaume du Cap de Lopez, des moeurs, des coûtumes, de la & Religion du Pais.* [Escudo del impresor] A Amsterdam, [Filete] Chez J. Louis De Lorme Libraire sur le Rockin. M.DC. XCVIII. (1698). (cont.:) Q^{12}, R^6, S^6.

[A continuación:] *L'Art De Voyager Utilement.* [Escudo del impresor] Suivant la Copie de Paris. A Amsterdam, Chez J. Louis De Lorme Libraire sur le Rockin, à l'enseigne de la Liberte' [Filete] M.DC.XCVIII (1698). 2 hs. + 51 págs.

Signaturas: $a-b^{12}$, c^4.

Colofón: "A Amsterdam, De l'Imprimerie de Daniel Boulesteys De La Contie, dans l'Eland-Straat, 1598" [!] (*sic*).

Cits.: Bartlett, 2 / 1527; Brunet, I, col. 1613; Cioranescu, n.º 4140; Graesse, II, pág. 60; Palau, III, pág. 247; Penney, pág. 97; Simón Díaz, VI, n.º 5848.

En: IU, CaBViPA, CU, DLC, GUB, ICU, LBM, MBAt, MBN, MiU-C, NcU, NjP, NNH, PBN, PBL, PPULC, RBA, RPJCB, WU.

292 [22]
CASTILLO SOLORZANO, Alonso de, 1584-1648 [*La Garduña de Sevilla,* tr. de Antoine Le Metal, sieur d'Ouville o Francois Le Metal de Boisrobert, abbé de Chastillon]. *La Fovyne De Seville Ov L'Hameçon Des Bovrses. Traduit de l'Espagnol de D. Alonço de Castillo Souorçano.* [Adorno] A Paris, Chez Lovys Bilaine, au second pilier de la grande Salle du Palais, au Grand Cesar. [Filete] M.DC.LXI. Avec Privilege Dv Roy. 2 hs. + 592 págs. 4.º.

Signaturas: $A-Z^8$, $Aa-Oo^8$.

Cits.: Brunet, I, col. 1634; Cioranescu, n.º 2818; Foulché-Delbosc, 1582-3; Graesse, II, pág. 67; Laurenti, n.º 1964; Palau, n.º 41415; Penney, pág. 104; Simón Díaz, VII, n.º 6850.

En: IU, LBM, NNH, PBA, PBN[89].

294 [23]
FERNANDEZ, Marco, fl. ca. 1655; Garnier, Philippe, ca. 1655 y Donati, L., autores. *Dialogues En Quatre Langues, Françoise, Espagnole, Italienne, & Allemande. Par P. Garnier, François. M. Fernandez, Español, & L. Donati, Italien. Gemein Gesprach In vier Spraachen Frantzösisch / Spanisch / Italiänisch / und Hoochdeutsch. Durch P. Garnier, in Frantzösisch. M. Fernandez, in Spanisch vnd L. Donati, in Italiänisch / verdolmetscht.* [Adorno] A Amsterdam, Chez Louys & Daniel Elzevier, Anno C I O IOC LVI. (1656). 3 hs. + 231 págs. 8.º.

Signaturas: $A-O^8$, P^4 (Imperfectas).

89. Según Rolf Greifelt, *Die Übersetzungen des spanischen Schelmenromans in Frankreich im 17 Jahrhundert, Romanische Forschungen,* L (1936), pág. 84 hay ejemplares en las bibliotecas de München y Dresden.

Cits.: Cioranescu, n.º 2593; Foulché-Delbosc, n.º 1514; Laurenti-Porqueras, *Letra F,* n.º 21.

En: IU, LBM, PBN.

Menciona esta edición Alphonse Willens en su *Les Elzeviers. Histoire et annales typographiques,* Nieuwkoop, 1962, n.º 1194, y señala que ya en 1637 Bonaventure y Abrahan habían publicado una edición en la que se incluía la lengua latina. En 1656 se reimprime la edición de 1637. En este mismo año hay otras dos ediciones en las que el alemán (éste es el caso de la edición de Urbana), y, en otra, el flamenco sustituye al latín.

295 [24]
FERNANDEZ DE VILLARREAL, Manuel, 1661-1652. [*El político cristianísimo,* tr. de François de Grenaille, sieur de Chatannières].

Le Politique Tres-Chrestien Ou Discours Politique sur les actions principales de la vie de seu Mons.ʳ l'Eminentissime Cardinal Duc De Richelieu [Escudo del impresor] A Paris, MDCXLV (1645). [*i.e.* Leyde, B. et A. Elzevier] 12 hs. + 308 págs. 12.º.

Signaturas: ₊¹², ₊², A-N¹².

Cits.: Cioranescu, n.º 2141; Doublet, pág. 57; Laurenti-Porqueras, *Letra* F, n.º 25; Simón Díaz, X, n.º 1361.

En: IU, IEN, NjP, PBN, RBM.

El ejemplar ilinoyense lleva una anteportada grabada que reza: SEMPER IDEM. LE POLITIQVE TRESCHRESTIEN.

En el libro de Alphonse Willens, *Les Elzeviers...* núm. 593, pág. 146 hay unos datos interesantes sobre esta edición: "le traducteur anonyme est De Grenaille, Sʳ de Chatourrières. La première édition est de *Paris, T. Quinet,* 1645, in - 4.º". Esta edición de Urbana es una verdadera edición elzeviriana de Leyden según Willens: "Il en a eté fait, sous la date de 1647, une contrafaçon moins jolie, que a exactement le même nombre de pages, mois que sort positevement des presses de J. Janson à Amsterdam".

296 [25]
FLORES, Juan de [*Historia de Aurelio e Isabel, hija del Rey de Escocia,* tr. de Gilles Corrozet]. *Histoire De Avrelio Et Isabelle, fille du Roy d'Escoce, nouuellement traduict en quattre langues, Italien, español, François, & Anglois, Historia Di Avrelio E Issabella (sic) Figliuola del Re di Scotia, nuouamente tradotta in quatro lengue (sic), Italiano, Spagnuolo, Francese, & Inglese. Historia De Avrelio, Y De Isabela, Hija del Rey Descocia, nueuamente traduzida en quatro lenguas, Frances, Italiano, Español, & Yngles. The Historie Of Avrelio And Of Issabell, doughter of the kinge of Schotlande, nyeuly translated In foure langagies (sic), Frenche, Italien, Spanishe, and Inglishe.* Cum gratia & priuilegio. [Anuers, en casa de Iuan Steelsio, año de M.D.LVI (1556)] 131 fs. 8.º.

Signaturas: A-P⁸, Q⁴.

Colofón: "Fue Impressa en la muy noble villa de Anuers, en casa de Iuan Steel-sio, año de M.D.LVI".

Cits.: Adams, I, n.º 627; Foulché-Delbosc, n.º 196; Gallardo, n.º 248; Palau, n.º 92515; Peeters-Fontainas, I, n.º 466; Pollard and Redgrave, n.º 11092; Laurenti-Porqueras, *Letra* F, n.º 35; Simón Díaz, III, n.º 5651.

En: IU, AMP, C, CtY, DFo, ICN, ICU, LBJ.P.F., LBM, MH, MiU, MnU, MBN, MWiW-C, PBA, PBN.

El ejemplar ilinoyense está falto de portada [Signs: A¹ y fs. A⁸, y Q¹]. Nuestro ejemplar va encuadernado con las obras de Gabriel Meurier: *Conjugaisons françois angloises mises en lumiere.* 1563 y *Commvnications familieres...* 1563.

297 [26]

GARCILASO DE LA VEGA, el Inca, 1539-1616 [*La Florida del Inca,* 2 tomos tr. de P. Richelet]. *Histoire De La Floride Ov Relation De Qvi S'est Passe' au voyage de Ferdinand de Soto, pour la conqueste de ce pays; Composée en Espagnol par l'Inca Garcilasso de la Vega, Et traduite en François par P. Richelet, Tome Premier.* [Viñeta] A Paris Chez Gervais Clovzier, au Palais, sur les degrez en montant à la sainte Chappelle, à la seconde Boutique, à l'Enseigne du Voyageur. M.DC.LXX (1670). Auec Priuilege du Roy. 6 hs. + 452 págs. 8.º.

Signaturas: a-a⁶, A-S¹², T¹⁰.

—— —— —— Tome Second [Viñeta]. A Paris, Chez Gervais Clovzier, au Palais, sur les degrez en montant à la sainte Chappelle, à la seconde Boutique, à l'Enseigne du Voyageur. M.DC.LXX (1670). Auec Priuilege du Roy. 6 hs. + 438 págs.

Signaturas: a⁶, A-R¹², S⁴.

Cits.: Brunet, I, col. 1483; Cioranescu, n.º 3256; Palau, n.º 354837; Simón Díaz, X, n.º 4387.

En: IU, DLC, FU, InU, LBM, MB, MeB, NcU, NN, OClWHi, OCU, PBN, RPJCB, ViU.

298 [27]

GRACIAN, Baltasar, 1601-1658. [*El Criticón,* tr. de Guillaume de Maunory] *L'Homme Détrompé Ou Le Criticon De Baltasar Gracian Traduit de l'Espagnol en François.* [Adorno] A Paris, Chez Jacques Collombat, ruë S. Jacques, pres la Fontaine saint Severin, au Pellican. M.D.C.X C V I (1696). 6 hs. + 282 págs. + 5 hs. 8.º.

Signaturas: A-N⁸.

Cits.: Cioranescu, n.º 4082; Foulché-Delbosc, n.º 2004; Palau, n.º 106974; Porqueras-Laurenti, *Gracián,* n.º 13; Simón Díaz, XI, n.º 1807; Simón Díaz, *Jesuitas,* n.º 392.

En: IU, BBR, CU, LBM, LBMun, MiU, NcD, PBA, PBM, PBN, PBSG, PPL.

Traducción de la *Primera parte de El Criticón.* El ejemplar de Illinois procede de la biblioteca de John Wickliff Kitchell, Pana, Illinois (1835-1914) regalada a la Universidad de Illinois por su esposa en 1931.

299 [28]

—— —— [*El Criticón*, pt. 1.ª, tr. de Guillaume de Maunory] *L'Homme Détrompé Suite de L'Homme De Cour. Traduit de l'Espagnol en François.* [Escudo del impresor]. A Paris, Au Palais, Chez Augustin Brunet, dans la Grand' Salle, au quatriéme Pillier, devant les Enquestes, au Louis couronné. M.DC.XCIX (1699). 8 hs. + 282 págs. + 5 hs. 8.º.

Signaturas: ā⁸, A-Z⁸, Aa⁶-, Bb².

En: IU.

Ejemplar desconocido. Ha escapado la atención de todos los gracianistas y bibliógrafos. El ejemplar ilinoyense procede de la biblioteca privada del doctor Ernst Bergmann de Leipzig, comprada en 1925. Para más detalles véase nuestro artículo *La colección de Baltasar Gracián en la biblioteca de la Universidad de Illinois: Fondos raros (siglos XVII, XVIII y XIX)* en *Bulletin Hispanique,* tome LXXIX (1977), n.ᵒˢ 3-4, págs. 347-79, en donde reproducimos la portada.

300 [29]

—— —— [*Oraculo manual...* tr. de Amelot de la Houssaie] *L'Homme De Cour Traduit de L'Espagnol, De Baltasar Gracian, Par le Sieur Amelot De La Houssaie. Avec des Notes.* [Viñeta] A Paris, Chez la Veuve Martin & Jean Boudot, Et se vendent A La Haye, Chez Abraham Troyel, Libraiere, dans la Salle du Palais. M. D. C. L. XXXIV (1684). 33 hs. + 326 págs. + 5 hs. 8.º.

Signaturas: ā - ī¹², A-O⁸.

Cits.: Cioranescu, n.º 3731; Doublet, pág. 66; Foulché-Delbosc, n.º 1877; Palau, n.º 106910; Porqueras-Laurenti, *Gracián,* n.º 9; Simón Díaz, XI, n.º 1804; Simón Díaz, *Jesuitas,* n.º 374.

En: IU, BBR, DLC, LBM, LBMun, MBN, MH, PBN (2 ejemplares), PBA, PBSG, RBA, RBM.

301 [30]

—— —— [*Oraculo manual...* tr. de Amelot de la Houssaie] *L'Homme De Cour De Baltasar Gracian Traduit & commenté Par le Sieur Amelot De La Houssaie, ci-devant Secretaire de l'Ambassade de France à Venise. Troisiéme Edition revûe & corigée* [Escudo del impresor con el lema:] *Ne Quid Nimis.* A Paris, Chez la Veuve-Martin, & Jean Boudot, rüe Saint Jaques, au Soleil d'or. M.DC. LXXXV (1685). 33 hs. + 373 págs. + 1 h. 8.º.

Signaturas: ā - ī¹⁶, A-Q⁸, R⁴.

Cits.: Bianchini, n.º 993; Cioranescu, n.º 3763; Foulché-Delbosc, n.º 1888; Palau, n.º 106911; Porqueras-Laurenti, *Gracián,* n.º 10; Simón Díaz, XI, n.º 1804; Simón Díaz, *Jesuitas,* n.º 375.

En: IU, CtY, CU-S, LBM, LBMun, NN, PBA, PBN, VFQ.

302 [31]

GRANADA, Luis de, 1504-1588. [*Obras espirituales,* tr. de M. Girard] *Les Oeuvres Spirituelles Du P. Louis De Grenade De l'Ordre De S. Dominique: Divisées en quatre Parties. La Premiere contient la Guide des Pecheurs, où le Chrestien apprend ce qu'il doit faire depuis sa conversion jusqu'a la fin de sa vie.*

La Seconde, le Traité de l'Oraison & de la Meditation que l'on peut faire su les principaux Mysteres de nostre Foy & sur les principales parties de la Penitence, que son, la Priere, le Jeusne & l'Aumosne. Troisiéme, le Memorial de la vie Chrestienne, qui traite de la Confesion, de la Communion, & de ce que doit faire une ame nouvellement convertie à Dieu. Et la Quatriéme, le Traité de l'Amour de Dieu & des principaux Mysteres de la Vie de nostre Seigneur. Traduites De Nouveau En François Par M. Girard Conseiller du Roy en ses Conseils. [Adorno]. A Paris, Chez Jacques Villery, ruë vielle Bouclerie, au bas de la ruë de la Harpe, prés le Pont S. Michel, à l'Estoille d'or M.DC.LXXXX (1690). Avec Approbations Et Privilege De Sa Majeste. 10 hs. + 1049 págs. + 18 hs. a dos columnas Fol.

Signaturas: ā - ē, ī², A-Z⁴, Aa-Zz⁴, AAa-ZZz⁴ AAaa - Zzzz⁴, AAaaa - ZZzzz⁴, AAAaaa - ZZZzzz², AAAaaaa - BBBbbbb².

Cits.: Cioranescu, n.º 3904; Foulché-Delbosc, n.º 1944.

En: IU, BBM, LMBM, OrStbM.

Edición rarísima. La desconoce M. Llaneza.

303 [32]

TROGNEY, Joachim GROOTEN. (*Den*) *Dictionaris eñ Schat van dry talen, Duytsch, Spaensch, en Franch met de namẽ der Rijcken Steden ende plaetsen der plaetsen der wreldt.* [*Rom.:*] *El Grande Dictionario Y Thesoro De las tres lenguas Españolas, Francesa y Flamenca, con todos los nombres de los Reynos, Ciudades y lugares del Mundo. Le Grand Dictionaire Et Tresor De trois langues François, Flameng & Espaignol, auec tous le noms des Royaumes, villes et lieux du Monde.* Th'Antvverpen. By Caes. Ioachim Trognesius, Anno M.DC.XXXX (1640). 156 fs. 2 partes: flamenco-espagnol y francés-español. 4.º.

Signaturas: [*]², A-Z⁴, Aa - Pp⁴, Qq².

Cits.: Peeters-Fontainas, I, n.º 301.

En: IU, C.

304 [33]

GUEVARA, Antonio de, ob. de Mondoñedo, *m.* hacia 1545. [*Epistolas familiares...* tr. de Seigneur de Guterry. Portada grabada:] *Les Epistres Dorees, De Don Antoine de Gueuarre. Euesque de Mõdonedo, Prescheur & Croniquer de l'Empereur Charles cinquiesme Traduites d'Espagnol en François par le Segneur de Guterry Docteur en Medecine. Ensemble la Reuolte que les Espaignolz firent contre leur ieune Prince. l'An M.D.XX. & l'yssue d'icelle. Auec vn traitté des Trauaux & Priuileges des Galeres, le tout du mesme Autheur. Traduit nouuellement d'Italien en François.* [A mano: Pour servir a Jan Lenaison et a ses amis. Robert Dacres] [Florón] A Paris, Par Iehan Ruelle Libraire, demourant en la Rue Sainct Iacques, à l'enseigne Sainct Nicolas. 1570. 3 vols. en 1. Vol. I: 8 hs. + 352 págs.; vol. II: 304 págs.; vol. III: 226 págs. 8.º.

Signaturas: (vol. I:) o⁸, A-Z⁸; (vol. II:) Aa-Tt⁸; (vol. III:) AAa-QQq⁸.

Colofón: "Imprimé à Paris, par Iean Ruelle Libraire demeurant en la Rúe Sainct Iacques, à l'enseigne S. Nicolas".

Cits.: Brunet, II, col. 1802; Canedo, n.º 420; Foulché-Delbosc, n.º 354; Laurenti-Porqueras, *Guevara,* n.º 25; Palau, n.º 110256; Simón Díaz, XI, pág. 379.

En: IU, CtY, CU, ICN, MH, PBA (2 ejemplares).

305 [34]

—— —— [*Libro aureo de la vida y cartas de Marco Aurelio... tr.* de René Berthault, sieur de la Grise] *Liure dore de Marc-aurele Empereur, et eloquent orateur: traduict de vulgaire Castillian en frãçoys par R.B. de la grise, Secretaire de monseigneur le Reuerẽdissime Cardinal de Grantm̃o Nouellement reue, et corrige.* M. D. XXXVIII (1538). [Adornito] On les vend a Paris en la grand rue S. Jacques, a lenseigne du Pellican, par Ambroise girault, libraire iure de luniversite. 10 hs. + 222 fs. 8.º.

Signaturas: A-Z⁸, Aa-Ff⁸.

Colofón: "Le present volume... a esté acheue de imprimer le ix iour de nouembre mil cinqu cens trẽte et huyt: par Esteine caueller, imprimeur".

Cits.: Brunet, II, col. 1798; Canedo, n.º 41; Foulché-Delbosc, n.º 41; Graesse, III, pág. 175; Laurenti-Porqueras, *Guevara,* n.º 21; Palau, 6, n.º 110128; Simón Díaz, XI, pág. 376.

En: IU, CtY, NIC.

306 [35]

—— —— [*Libro aureo de la vida y cartas de Marco Aurelio... tr.* de René Berthault, sieur de la Grise]. *Le Livre Doré De Marc Avrele Emperevr, Et Eloqvent Oratevr.* [Florón] *Traduit de vulgaire Castillan en François, par R.B. de la Grise, Secretaire de Monseigneur le Reuerend. Cardinal de Grantmont. Fidelment reueu & verifié sus les exemplaires Latins, & Castillan, par Antoine du Moulin Masconnois.* [Escudo del impresor con el lema: QVOD TIBI FIERI NON VIS. ALTERI NE FECERIS.] A Lyon, Par Iean De Tovrnes. [Filete] M. D. XXXXX (1550). 11 hs. + 520 págs. 16.º. [Reproducimos esta portada en el presente volumen].

Signaturas: a-z⁸, A-L⁸.

Cits.: Canedo, n.º 47; Cartier, I, n.º 171; Foulché-Delbosc, n.º 139; Laurenti-Porqueras, *Guevara,* n.º 22; Palau, 6, págs. 444; Simón Díaz, XI, pág. 376.

En: IU.

307 [36]

—— —— [*Reloj de príncipes y Libro aureo de... Marco Aurelio... tr.* de N. de Herberay, seigneur des Essars]. *L'Horloge Des Princes, Avec Le Tresrenomme Livre De Marc Avrele, Recueilly par don Antoine de Gueuare, Euesque de Guadix & Mondonedo Traduict en partie de Castilan (sic) en François par feu N. de Herberay seigneur des Essars, & depuis reueu & corrigé nouuellement outre les autres precedents impressions par cy deuant imprimées.* [Escudo del impresor con el lema: IN PACE VBERTAS]. A Paris, Chez Iehan Ruelle, rue S. Iaques, à l'enseigne Sainct Nicolas. 1569. Avec Privilege. 32 hs. + 395 fs. 8.º. [Reproducimos esta portada en el presente volumen].

Signaturas: ã⁸, ẽ⁸, ĩ⁸, õ⁸, a-z⁸, A-Z⁸, Aa-Cc⁸, Dd⁶.

Colofón: "Acheve D'Imprimer le vingtneusiesme iour d'Octobre mil cinq cens soixante quatre..".

Cits.: Canedo, n.° 154; Foulché-Delbosc, n.° 345; Laurenti-Porqueras, *Guevara,* n.° 23; Palau, vol. 6, n.° 110179.

En: IU.

308 [37]

—— —— [*Reloj de Príncipes y Libro aureo de la vida y cartas de Marco Aurelio...* tr. de René Berthault, sieur de la Grise]. *L'Horloge Des Princes, Avec L'Histoire De Marc Avrele Emperevr Romain.* [Florón] *Recueilly par Don Anthoine de Gueuare, Euesque de Guadix & Mondonedo. Traduict de Castillan en François, par R.B. de Grise. Depuis reueu & corrigé par N. de Herberay, Seigneur des Essars, outre les precedents impressions.* [Viñeta] A Lyon, Par Benoist Rigavd. 1592. + 35 hs. + 1488 págs. + 11 hs. de Tabla. 16.°.

Signaturas: a-z⁸, A-Z⁸, Aa-Zz⁸, AA-ZZ⁸, AAa-GGg⁸.

Colofón: "De l'Imprimerie de Pierre Chastain dit Dauphin. 1591".

Cits.: Baudrier, III, pág. 427; Canedo, n.° 173; Foulché-Delbosc, n.° 636; Laurenti-Porqueras, *Guevara,* n.° 24; Palau, vol. 6, n.° 110184.

En: IU. En la biblioteca de la Universidad de Yale se registra un libro con esta portada y fecha, pero con 470 págs. El ejemplar de Urbana lleva el *ex libris* de Gilbert Burnet, Lord Bishop of Salisbury. Chancellor of the most Noble Order of the Garter. Reproducimos la portada en el presente volumen.

309 [38]

—— —— [*Menosprecio de corte y alabanza de aldea,* tr. de L.T.L.]. *Libro Llamado Menosprecio De Corte Y Alabança de aldea,* * *Compuesto por el illustre señor don Antonio de Gueuara, Obispo de Mondoñedo, predicador, y chronista y del consejo de su Magestad. De nouueau mis en françois par L.T.L.* [Louis Turtuet Lyonnois] *auquel auons adiousté L'Italien, pour l'utilité et sousagement de ceux qui prennent plaisir aux Vulgaires qui sons ouiourd' huy ses plusey estime. Pour plus grand enrichissement de cest oeuure, y ont esté adioustés les vers François des Euesques de Meaux & de Cambray, & les Latins de N. de Clemeges Docteur en Theologie, sur la grand disparité de la vie rustique auec celle de cour.* [Lyon] [Adorno] M.D.X C I. (1591). Par Iean De Tovrnes. Auec priuilege du Roy. 4 hs. + 551 págs. 8.°.

Signaturas: +⁴, A-Z⁸, a-l⁸, m⁴.

Cits.: Adams, I, n.° 1496; Brunet, II, col. 1799; Canedo, n.° 330; Cartier, II, n.° 690, que señala ejemplares en Berna y en su biblioteca; Foulché-Delbosc, n.° 625; Laurenti-Porqueras, *Guevara,* n.° 11.

En: IU, BBR, C, CtY, DBRP, LBM, MBN, PBN.

310 [39]

—— —— [*Menosprecio de corte y alabança de aldea,* tr. de Antoine d'Alaigre]. *Dv Mespris De La Covrt: & de la lounge de la uie Rustique. Nouuellement traduict d'Hespaignol en Françoys.* [Escudo del impresor con el lema: AD AMVSSIM DOLO, ATQVE PERPOLIO. SCABRA ET IMPOLITA] A Lyon, Chés Estienne Dolet. [Filete] 1543. Auec priuileige pour dix ans. 3 hs. + 111 págs. 8.º. Reproducimos la portada en el presente volumen.

Signaturas: A-G⁸.

Cits.: Laurenti-Porqueras, *Guevara,* n.º 26.

Colofón: [Escudo del impresor] "DOLET. Preserue moy, ò Seigneur, des calumnies des hommes".

En: IU.

Se trata de una edición rarísima. La desconoce Baudrier. Brunet, acaso por error (II, col. 1799), y Foulché-Delbosc (n.º 69), que evidentèmente lo copia de Brunet, citan una edición de Lyon de 1543, impresa por François Juste, que nadie ha visto, que, por supuesto, no sería, si existiese, la misma que ésta de hoy. Se cita una de Dolet, 1542, pero con 170 págs. Se conocen ejemplares en MH y PBN.

311 [40]
——— ——— [*Menosprecio de corte y alabanza de aldea,* tr. al francés por Louis Turquet de Mayerne]. *Mespris De La Covr, Et Lovange de la vie rustique:* [Florón]. *Composé premīerment en Espagnol par dom Antoine de Gueuarre, Eusque de Mondognedo, predicateur, Historiographe, & Conseiller de l'Empereur: & depuis traduit en Italien, François, & Allemand. Toutes lesquelles lāgues nous auōs joinctes ensemble en ceste seconde edition, pour l'vtilité & soulagement de ceux qui prennent plaīsir aux vulgaires qui sont aujourd'huy plus prisés & recherchés. A la fin du liure se voyent les vers François des Euesques de Meaux & de Cambray, & les Latins de N. Clemenges Docteur en Theologie sur la grande disparité de la vie rustique avec la vie de cour.* [Escudo del impresor] Par Clavde Le Mignon. [Genève] M.DC.XIIII. (1614) 8 hs. + 743 págs. + 3 hs. 8.º.

Signaturas: o⁸, A-Z⁸, a-z⁸, aa⁸.

Cits.: Canedo, n.º 332; Cioranescu, n.º 600; Foulché-Delbosc, n.º 942; Laurenti-Porqueras, *Guevara,* n.º 27; Palau, n.º 110298; Simón Díaz, XI, pág. 378.

En: IU, CtY, LBM, MH.

Texto en francés, español, italiano y alemán en columnas paralelas. Se trata de una reimpresión de la edición de De Tourne de 1605, según Brunet II, col. 1799. El Sr. Foulché-Delbosc, loc. cit., registra un ejemplar en su biblioteca particular.

312 [41]
HUARTE DE SAN JUAN, Juan, *ca.* 1530-*ca.* 1592. [*Examen de ingenios,* tr. de François Savinien d'Alquie]. *L'Examen Des Esprits.* Amsterdam. Chez Jean de Ravestein. M. DC. LXXII. [Portada:] *L'Examen Des Esprits Pour les Sciences. Où se montrent les differences des Esprits, qui se trouvent parmy les hommes, & à quel genre de science un chacun est propre en particulier. Compose par Jean Huarte, Medecin Espagnol. Et augmenté de plusieurs additions nouvelles par l'Auteur selon la derniere impression d'Espagne. Le tout traduit de l'Espagnol par François Savinien D'Alquie* [Viñeta] *Expectando.* A Amsterdam, Chez Jean de Ravestein. M.DC.LXXII (1672). 31 hs. + 629 págs. 8.º.

Signaturas: * - **12, ***8, A-Z^{12}, Aa-Cc^{12}, Dd^{3}.

Cits.: Brunet, III, col. 397; Cioranescu, n.º 3358; Foulché Delbosc, n.º 1762; Palau, n.º 116513; Simón Díaz, V n.º 1762.

En: IU, BBU, BUB, CaBVaU, CLB, DNLM, EUB, InU, MH, MSb, MSB, MUB, NB, PjP, NPV, OCl, OrU, PBM, WAB, WB, WUB.

313 [42]
HUSEL, Johan van. *Den grooten Dictionaris en Schadt Van dry talen Duytsch Spaensch ende Fransch met de namen der Rijcken Steden ende plaetsen der Wreldt* [español:] *El Grande Dictionario De las tres lenguas Española, Francesa y Flamenca, con todos los nombres de los Reynos, Ciudades, y lugares del Mundo.* [francés:] *Le Grand Dictionaire Et Tresor De trois langues François, Flameng, & Espaiñol, auec tous les noms des Royaumes Villes & lieux du Monde.* T'Hantvverpen By Caes. Ioachim Trognesius, [Filete] Anno M.DC.XLVI (1646). 145 fs. Frontis. Grabados de los lingüistas: Caesar Trogney [sius], Gabriel Meurier, Mathias Sasbout, Cornelius Kilianus, M. Nicod y C. Oudin. 2 partes en 1 vol. 4.º.

Signaturas: A-Z^{4}, Aa-Nn^{4}.

Cits.: Peeters-Fontainas, I, n.º 302; Verdussen, *Cat.* pág. 159.

En: IU, An-C-TU, BBR, LBJ.P.F.

314 [43]
LACAVALLERIA, Pedro de. [*Dictionario Castellano,* francés y catalán] *Al excelentissimo Señor Marques de Brezè, Mariscal de Francia, &c. Visorey, y Capitan General por su Magestad Christianissima en Cataluña, Rossellón, y Cerdeña. / Dictionaire Françoise A Tres Excellent Seigneur Marquis de Breze, Mareschal de France, &c. Viceroy, & Captaine General pour sa Maiesté tres Chrestienne en Catalogne, Rossillon; & Cerdagne. / Dictionari Catala. Al Excellentissim Senyor Marques de Brezè, Mariscal de França, &c. Virrey, y Capità General per sa Magestat Christianissima en Catalunyà, Rossello, y Cerdanya.* Ab. Llicencia, Y privilegi. En Barcelona: En casa de Pere Lacaballeria, Any 1642. Venense en la mateixa Estampa. [256] págs. 8.º.

Signaturas: ã, A-P^{8}.

Tres idiomas en columnas paralelas.

Cits.: Goldsmith, pág. 35, n.º 303; Palau, n.º 129317.

En: IU, ICN, LBM, PBN, BBU.

315 [44]
MEDINA, Pedro de, ¿1493? - ¿1567? [*Regimiento de navegación,* tr. de Nicolas de Nicolina]. *L'Art De Navigver De M. Pierre De Medine, Espagnol* [Florón] *Contenant toutes les reigles, secrets & enseignemens necessaires à la bonne nauigation, Tradvict De Castillan En Francois, auec augmentation & ilustration de plusieurs figures & annotations, par Nicolas de Nicolai, du Dauphiner Geographe du Treschrestien Roy Henry II. de ce nom: & dedié a sa tres - Auguste Maiesté.* [Escudo del

impresor] A Lyon, Par Gvillavme Rovillé. M.D.LXIX (1569). 4 hs. + 226 págs. + 6 hs. 4.º.

Signaturas: ∗4, a-z⁴, A-F⁴.

Cits.: Baudrier, IX, pág. 327; Brunet, III, col. 1573; Graesse, IV, pág. 462; Palau, n.º 159571.

En: IU, DLC, LBM, LBMun, MiU-C, NNH, OkU, PBN, PBSG, RPJCB, TBM.

316 [45]

MEJIA, Pedro, 1496-1552. [Extractos de sus *Obras*. Td. desconocido] *Discovrs Des sept Sages De Grece, Avec Plvsievrs Sentences notables qu'ils ont laissées par escrit. Ensemble vn Traitté des sept merueilles du monde. Par P. Messie.*

[Adorno] A Paris, Chez Federic Morel Imprimeur du Roy, Rue S. Iaques à la Fontaine. 1579. Auec Priuilege du Roy. 56 págs. 8.º.

Signaturas: A-G⁴.

Cits.: Palau, n.º 167384; Porqueras-Laurenti, *Mejía*, n.º 16.

En: IU, PBN.

Como se indica en la pág. 3 se trata de un "Extraict des Oeuures de M. Pierre Messie Gentil-homme de Seuille".

317 [46]

NIEREMBERG, Juan Eusebio, 1595-1658. [*De la afición y amor de María*, tr. de R. Père D'Obeilh]. *L'Amimable Mere De Jesus, Ov Traite'Contenant les divers motifs qui peuvent nous inspirer du respect, de la devotion, & de l'amour, pour la tres-sainte Vierge. Traduit de l'Espagnol par le R. Pere D'Obeilh de la Compagnie de Jesvs. Dedie A Madame De Maintenon* [Escudo del impresor] A Lyon, Chez Antoine Briasson ruë Merciere au Soleil. Avec Approbation & Permission. M.DC. LXXXVIII (1688). 1 h. + 540 págs. 8.º.

Signaturas: ā³, A¹⁰, B-X¹², Y⁷.

Cits.: Cioranescu, n.º 3853; Palau, n.º 190628.

En: IU, PBN.

318 [47]

OUDIN, César, m. 1625. *Refranes O Proverbios Castellanos Traduzidos en lengua Francesa. Proverbes Espagnols Tradvicts En François, par Cesar Ovdin, Secretaire Interprete du Roy. Reueus, corrigez & augmentez en ceste seconde edition, par le mesme.* [Escudo del impresor: *Ad Astra Per Aspera Virtvs*]. A Paris, Chez Marc Orry, ruë S. Iaques, au Lyon Rampant. M.D.C.I.X. (1609). 8 hs. + 256 fs. 8.º 2.ª edición. Texto español - francés.

Signaturas: a⁸, A-Q⁸.

Cits.: Doublet, pág. 100; Graesse, V, pág. 64; Foulché-Delbosc, n.º 825; Knapp-Huntington, pág. 259; Palau, n.º 207293; Penney, pág. 400; Vindel, P. Bg. 474; Viñaza, pág. 973, n.º 1453; Cioranescu, n.º 825.

En: IU, LBM, MH, NcU, NNH, OCl, OU, PBA, PBN, RBM, MBN.

319 [48]

────── *Refranes O Proverbios Espagnoles Tradvzidos En Lengva Francesa. Pro-verbes Espagnols Traduits en François. Par Cesar Oudin, Secretaire Interprete du Roy. Con Cartas en Refranes de Blasco de Garay* [Florón] *A Brvxelles, Chez* Rutger Velpius, *& Hubert Anthoine a l'Aigle d'or pres de la Court* 1612. [f.K¹¹ a:] *Cartas En Refranes de Blanco de Garay Racionero De La Santa Eglesia (sic) De Toledo.* [Florón] *En Brvsselas, Por Roger Velpio, en la Aguila de oro cerva de Palacio año de* 1612. [f.O⁴ b:] *Dialogo Entre El Amor y vn Cavallero viejo, hecho por el famoso autor Rodrigo Cota el tio* [...] 172 fs. 12.º.

Signaturas: A-O¹², P⁴.

Cits.: Cioranescu, n.º 505; Foulché-Delbosc, n.º 877; Palau, n.º 207294; Pee-ters-Fontainas, I, pág. 259 y vol. II, págs. 517-18, n.º 1008; Viñaza, pág. 973, n.º 1453. M.C. de La Serna, *Catalogue des livres de la bibliothèque...* (Bruxelles, 1803), vol. II, n.º 3421 ofrece un ejemplar fechado en 1611. Krauss, pág. 75.

En: IU, BBR, BRL, BWA, LPJ.P.F., PBA, PBN, BPS.

320 [49]

────── *Refranes O Proverbios Castellanos, traduzidos en lengua Francesa. Pro-verbes Espagnols Traduits en François. Par Cesar Ovdin, Secretaire Interprete du Roy Reueus, Corrigez & augmentez en cette derniere edition.* [Escudo del impresor] *A Paris, Chez Antoine De Sommaville, au Palais, sur le de deuxiéme Perron, allant a la sainte - Chapelle, à l'Escu de France.* M.DC.LIX (1659). 7 págs. + 360 (*i.e.* 368) págs. 8.º.

Signaturas: ã⁸, A-P¹², H¹², Q¹².

Cits.: Cioranescu, n.º 2699; Doublet, pág. 100; Palau, n.º 207298.

En: IU, MiU, LBM, PBN, PBA, RBM.

Nuestro ejemplar ilinoyense lleva el *ex libris* de George Wilbraham. Muchos errores en la paginación del texto: se repiten págs. 169-192 y págs. 305-312; págs. 169-192 van encuadernadas entre págs. 352 y 353; "...Algvnos proverbios morales sacados de los de Alonso Guajardo Fajardo: con algunos pocos disticos, del juego de la fortuna": págs. 331-358.

321 [50]

────── *Tesoro De Las Dos Lengvas Española Y Francesa Thresor Des Devx Langves Espagnolle Et Françoise: Avqvel Est Continve (sic) L'Explication de toutes les deux respectiuement d'vne par l'autre: Diuisé en deux parties Par Cesar Ovdin, Secretaire Interprète du Roy és langues Germanique, Italienne & Espagnolle, & Secretaire ordinaire de Monseigneur de Prince de Condé. Reueu, corrigé, augmenté, illustré, & enrichy en ceste quatriesme Edition d'vn grand nombre de Dictions & Phrases: & d'vn Vocabulaire des mots de jargon en langue Espagnolle, par le mesme Autheur.* [Florón]. *A Brvxelles, chez Hubert Antoine, Imprimeur juré de la Cour, à l'Aigle d'or pres du Palais.* M.DC.XXV (1625).

[Parte II:] *Seconde Partie Dv Thresor Des Devx Langves Françoise Et Espagnolle. En Laquelle Est Contenue l'explication des dictions Françoises en Espagnol, pour faciliter le moyen, à ceux qui desiront attaindre la perfection de composer en langue Espagnolle.* A Brvxelles, Chez Hubert Antoine, Imprimeur juré de la Cour, à l'Aigle dor. 1624. 2 vols. en 1. Vol. I: 366 fs.; vol. II: 249 fs. + 1 h. 4.º.

Signaturas: ã⁴, A-K⁴, L-Z⁸, Aa-Zz⁸, Aaa-Ddd⁸, (vol. II:) Eee², a-z⁸, aa-hh⁸, ii².

Cits.: Cioranescu, n.º 1254; Foulché-Delbosc, n.º 1144; Knapp-Huntington, pág. 46; Palau, n.º 207306-II; Penney, pág. 400; Peeters-Fontainas, II, n.º 1011.

En: IU, BBR, MBN, NNH, PBA, PU.

322 [51]
—— —— *Tesoro De Las Dos Lenguas, Española Y Francesa. De Caesar Oudin - Añadido Conforme A Las Memorias del Autor, con muchas Frasis (sic) y Dicciones; y con el Vocabulario de Xerigonça, en su Orden Alfabetico. Por Antonio Oudin, Secretario Interprete del Rey de Francia. Nuevamente Corregido Y Aumentado de infinidad de Omissiones, Adiciones, y Vocablos; con sus Generos: Y con un Vocabulario de las principales Ciudades, Villas, Reynos, Provincias, y Rios del Mundo. Por Juan Mommarte, Impresor jurado.* [Escudo del impresor]. En Bruselas, En casa del dicho Juan Mommarte, Año M.DC.LX (1660). Con Gracia Y Privilegio. [Parte II, despues de *signs.:* Mm²]. *Seconde Partie Du Tresor Des Deux Langues, Françoise Et Espagnolle, Par Cesar Oudin, Interprete du Roy. Nouvellement reveu, & augmenté de plusieurs Mots, avec leurs Genres; & d'un Vocabulaire des principales Villes, Regions, & Fleuves du Monde, par J.M.* [Escudo del impresor]. A Bruxelles, chez Jean Mommart, à l'Imprimerie. M.DC.LX [Filete] (1660). Avec Grace & Privilege du Roy. 2 vols. en 1. Vol. I: 274 fs.; vol. II: 234 fs. 4.º.

Signaturas: .4, A-Z⁸, Aa-Ll⁸; vol. II: Mm², A-Z⁸, Aa-Ff⁸, Gg².

Cits.: Cioranescu, n.º 2768; Foulché-Delbosc, n.º 1578; Knapp-Huntington, pág. 47; Palau, n.º 207308; Peeters-Fontainas, II, n.º 1012; Penney, pág. 400.

En: IU, An-C-TU, BBR, GBU, LBJ.PF., LBM, MBN, MBRE, NIC, NNH, PBN (2 ejemplares).

323 [52]
—— —— *Grammaire Espagnolle, Mise Et Expliqvee En François Par Cesar Ovdin, Secretaire Interprete du Roy, és langues Germanique, italienne, & Espagnolle, & Secretaire ordinaire de Monseigneur le Prince de Condé* [Escudo del impresor con el lema: AD ASTRA PER ASPERA VIRTVS] A Paris, Chez Marc Orry, ruë sainct Iacques, au Lyon Rampant. M.DCX (1610). 8 fs. + 204 págs. 4.º.

Signaturas: ã⁸, A-M⁸, N⁶.

Cits.: Cioranescu, n.º 383; Foulché-Delbosc, n.º 832; Knapp-Huntington, pág. 44; Penney, pág. 400.

En: IU, NNH, PBN.

324 [53]
—— —— *Grammaire Espagnolle Expliqvee En François. Par Cesar Ovdin, Secretaire Interprete du Roy, és langues Germanique, Italienne, & Espagnolle. Augmentée en ceste derniere edition, par Antoine Ovdin, Professeur des mesmes langues.*

[Escudo del impresor con el lema: BONA FIDE]. A Paris, Chez Pierre Billaine, ruë S. Iacques, à la Bonne-Foy, deuant S. Yues. M.DC.XXXII (1632). Avec Privilege Dv Roy. 4 hs. + 231 págs. 4.º.

Signaturas: +⁴, A-O⁸, P⁴.

Cits.: Cioranescu, n.º 1554; Doublet, pág. 100; Knapp-Huntington, pág. 45; Palau, n.º 207274; Penney, pág. 400.

En: IU, NNH, RBM.

325 [54]
PALAFOX Y MENDOZA, Juan de, obispo de Puebla de Los Angeles, 1600-1659. [*Epistola ad summum Pontificem Innocentium X,* tr. de Robert Arnauld d'Antilly]. (1) *Lettre De l'Illustrissime Iean De Palafox De Mendoza, Euesque d'Angelopolis dans l'Amerique, & Doyen du Conseil des Indes, Av Pape Innocent X. Contenant diuerses plaintes de cet Euesque contre les entreprises & les violences des Iesuites, & leur maniere peu euangelique de prescher l'Euangile dans les Indes Occidentales. Du 8 Ianuier 1649. Traduit sur l'Original latin.* [*s.l.-s.f.*] 30 págs. 4..

Signaturas: A-C⁴, D⁴.

Cits.: Cioranescu, n.º 2327; HC: 346; Laurenti-Porqueras, *Palafox,* n.º 34; Palau, n.º 209688; Penney, pág. 404.

En: IU, MB, NNH, PBM, PBN.

Se trata de la primera edición francesa de la famosa *carta* de Palafox en contra de los jesuitas. El ejemplar de Illinois fue adquirido a través de la libreria Kenneth Nebenzahl de Chicago.

326 [55]
—— —— [*Historia de la conquista de China, tr. de* Sieur Collé]. *Histoire De La Conqueste De La Chine Par Les Tartares. Contenant Plusieurs Choses Remarquables, touchant la Religion, les Moeurs, & les Coûtumes de ces deux Nations, & principalment de la derniere. Ecrite en Espagnol par M. De Palafox, Eusque d'Osma. Et Traduite en Françoise par le Sieur Colle. Dedié à Monseigneur Le Dovphin.* [Florón] A Paris, chez Antoine Bertier, Libraire ordinaire de la Reyne, ruë saint Jacques, à la Fortune. M.DC.LXX (1670). Avec Privilege Dv Roy. 8 hs. + 479 págs. 8.º.

Signaturas: ã⁸, A-Z⁸, Aa-Gg⁸.

Cits.: Cioranescu, n.º 3263; Doublet, pág. 101; Goldsmith, pág. 13, n.º 49; Laurenti-Porqueras, *Palafox,* n.º 33; Palau, n.º 209701.

En: IU, LBM, PBA, PBN, PBSG, RBM.

Colofón: "A Paris, De l'Imprimerie de Barthelemy Vitre M.DC.LXIX".

327 [56]
PALET, Jean [Pt. I.:]. *Diccionario Muy Copioso De La lengua Española y Francesa. En El Qval Son Declaradas todas las palabras Castellanas, Francesas con sus propias y naturales significaciones sacadas de muchos y muy excelentes Autores antiguos y modernos. Por el Doctor Ioan Palet Medico.* [Florón] A Brvxelles. Chez

Rvtger Velpivs Imprimeur de la Cour, a l'Aigle d'Or pres du Palays. M.DC.VI (1606). [Pt. II:] *Dictionaire Tres-Ample De La Langve Françoise & Espagnole.* [Florón] *diccionario Muy Copioso De La Lengva Francesa y Española.* [Florón] A Brvxelles, Chez Rutger Velpius, Imprimeur juré de la Cour, à l'Aigle d'Or. 1607. [Línea] Auec Priuilege. 360 fs. 8.°.

Signaturas: A-Z⁸, Aa-Yy⁸.

Cits.: Cioranescu, n.° 212; Doublet, pág. 102; Foulché-Delbosc, n.° 775; Heredia, n.° 5076; Palau, n.° 210184; Peeters-Fontainas, II, n.° 1034; Salvá, II, n.° 2372; Viñaza, pág. 735, n.° 724.

En: IU, BBR, ICU, LBM, LBJ.P.F., MiU, PBSG, PBN, TxU, BBC.

"El primer diccionario español-francés". Bibl.: A. Alonso *Nueva Revista de Filología Hispánica,* V (1951), págs. 16 y 325. Hay otro: El de Hornken: Vid. Gili Gaya, S. *Clavileño* (nov.-dic. 1951).

328 [57]
PALMERIN DE OLIVA, autor desconocido [Tr. de Jean Maugin] *L'Histoire De Palmerin D'Oliva, Filz Dv Roy Florendos de Macedone, & de la belle Griane, Fille de Remicius Empereur de Constantinople: discours plaisant & de singuliere recreation, traduit jadis par vn Auteur incertain de Castillan en Françoys, mis en lumiere & en son entier, selon nostre vulgaire, par Ian Maugin, dit le petit Angeuin. Reueu & emendé par le mesme Auteur. Probe Et Tacite.* A Anvers Chez Ian Waesberghe, sus le Cemitiere nostre Dame à l'Escu de Flandres. M.D.LXXII (1572). 8 hs. + 223 fs. + 1 h. 4.°.

Signaturas: A-Z⁸, Aa-Ff⁸.

Cits.: Brunet, IV, col. 331; Doublet, pág. 102; Foulché-Delbosc, n.° 370; Graesse, pág. 113; Palau, n.° 210479; Simón Díaz, III, vol. II, n.° 7331.

En: IU, DLC, LBM, PBA, RBM.

329 [58]
PEREZ DE HITA, Ginés ¿1544? - ¿1619? [*Historia de las guerras civiles de Granada,* tr. de Mlle. de la Roche-Guilhem, *m.* hacia 1710] *Historie Des Guerres Civiles De Grenade Traduite d'Espagnol en François. Premiere Partie.* [Florón] A Paris, Chez la Veuve Loüis Billaine, au second Pillier de la Grande Salle du Palais, au Grand Cesar, M.DC.LXXXIII (1683). Avec Privilege du Roy. 8 hs. + 223 págs. 8.° 3 partes en 1 vols.

Signaturas: ã⁸, A⁸, B⁴, C⁸, D⁴, E⁸, F⁴, G⁸, H⁴, I⁸, K⁴, L⁸, M⁴, N⁸, O⁴, P⁸, Q⁴, R⁸, S⁴, T⁴.

[Parte II:] *Histoire Des Guerres Civiles De Grenade, Traduite d'Espagnol en François. Seconde Partie.* [Florón] A Paris, Chez la Veuve Louis Billaine, au second Pillier de la Grande Salle du Palais, au Grand Cesar. M.DC.LXXXIII (1683). 243 págs.

Signaturas: A⁸, B⁴, C⁸, D⁴, E⁸, G⁸, H⁴, I⁸, K⁴, L⁸, M⁴, N⁸, O⁴, P⁸, Q⁴, R⁸, S⁴, T⁸, V⁴, X².

[Parte III:] *Histoire Des Guerres Civiles De Grenade Traduite d'Espagnol en François. Troisiéme Partie.* [Florón] A Paris, Chez la Veuve Loüis Billaine, au second Pillier de la Grande Salle du Palais, au grand Cesar. M.DC.LXXXIII (1683). 174 págs.

Signaturas: ã², A⁸, B⁴, C⁸, D⁴, E⁸, F⁴, G⁸, H⁴, I⁸, K⁴, L⁸, M⁴, N⁸, O⁴, P³.

Cits.: Cioranescu, n.º 3702; Doublet, pág. 104; Foulché-Delbosc, n.º 3702.

En: IU, PBN, RBM.

330 [59]
PRIMALEON DE GRECIA [Tr. de Gabriel Chappuys]. *Le Troisiesme Livre De Primaleon De Grece, Fils De Palmerin d'Oliue, Empereur de Constantinople. Auquel les faits heroiques mariages & merueilleuses amours d'eceluy sont tant bien deduites & exprimes, que le Lecteur, outre le prefit, n'en peut recuellir sinon plaisir & contentement. Traduit d'Espagnol en François.* [Escudo del impresor] A Lyon, Chez Pierre Rigaud, en ruë merciere, au coing, de ruë Ferrandiere, 1609. 420 págs. + 6 hs. 8.º.

Signaturas: a-z⁸, A-D⁸.

Cits.: Brunet, IV, col. 876; Cioranescu, n.º 364; Foulché Delbosc, n.º 813; Palau, n.º 237221; Simón Díaz, III, vol. II, n.º 7336.

En: IU, LBM, MBN, PBA, PBN.

331 [60]
QUEVEDO Y VILLEGAS, Francisco de, 1580-1645. [*Obras,* plagio de la traducción de La Geneste, publicada por primera vez en Rouen, en 1645] *Les Oevvres de Dom Francisco de Quevedo, chevalier Espagnol... Traduction nouuelle.* A Paris, Chez Iacqves Le Gras. M.DC.LXIV. (1664) 2 vols. en 1. Vol. I: 2 hs. + 335 págs. 8.º.

Signaturas: (vol. I:) A-O¹², P⁶.

[Vol. II:] *Les Oevvres De Qvevedo Traduction nouuelle. Tome Second.* [Florón] A Paris, Chez Iacqves Le Gras au Palais, à l'entrée de la Galerie des Prisonniers, [Filete] M.DC.LXIV (1664). 6 hs. + 416 págs. 8.º.

Signaturas: (vol. II) A-R¹², S⁵.

Cits.: Cioranescu, n.º 2961; Foulché-Delbosc, n.º 1616; Palau, n.º 243706.

En: IU, PBN, TxU.

El volumen primero está falto de portada.

332 [61]
—— —— [*Obras,* tr. de Sr. Raclots, anteportada:] *Oeuvres de Don Francisco de Quevedo*] [Vol. I:] *Les Oeuvres De Don Francisco De Quevedo Villegas, Chevalier Espagnol. Premiere Partie Contenante le Coureur de Nuit ou l'Avanturier Nocturne, l'Avanturier Buscon, & les Letrres du Chevalier de l'Espargne (sic) Nouvelle Traduction de l'Espagnol en François par le Sʳ. Raclots Parisien, & enrichie de Figures en taille douce.* [Florón] A Brusselles, Chez Josse De Grieck, Imprimeur & Mar-

chand Libraire proche la Steenporte à S. Hubert. 1699. [Filete] Avec Privilege du Roy. 2 hs. + 528 págs. 8 hs. 8.º.

Signaturas: A-Y^{12}, Z^7.

[Vol. II, anteportada grabada:] *Oeuvres de Don Francisco De Quevedo.*] *Les Oeuvres De Don Francisco De Quevedo Villegas. Chevalier Espagnol. Seconde Partie. Contenante les sept Visions: de l'Algoüazil Demoniaque, de la Mort, du Jugement Final, des Foux Amoureux, du Monde en son Interieur, de l'Enfer, & de l'Enfer Reformé. Nouvelle Traduction de l'Espagnol en François par le Sr. Raclots Parisien, & enrichie de Figures en taille douce.* [Florón] A Brusselles. [Filete] Chez Josse De Grieck Imprimeur & Marchand Libraire proche la Steenporte à S. Hubert. 1699. [Filete] Avec Privilege du Roy. 3 hs. + 420 págs. 8.º.

Signaturas: A-R^{12}, S^6.

Cits.: Brunet, IV, col. 1017; Cioranescu, n.º 4189; Foulché-Delbosc, n.º 2031; Palau, n.º 243956.

En: IU, LBM, PBN.

333 [62]
—— —— [*Sueños y discursos de verdades,* tr. de Sieur de la Geneste]. *Les Visions De Don Francisco De Quevedo Villegas, Cheualier de l'Ordre S. Iacques, & Seigneur de Iuan-Abad. Traduites d'Espagnol. Par le Sieur De La Geneste.* [Escudo del impresor con el lema: BONA FIDE]. A Paris, Chez Pierre Billaine, ruë S. Iacques, à la Bonne Foy, deuant S. Yues. M.DC.XXXIII (1633). Auec Priuilege du Roy. 4 hs. + 462 págs. 4.º.

Signaturas: ã^4, A-Z^8, Aa-Dd^8.

Cits.: Cioranescu, n.º 1595; Foulché-Delbosc, n.º 1255; Palau, n.º 244095.

En: IU, FU, PBA.

334 [63]
—— —— [*Sueños y discursos de verdades,* trd. de Sieur de la Geneste]. *Les Visions De Dom Francisco De Qvevedo Villegas Cheualier de l'Ordre S. Iacques, & Seigneur de Iuan - Abad. Traduites d'Espagnol. Par le Sieur De La Geneste.* [Escudo del impresor con el lema: BONA FIDE] A Paris, Chez Pierre Billaine, ruë S. Iacques, à la Bonne-Foy, deuant S. Yues. M.DC. XXXIIII (1634). Auec Priuilege du Roy. 16 hs. + 383 págs. 4.º.

Signaturas: ã^8, A-Z^8, Aa-Dd^8.

Cits.: Cicoranescu, n.º 1644; Foulché-Delbosc, n.º 1264.

En: IU, FU, PBA, PBN.

335 [64]
SALAZAR, Ambrosio de, *n.* 1573. *Espeio General De La Gramatica En Dialogos. Para Saber La natural y perfecta pronunciacion de la lengua Castellana. Servuira también de Vocabulario para aprenderla con más facilidad, con algunas Historias graciosas y sentencias muy de notar. Todo repartido por los siete dias de la semana,*

donde en la séptima son contendias (sic) las phrasis de la dicha lengua hasta agora no vistas. Dirigido à la Sacra y Real Magestad del Christianissimo Rey de Francia y de Nauarra. Por Ambrosio De Salazar. Miroir General De La Grmmaire (sic) En Dialogves, pour sçauoir (sic) la naturelle & parfaite pronontiation de la langue Espagnole. Seruira aussi de Dictionnaire pour l'apprendre auec plus grande facilité. Il y a aussi aucunes Histoires gracieuses & sentences notables, le tout diuise par les sept iour de la sepmaine, (sic) ou en la septieme Iournee sont contenus les phrazes de ladite langue non encor veuës insques à maintenant. A Roven. Chez Iacqves Cailloüe, dans la Cour du Palais. M.DC.XXXVI (1636). 3 hs. + 505 págs. 4.º.

Signaturas: [8], C-Z⁸, Aa-Kk⁸.

Cits.: Cioranescu, n.º 1737; Foulché-Delbosc, n.º 1288-9; Goldsmith, pág. 161, n.º 86; Palau, n.º 286473; Penney, pág. 400.

En: IU, CU, CU-B, LBM, NNH, PBM, PBSG.

El ejemplar ilinoyense va encuadernado con la obra de César Oudin: *Grammaire Espagnolle Expliqveè En François...* A Paris, Chez Pierre Billaine, ruë S. Iacques, à la Bonne - Foy, deuant S. Yues. M.DC.XXXII (1632). (Véase ficha n.º 53).

336 [65]

VITTORI, Girolamo, fl. 1609. *Tesoro De Las Tres Lengvas Española Francesa, Y Italiana. Thresor Des Trois Langves, Espagnole, Françoise, Et Italienne. Auquel est contenue l'explication de toutes les trois respectiuement l'vne par l'autre: Diuise en trois parties. Le tout recuilli des plus celebres Auteurs que iusques ici ont escrit aux trois langues, Espagnolle, Françoise, & Italienne, par Hierosme Victor Bolonnois. Derniere edition reueu & augmentee en plusieurs endroits.* [Grabado] A Geneve, De L'Imprimerie de Iaqves Crespin. [Línea] M.DC.XLIV (1644). 3 partes in 1 vol. Parte I: 570 págs. + 1 hs. 4.º.

Signaturas: (pt. I:) A-Z⁸, AA-MM⁸, NN⁶.

[Título de la Secunda Parte:] *Seconde Partie Dv Thresor Des Trois Langves, Françoise, Italienne Et Espagnolle. En laquelle est contenuë l'explication des dictions Françoises en Italien & Espagnol. pour faciliter le moyen à ceux que desirent atteindre la perfection de composer en la langue Italienne & Espagnole* [s.l.-s.f.] 420 págs.

Signaturas: A-Z⁸, AA-CC⁸, DD⁴.

[Título de la Tercera Parte:] *Terza Parte Del Tesoro Delle Tre Lingve, Italiana, Francesa, e Spagnuola. Dove Sono Le Voci Italiane dichiarate in Francese e Spagnuolo, per aiutar chi desidera nelle tre sudette Lingue perfettamente comporre. Hora Nuovamente Posta In luce, cauata da diuersi Autori e Lessicografi, massime del Vocaboloro della Crvsca.* [s.l.-s.f.] 505 págs.

Signaturas: A-Z⁸, Aa-Hh⁸, Ii⁴.

Cits.: Cioranescu, n.º 2122; Foulché-Delbosc, n.º 1398; Penney, pág. 604.

En: IU, LBM, NBM, NNH, PBN, PBS.

337 [66]

VIVES, Juan Luis, 1492-1540 [*Colloquia sive exercitatio latinae linguae*, tr. de Benjamin Jamin]. *Les Dialogves De Ian Loys Vives, Tradvits De Latin En Françoys. Pour l'exercice des deux langues. Par B. Iamyn. A Monseignevr Charles De Lorraine. Ausquelz est adioustée l'explication Françoise des mots plus rares & moins vsages. Par Guilles de Housteuile. Auec ample declaration & traduction des passages grecz en Latin par P. de la Motte.* [Escudo del impresor con el lema: OMNIA MEA MECVM PORTO] A Paris, Pour Gabriel Buon, au clos Bruneau, à l'enseigne S. Claude. 1564. Avec Previlege Dv Roy. 152 fs. + 39 hs. + 2 hs. 16.º.

Signaturas: A-Z⁸, Aa⁸.

En: IU.

Al final lleva un privilegio del rey, firmado en Paris, el 17 de noviembre de 1563. Ingresó en Urbana en 1967, procedente de Inglaterra. Reproducimos la portada en el presente volumen.

338 [67]

—— —— [*Colloquia sive exercitatio latinae linguae*, tr. de Benjamin Jamin]. *Les Dialogves De Ian Loys Vives, Tradvits De Latin En Françoys. Pour l'exercice des deux Langues. Par B. Iamin A Monseignevr Charles De Lorraine. Ausquelz est adioustée l'explication Françoise des motz plus rares & moins vsaves. Par Gilles de Housteuile. Auec ample declaration & traduction des passages Grecz en Latin: par P. de la Motte. Le tout nouuellement reueu & corrigé.* [Escudo del impresor con el lema: OMNIA MEA MECVM PORTO]. A Paris, Pour Gabriel Buon, au clos Bruneau, à l'enseigne S. Claude. 1571. Avec Privilege DV Roy. 1 h. + 152 fs. + 40 hs. de Indice. 16.º.

Signaturas: A-Z⁸, Aa⁸.

En: IU, LBM.

339 [68]

—— —— [*Colloquia sive exercitatio latinae linguae*, tr. de Benjamin Jamin]. *Les Dialogves De Iean Loys Vives, Tradvits De Latin En François, Pour l'exercice des deux Langues. Par B. Iamin. A Monseignevr Charles De Lorraine. Ausquelz est adioustée l'explication Françoise des mots Latins plus rares & moins vsages, Par Gilles de Housteuille. Auec ample declaration & traduction des passages Grecs en Latin par P. de la Motte. Le tout nouuellement reueu & corrigé.* [Escudo del impresor con el lema: OMNIA MEA MECVM PORTO] A Paris, Pour Gabriel Bvon, au clos Bruneau, à l'enseigne S. Claude. M.D.LXXXVIII (1588). [Filete] Avec Privilege Dv Roy, 1 h. + 199 fs. + 55 fs. de Indice. 16.º.

Signaturas: A-Z⁸, Aa-Kk⁸.

Cits.: Palau, n.º 371828.

En: IU.

ADDENDA

Después de terminado este capítulo notamos la presencia en Urbana de otras ediciones con traducciones francesas. Se trata de la versión realizada por S.G. Pavillon de *La Diana* de J. de Montemayor: ediciones de Paris, 1611 y Paris, 1613, y de la traducción de Nid Parisien de *La constante Amarilis* de C. Suárez de Figueroa, publicada en Lyon, par Claude Morillon, 1614. Véase nuestro citado catálogo, *The Spanish Golden Age...*, págs. 273 y 459.

LE LIVRE DORÉ
DE
MARC•AVRELE
EMPEREVR, ET
ELOQVENT
ORATEVR,

Traduit de vulgaire Castillan en François, par R. B. de la Grise, Secretaire
de Monseigneur le Renerend. Cardinal de Grantmont.
*Fidelement reueu & verifié sus les exem-
plaires Latins, & Castillan, par Antoine du Moulin Masconnois.*

A LYON,
PAR IEAN DE TOVRNES.
M. D. XXXXX.

Portada de una rarísima edición francesa de la traducción de *Marco Aurelio
de Guevara,* Lyon, Jean de Tournes, 1550. De momento sólo conocemos el
ejemplar de Urbana. Véase ficha 306 [35].

L'HORLOGE
DES PRINCES,
AVEC LE TRESRENOM-
ME LIVRE DE MARC AVRELE, RE-
cueilly par don Antoine de Gueuare, Euesque de
Guadix & Mondouedo, Traduict en partie de Castilan en François par feu N. de Herberay seigneur des Essars, & depuis reueu & corrigé nouuellement outre les autres precedentes impressions par cy deuant imprimées.

321.

A PARIS,
Chez Iehan Ruelle, rue S. Iaques, à l'enseigne
Sainct Nicolas.

1569

AVEC PRIVILEGE.

L'HORLOGE

DÈS PRINCES,

AVEC L'HISTOIRE
DE MARC AVRELE
EMPEREVR ROMAIŃ.

Recueilly par Don Authoine de Gueuare,
Euefque de Guadix & Moudonedo.

Traduict de Castillan en François,
par R. B. de Grise.

Depuis reueu & corrigé par N. de Herberay,
Seigneur des Essars , outre les prece-
dentes impressions.

A LYON,
PAR BENOIST RIGAVD.
1592.

Portada de la rarísima edición francesa de la traducción de *Reloj de Prínci-*
pes y Libro de Marco Aurelio de A. Guevara, Lyon, 1592. Véase ficha
308 [37].

D V
MESPRIS
DE LA COVRT:
& de la louange de la uie Rufticque.

*Nouuellement traduict d'Hef-
paignol en Françoys.*

A LYON,
Chés Eftienne Dolet.
1 5 4 3.
Auec priuileige pour dix ans.

Portada de una edición, al parecer desconocida, de Lyon, Estienne Dolet, 1543. Se trata de una traducción francesa de *Menosprecio de Corte* de A. de Guevara. Véase ficha 310 [39].

este libro le galaza

LES
DIALOGVES
DE IAN LOYS VIVES,
TRADVITS DE LATIN
EN FRANÇOYS.

Pour l'exercice des deux langues.

PAR B. IAMYN.

A MONSEIGNEVR CHARLES DE
LORRAINE.

Ausquelz est adioustée l'explication Françoise des mot
latins plus rares & moins usagez. Par
Gilles de Housteuile.

Auec ample declaration & traduction des passages grecz en Latin par P. de la Motte.

Ex libris P. Dionysy Car.
1691

A PARIS,
Pour Gabriel Buon, au clos Bruneau, à
l'enseigne S. Claude.
1564.
AVEC PREVILEGE DV ROY.

Portada de una edición, totalmente desconocida, de París, 1564 con la traducción francesa de una Obra de Luis Vives. Véase ficha 337 [66].

XIV

LA COLECCION DE TRADUCCIONES HISPANO-CLASICAS*

* Se publica en *Anuario de Letras* (México), 18 (1980), 295-341.

Una de las más sobresalientes colecciones de la Universidad de Illinois es, sin duda, la relativa a traducciones hispanoclásicas de la Edad de Oro. Presentamos hoy cerca de medio centenar de unidades bibliográficas; algunas representan muestran de los escasos ejemplares que se conservan en el mundo de una particular edición. Por lo que respecta a Norteamérica, es posible que la colección hispano-clásica ilinoyense ocupe el segundo lugar, después de la impresionante riqueza de la Hispanic Society of America. Y hay que notar algunas ediciones que no se encuentran en la famosa biblioteca neoyorquina, se albergan en Urbana. Hemos consignado todos los ejemplares existentes en otras bibliotecas de que hemos tenido noticia, que corresponden a las ediciones representadas en Urbana. La máxima fuente de referencia ha sido el *Union Catalog,* en curso de publicación (llega hasta la letra *T*) por lo que respecta a las bibliotecas·norteamericanas. Las diversas investigaciones bibliográficas de José Simón Díaz han ampliado el horizonte hacia los fondos europeos con localizaciones españolas[90] y de otros países europeos. Por lo que respecta al siglo XVI se han tenido muy en cuenta los censos del *Catálogo de obras impresas en los siglos XVI al XVIII en las bibliotecas españolas. Siglo XVI, letras A-R,* Madrid, 1972-1978... varios volúmenes en curso de publicación. Y por supuesto, se han practicado abundantes buceos en famosos catálogos de diversas bibliotecas, la mayoría de las cuales se consignan en la lista de

90.   Nos complace ver que la gran mayoría de estas muestras se hallan bien representadas en la Biblioteca Nacional de Madrid. Y así lo hemos consignado, excepto en algunos pocos casos en que, desde el otro lado del Atlántico, nos era imposible confirmarlo.

repertorios bibliográficos, que se indica después de esta introducción presentativa. Hay que mantener cierta reserva sobre las existencias alemanas recogidas por Werner Krauss, ya que es posible que algunos ejemplares hayan desaparecido en la última guerra mundial. Estas localizaciones no pretenden abarcar la totalidad de ejemplares de una particular edición pero constituyen, en general, la más nutrida nómina ofrecida hasta el día de hoy. Y, además de consignar y describir los ejemplares ilinoyenses, acaso sea ésta una de las concretas aportaciones del trabajo de hoy. Conviene, poco a poco, constituir un banco de noticias de todos los ejemplares dispersos por el mundo de una particular edición española. Y ojalá contribuyan las notas del presente trabajo y otros se animen a completarlas, emprendiendo estudios parecidos sobre otras colecciones de traducciones hispano-clásicas que se alberguen en otras bibliotecas.

Llamamos la atención a otras características metodológicas de la presente investigación. Se han reproducido las portadas completas, número de páginas y tamaño de los ejemplares. No nos ha parecido oportuno atiborrar estas fichas con los datos de los preliminares que el lector curioso podrá encontrar fácilmente acudiendo a los repertorios de Catalina García, Pérez Pastor, Simón Díaz, etc. Sí nos ha parecido bibliográficamente importante el consignar las signaturas de los pliegos internos, datos a menudo olvidados en la mayoría de repertorios. Para muchas ediciones presentadas hoy el lector tendrá, por primera vez, las signaturas de los mismos. Nos han sido muy útiles como orientación previa de conjunto los antiguos trabajos de M. Menéndez Pelayo tales como *Bibliografía hispano-latina* y *Bibliografía de traductores españoles.* Una revisión científica de estos problemas la representa Theodore S. Beardsley, Jr. en *Hispano-Classical Translations Printed Between 1482 and 1699,* Duquesne University Press, 1970. Es una acertada presentación del "estado de la cuestión" sobre cada particular traducción y sus datos nos han sido muy útiles al redactar unas observaciones informativas con que se acompañe cada entrada bibliográfica. Lástima que los títulos que ofrece el investigador norteamericano sean abreviados y que las localizaciones útiles sean tan reducidas, incluso por lo que respecta a los Estados Unidos. Sorprende que, una sola vez se haga referencia a los fondos ilinoyenses, hecho que nos reafirma en la presente tarea de presentar la importante colección de Urbana, que ha pasado inexplicablemente inadvertida. Todas las ediciones (si no los ejemplares ilinoyenses...) que estudiamos hoy son conocidos por Beardsley aunque aisla especialmente para su estudio las primeras ediciones publicadas de una particular traducción. Y es entonces cuando nosotros, mencionamos su entrada bibliográfica en nuestras notas. Queda manifiesta aquí nuestra deuda científica con Beardsley, buen aclarador de un inmenso material hispano-clásico.

He aquí algunas características, a guisa de resumen, de los materiales presentados hoy. Sólo hemos recogido traducciones que constituyen una unidad bibliográfica y no traducciones parciales (por ejemplo, algunos poemas de Horacio) incorporados en libros de diverso carácter. Los autores clásicos son representados por orden alfabético en donde se funden los de procedencia griega (que son más bien escasos) y los de origen latino. Notamos, respecto a los autores griegos, que, en varios casos, los traductores españoles se sirven de traducciones latinas intermediarias. Y así ocurre[91], con la traducción de *Historia de las guerras civiles...* (Alcalá, 1536) de Apiano, realizada por Diego de Salazar; con Diego de Funes para la traducción de *Historia general de aves y animales...* (Valencia, 1621) de Aristóteles y también J. González de Salas para su ecléctica exposición y libre traducción de la *Poética* de Aristóteles (Madrid, 1633), y por último, con el jesuita Jacob Kresa con los *Elementos geométricos...* de Euclides (Bruselas, 1689).

Directamente del griego provienen las traducciones que realizó Gonzalo Pérez de la *Odisea* de Homero (Venecia, 1553 y Amberes, 1556) y los de Sánchez de las Brozas (Madrid, 1612) y Quevedo respecto al *Enquiridión de Epicteto...* (Barcelona, 1636 y Bruselas, 1661) y los de Diego Gracián sobre las *Morales* de Plutarco (Alcalá, 1548) y la de Francisco Encinas sobre *Las vidas...* (Colonia, 1562).

Más nutrida es la representación de autores latinos, mucho más conocida y traducida en la Edad de Oro. *Los comentarios* de Cayo Julio César se encuentran a través de la traducción de Diego López (Madrid, 1621); Cicerón está muy bien representado con tres importantes traducciones de la época: la de Francisco Támara para *De Amicitia, Officiis y Senectute* (Amberes, 1549) la de Andrés Laguna sobre algunas *Orationes* (Amberes, 1557) y la de Simón Abril sobre *Epistolae ad familiares...* (Madrid, 1589). De Horacio posee Urbana las dos traducciones más amplias que aparecieron en España: la de Villén de Biedma (Granada, 1599), que aunque rara, no ofrece la inusitada rareza de la mayoría de ejemplares presentado en el presente trabajo, y la de Urbano Campos (Barcelona, 1699). El compendio que realizó Justino fue traducido por Jorge de Bustamante y su versión se reimprimió varias veces. Urbana posee la segunda y tercera edición (Amberes, 1542 y Amberes, 1586). La única traducción completa de las *Satirae* de Juvenal fue la de Diego López (que también tradujo a Julio César, como hemos visto), presente en la Universidad de Illinois (Madrid, 1642). *Las Decadas* de Tito Livio están representadas por la rara edición (aunque muy bien representada en la Biblioteca Nacional de Madrid con cinco ejemplares) del heterodoxo burgalés Francisco Encinas, tan sugerentemente delineado por Menéndez Pelayo.

La representación de Lucano es destacada. Se encuentran las dos únicas traducciones de la *Farsalia* publicadas en la Edad de Oro: la de Lazo de Oropesa, que cuenta en Illinois con dos ediciones (Amberes, 1540 y Burgos, 1578) y la de J. de Jáuregui (Madrid, 1684). De Ovidio hay que consignar la traducción de Alvarado y Alvear de las *Heroidas* (Burdeos, 1628) y tres traducciones de las *Metamorfosis*: la de Jorge de Bustamante (Amberes, 1551), la de Sánchez de Viana (Valladolid, 1589) y la de Pérez Sigler (Burgos, 1609).

Plinio cuenta con las traducciones parciales de Jerónimo de Huerta (Madrid, 1559 y Madrid, 1603).

Séneca se encuentra bibliográficamente bien representado con cuatro ediciones, dos de autores no definitivamente identificados: una selección de cinco de sus

---

91.   Citamos siempre por las fechas de las ediciones que se encuentran en Urbana; en las observaciones eruditas con que se acompaña cada entrada bibliográfica o grupo de entradas bibliográficas sobre un autor, se detalla si la edición es la príncipe o no, y cuantas otras son conocidas.

libros (Amberes, 1551) y una colección de sus *Epistolas* (Alcalá, 1529). *De Beneficiis* cuenta con las traducciones de Ruiz Montiano (Bruselas, 1606) y Fernández de Navarrete (Madrid, 1629).

Las *Obras* de Tácito están representadas con las dos más completas traducciones publicadas en la Edad de Oro: Emanuel Sueyro (Amberes, 1613 y Lisboa, 1614) y Alamos de Barrientos (Madrid, 1614).

El teatro de Terencio sólo fue traducido por Pedro Simón Abril. Las ediciones son de extremada rareza. Pues bien, Urbana posee dos (Zaragoza, 1577 y Alcalá, 1583) de los tres que se publicaron. El autor Valerio Máximo cuenta con una de las varias ediciones (Madrid, 1672) con que se vio honrada la traducción de Diego López, activo traductor que ya hemos citado con ocasión de César y Juvenal y que veremos acto seguido con ocasión de Virgilio.

Otro autor excelentemente representado en Urbana es Virgilio. Se cuenta con la traducción de la *Eneida* de Gregorio Hernández de Velasco (Lisboa, 1614); las *Eglógas* y *Geórgicas* traducidas por Cristóbal de Mesa (Madrid, 1618) y la más completa traducción de toda su obra, la de Diego López (Barcelona, 1679).

Por último la *Arquitectura* de Vitruvio cuenta con la única edición que se publicó, con la traducción de Miguel de Urrea (Alcalá, 1582).

Se trata, pues, repetimos, de presentar a la investigación una de las más importantes colecciones de traducciones hispano-clásicas que existen. El humanismo español precisa todavía de muchos más estudios generales y monográficos. Esperemos que el conocimiento, desde ahora, de las existencias de estos ricos fondos anime tanto a hispanistas como filólogos clásicos a estas tan urgentes investigaciones.

340 [1]

APIANO, Alejandrino [Portada grabada con un escudo de armas]. *Historia de todas las guerras ciuiles que vuo entre los romanos: segū que lo escriuio el muy eloquēte historiador Appiano Alexandrino: agora nueuamēte traduzida de latin en nřo vulgar castellano. Dirigida al muy Illustre y magnifico señor dō Juan d'Touar Marques de Berlāga, ec.* Con preuilegio. [Alcalá de Henares, M. Eguia, 1536]. 4 hs. + 149 fs. Fol.

Signaturas: +^{4}, A-Z^6, t^6, R^5.

Texto en dos columnas. Letra gótica.

Colofón: "Imprimiose esta historia del muy eloquente Appiano Alexandrino en la noble Uilla e insigne Uniuersidad de Alcala de Henares: en casa de Miguel de Eguia. Y vuo fin la impression della en el mes de Agosto Año del nascimiento de nuestro saluador Jesu Christo de. M.D. xxxvj. +

Cits.: Beardsley, pág. 38; Bravo, *passim;* Catalina, n.º 158; *Gesamtkatalog,* V, pág. 922; Graesse, I, n.º 1871; HC346 / 1162; Legrand, I, n.º 70; Menéndez y Pelayo, *Traductores,* I, págs. 234 y 259; Penney, pág. 31; Porqueras-Laurenti, n.º 91; Thomas, pág. 6.

En: IU, LBM, MBL, MBN, MBP, MBS, MRAE, NNH, OBU, SBC.

Observ.: El ejemplar de Illinois está falto de portada. Los datos de la misma se suplen con el *Catálogo* de Catalina García. La fecha de impresión y el nombre del impresor vienen consignados en el *colofón.* En el trabajo de Antonio Bravo García, ya citado en nuestro "Repertorios…", se reafirma la paternidad de Diego de Salazar, que había sido puesto en duda por Beardsley. He aquí lo que dice Bravo García: "En definitiva, la traducción de Alcalá, obra de Diego de Salazar, viene directamente de la versión italiana de Braccio que, a su vez, se inspiró en la latina realizada por Pier Candido Decembrio". (pág. 36).

341 [2]
ARISTOTELES. *Historia General de Aves, y Animales. De Aristoteles Estagerita. Tradvzida de Latin en Romance, y añadida de otros muchos Autores Griegos, y Latinos, que trataron deste mesmo argumento, Por Diego de Funes y Mendoça vecino de Murcia. A Don Christoval de Avela Chantre, y Canonigo de la Santa Iglesia de Cartagena, Referendario de nuestro muy Santo Padre Paulo Papa V, en ambas Signaturas.* [Viñeta] Con Privilegio. En Valencia, por Pedro Patricio Mey, junto a S. Martin. M.DC.XXI (1621)..A costa de Iuan Bautista Marçal Impressor. 16 hs. + 441 págs. 4.º.

Signaturas: S· - S·S·⁸, A-Z⁸, Aa-Ee⁸.

Cits.: Beardsley, n.º 157; Legrand, n.º 482; Menéndez Pelayo, *Traductores,* II, págs. 97-98; Palau, I, n.º 16716; Porqueras-Laurenti, n.º 102; Salvá, II, n.º 2704; Simón Díaz, X, n.º 3532.∖

En: IU, ICU, LBM, MBN, PBN, VaBN.

Observs.: Esta traducción, como ocurre con la mayoría de autores griegos, se basa en un texto latino. De este libro aristotélico es la única versión española que existe y no volvió a reeditarse. Las obras de Aristóteles están ampliamente difundida en español. Son once las obras aristotélicas que tuvieron versiones españolas en los siglos XV, XVI y XVII. Se trata de una edición de gran rareza de la que Simón Díaz, en España, sólo indica el ejemplar de la Biblioteca Nacional.

342 [3]
ARISTOTELES, *Poética. Nueva Idea de la Tragedia Antigua; O Ilustracion Vltima al Libro Singvlar de Poetica de Aristoteles Stagirita, por don Jusepe Antonio Gonçalez de Salas.* En Madrid, Lo imprimió Francisco Martinez, Año CIOIOC XXXIII (1633) 6 hs. 363 págs. + 24 págs. + 12 hs. 4.º.

[Anteportada:] *Ilvstracion al Libro de Poetica de Aristoteles Stagirita. Por Don Ivsepe Antonio Gonzalez de Salas.*

Contiene: A) *Tragedia practica, i observaciones, que deben preceder a la tragedia española intitulada, Las Troianas;* B) *Las Troianas, tragedia latina de Lvcio Seneca español;* C) *El theatro scenico a todos los hombres, exercitacion scholastica;* D) *Biblioteca escripta, o Indice de los avctores, que en la Poetica de don Ivsepe Antonio Gonzalez de Salas se nombran, o se ilustran.*

Signaturas: o⁵, A-Z⁴, Aa⁴-Zz³, A⁴-f⁴.

Cits.: Beardsley, pág. 177; Doublet, pág. 65; Goldsmith, pág. 77, Legrand, III, n.º 528; Palau, n.º 105823; Simón Díaz, XI, n.º 1379; Ticknor, pág. 158.

En: IU, LBM, MB, MBN (varios ejemplares), NN, PBM, PBN, PU, ICN, RBM, SBU, VBU, GBU.

Observs.: El ejemplar ilinoyense, dedicado a Juan Morales Barnuevo, lleva la firma autógrafa de González de Salas. Se trata de un libro doctrinal que combina la traducción de la *Poética* de Aristóteles, al parecer de un texto latino, con comentarios teóricos.

343 [4]
CESAR Cayo, Julio. [Tr. de Diego López de Toledo]. *Los Comentarios De Cayo Ivlio Cesar. Contienen Las Gverras De Africa, España, Francia Alexandria, y la ciuiles de los ciudadanos Romanos, con el libro otauo de Aulo Hircio añadido a las guerras de Francia. Tradvzido En Por Diego Lopez de Toledo, Comendador de Castilnuovo de la Orden de Alcantara. Añadido Vn Argvmento De Las Obras de Francia, y vna declaración de su diuision para concordar a Cesar con otros Autores.* Año [Escudo de armas] 1621. 244 fs. + 12 hs de Tabla. 4.°.

Signaturas: o⁴, A-Z⁸, Aa⁸-Ii⁷.

Portada y algunas otras páginas mutiladas, con alguna pérdida del texto.

Cits.: Goldsmith, pág. 26, n.° 41; Graesse, II, pág. 10; Menéndez y Pelayo, II, pág. 151, XXXIX; Pérez Pastor, III, n.° 1726.

En: IU, LBM, MBN, MFL.

Observs.: Dice M. Menéndez y Pelayo en *Biblioteca de Traductores Españoles,* I, pág. 96: "Nicolás Antonio trae como anónima la traducción de los *Comentarios* de César, impresa en Alcalá, 1529". Es de Fray Diego López de Toledo. Beardsley, en su obra, reproduce en grabado la portada de la edición de Toledo de Pedro Hagenbach, 1499. Después de la primera edición toledana, aparecieron tres reimpresiones más. Alcalá, 1529, Paris, 1549 y ésta representada en Urbana, de Madrid, 1621, de la que existen muy pocos ejemplares. El que se aloja en Urbana es el único conocido en Norteamérica. Ingresó en la biblioteca de la Universidad de Illinois en 1955, procedente de la libreria de Luis Bardón, cuyo *ex libris* se encuentra en el ejemplar.

344 [5]
CICERON, Marco Tulio, n. 106 a. de J.C., m. 43 a. de J.C. [*De Amicitia, Officis et Senectute.* Tr. de Francisco Támara]. *Libros De Marco Tvlio Ciceron, En Qve Tracta Delos (sic) Officios, Dela Amicicia, y Dela Senectud. Cõ la Economica de Xenophon, traduzidos de Latín en Romãce Castellano. Anadieronse (sic) Agora Nveuamente los Paradoxos, y el Sueño de Scipion, traduzidos por Iuan Iuraua.* [Escudo del impresor: PARVAE CRESCVNT* CONCORDIA RES]. En Anvers, En casa de Iuan Steelsio. M.D.XLIX. (1549). Con Priuilegio. 24 hs. + 400 fs. 8.°.

Signaturas: *, A-Z⁸, AA-ZZ⁸, AAA-FFF⁸.

Cits.: Beardsley, n.° 55; *Catálogo,* vol. III, n.° 1851; Legrand, I, n.° 123; Menéndez y Pelayo, II, pág. 339, CXCVII; Menéndez y Pelayo, *Traductores,* IV, págs. 271-2; Palau, n.° 54346; Peeters-Fontainas, I, n.° 250; Penney, pág. 134; Thomas, pág. 24.

En: IU, MPl, BBR, LBM, LJ.P.F., MBN, NNH, PBN.

Observs.: Se trata de la edición príncipe de la edición en que, por primera vez, aparecieron los añadidos de Juan de Jarava. Hay que notar que también se encuentra la obra de un autor griego: la *Economia* de Jenofonte, traducida por Támara, a través de la versión latina de Rafael Regio. Esta obra ingresó en Urbana en 1955. En Estados Unidos, de momento, sólo se conocen dos ejemplares: el ilinoyense y el de la Hispanic Society of America.

345 [6]

—— —— [*Orationes*. Tr. de Andrés de Laguna]. *Qvatro Elegantissimas Y Gravissimas Orationes De M.T. Ciceron, contra Catalina, trasladadas en lengua Española, Por el Doctor Andres de Laguna, Medico de Iulio III. Pontifice Maximo*. [Grabado con el lema: *Christvs Vera Vitis*]. En Anvers, En casa de Christoual Plantin en el Vnicornio Dorado. 1557. Con gratia y Priuilegio. 8 hs. + 88 fs. 8.º.

Signaturas: A-M⁸.

Cits.: Antonio, III, págs. 78; Beardsley, n.º 75; Brunet, II, col. 63; *Catálogo,* vol. III, n.º 1840; Menéndez y Pelayo, II, pág. 342, CCII; Palau, n.º 54394; Peeters-Fontainas, I, n.º 253; Thomas, pág. 24.

En: IU, ABV, BBR, DUL, IPM, LJ.P.F., MBN, MBP.

Observs.: Se trata de la edición príncipe española con la traducción de Andrés de Laguna. Es una de las primeras publicaciones que salieron de la imprenta de Plantino. En la Edad de Oro sólo se volvió a reimprimir en Madrid, 1632. El ejemplar ilinoyense se adquirió en 1963, procedente de la librería El Callejón, de Madrid. En Estados Unidos sólo se conoce el ejemplar de Urbana.

346 [7]

—— —— [*Epistolae ad familiares libri sedecim*. Tr. de Pedro Simón Abril]. *Los Dezeseis Libros De Las Epistolas ò cartas de M. Tulio Ciceron, vulgarmēte llamadas familiares: traduzidas de lengua Latina en Castellana por el doctor Pedro Simon Abril, natural de Alcaraz. Con vna Cronologia de veyntiun Consulados, y las cosas mas graues que en ellos sucedieron, en cuyo tiempo se escriuieron estas cartas. Dirigidas à Mateo Vazquez de Leca Colona, del Consejo del Rey nuestro señor, y su secretario*. [Grabado con el lema: POST TENEBRAS SPERO LUCEM]. En Madrid, en casa de Pedro Madrigal. Año 1589. Vēdense en casa de Iuā de Mōtoya, librero. 8 hs. + 471 fs. 8.º.

Signaturas: o⁸, A-Z⁸, Aa-Zz⁸, Aaa⁸-Nnn⁷.

Cits.: Aguilar, n.º 414; Beardsley, n.º 111; *Catálogo,* vol. III, n.º 1844; Menéndez y Pelayo, II, pág. 372, CCXVI; Menéndez y Pelayo, *Traductores,* I, pág. 20; Morreale, págs. 297-78; Porqueras-Laurenti, n.º 4; Thomas, pág. 24.

En: IU, EBSL, LBM (dos ejemplares), MBN, ToBP.

Observs.: Primera traducción completa de las *Dieciseis epistolas familiares* de Cicerón, que por tanto, puede considerarse príncipe, como hace Morreale. Antes se publicaron versiones parciales de Pedro Simón Abril: Tudela, 1572 y Zaragoza, 1583. El ejemplar ilinoyense fue adquirido en 1962 a través del librero Rosenthal de Lisboa. Se trata del único ejemplar conocido en Norteamérica.

347 [8]

EPICTETO [*Enchiridion*. Tr. de Francisco Sánchez de las Brozas]. *Doctrina Del Estoico Filosofo Epicteto, que se llama comunmente Enchiridion, traduzido de Griego. Por El Maestro Francisco Sanchez Catedratico de Retorica, y Griego en la Vniuersidad de Salamanca.* Año [Escudo del impresor con el lema: POST.TENEBRAS. SPERO.LVCEM.] 1612. Con Licencia, En Madrid, Por Iuan de la Cuesta. A costa de Manuel Rodriguez, vendese en Palacio. 8 hs. + 76 fs. 8.º.

Signaturas: o⁸, A⁸-K⁴.

Cits.: Goldsmith, pág. 55, n.º 61; Legrand, II, n.º 447; Palau, n.º 80174; Pérez Pastor, II, n.º 1173; Salvá, II, n.º 3886.

En: IU, LBM, MBN, PBN.

Observs.: La primera traducción de Epicteto que se efectuó en España fue la del Brocense. Se publicó en Salamanca en 1600 y se basa directamente en el texto griego. En 1612 se hicieron tres reimpresiones de esta traducción y se publicaron en Barcelona, Pamplona y Madrid. En Urbana se encuentra la edición madrileña impresa por Juan de la Cuesta. Los ejemplares de esta edición madrileña ofrecen cierta rareza. En Norteamérica, de momento, sólo conocemos el que se alberga en Urbana.

348 [9]

EPICTETO *y Phocilides en Español con Consonantes. Con el Origen de los Estoicos, y su defensa contra Plutarco, y la defensa de Epicuro, contra la comun opinion. A Don Ivan de Herrera su amigo, Cauallero del Habito de Santiago, Cauallerizo del Excelentissimo señor Conde Dvqve, y Capitan de Cauallos. Don Francisco de Qvevedo Villegas, Cauallero de la Orden de Santiago, Señor de la villa y Torre de Iuan Abad.* Año [Florón] 1636. Con Licencia y Privilegio. [Filete] En Barcelona en casa de Sebastian y Iayme Matevad Impressores de la Ciud. y su Vniuer. A costa de Iuan Sapera, Librero delante de la plaça de Santiago. 4 hs. + 99 fs. 8.º.

Signaturas: ⋆4, A⁸ - M⁷.

Cits.: Jerez, pág. 85; Legrand, III, n.º 531; Penney, pág. 446.

En: IU, BBU, NNH.

Errores en foliación del texto: 85 debe decir 94.

349 [10]

EPICTETO *Y Phocilides En Español Con Consonantes. Con el origen de los Estoïcos, y su defensa contra Plutarco, y la defensa de Epicuro, contra la comun opinion. Autor Don Francisco de Quevedo Villegas, Cavallero de la Orden de Santiago, Señor de la villa de la Torre de Juan-Abad.* [Un adorno]. En Brusselas, De la Emprenta de Francisco Foppens. [Filete] M.DC.LXI (1661). 12 hs. + 234 págs. 8.º.

Signaturas: ⋆12, A¹² - K⁹.

Cits.: Jerez, pág. 85; Peeters-Fontainas, II, n.º 1095.

En: IU, LBU, LJ.P.F., MBN.

Observs.: La primera edición de estas traducciones en verso, de obras originales en prosa, fue publicada en Madrid en 1635. En 1635 volvió a imprimirse en Barcelona. En Urbana se encuentra la edición de Barcelona, 1636, y la cuarta de Bruselas, 1661. Quevedo tomó por auténtico al pseudo Focílides. Para el *Enchiridión* de Epicteto dice que tiene en cuenta los textos griegos y latinos y traducciones a otras lenguas. Entre los españoles menciona la versión del Broncense que ya hemos registrado, en una de sus ediciones, en la ficha n.º 8. Estas ediciones de Quevedo ofrecen cierta rareza. Estas traducciones se incluyeron en varias ediciones de las *Obras* de Quevedo. He aquí las ediciones de *Obras* de Quevedo que posee la Universidad de Illinois, en donde se incluyen también estas traducciones de Quevedo: Bruselas, 1670; Bruselas, 1671; Madrid, 1687; Amberes, 1699.

350 [11]
EUCLIDES [Tr. del P. Jacobo Kresa, S.J.]. *Elementos Geometricos De Evclides, Los Seis Primeros Libros De Los Planos; Y Los Onzeno, Y Dozeno De Los Solidos: Con Algvnos Selectos Theoremas De Archimedes. Tradvcidos Y Explicados Por El P. Jacobo Kresa De La Compañia De Jesvs, Cathedratico de Mathematicas en los Estudios Reales del Colegio Imperial de Madrid; y en interin en la Armada Real en Cadiz.* [Viñeta] En Brvsselas, Por Francisco Foppens, año de 1689. 4hs. + 459 págs. + 7 hs. 4.º.

Signaturas: ∗4, A-Z⁴, Aa-Zz⁴, Aaa⁴-Mmm².

Cits.: Beardsley, n.º 210; Legrand, III, n.º 574; Palau, n.º 84725; Peeters-Fontainas, I, n.º 406; Simón Díaz, *Jesuitas,* n.º 584; Sommervogel, IV, col. 1237.

En: IU, BBU, BCJ, LJ.P.F., MBN, MnU, SBC, SBU.

Observs.: Se trata de la primera y única edición de la traducción del jesuita Jacobo Kresa de los seis primeros libros y los libros XI y XII de Euclides, usando para ello un texto latino. Como se indica en el título se añadieron y explicaron algunos teoremas de Arquímedes. En Estados Unidos, de momento, sólo se conocen el ejemplar ilinoyense y el de la Universidad de Minnesota en Minneapolis. Con variantes, en 1688, se publicó en Bruselas otra traducción también al parecer del latín, de los mismos libros de Euclides. La efectuó Sebastián Fernández de Medrano.

351 [12]
HOMERO. *La Vlyxea de Homero, Repartida en XIII. Libros. Tradvzida de Griego en Romance Castellano por el Señor Gonzalo Pérez.* Imprimióse en Venetia, En casa de Gabriel Giolito de Ferrariis, y svs hermanos, M.D.LIII (1553). 209 fs. + 1 h. 8.º.

Signaturas: A-R¹², S⁶.

Cits.: Adams, I, n.º 799; Catálogo, n.º 691; Damonte, n.º 864; Graesse, III, pág. 340; Menéndez y Pelayo, *Traductores,* IV, pág. 36; Legrand, n.º 150; Palau, n.º 115892; Penney, pág. 262; Salvá, I, n.º 673; *Short-title,* II, pág. 133; Ticknor, pág. 174;

En: IU, C, CTr, GenBU, LBM, MB, MBN, NNH.

Observs.: Aparece el escudo del impresor veneciano en la portada y otro, con algunas variantes del mismo, en la última página del texto, encima del colofón.

El ejemplar ilinoyense tiene el *ex-libris* de Jacobi P.R. Lyell.

352 [13]
—— —— *La Vlyxea de Homero, Tradvzida de Griego en lengua Castellana por el Secretario Gonçalo Perez.* [Escudo del impresor]. Impressa en la insigne ciudad de Anuers, en casa de Iuan Steelsio. 1556. Con Privilegio. 8 hs. + 440 fs. + 1 h. 8.º.

Signaturas: A-Z⁸, Aa-Zz⁸, Aaa-Kkk⁸.

Cits.: Adams, I, n.º 800; Antonio, III, pág. 559 (con error de fecha); Azevedo, n.º 1572; Beardsley, n.º 74; *Catálogo,* n.º 693; Graesse, III, pág. 340; Heredia, n.º 1524; Legrand, I, n.º 178; Palau, vol. VI, n.º 115893; Peeters-Fontainas, I, n.º 604; Penney, pág. 262; Quaritch, n.º 718; Salvá, I, n.º 674; Ticknor, pág. 174, Bianchini, n.º 1089.

En: IU, AMPl, BBR, Cla, CtY, LBM, LJ.P.F., MB, MBN, MBP, NNC, NNH, PBM, PBN, SBU, TBV, VBM (2 ejemplares).

Observs.: El ejemplar ilinoyense lleva el *ex libris* de Viera Pinto.

De la *Odisea* de Homero existen en Urbana, pues, dos ediciones con traducciones, basadas en el texto griego (según el autor) de Gonzalo Pérez (padre del tristemente célebre Antonio Pérez, cuya obra, por cierto, está también muy bien representada en Urbana). Se trata de ejemplares de gran rareza, sobre todo la primera edición, incompleta, de Venecia, 1553 que en España, de momento, sólo está atestiguada en la Biblioteca Nacional de Madrid. Antes, en 1550, se publicaron la edición de Amberes (la príncipe) y otra en Salamanca del mismo año. La primera edición completa es la de Amberes, 1556, más conocida. En España se conocen, por ejemplo, varios ejemplares. Por lo que respecta a Estados Unidos los ejemplares de Urbana ofrecen gran rareza. Por lo que respecta al impacto general de Homero en la Península Ibérica véase J. Pallí Bonet, *Homero en España,* Barcelona, Facultad de Filosofía y Letras, 1953.

353 [14]
HORACIO. *Q. Horacio Flaçço, Poeta lyrico Latino. Sus Obras con la Declaracion Magistral en Lengua Castellana. Por el Doctor Juan Villen de Biedma.* Granada, Por Sebastian de Mena, A costa de Iuan Diez, 1599. 10 hs. + 309 fs. + hs. Fol.

Signaturas: o⁴, o⁶, A⁸, B-Z⁴, Aa-Zz⁴, Aaa-Zzz⁴, Aaaa-Nnnn⁴, Tttt-Vvvv⁴.

Cits.: Beardsley, n.º 120; *Catálogo,* n.º 813; Damonte, n.º 867; Maggs Bros., n.º 468; Menéndez Pelayo, IV, págs. 14-15; Millares, n.º 29; Palau, n.º 116030; Penney, pág. 262.

En: IU, BaBP, CAN, CtY, CU, GenBU, GBU, InU, LuBP, MBN, MBP, MiU, MnU, NNH, PU, SBU.

354 [15]
—— *Horacio Español, Esto Es, Obras de Quinto Horacio Flacco, Tradvcidas en Prosa Española, e Illvstradas con Argumentos, Epitomes, y Notas en el mismo*

idioma. Parte Primera. Poesia lirica. Por el R.P. Urbano Compos. Van al fin la declaración de las especies de los Versos, y Odas, y tres Indices, el primero Alfabetico de las Odás, el segundo Cosmografico, y el tercero de las cosas notables, que se explican en las Notas. Barcelona, Por Antonio Lacavalleria, 1699. 2 hs. + 364 págs. + 8 hs. 8.º.

Signaturas: A-Z^8, Aa^6.

Cits.: Gallardo, II, n.º 1564; Menéndez y Pelayo, IV, pág. 37, XXIV; Palau, n.º 116032; Simón Díaz, VII, n.º 3896.

En: IU, CtY, MBN, MWH, NNC.

Observs.: Las fichas n.ºs 14 y 15 representan dos importantes traducciones de Horacio. La de Granada, 1599, debida a Villén de Biedma es bastante completa respecto a la producción de Horacio. Esta edición granadina, con la traducción de Viedma, es la príncipe y además la primera de las obras de Horacio publicada en España. No se volvió a reimprimir. Abundan los ejemplares, como puede deducirse por la amplia nómina que hemos conseguido reunir. La traducción de Urbano Campos, bastante incompleta respecto a la obra de Horacio, se publicó por primera vez en León de Francia, 1682. Se reimprimió por segunda vez, en Barcelona, 1699 por Antonio Lacavalleria, y los ejemplares de esta edición ofrecen cierta rareza.

355 [16]
JENOFONTE (véase ficha n.º 4).

356 [17]
JUSTINO, Marco Juniano [*Ivstini Historiarum ex Trogo...* Tr. de Jorge de Bustamente]. *Ivstino Clarissimo Abreviador De La Historia general del famoso y excellente historiador Trogo Pompeyo: enla (sic) qual se contienen todas las cosas notables y mas dignas de memoria que hasta sus tiempos han succedido en todo el mundo: agora nueuamente traduzido en Castellano y dirigido al Illustrissimo señor Don Pedro Hernandez de Velasco Condestable de Castilla, &c.* Fue impressa y acabada la presente obra en la fiorentissima villa de Envers, enel año de nuestro señor. M.D.XLII (1542). y vendese en la casa de Iuan Steelsio, en el escudo de Bourgoña. 8 hs. + 258 fs. + 30 hs. 8.º.

En la última hoja aparece un grabado con el lema de Steelsio: STEEL SIVS *Concordia, res parue crescunt.*

Signaturas: a^8, A-Z^8, AA-Nn^8.

Cits.: Antonio, III, pág. 536 y IV, pág. 333; Heredia, n.º 6896; Kockx, n.º 742; Martínez Añibarro, pág. 76; Menéndez y Pelayo, *Traductores*, I, págs. 259-60; Palau, n.º 126807; Peeters-Fontainas, I, n.º 654; Salvá, II, n.º 2767; Simón Díaz, VI, n.º 5736 (con adiciones en pág. 1024); Thomas, pág. 95; Vaganay, n.º 141; Vindel, n.º 1363.

En: IU, ABV, LBM, LJ.P.F., MBN, WBN.

357 [18]

—— —— [Tr. de Jorge de Bustamante]. *Ivstino Clarissimo Abreviador De La Historia General del famoso y excellente historiador Trogo Pompeyo. En la qual se contienen todas las cosas notables y mas dignas de memoria que hasta sus tiempos han succedido en todo el mundo. Traduzido en lengua Castellana.* [Grabado con el lema: PIETAS HOMINI TVTISSIMA VIRTVS]. En Anvers, En casa de Martin Nutio. [Filete]. M.D. LXXXVI (1586). 4 hs. + 208 fs. 8.º

Signaturas: †⁴, A-Z⁸, Aa-Cc⁸.

Cits.: La Serna, II, n.º 3624; Martínez Añibarro, pág. 77; Nuyts, pág. 66; Palau, n.º 126808; Peeters-Fontainas, I, n.º 655; Salvá, II, n.º 2768; Simón Díaz, VI, n.º 5737; Thomas, pág. 94.

En: IU, ABV, BBR, CU, DLC, GhBU, LBM, LJ.P.F., MBN, PBN.

Observ.: La traducción de Jorge de Bustamante representa la única traducción española publicada de este compendio latino hecho por Justino de la perdida *Historiae Philipicae* de Pompeyo Trogo. La primera edición se publicó en Alcalá en 1540. Las ediciones de Amberes, 1542 (n.º 17) y 1586 (n.º 18) representan la segunda y tercera edición respectivamente. Ambas son las que están representadas en Urbana, y, curiosamente, no se encuentran en la Hispanic Society of America. Es curioso que Beardsley, al referirse con detalle a la edición príncipe de Alcalá, y enumerar otras reimpresiones, en pág. 35, afirma: "The present author is unable to find any copies of this translation in the Biblioteca Nacional de Madrid". Simón Díaz, en su *Bibliografía de la literatura hispanica,* vol. VI, págs. 700 y 701 localiza ejemplares en la biblioteca madrileña de las tres ediciones a que acabamos de referirnos. Respecto a la ficha n.º 17 hay que consignar que en el ejemplar ilinoyense las páginas 168 y 169 están mutiladas y ello afecta al texto.

358 [19]

JUVENAL, Decio Junio, *ca.* 60 - ca. 140 y Persio. [*Satirae,* con comentario de Diego López] [Anteportada:] *Declaracion Magistral Sobre Las Satiras de Iuuenal, Principe de los Poetas Satiricos. Por Diego Lopez Natvral de la villa de Valencia, de la Orden de Alcantara. A Don Fernando Pizarro y Orellana, Cauallero dela Orden de Calatraua, y Comendador de Betera, del Consejo de su Magestad en el Real y Supremo de Castilla. 70.* [Grabado] Con Privilegio En Madrid, Por Diego Díaz De La Carrera. Año M.DC.XLII. [Filete] A costa de Pedro Lasso Mercader de Libros.

[Portada grabada:] HORACIO. *Declaración Magistral sobre las Satiras de Iuuenal y Persio Principes de los Poetas Satiricos. Por Diego Lopez natural de la villa de Valencia, dela (sic) Orden de Alcantara. A Don Fernando Pizarro y Orellana Cauallero de la Orden de Calatraua y Comendador de Vetera, del Consejo de su Magestad, en el Real y Supremo de Castilla.* Con Privilegio En Madrid por Diego Diaz dela Carrer (*sic*) Año M DC XLII (1642). A costa de Pedro Laso (*sic*) mercader de libros. 8 hs. + 538 págs. + 3 hs. de Tabla y 156 págs. que contienen "Las seis satyras de Aulo Persio Flacco…" + 2 hs. de Tabla. 4.º.

Signaturas: ¶⁶, (¿ * * * ¿)³, A-Z⁸, Aa-Ll⁸, A-K⁸.

329

Cits.: Beardsley, n.º 185; Damonte, n.º 993; HC398/1873; Krauss, pág. 61; Menéndez y Pelayo, *Traductores,* II, págs. 68-71; Millares, n.º 59; Palau, n.º 126852; Penney, pág. 291; Salvá, I, n.º 696.

En: IU, BerBU, BWB, CAN, GenBU, LBM, NjP, NNH, NTB, PU, RBN.

Observs.: Se trata de la edición príncipe de la traducción de Diego López de todas las dieciséis *Satiras* de Juvenal, acompañadas de una *Declaración Magistral.* Se incluyó una reimpresión de las *Sátiras* de Persio que habían publicado, por primera vez en Burgos, 1609. La portada grabada del ejemplar ilinoyense lleva la firma de "Franco Navarro".

359 [20]
LIVIO Patavino, Tito [*Decadas.* Tr. de Pedro de la Vega y revisada por Francisco de Encina]. *Todas las Decadas de Tito Livio Padvano, Qve Hasta al Presente se hallaron, y fueron impressas en Latin, tradduzidas en Romance Castellano, agora nueuamente reconoscidas y emendadas, y añadidas demas libros sobre la vieja translaçion* [Escudo del impresor]. Vendese la presente obra en Anuers, en casa de Arnoldo Byrcman; à la ensena de la Gallina gorda. Con Privilegio. [1553] 2 partes en 1 tomo. Pt. I: 1 h. grabado + 4 hs. + 316 fs. (i.e. CCCXVI); pt. II: 317 - (*i.e.* DCVII) fs. + 20 hs. Fol.

Signaturas: (pt.I:) A-Z⁶, Aa-Zz⁶, AA-GG⁶, HH²; (pt.II:) HH⁴, II-ZZ⁶, aa-zz⁶, aaa-qqq⁶.

Colofón: "Acabose De Imprimir Esta Historia De Tito Livio Padvano Principe De La Historia Romana, en la ciudad Imperial (*sic*) de Colonia Agrippina, à costas de Arnoldo Byrckmanno librero, en el año d'el (*sic*) Señor de M.D.LIII".

Cits.: Adams, I, n.º 1367 (con signaturas distintas de las nuestras); *Catálogo,* Letras L-LL, n.ºˢ 1043-4, 1046-8; Gallardo, II, n.º 2086, Menéndez y Pelayo, VII, pág. 52, X; Menéndez y Pelayo, *Traductores,* II, págs. 27-28; Menéndez y Pelayo, *Heterodoxos,* III, pág. 301; Palau, n.º 139131; Peeters-Fontainas, I, pág. 379; Vindel, n.º 2973.

En: IU, CTr, MBN, NNH, SMP.

Observs.: Esta edición presenta algunos problemas bibliográficos que resume Beardsley en págs. 43-44 al hablar de una edición de "Argentina, 1552" (es decir, Colonia Agrippina). Reproducimos exactamente: "Most of the extant copies indicate publishing 'A costas de Arnaldo Byrcman (Arnoldo Birkmano, Arnolodo Byrckmanno)' who placed them on sale in Antwerp. One variant title-page identifies the dealer as Pedro Bellero of Antwerp. The original colophon (Argentina, Augustin Frisio, 1552) was subsequently replaced by another (Colonia Agrippina, 1553) or excluded. The variants may be contracted to indicate three basic retouchings of the *princeps:* Colonia Agrippina, 1553 for Byrcman [este es el caso del ejemplar ilinoyense]; Colonia Agrippina, 1553 with substitutions by Nucio [after July 27, 1554] Anvers, [1555?] for Bellero". En el ejemplar ilinoyense faltan tres hojas preliminares.

360 [21]

LUCANO, Marco Aneo, n.º 39 a. de J.C., *m.* 65. [*Pharsalia,* tr. en la prosa de Martín Lasso de Oropesa]. *La Historia Qve Escrivió En Latin El poeta Lucano: trasladada en castellano por Martin Lasso Oropesa secretario della excellẽte marquesa del Zenete condessa de Nassou* [Espacio de 148 mm.] Con Privilegio que ninguno otro la imprima ni venda. [*s.l. s.f.,* pero Anvers, 1540, 8 hs. + 225 págs. + 1 h. Fol.

Signaturas: A⁸ - B-V⁶.

Edición príncipe.

Cits.: Aguilar, n.º 237; Beardsley, n.º 33; Brunet, III, n.º 1263; *Catálogo,* Letras L-LL, n.º 1331; Gallardo, n.º 2617; Graesse, IV, pág. 276; Heredia, n.º 1550; Menéndez y Pelayo, VII, pág. 68, III; Morante, *Cat.,* n.º 4409; Palau, n.º 143291; Peeters-Fontainas, I, n.º 728; Penney, pág. 319; Salvá, I, n.º 750.

En: IU, CU, LBM, LJ.F.P. (dos ejemplares), MBN, MBP, NNH, PBN, SBU.

361 [22]

—— —— [Tr. de Martin Lasso de Oropesa]. *Lvcano Tradvzido De Verso Latino En Prosa Castellana, Por Martin Laso de Oropesa, Secretario del Illustrissimo Cardenal don Francisco de Mendoça, Obispo de Burgos. Nueuamente corregido y acabado con la Historia del Triunuirato. Dirigido al Illustre Señor Antonio Perez, Secretario del estado de la Magestad Catholica del Rey don Philippe Segundo. En Bvrgos.* En casa de Phelippe de Iunta. M.D.LXXXV (*i.e.* 1588). 8 hs. + 397 págs. Fol.

Signaturas: o⁸, A-Z⁸, Aa⁸ - Cc⁶.

Colofón: "En Burgos. En casa de Phelippe de Iunta Año 1578".

Fecha de impresión: 1578, y no M.D.LXXXVIII (1588) como dice en la portada.

Cits.: Beardsley, n.º 97; *Catálogo, Letras* L-LL, n.º 143295; Palau, n.º 143295; Penney, pág. 319; Salvá, I, n.º 752.

En: IU, BBP, CU, LBM, MBN, MBL, MBP, SalBU, ToBP.

362 [23]

—— —— *La Farsalia, Poema Español, Escrito Por Don Ivan De Iavregvi y Aguilar, Cavallero de la Orden de Calatrava, Cavallerizo de la Reyna nuestra Señora, Doña Isabel de Borbon. Sacale A Lvz Sebastian De Armendariz, Librero de Camara del Rey nuestro Señor. Y Le Dedica A Sv S.R.Y.C.M. con La protección del Excelentissimo Señor Duque de Medina-Celi, Segorbe y Alcalà, su primer Ministro, &c.* Con licencia en Madrid. Por Lorenzo Garcia. Acosta de Sebastian de Armendariz, Mercader de Libros. Vendese en su casa en la Puerta del Sol [1684] 18 hs. + 239 fs. + 114 fs. 4.º.

Signaturas: §⁴ - §§§⁴, §§§§², §§§§§⁴, A-Z⁸, Aa⁸-Ii⁶, A-O⁸.

Errores en la numeración de folios. Contiene también el poema *Orfeo.*

Cits.: Beardsley, n.º 207; Goldsmith, pág. 87, n.º 20; Jerez, pág. 54; Menéndez y Pelayo, *Traductores,* II, págs. 272-4; Penney, pág. 279; Salvá, I, n.º 753; Ticknor, pág. 188.

En: IU, LBM, MB, MBN, NNH, PU.

Observs.: de n°ˢ, 21, 22 y 23.

La *Farsalia,* en traducción española de Martin Lasso de Oropesa se publica por primera vez en Amberes en 1540 según Peeters-Fontainas, aunque en la edición no se indica lugar ni fecha (ficha n.º 21). Después se conocen varias reimpresiones: Lisboa, 1541; Valladolid, 1544; Amberes, 1551; Burgos, 1588 (error en la portada, que en realidad debe ser 1578) que es la representada por la ficha n.º 22. Después se publicaron una edición en Amberes, Cordier, 1585 y otra de la misma ciudad de Amberes, Bellero, 1585. La edición de Burgos de 1578 contiene, además, dos discursos de Cicerón intercalados en tres libros de *Adiciones* (las vidas de Octaviano, Marco Bruto y Marco Lépido). Los discursos ciceronianos son *Pro Marco Marcello* y *Pro Quinto Ligario,* ademásde la *Epistola* de Marco Bruto a Cicerón. Estas *Adiciones* caracterizan esta edición burgalesa y no aparecen ni en las ediciones anteriores o posteriores con la traducción de Lasso Oropesa (véase Beardsley, pág. 54, n.º 97). Aunque Jáuregui había publicado algunos fragmentos de traducciones de la *Farsalia* en otras obras suyas, se trata ahora de la primera traducción completa (sin aprovechar sus anteriores traducciones) de esta obra de Lucano. Fue dada a la imprenta, varios años después de la muerte de Jáuregui, por el librero Armendariz, que le puso un denso prólogo, que reprodujo uno de los presentes autores, en el libro *El prólogo* en el *Manierismo y Barroco españoles,* Madrid, 1968. En esta edición de 1684 se incorpora también una reedición de *Orfeo* (se trata de los 114 folios últimos del texto), que fue publicado por primera vez en Madrid, 1624 y que se encuentra también en Urbana.

363 [24]

OVIDIO NASO, Publio, *n.* 43 a. de J.C., *m.* 18 d. de J.C. [*Epistolae heroidum.* Tr. de Sebastián de Alvarado y Alvear]. *Heroyda Ovidiana. Dido A Aeneas. Con Parafrasis Española, Y Morales Reparos Ilvstrada. Por Sebastian de Alvarado Y Alvear, Professor de Rhetorica y letras Humanas Natural de Burgos. Al Ilvstrissimo, Y Ecelentissimo Señor don Carlos Coloma de los Consejos de Estado y guerra de la Magestad Catholica; General de las armas Reales en los Estados de Flandes; Castellano de Cambray; Gouernador y Capitan general de Cambrasi; Comendador de la Orden de Santiago. &c.* [Grabado] En Bovrdeos, En Casa de Gvillermo Millanges, Impressor del Rey de Francia. M.DC.XXVIII (1628). A Costa de Bartolome Paris, Librero de Pamplona. 20 págs. + 333 págs. + 3 hs. (Indice) 4.º.

Signaturas: ã⁴, ẽ², A-Z⁴, Aa⁴-Vv².

Colofón: Omnia Sāctae Matris Ecclesiae censurae, & bonorum judicio, & eruditorum limae subijcio.

Cits.: Agulló, pág. 44; Beardsley, n.º 166; Gallardo, I, n.º 152; Goldsmith, pág. 129, n.º 108; Graesse, V, pág. 85; Jerez, pág. 118; Menéndez y Pelayo, *Traductores,* I, págs. 77-80; Menéndez y Pelayo, VII, pág. 207, XXVIII; Palau, n.º 207547; Penney, pág. 401; Salvá, I, n.º 835; Simón Díaz, V, n.º 1795 (que reproduce grabado de la portada).

En: IU, C, CBP, LBM, MFL, NNH, PBM, PBN, PU, SalBU, SBC.

Observs.: Se trata de la traducción de la *Heroida VII* solamente, con abundantes observaciones. Parece que se trata de un seudónimo. Como nos recuerda Beardsley, Gracián supone que es el Padre Sebastián Matienzo, S.J., el autor de la obra sobre el tema de las *Heroidas* en España. Es fundamental la Introducción de Antonio Alatorre a su traducción de *Las Heroidas de Ovidio...* México, 1950.

364 [25]
—— —— [*Metamorfosis*. Tr. de Jorge de Bustamante] *Las Metamorphoses, o Transformaciones del muy excelente poeta Ouidio, repartidas en quinze libros y traduzidas en Castellano.* En Anvers, En casa de Iuan Steelsio. M.D.LI (1551). Con Priuilegio Imperial. 20 hs. + 236 fs. 8.°.

Signaturas: A-B⁸, C⁴, D-Z⁸, Aa⁸ - Kk⁴.

Cits.: Gallardo, II, n.° 1507; Jerez, pág. 121; Kockx, n.° 759; Martínez Añibarro, pág. 77; Menéndez y Pelayo, VII, pág. 197, XVII; Palau, n.° 207841; Peeters-Fontainas, II, n.° 1013; Penney, pág. 401; Simón Díaz, V, n.° 5739.

En: IU, AMPl, MBN (*ex libris* de Gayangos); NNH, PBN.

365 [26]
—— —— [Tr. de Pédro Sánchez de Viana]. *Las Transformaciones de Ouidio: Traduzidas del verso Latino, en tercetos, y octauas rimas, Por el Licēciado Viana En lēgua vulgar Castellana.* [Florón] *Con El Comento, Y Explicacion de las Fabulas: reduziendolas a Philosphia natural, y moral, y Astrologia, e Historia, Dirigido, Lo Vno, Y Lo Otro, a Hernando de Vega Cotes y Fonseca, Presidente del Consejo de las Indias.* Impresso en Valladolid, por Diego Fernandez de Cordoua, Impressor del Rey nuestro señor. Año M.D.LXXXIX (1589). Con Privilegio. 2 tomos en 1. T. I: 20 hs. + 179 fs. + 1 h. 4.°.

Signaturas: ¶ ¶⁸, ¶ ¶⁸, ¶|¶|¶|¶⁴, A⁸-Z⁴.

Tomo II tiene título distinto: *Anotaciones Sobre Los Qvinze libros de las Trāsformaciones de Ouidio. con la Mithologia de las fabulas, y otras cosas. Por el Licenciado Pedro Sanchez de Viana.* [Grabado]. *Dirigidas a Hernando de Vega Cotes y Fonseca, Presidente del Consejo de las Indias.* Impresso en Valladolid, por Diego Fernandez de Cordoua, Impressor del Rey Nuestro señor. Año de M.D.LXXXIX (1589). Con Privilegio, 314 fs. + 4 hs. 4.°.

Signaturas: A-Z⁸, Aa-Nn⁸.

Cits.: Adams, II, n.° 512; Alcocer, n.° 330; Beardsley, n.° 112; Graesse, V, pág. 85; Heredia, II, n.° 1543; Jerez, pág. 96; Maggs Bros., n.° 700; Menéndez y Pelayo, *Traductores,* IV, págs. 233-41; Palau 207496; Salvá, I, n.° 840; Simón Díaz, *Poesía,* n.° 138; Ticknor, pág. 256.

En: IU, C, CtY, CU, DLC, IPM, LBM, LBP, MBN, MFFL, MH, NNH, NTB, PBN, TNJ, CBP, PBP, ToBP.

366 [27]
—— —— [Tr. de Antonio Pérez Sigler]. *Metamorphoseos Del Excelente Poeta Ouidio Nasson. Traduzidos en verso suelto y octaua rima: con sus allegorias al fin de*

cada libro. Por el Doctor Antonio Perez Sigler natural de Salamanca. Nueuamente agora enmēdados, y añadido por el mismo autor vn Diccionario Poetico copiosissimo. Dirigido a Don Pedro Fernandez de Castro, Conde de Lemos y de Andrade, Marques de Sarria, Presidente de el Real Consejo de Indias. Con Privilegio. En Bvrgos Por Iuan Baptista Varesio, 1609. A costa de Pedro de Osete. 21 hs. + 584 fs. 8.º.

Signaturas: q^{12}, qq^{10}, A-Z^{12}, Aa-Zz^{12}, Aaa^{12}-Ccc^8.

Colofón: "Con privilegio. En Bvrgos. Por Iuan Baptista Varesio. 1609.

Cits.: Gallardo, III, n.º 3465; Goldsmith, pág. 129, n.º 109; Graesse, pág. 85; Maggs Bros, n.º 701; Menéndez y Pelayo, *Traductores,* IV, pág. 235; Palau, n.º 207501; Penney, pág. 401; Salvá, I, n.º 839; Simón Díaz, *Poesía,* n.º 92.

En: IU, BBU, LBM, MBN, NjP, NNH, PBN, SalBU.

Observs.: de n.ºs 25, 26 y 27.

Esta edición de la traducción española (Amberes, 1551) debida a Jorge de Bustamante es la registrada por Menéndez y Pelayo. Beardsley señala dos anteriores: *s.l.* 1546 y Sevilla, 1550 y muchas posteriores en los siglos XVI y XVII: 12 en total. La traducción de Bustamante es en prosa; la traducción de Sánchez de Viana (ficha n.º 26) es en verso: terceros y octavas.

Se imprimieron por primera y única vez en la Edad de Oro, en 1589. En Illinois se encuentran dos ejemplares del vol. I, aunque uno de los ejemplares es muy imperfecto. La edición príncipe de la traducción de Antonio Pérez Sigler (ficha n.º 27) se imprimió en Salamanca, 1580. El ejemplar ilinoyense representa la segunda y única reimpresión, realizada en Burgos, 1609. En esta edición se añadió un *Diccionario* poetico.

367 [28]
PERSIO (véase ficha n.º 19).

368 [29]
PLINIO SEGUNDO, Cayo [*Naturalis Historiae.* Tr. de Jerónimo de Huerta. Libros 7-8] *Tradvcion De Los Libros De Caio Plinio Segvndo, De La Historia Natvral De Los Animales. Hecha Por El Licenciado Geronimo De Huerta, Medico, y Filosofo. Y Anotada Por El Mesmo Con Anotaciones curiosas: en las quales pone los nombres, la forma, la naturaleza, la templança las costumbres y propiedades de todos los Animales, Pescados, Aues, y Insectos, y el prouecho, ò daño que pueden causar à los hombres: y los Geroglificos que tuuieron dellos los Antiguos: con otras muchas cosas curiosas. Primera Parte. Dirigida Al Rey Don Felipe. III. Nvestro Señor, Rey de las Españas, è Indias.* [Escudo de armas] Con Privilegio. En Madrid, Por Luys Sanchez. Anno M.D.XCIX (1599). 10 hs. + 313 fs. (falta un f.). 4.º.

Signaturas: o^4, A-Z^4, Aa-Zz^4, Aaa-Zzz^4, Aaaa-Iiii^4.

Cits.: Beardsley, n.º 121; Graesse, V, pág. 344; Krauss, pág. 80; Menéndez y Pelayo, *Traductores,* II, pág. 135; Palau, n.º 229066; Penney, pág. 431; Pérez Pastor, I, n.º 645; Simón díaz, X, n.º 5824; Thomas, pág. 71.

En: IU, InU, LBM, MBN, MH, MS, NNH, SanBU, SBC.

369 [30]

—— —— [Tr. de Jerónimo de Huerta. Libro IX]. *Libro Nono, De Caio Plinio Segvndo, De La Historia Natvral de los pescados del mar, de lagos, estanques, y rios. Hecha Por El Licenciado Geronimo de Huerta, Medico y Filosofo. Dirigida Al Rey Don Felipe III. Rey de las Españas, e Indias.* [Escudo del impresor] Con Privilegio, En Madrid, En casa de Pedro Madrigal, Año. 1603. 4 hs. + 156 fs. + 8 hs. de Tabla. 4.º.

Signaturas: ¶4, A⁸V⁴, o⁸.

Cits.: Beardsley, n.º 126; Goldsmith, pág. 141, n.º 428; Graesse, v, pág. 344; Menéndez y Pelayo, *Traductores,* II, pág. 134; Palau, n.º 229068; Penney, pág. 431; Pérez Pastor, n.º 848; Salvá, II, n.º 2739; Simón Díaz, X, n.º 5827; Vallejo, pág. 63.

En: IU, LBM, MBN, MiU, NNH, OCU, SBC.

Observs.: de n.ᵒˢ 29 y 30.

La ficha n.º 29 representa la primera traducción de Plinio publicada por Huerta, Madrid, 1599. Se trata de los libros VII y VIII con muchas anotaciones. Sólo se conoce una reimpresión de Alcalá, 1602. La ficha n.º 30 representa la segunda traducción, esta vez del libro IX, dada a la imprenta por Huerta, en Madrid en 1603. El libro va acompañado de anotaciones. Las dos traducciones representadas por las fichas 29 y 30 se aprovecharon por Huerta al publicar una amplia traducción de la *Historia Natural I-XI* en Madrid, 1624. El mismo Huerta completó sus traducciones con *Historia Natural XII-XXXVII,* publicada en Madrid, 1629.

370 [31]

PLUTARCO [*Morales.* Tr. de Diego Gracián]. *Morales de Plutarco Traduzidos de lengua Griega en Castellana.* [Florón] *Los titulos de las obras que en morales se contienen se veran en la plana siguiente.* [Florón] Impresso en Alcala de Henares por Juan de Brocar. M.D.xlviij. (1548). 10 hs. + 201 fs. + 2 hs. Fol. Letra gótica.

Signaturas: aa⁶, bb⁴, A-Z⁸, a⁸, c⁴.

Cits.: Adams, II, n.º 1646; Beardsley, n.º 52; Catalina, n.º 224; Graesse, V, pág. 372; Legrand, I, n.º 117; Palau, n.º 229182; Penney, pág. 431; Salvá, II, n.º 3981; Simón Díaz, XI, n.º 2131.

En: IU, C, CU, ICN, ICU, LBM, MBN, MFL, MH, MRAE, NNH, PBN, SBC, MBL, SBU.

371 [32]

—— —— [*Vidas.* Tr. de Juan Castro de Salinas, pseud. por Francisco Enzinas]. *Las Vidas De Los Ilvstres Y Excelentes Varones Griegos y Romanos, escritas primero en lengua Griega por el graue Philosopho y verdadero historiador Plutarcho de Cheronea, y agora nueuamente traduzidas en Castellano por Juan de Salinas* [Escudo del impresor] Imprimieronse en la Imperial Ciudad de Colonia, y vendense en Anvers en casa de Arnoldo Bircman, à la enseña de la Gallina gorda. M.D.LXII (1562). 2 hs. + 320 fs. + 71 fs. + 3 hs. Fol.

Signaturas: [*]², A-Z⁶, Aa-Zz⁶, AA⁶-GG⁸, Aaa-Mmm⁸.

Colofón: "Acabose De Imprimir las vidas de los ilustres & excelentes Varones Griegos y romanos pareadas en la ciudad Imperial de Colonia, à costas de los Herederos de Arnoldo Bircman. Año M.D.LXII".

Cits.: Adams, II, n.º 1629; Bacallar, I, n.º 2675; Boehmer, I, n.º 181; Gallardo, II, n.º 924; Graesse, V, pág. 372; Krauss, pág. 80; La Serna, IV, n.º 6396; Legrand, II, n.º 210; Menéndez y Pelayo, *Heterodoxos,* III, pág. 303; Menéndez y Pelayo, *Traductores,* II, pág. 26; Palau, n.º 229115; Peeters-Fontainas, II, n.º 1066.

En: IU, AMPl, C. DSL LBM, PBN, MBL, MBN.

Observs.: de n°s. 31 y 32.

Plutarco está representado en Urbana por dos traducciones directamente del griego de sus dos máximas obras. La ficha n.º 31 representa la primera y única traducción de las *Morales* de Plutarco en español, publicada en Alcalá en 1548. En esta edición de 31 diálogos se incorporaron los *Apotegmas* que también es traducción de Diego Gracián. Estos habían aparecido en Alcalá en 1533. El contenido de la edición complutense que reseñamos se reimprimió una sola vez en Salamanca, 1571.

Respecto a la ficha n.º 27 hay que notar que se trata de una reimpresión de la traducción de las *Vidas* por parte del famoso heterodoxo Francisco Encinas. La primera edición es de Argentina, 1551. Según Beardsley (págs. 42 y 43) las reimpresiones de 1554, y Colonia Agripina, 1562 y también Colonia Agripina, 1612 llevan el mismo colofón de la príncipe. Pero no es éste el caso con el colofón del ejemplar de Urbana en el que se indica claramente la ciudad de Colonia y la fecha de 1562, es decir, que coincide con los datos de la portada. En el ejemplar de Illinois faltan siete hojas preliminares y tres más al final del texto. Portada restaurada con pérdida del texto.

372 [33]
SENECA, Lucio Aeneo. [*Variorum.* Tr. desconocido]. *Libros De Lucio Anneo Seneca, En Qve tracta. I. Dela vida bienauenturada. II Delas siete artes liberales. III. Delos preceptos y doctrinas. IIII. Dela prouidencia de Dios. V. Dela misma prouidencia de Dios. Traduzidos en Castellano, por mandado del muy alto principe, el rey don Iuan de Castilla de Leon el segundo.* [Escudo del impresor] En Anvers, En casa de Iuan Steelsio. M.D.LI (1551). Con priuilegio Imperial. 8 hs. + 196 fs. + 12 hs. 8.º.

Signaturas: A-Z⁸, AA-DD⁸.

Cits.: Adams, II, n.º 895; Graesse, pág. 354; Kockx, n.º 757; La Serna, II, n.º 1465; Menéndez y Pelayo, VII, págs. 54-55, XXIII; Palau, n.º 307671; Peeters-Fontainas, II, n.º 1184; Serrure, pág. 328; Vallejo, pág. 64.

En: IU, CSid, LJ.P.F., MBN, PBN.

373 [34]
—— —— [*Epistolae.* Tr. desconocido] [Portada con varias viñetas]. *Epistolas de Seneca en Romance: nueuamẽte impressas y corregidas y emendadas.* [s.l.-sf., pero Alcalá de Henares, 1529] 73 fs. + 3 hs. Doble columna en letra gótica. Fol.

Signaturas: a⁶-m⁸.

Colofón: "En la vniversidad Alcala d'Henares en casa de Miguel de Eguia a xv. d'Enero. M.D.XXIX - años".

Errores en foliación: 8 (*i.e.* 12).

Cits.: Catalina, n.º 109, que no localiza ejemplares; Graesse, pág. 354; Menéndez y Pelayo, VIII, pág. 54, XXII; Palau, n.º 308016; Salvá, II, n.º 4005.

En: IU, LBM, MBN, PBN.

374 [35]

—— —— [*De Beneficiis* Tr. de Gaspar Ruiz Montiano] *Espejo De Bienechores Y Agradecidos: Qve contiene Los siete Libros De Beneficios de Lucio Aneo Seneca, insigne Filosofo moral: agora de nueuo traduzidos de Latin en Castellano por Fray Gaspar Ruyz Montiano, de la Orden de San Benito. Tiene Notados Y Declarados Por El Mesmo Traductor algunos de los lugares mas difficiles. (sic) Y al cabo del libro tiene quatro Tablas de nueua inuencion, muy prouechosas para todo genero de personas especialmente, para Predicadores, y para Cortesanos que lo quieren parecer en sus cartas y conuersaciones. Dirigido A Don Ivan De Mendoza Duque del Infantado.* [Escudo de armas: AVE MARIA] Año 1606. Con Privilegio. Impresso en Barcelona, en casa Sebastian de Cormellas al Call. 18 hs. + 479 págs. 4.º.

Signaturas: +⁸, o⁴, o o⁶, A-Z⁴, Aa-Zz⁴, Aaa-Ooo⁴.

Colofón: "Impresso en Barcelona, en la Emprenta de Sebastian de Cormellas. Año M.DC.VI".

Cits.: Beardsley, n.º 129; Palau, n.º 308117; Vallejo, págs. 64-65.

En: IU, NTB.

375 [36]

—— —— [Tr. de Pedro Fernández Navarrete] [Portada grabada:] *Los Libros de beneficios De Lucio Aeneo Seneca. A. Aebuçio Liberal. Traducidos por el Li.ᵈᵒ P.º Fernandez Nauarrete Canonigo de San Etiago Cousultor del S.ᵗᵒ off.º Cappellan y S.ʳⁱᵒ de sus Mag.ᵈᵉˢ y de Camara del S. Car.ˡ Infante. Dedicados a su Alt.ª En Madrid. En la Emprenta del Reyno 1629. 5 hs.* + 224 fs. 4.º.

Signaturas: o⁴, A-Z⁸, Aa-Ee⁸.

Cits.: Beardsley, n.º 170; Palau, n.º 308118; Simón Díaz, X, n.º 1040, que reproduce la portada; Vallejo, pág. 65.

En: IU, LBM, MBN, MFL, NTB, PU.

Observs.: de n.ᵒˢ 33, 34, 35 y 36.

La traducción de varios libros de Séneca publicada en Amberes, 1551 (ficha n.º 33) es considerada por Beardsley (n.º 170) una reimpresión de la traducción ya publicada por Alonso de Cartagena por primera vez en Sevilla, 1491. En esta edición después de la *Tabla,* se lee: "Porque no quedase aquí carta blanca, pusimos esta *Epístola* que es una de las que escriuio Seneca a Lucilio Balbo y es la XXVI" [Trata de la preparación para la muerte]. En la última hoja de esta edición se corrigen algunos errores de impresión. La traducción de las *Epistolas* (ficha n.º 34) fue atribuida por Menéndez y Pelayo y Foulché-Delbosc a Fernán Pérez de Guzmán.

Beardsley (pág. 26) destaca otra atribución de la Penney, que la atribuye a Díaz de Toledo. La traducción del libro de *Siete libros* correspondiente a *De Beneficiis* (ficha n.º 35) representa la edición príncipe (y única publicada) de Ruiz Montiano, Barcelona, 1606, cuya descripcion escapó a Menéndez Pelayo, aunque menciona, de pasada, su existencia. Vallejo la considera "muy rara". De momento no sabemos que está en ninguna biblioteca española, ni siquiera en la Biblioteca Nacional. Fernández de Navarrete publica de *De Beneficiis* en Madrid, 1629. Antes el mismo Navarrete había publicado los *Siete libros* (Madrid, 1627) que se añaden también a esta edición de Madrid, 1629. Beardsley (pag. 82) aclara las posibles confusiones sobre el contenido en estas dos ediciones de Fernández de Navarrete.

376 [37]
SENECA (véase también ficha n.º 3 [B]).

377 [38]
TACITO, Publio Cornelio. [*Opera*. Tr. de Emanuel Sueyro]. *Las Obras De C. Cornelio Tacito, Traducidas de Latin en Castellano por Emanvel Sveyro, natural de la ciudad de Anuers. Dirigidas à Su Alteza Serenissima.* [Escudo del impresor]. En Anvers, en casa de los Herederos de Pedro Bellero M.DC.XIII (1613). 4 hs. + 1050 págs. + 7 hs. de Tabla. 4.º.

Signaturas: .4, A-Z⁴, Aa-Zz⁴, Aaa-Zzz⁴, Aaaa-Zzzz⁴, Aaaaa-Zzzzz⁴, Aaaaaa - Ssssss⁴.

Cits.: Beardsley, n.º 143; La Serna, III, n.º 4210; Palau, n.º 326435; Peeters-Fontainas, II, n.º 1251; Vallejo, pág. 66.

En: IU, BBR, LJ.P.F., MBN, NTB, CtY.

378 [39]
—— —— —— *Dirigidas al serenissimo Principe Alberto, Archiduque de Austria, Duque de Borgoña, Brabante, &c. Conde de Habspurg y Flandes, &c* [Escudo del impresor]. Año 1614. Con Licencia. En Madrid, Por la viuda de Alonso Martin. A costa de Domingo Gonçalez, mercader de libros. 4 hs. + 383 págs. + 294 págs. + 17 págs. 4.º.

Signaturas: ¶⁴, A-Z⁸, aa⁸, Aa-Bb⁴, Cc⁸-Vv⁴, .4 - ....4.

Cits.: Palau, 326436; Pérez Pastor, II, n.º 1306; Vallejo, pág. 66.

En: IU, LBM, MBN, MFL, NNH, PBN, PU.

379 [40]
—— —— [Tr. de Baltasar Alamos de Barrientos. Portada grabada:]. *Tacito Español Ilvstrado Con Aforismos, por Don Baltasar Alamos de Barientos. Dirigido A Don Francisco Gomez de Sandoual y Rojas Duque de Lerma Marques de Denia &c.* Con Privilegio En Madrid por Luis Sãchez a su costa, y de Iuan Hãfrey. Año M.DC.XIII. (1614). 14 hs. + 1003 págs. + 76 hs. Fol.

Signaturas: +³, +¹⁰, A-Z⁸, Aa-Zz⁸, Aaa-Qqq⁸, Rrr⁶, ¶⁸, ¶¶⁸, a-g⁸, h⁴.

Cits.: Agulló, pág. 43; Bearsdsley, n.º 144; Damonte, n.º 1715; Doublet, pág. 125; Goldsmith, pág. 189, n.º 2; Krauss, pág. 91; Menéndez y Pelayo, *Traductores,* I, págs. 42-46; Palau, n.º 326438; Penney, pág. 548; Pérez Pastor, II, n.º 1307; Salvá, II, n.º 2793; Simón Díaz, V, n.º 59 (que reproduce grabado de la portada y adiciones en pág. 883); Vallejo, pág. 66.

En: IU, C, FBU, GenBU, ICN, LBM, MB, MBN (3 ejemplares), MRAE, NNH, PU, RBC, RBM, SanBU, SBU, SMP, VBM, CSt, CtY, CU, MH, MiN, WU.

Observs.: de n.ᵒˢ 38, 39 y 40.

La ficha n.º 38 representa la edición príncipe (Amberes, 1613) con la traducción de Emanuel Sueyro. Incluye solamente *Annales* I-VI y XI-XVI, *Historiae* I-5, *Germania* y *Agricola.* Según Beardsley utiliza el texto establecido por Justus Lipsius. Esto explicaría las coincidencias con Alamos de Barrientos. Se reimprimió en Madrid, 1614 (ficha n.º 39). El ejemplar ilinoyense de esta edición tiene el *ex libris* de Cecilia Isabella Finch. Volvió a reimprimirse en Amberes, 1619. La ficha n.º 40 representa la traducción de Alamos de Barrientos que incluye las mismas zonas de la producción de Tácito que Sueyro. Y se añade además *Aforismos.* El ejemplar ilinoyense de esta edición príncipe lleva el *ex libris* del Príncipe de Liechtenstein. Sobre el impacto de Tácito puede consultarse el libro de F. Sanmartí Boncompte, *Tácito en España,* Barcelona, C.S.I.C., 1951, aunque abundan los errores en las descripciones bibliográficas.

380 [41]

TERENCIO, Africano Publio. [*Comedias.* Tr. de Pedro Simón Abril] *Las Seis Comedias De Terencio, Escritas En Latin Y Traduzidas en vulgar Castellano por Pedro Simon Abril professor de letras humanas y philosophia, natural de Alcaraz. Dedicadas al muy alto y muy poderoso señor Don Hernando De Avstria principe de las Españas.* [Escudo del impresor]. Impresso en Çaragoza en casa de Iuan Soler, Impressor de libros. 1577. Vendense en casa de Francisco Simon librero. Con Licencia. 8 hs. + 394 fs. 8.º.

Signaturas: ã⁸, A-Z⁸, Aa-Zz⁸, Aaa-Ddd⁸.

Colofón: Caesaraugustae apud Ioannem Soler et viduam Ioannis a Villanova. Idibus Quintilis. M.D.L.XXVII. Expensis ac sumptibus Petri a Molinos civis Caesaraugustani. Francisci Simonis bibliopolae.

Portada defectuosa.

Cits.: Beardsley, n.º 96; Gallardo, I, nº 16; Graesse, pág. 65; Jerez, pág. 1; Morreale, págs. 284-6; Palau, n.º 330364; Penney, pág. 554; Salvá, I, n.º 1447; Sánchez, n.º 533; Simón Díaz, *Novela y Teatro,* n.º 1966; Thomas, pág. 92.

En: IU, BAS, LBM, MBN (4 ejemplares), MBP, MRAE, NNH, PBN, SanBU, SMP, CtY, CLSU, MB, MiDiW, TxU.

381 [42]

—— —— *Las Seys Comedias De Terentio Conforme ala (sic) edicion del Faerno, Impressas en Latin, y traduzidas en Castellano por Pedro Simon Abril natural de*

Alcaraz. Dedicadas Al Muy Alto y muy poderoso señor don Hernando de Austria Principe de las Españas. [Escudo del impresor con el lema: I Ĥ S S P E S M E A.]. Con Privilegio. Impresso en Alcala, Por Iuan Gracian. Año de 1583. 8 hs. + 344 fs. 8.º.

Signaturas: o⁸, A-Z⁸, Aa-Vv⁸.

Texto en español y latín.

Colofón: "Impresso en Alcala de Henares por Iuã Graciã. Año. 1583".

Cits.: Adams, II, n.º 378; Catalina, n.º 584; Jerez, pág. 117; Maggs Bros., n.º 1017; Menéndez y Pelayo, VIII, pág. 105, XI, Morreale, págs. 289-90; Palau, n.º 330365; Penney, pág. 554; Salvá, I, n.º 1448; Thomas, pág. 92.

En: IU, C, LBM, MBN, NNH, NTB, PU, CU, ICN, ICU, MH.

Observs.: de n.ᵒˢ 41 y 42.

En Urbana se encuentra muy bien representado Terencio con dos de las tres únicas ediciones, con traducciones de Simón Abril que se publicaron en la Edad de Oro. La edición de Zaragoza, 1577 (ficha n.º 41) representa la príncipe. El ejemplar ilinoyense está falto de los dos folios finales. Por tanto falta el colofón que se ha suplido con dos datos del *Catálogo* de Graesse; la portada está agujereada, y afecta a la lectura de la palabra *"professor"*. Para la segunda edición de Alcalá, 1583 (ficha n.º 42) según Beardsley (pág. 54) se tuvo en cuenta (nótase el título de la portada) la traducción italiana de Gabriel Faerno (Firenze, 1565) y el consejo de F. Sánchez de las Brozas. En la Edad de Oro sólo se publicó otra edición de esta traducción: en Barcelona, 1599, representada en la Biblioteca Nacional de Madrid, pero no en Urbana.

382 [43]
VALERIO, Máximo. [*Liber factorum et dictorum memorabilum.* Tr. y comentario de Diego López]. [Anteportada:] *Exemplos, Y Virtvdes Morales De Valerio Maximo.* [Portada del vol. I:] *Los Nveue Libros De Los Exemplos, Y Virtvdes Morales De Valerio Maximo, Tradvzidos, Y Comentados En Lengva Castellana. Por Diego Lopez, Maestro De Latinidad, Y Letras Humanas en la muy noble, y antigua ciudad de Merida.* [Florón] Con Licencia. En Madrid. En la Imprenta Real. [*s.a.*] 3 hs. + 170 fs. 4.º.

Signaturas: .4, A-X⁸, Y⁴.

[Portada del vol. II:] *Comento Sobre Los Nveve Libros De Los Exemplos, Y Virtudes Morales De Valerio Maximo. En Qve Se Explican Historias, Antigvedades, Y el sentido de lugares dificultosos, que tiene el Autor; y assimismo de muchos Oradores, y Poetas. Por Diego Lopez, Maestro de Latinidad, y letras humanas, en la muy noble, y antigua ciudad de Merida.* [Adorno]. Con Licencia. En Madrid. Por Bernardo de Vila Diego, Año 1672. 158 fs. + 6 hs. 4.º.

Signaturas (cont.): .4, Z⁸, Aa-Tt⁸.

Cits.: Palau, n.º 348870.

En: IU, NTB.

Observs.: La traducción de los *Nueve libros de los Ejemplos y Virtudes* de Valerio Máximo por Diego López se publicó por primera vez en Sevilla, 1631, y los *Comentarios* en Sevilla, 1632, pero parecen concebidos para circular juntos, encuadernados en un solo volumen, según Beardsley (pág. 84, n.º 175). La edición que se alberga en Urbana, compuesta por el primer volumen, sin año y el segundo fechado en Madrid, 1672 sería la cuarta reimpresión de la traducción de Diego López. Antes se publicó la segunda edición: traducción (Madrid, Imprenta del Reino, 1644; y comentario (Madrid, Francisco García, 1644). La tercera edición sería la compuesta de traducciones (Madrid, Imprenta del Reino, 1655) y comentario (Madrid, Imprenta Real, 1654), según Beardsley, pág. 84. La edición representada en Urbana es la última que se imprimió en la Edad de Oro, con la traducción de Diego López.

383 [44]

VIRGILIO Marón Publio, *n.* 70 a. de J.C., *m.* 19 a. de J.C. [*Eneida y Eglogas* Tr. de Gregorio Hernández de Velasco]. *La Eneida De Virgilio, Principe De Los Poetas Latinos traduzida en octaua rima, y verso Castellano: ahora en esta vltima impression reformada, y limada con mucho estudio, y cuydado, de tal manera, que se puede dezir nueua traduccion. Dirigida A La S.C.R.M. Del Rey Don Phelippe segundo deste nombre, nuestro señor. Ha se añadido en esta octaua impression lo siguiente. Las dos Eglogas de Virgilio, Primera, y Quarta. El libro tredecimo de Mapheo Veggio Poeta Laudense, intitulado, Supplemento (sic) de la Eneida de Virgilio. Vna tabla, que contiene la declaraciõ de los nombres proprios, y vocablos, y lugares difficultosos, (sic) esparzidos por toda la Obra. Svstine, Et Abstine.* [Florón]. En Lisboa Con todas las licencias necessarias. Impressa en casa de Vicente Aluarez. Año 1614. Tayxada a 160 reis em papel. 12 hs. + 482 fs. + 42 hs. 8.º.

Signaturas: ¶⁸, ¶ ¶⁴, A-Z⁸, Aa-Zz⁸, Aaa-Ttt⁸, Vvv⁴.

Cits.: Goldsmith, pág. 210, n.º 583; Jerez, pág. 50; La Serna, n.º 2950; Menéndez y Pelayo, VIII, pág. 217, XXVIII; Simón Díaz, XI, n.º 4092, que sólo cita el ejemplar de la NNH.

En: IU, LBM, MBN, NjP, NNH, NTB.

384 [45]

——— ——— [*Ecclogae.* Tr. de Cristóbal de Mesa]. *Las Eclogas Y Georgicas De Virgilio, y Rimas, y el Pompeyo tragedia De Christoval de Mesa. A Don Alonso Fernandez de Cordoua, y Figueroa Marques de Priego, y Montaluan, señor de la Casa de Aguilar, y Castroelrio, y Villafranca.* Año [Escudo del impresor] 1618. Con Privilegio. En Madrid, Por Iuan de la Cuesta. 8 hs. + 191 fs. + 1 h. 8.º.

Signaturas: ¶⁸, A-Z⁸, Aa⁸.

Colofón: "En Madrid. Por Iuan de la Cuesta. Año M.DC.XVIII".

Cits.: Beardsley, n.º 155; Gallardo, III, n.º 3060; Graesse, VII, pág. 356; Jerez, pág. 68; Krauss, pág. 98; Menéndez y Pelayo, IX, pág. 200; Penney, pág. 602; Pérez Pastor, n.º 1554; Simón Díaz, *Impresos*, n.º 2057.

En: IU, FBU, MB, MBN, NNH, PU, SBC.

385 [46]

―― ―― [*Ōpera*. Tr. de Diego López, con comentario y notas] *Las Obras De Pvblio Virgilio Maron. Tradvzido En Prosa Castellana. Por Diego Lopez, Natvral De La Vila De Valencia, Orden de Alcantara, y Precptor en la Villa de Olmedo. Con Comento, Y Anotaciones. Donde se declaran las Historias, y Fabulas, y el sentido de los Versos dificultosos que tiene el Poeta. Al Señor D. Francisco De Bovrnonvila De Perapertvssa Vilademany, y de Cruillas: Visconde de Ioch: Vervessor de Vilademany: Noble de Cruillas: Baron de Rabollet, de Rodès, y Rupidera; de Rupìt, y Fornils: Señor de las Villas de Taradell, Santa Coloma de Farnès, y de los Lugares de Viladrau, Castañet, y Lasparra: Baron por indiviso de Gelida, &c. Cavallero de la Orden de San-Hiago, Capitan de Coraças de las Guardias de su Excelencia, el Excelentissimo Señoʳ Duque de Bovrnovila su Tio, Virrey Capitan General del Principado de Cathaluña, y del Exercito de su Magestad.* Año [Florón] 1679. [Filete]. En Barcelona: En la Imprenta de Antonio Ferrer, Y Baltasar Ferrer Libreros. Vēdēse en sus Casas en la Libraria (*sic*). 3 hs. + 548 págs. + 4 hs. 4.°.

Signaturas: A-Z⁸, Aa-Ll⁸, Mm⁴.

Cits.: HC387/984; Menéndez y Pelayo, VIII, pág. 373; Penney, pág. 602.

En: IU, NNH, SMP.

Observs.: de n.ᵒˢ 44, 45 y 46.

La edición aumentada de la traducción de Hernández de Velasco de la *Eneida* y otras obras de Virgilio es la de Toledo, 1574 que se llama "octava impresión". Esta edición lleva además de la *Eneida*, las *Eglogas* I y IV y una *"Letra de Pythagoras* moralizada por Virgilio, y la continuación de la *Eneida, libro XIII* por Mapheo Veggio. Se publicaron varias otras ediciones de esta traducción: Amberes, 1575, Toledo, 1577, Alcalá, 1585, Zaragoza, 1586 y por último Lisboa, 1614 que es la representada en Urbana (ficha, n.° 44). También aparece la traducción española de la vida de Virgilio por Claudio Donato.

Cristóbal de Mesa publica su traducción de la *Eneida* en Madrid, 1615. En 1618 traduce las *Eglogas* y *Geórgicas,* publicadas en Madrid, Juan de la Cuesta, 1618 (ficha, n.° 45). La traducción es en octavas reales. En esta edición se incluye la tragedia en cinco actos del propio Mesa titulada *El Pompeyo* y algunos poemas suyos, entre ellos traducciones de Horacio. No volvió a reimprimirse. El ejemplar ilinoyense lleva el *ex libris* de João de Villanova de Vasconcellos Corrēe de Barros. La traducción de Diego López de todas las obras de Virgilio, se publicó, en versiones en prosa, en Valladolid, 1600. Tuvo un gran éxito y Beardsley, pág. 66, registra las siguientes reimpresiones: Madrid, 1614; Madrid, 1616; Valladolid, 1620; Lisboa, 1620, Lisboa, 1627; Madrid, 1641; Alcalá, 1650, Madrid, 1657; Madrid, 1668; Madrid, 1675; Barcelona, 1679 (a la que corresponde el ejemplar ilinoyense, ficha n.° 46) y, por último, Valencia, 1698.

386 [47]

VITRUVIO Polio, Marcos [*De Architectura*. Primera tr. españ. de Miguel de Urrea]. *M. Vitrvvio Pollion De Architectvra, Dividido En diez libros, traduzidos de Latin en Castellano por Miguel de Vrrea Architecto, y sacado en su perfectiõ por Iuan Gracian impressor vezino de Alcala. Dirigido A La S.C.R.M. Del Rey don Phellippe Segundo deste nombre nuestro Señor.* [Escudo real]. Con Privilegio. Impresso en Alcala de Henares por Iuan Gracian. Año. M.D.LXXXII (1582). 4 hs. + 178 fs. + 8 hs. (Se incl. planos y diagramas) Fol.

Signaturas: A-Z^6, a^6, b^2.

Errores en la foliación del texto: fs.: 121-138 numerados 161-176.

Cits.: Adams, II, n.º 919; Beardsley, n.º 99; Catalina, n.º 583; Menéndez y Pelayo, IX, págs. 331-32, IV.

En: IU, C, DLC, MFL, MBN, NNC.

Observs.: Se trata de la única traducción española, de Vitrubio. La llevó a cabo Miguel de Urrea, pero no se publicó hasta unos años después de su muerte. Hay dedicatoria del impresor Juan Gracián a Felipe II y en una anónima epístola al lector se señala que Juan Gracián es autor de una parte de la traducción. El ejemplar ilinoyense lleva el sello del Colegio Máximo de la Compañía de Jesús en Aragón.

INDICE DE NOMBRES Y OBRAS ANONIMAS

* En este índice se indican libreros (L), Impresores (I), personajes objeto de dedicatoria (D), traductores (T) y Ex libris (EX). Estos nombres se consignan además en ambos índices separados. Nos es grato dar las gracias por la ayuda en la confección de este índice, utilizando los servicios de las computadoras de la Universidad de Illinois, a la licenciada Hortensia Meisel y al Prof. Brian Dutton, sin cuyos sabios y "magos" consejos, no se hubiese podido coronar.

Ackerman, D.P. 23, 58
Acosta, José de [220], [230], [271-272], 229, 230, 276.
Acosta, José María de 98.
Achille Sellière, Baron François Florentin 27.
Adams, H.M. 17, 127-131, 147, 148, 159, 196, 249, 250, 267, 268, 285, 293, 297, 326, 327, 330, 333, 335, 336, 340, 343.
Aguilar Piñal, Francisco 17, 143, 243, 248, 250, 256, 324, 331.
Aguilar, Francisco de (L) 249.
Aguilera, Francisco 17, 58, 60-62, 64, 70.
Aguirre, Miguel de (D) 103.
Agulló y Cobo, Mercedes 17, 266, 332, 339.
Alaigre, Antoine d' (T) 165, 279, 297.
Alamos de Barrientos, Baltasar (T) 320, 338-9.
Alatorre, Antonio 333.
Albertinus Aeidius (T) 150, 151, 230, 235, 236, 238.
Alburquerque, Diego de [231], 244.
Alcalá, Marqués de (D) 257.
Alcocer y Martínez, Mariano 17, 119, 143, 144, 146-48, 333.
Aldis, Harry G. 183.
Aldo, Figliuoli di 158.
Alegre, Melchor (I) 213, 215.
Alemán, Mateo [1-9], [273], 20, 23, 45, 46, 280.
Alewyn, Richard 17, 239.
Alfaro, Emilio 97.
Alfonso el Sabio 258.
Almodovar, Marinus (L) 251.
Almunia de Procita y de León, Antonio (EX) 49.
Alonso, A. 304.
Alonso, Dámaso 18, 76, 77, 79, 80, 81.

Alora, Jacobo 262-3.
Alquie, François Savinien d' (T) 298.
Alsop, Bernard (I) 154, 166, 185, 207.
Alvarado y Alvear, Sebastián de (T) 319, 332.
Alvar, Manuel 12.
Allde, E. (I) 132, 166.
Allison and Rogers 132, 133.
Allison, A.F. 18, 51-54, 99, 109, 110, 122, 132, 133, 152-57, 177-81, 206, 207, 225.
Allot, Robert (L) 52, 53.
Amadís de Gaula [274-289], 28, 277, 278.
Angelieri, Giorgio (I) 129.
Anselmo, Joaquín Antonio 18, 119, 120, 126.
Antilly, Robert Arnould d' (T) 303.
Antoine, Hubert (I) 301.
Antonio, Nicolás 18, 95, 125, 253, 323, 324, 327, 328.
Aperger, Andream (I) 238.
Apiano, Alejandrino [340], 319.
Arcipreste, Juan de 198.
Arco, Ricardo del 97.
Areny, Ramón 18, 59.
Arias, Francisco [221], 229, 230.
Aristóteles [341-342], 319.
Armendáriz, Sebastián de (L) 331.
Arquímedes, 326.
Artigas, Miguel 18, 79.
Asensio y Toledo, José María de 26, 58.
Asensio, Eugenio 97, 250.
Astrana Marín 18, 256.
Atkinson, J. 67.
Aubert, Guillaume (T) 277, 285.
Audeley, John (I) 153, 165.
Aurea expositio hymnorum una cum texta [262].
Avela, Christoval (D) 322.

Cabezas, Juan (I) 254, 255.
Cailloüe, Jacques (I) 307.
Calatayud y Montenegro, Juan de (L) 145.
Calendarium perpetuum et Generale breuiarii [260].
Calenium, Gerunium (I) 130, 131.
Calvo, Francisco (I) 261, 268.
Calwell, T. (I) 178.
Camilli, Camilo (T) 129.
Campos, Urbano (T) 319, 328.
Canedo, Lino G. 19, 138, 144-50, 152-60, 162-64, 236, 296-98.
Cánovas del Castillo, Antonio (EX) 22, 262, 268.
Car de Ancram, Roberto (D) 181, 182.
Cárdenas, Pedro de 80.
Caro y Sureda, Pedro, Marqués de la Romana 23.
Carre, George (EX) 268.
Carruez (I) 220.
Cartagena, Alonso de 337.
Cartier, Alfred 19, 279, 296.
Casas, Bartolomé de las [290-291], 276.
Casas, Cristóbal de las [234].
Castaldo, Giovanni Battista Marchese di Cascano (D) 199.
Castañón, Antonio 268.
Castillo Solórzano, Alonso de [292], 280.
Castro de Salinas, Juan (T) 335 seudónimo de Franciaco Enzinas.
Castro, Agustín de 268.
Castro, Francisco de [235], 244.
Catalina García, Juan 19, 318, 321, 335, 337, 340, 343.
Cattaneo, Gio. Pietro (T) 101, 114.
Cauxois, Robert Regnault (T) 276, 283.
Cavagna, Conde Antonio (EX) 45, 71, 99, 114, 195, 200.
Cavalli, Giorgio dei (I) 200.
Cays, Iayme (I) 221.
Cedere, G.R. de 19.
Cerda, Juan de la [222], 230, 235.
Cervantes Saavedra, Miguel de [10-33], 17, 21, 25, 26, 58, 71, 100, 239.
César, Julio Cayo [343], 319, 320.
Cevallos, Jerónimo de [261].
Ciadoncha 5.
Cicerón, Marco Tulio [344-347], 319, 332.
Cifuentes, Conde de 22.
Cioranescu, Alejandro, 19, 276, 284, 290-95, 298-307.

Cirot, G. 19, 268.
Cisneros, cardenal 266.
Clemeges, N. de 148.
Clímaco, San Juan 120, 134.
Clinent 120.
Cloquemin, Loys (I) 288, 289.
Clovzier, Gervais (I) 293.
Cobos y Luna, Conde de Ricla, Francisco de los (D) 87.
Cobos, Francisco de los, Comendador de León (D) 148, 149.
Coci, George (I) 144.
Colet, Claude (T) 277.
Colmeiro 267.
Coloma, Carlos (D) 332.
Colonia et Socii, Paulus de (I) 251, 252.
Columbine, Edward (EX) 62.
Collé (T) 303.
Collenuccio, Pandolfo [236].
Collier 177.
Collins, James (EX) 226.
Collombat, Jacques (I) 108, 293.
Comstock, Frederick, H. (EX) 149.
Conde-Duque de Olivares, Luis Méndez de Haro (D) 88.
Convers, G. (L) 61.
Cooke, C. 64.
Cooke, J. 63.
Cooper, M. (L) 62.
Cordier 332.
Cormellas, Sebastián de (I) 221, 337.
Correa Calderón 20, 96, 97, 99, 104-13, 235.
Corrozet, Gilles (T) 278.
Cosens, Frederick William 20, 269.
Coster, Adolphe 20, 96, 98, 100, 113, 115, 230.
Cotarelo Valledor, Armando (EX) 83.
Cota, Rodrigo 301.
Courbes, Jean de 82, 85, 88.
Courbeville, J. de (T) 100, 111.
Cowse, B. (L) 61.
Cox, T. (L) 100, 111.
Craesbeck, Pedro (I) 77.
Crespin, Jacques (I) 307.
Crofts, J.E.V. 178, 179.
Crooke, Andrew (L) 59.
Crosby, James O. 75, 81, 97.
Croxall, Samuel 65, 66.
Cuartero 5.
Cuesta, Juan de la (I) 134, 325, 341.
Curtis, L. (L) 54.

Morillon, Claude (I) 309.
Morreale M. 25, 324, 339, 340.
Morvan de Bellegarde, Jean Baptiste (T) 276, 290.
Mosqueras de Barnuevo, Francisco [246].
Motte, B. (L) 61.
Motte, P. de la (T) 308.
Moutreux, Nicolas de (T) 287.
Mulroney, Margaret L. 193, 198.
Müller, August Friedrich (T) 100, 112, 230.
Munden, 59.
Murcia de la Llana, Carlos 197.

Nágera, Bartholomé de (L) 144, 167.
Navarra y Rocaffull, Melchor de (D) 124.
Navarro, Franco 330.
Nebenzahl, Kenneth 303.
Newberie, Ralph (I) 155-57, 164-66.
Newton, John 60.
Nickell, Lloyd Francis (EX) 61.
Nicod, M. 299.
Nicolina, Nicolas de (T) 299.
Nieremberg, Juan Eusebio [247], [317], 12, 240, 280.
Noailles, Duque de 99.
Nobele, F. de 18.
Nogués, Juan (I) 97, 104.
Norris, T. (L) 61.
North, Thomas (T) 153, 154, 166.
Norton, F. J. 262, 266.
Nouilieri, Guglielmo Alessandro de 70.
Nourse, J. 67.
Nucio, Martín (I) 25, 149, 329, 330.
Nuyts, Charles Joseph 25, 329.

Obeilh, Père d' (T) 300.
Octavio de Toledo, José María 25, 269.
Ochieri, Pietro 200.
Olivares, Conde de (D) 250, 266.
Oña, Pedro de [248].
Oporino Juan (I) 195.
Orozco Díaz, E. 119.
Orry, Marc (I) 283, 300, 302.
Ortiz de Saravia, María 261.
Ortiz de Valdés, Fernando 219.
Osborne, T. (L) 62, 111.
Osborn, J. (L) 62.
Osete, Pedro de (L) 334.
Ossuna y Rus, Martín de [249].
Oudin, César [318-324], 62, 280, 299, 307.
Ovidio Naso, Publio [363-366], 319.

Ovirosii, Ioannis 195, 196.
Oxenbridge, John (L) 175, 185.
Ozell, J. (I) 62.

Palafox y Mendoza, Juan de [184-218], [250-252], [325-326], 11, 23, 212, 226, 245.
Palau y Dulcet, Antonio, passim.
Palet, Jean [327], 278.
Palmerín de Oliva [328], 278.
Pane, Remigio Hugo 25, 52-54, 61-65, 177, 179-81.
Papa Paulo III 157.
Parada, Pablo 104.
Parant, Jean (I) 287.
Parisien, Nid (T) 309.
Paris, Bartolomé (L) 332.
Parona, Cesare (T) 70.
Parvis, Charles (I) 63.
Pasini, Mapheo (I) 160.
Passi, C. 200.
Pavillon, S.G. (T) 309.
Payne Collier, J. 19.
Peeters-Fontainas, J. 25, 50, 84, 96, 105, 106, 125, 149, 217, 218, 223, 293, 295, 299, 301, 302, 304, 323-31, 333, 336, 338.
Pegnizer, Juan (I) 252.
Pelé, Guillelmun 126.
Peligero, Juan Vicente [253], 244.
Pellicer de Salas y Tovar, José 77, 86, 89, 197.
Peña y Guillén, Antonio de la 22.
Pérez de Guzmán y Boza, Marqués de Jerez de los Caballeros 22, 23.
Pérez de Guzmán, Fernán 337.
Pérez de Hita, Ginés [329], 280.
Pérez de Montalbán, Juan [254], 245.
Pérez Gómez, A. 243, 250.
Pérez Pastor, Cristóbal 25, 134, 261, 263, 265-70, 318, 323, 325, 334, 335, 338, 339, 341.
Pérez Sigler, Antonio (T) 319, 333.
Pérez, Alonso (L) 79, 81, 83.
Pérez, Antonio 327.
Pérez, Gonzalo (T) 319, 326, 327.
Persio [358], [367].
Petrarca 158.
Pezzana, Nicoló (I) 114.
Phillipps, Sir Thomas 22.
Picatoste 267.
Pineda 62.
Pinet, A. du (T) 151.

INDICE DE DEDICATORIAS

INDICE DE *EX LIBRIS*

INDICE DE IMPRESORES Y LIBREROS

Aguilar, Francisco de (L) 249.
Alegre, Melchor (I) 213, 215.
Allde, E. (I) 132, 166.
Allot, Robert (L) 52, 53.
Almodovar, Marinus (L) 251.
Alsop, Bernard (I) 154, 166, 185, 207.
Angelieri, Giorgio (I) 129.
Antoine, Hubert (I) 301.
Aperger, Andream (I) 238.
Armendáriz, Sebastián de (L) 331.
Audeley, John (I) 153, 165.
Bardón, Luis (EX) 85, 88, 144, 323; (I) 146.
Barrera, Alonso de la (I) 250.
Battersby, R. (L) 61.
Bbttesworth, A. (sic) (L) 61.
Bellero, Pedro (I) 330, 332, 338.
Bell, J. (I) 184.
Beraud, Jean (I) 288.
Beraud, Simphorianum (L) 128.
Bernuz (L) 144.
Berrillo, Juan de (L) 77, 134.
Berthelet, Thomas (I) 152, 153, 164, 165, 152.
Bertier, Antoine (L) 303.
Beugnie, Damien (I) 107.
Bilaine, Lovys (I) 291.
Billaine, Louis, veuve de (I) 304.
Billaine, Pierre (I) 306, 307.
Bindoni, Francesco (I) 160.
Birckman, Arnoldo (I) 126, 330, 335.
Blaeu, Juan (I) 98, 105.
Blanco de Alcázar, Juan (I) 220, 221.
Blandon, S. (L) 183.
Blas, Juan Francisco de (I) 256.
Blount, Edward (I) 46, 51, 52.
Bonet, Juan Antonio (L) 124.

Bonfons, Nicolas (I) 286.
Boudot, Jean (I) 106, 107, 294.
Boulesteys de la Contie, Daniel (L) 291.
Bowyer, Jonah (L) 110.
Brigonci (I) 199.
Brocar, Juan de (I) 335.
Brockhaus, F.A. (I) 113.
Brome, Henry (L) 109.
Browne, D. (L) 110.
Browne, Jonas (L) 110.
Brunet, Augustin (I) 108, 294.
Bucciola, Giambattista (I) 159.
Buon, Gabriel (I) 280, 308.
Burdy, Cuthbert (L) 132.
Bynneman, Henry (I) 155, 178.
Byrckman, Arnoldo (I) (Ver Birckman)
Cabezas, Juan (I) 254, 255.
Cailloüe, Jacques (I) 307.
Calatayud y Montenegro, Juan de (L) 145.
Calenium, Gerunium (I) 130, 131.
Calvo, Francisco (I) 261, 268.
Calwell, T. (I) 178.
Carruez (I) 220.
Cavalli, Giorgio de (I) 200.
Cays, Iayme (I) 221.
Chetwind, Phillip (L) 53.
Childe, Tim (L) 110.
Chiswell, R. (L) 61.
Cloquemin, Loys (I) 288, 289.
Clovzier, Gervais (I) 293.
Coci, George (I) 144.
Collombat, Jacques (I) 108, 293.
Colonia et Socii, Paulus de (I) 251, 252.
Convers, G. (L) 61.
Cooper, M. (L) 62.
Cormellas, Sebastián de (I) 221, 337.

Linley, Paule (L) 132, 133.
Lintot, B. (L) 61.
Lira Varreto, Francisco de (I) 218, 249, 251, 254, 257.
Logman, T. (L) 62.
Loiselet, George (I) 132.
Longman, T. (L) 62.
Lorme, J. Louis De (I) 290, 291.
Lowel (L) 121.
Lownes, Matthew (I) 206.
Loyselet, George (I) 133.
Mace, Claudio (I) 221.
Mack-Euen, James (L) 100, 111, 115.
Madrigal, Pedro (I) 324, 335.
Marçal, Juan Bautista (I) 322.
Mare, Jean de la (I) 50, 51.
Margarit, Hieronymo (I) 149.
Marshe, Thomas (I) 153, 166.
Martin Redondo, Santiago (L) 103.
Martin, Veuve de (I) 106, 107, 294.
Martin, Alonso (I) 338.
Martin, L. (I) 224.
Martínez, Francisco (I) 322.
Matevad, Jaime (I) 325.
Matevad, Sebastián (I) 325.
Mate, Gregorio de (I) 216.
Mears, W. (L) 110.
Medina, Juan de (L) 249.
Metzler, J.B. (I) 113.
Mey, Pedro Patricio (I) 322.
Michaelem, Stephanum (L) 128.
Michel, Estienne (I) 287.
Middleton, Henry (I) 155.
Midwinter, D (L) 61, 62.
Mignon, Claude de (I) 298.
Millanges, Guillermo (I) 332.
Millar, A. (L) 62.
Minuesa, T. (I) 224.
Monferrato, Trino di (I) 159.
Monfort, B. (I) 218.
Monmart, Jean (I) 302.
Montoya, Juan de (L) 324.
Morel, Frederic (I) 300.
Moreto (I) 121, 128.
More, Federic (I) 205.
Morillon, Claude (I) 309.
Motte, B. (L) 61.
Nágera, Bartholomé de (L) 144, 167.
Newberie, Ralph (I) 155-57, 164-66.
Nogués, Juan (I) 97, 104.
Norris, T. (L) 61.

Nucio, Martín (I) 25, 149, 329, 330.
Oporino, Juan (I) 195.
Orry, Marc (I) 283, 300, 302.
Osborne, T. (L) 62, 111.
Osborn, J. (L) 62.
Osete, Pedro de (L) 334.
Oxenbridge, John (L) 175, 185.
Ozell, J. (I) 62.
Parant, Jean (I) 287.
Paris, Bartolomé (L) 332.
Parvis, Charles (I) 63.
Pasini, Mapheo (I) 160.
Pegnizer, Juan (I) 252.
Pérez, Alonso (L) 79, 81, 83.
Pezzana, Nicoló (I) 114.
Pitt, M. (L) 225.
Plantinus, Christophorus (I) 121, 125, 127, 128, 324.
Ponce, Pedro (L) 248.
Portonaris da Trino, Francesco (I) 162, 163.
Pralard, André (I) 290.
Pro, Bartholemy (I) 286.
Purslow, G.P. (I) 185.
Quentelij, Ioannis (I) 130.
Quiñones, María de (I) 214.
Ramos Vejarano, Gabriel (I) 250.
Ravestein, Jean de (I) 298.
Ravesteyn, Paulus van (I) 205.
Riberius, Antonius (I) 126.
Ribero Rodríguez, Antonio del (L) 198.
Riero y Texada, Antonio (L) 216.
Rigaud, Claude (I) 289.
Rigaud, Pierre (I) 305.
Rivington, J. and J. (L) 62.
Robinot, Gilles (I) 289, 290.
Robinson, R. (L) 61, 62.
Robledo, Francisco (I) 220, 221.
Roderici, Petri (I) 267.
Rodríguez Gamarra, Alonso (I) 247.
Rodríguez, Diego 70, 261, (I) 270.
Rodríguez, Gregorio (I) 217.
Rodríguez, Juan 261, (I) 270.
Rodríguez, Manuel (L) 325.
Roper, A. (L) 156.
Rouelle, Iehan (I) 296.
Roulle, Jean (I) 151.
Ruelle, Iehan (L) 295.
Sánchez, Luis (I) 79, 338.
Sánchez, Melchor (I) 196.
Sandby, William (L) 68.
Santos Alonso, H. (I) 224.

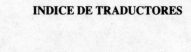

INDICE DE TRADUCTORES

378

INDICE DE PORTADAS REPRODUCIDAS

TITULOS DE LIBROS PUBLICADOS POR LOS AUTORES

A. PORQUERAS MAYO

El prólogo como género literario. Su estudio en el Siglo de Oro (Madrid: Consejo Superior de Investigaciones Científicas, 1957) (agotado).

Edición of *El Cisne de Apolo* de Luis Alfonso de Carvallo (Madrid: Consejo Superior de Investigaciones Científicas, 1958), 2 vols. (agotado, en preparación una edición crítica).

Una monografía. *El problema de la verdad poética en el Siglo de Oro* (Madrid: Ateneo, 1961), 32 págs. (agotada, incluida ahora en *Temas y formas de la literatura española*).

El prólogo en el Renacimiento español (Madrid: Consejo Superior de Investigaciones Científicas, 1965) (agotado).

El prólogo en el Manierismo y Barroco españoles (Madrid: Consejo Superior de Investigaciones Científicas, 1968).

Co-editor (con Carlos Rojas) de *Filología y crítica hispánica. Homenaje al profesor Federico Sánchez Escribano* (Madrid: Ediciones Alcalá-Emory University, 1969).

Temas y formas de la literatura española (Madrid: Gredos, 1972).

Preceptiva dramática española del Renacimiento y el Barroco. 2.ª ed., muy ampliada (Madrid: Gredos, 1972). (Con Federico Sánchez Escribano).

Edición de *El Príncipe Constante* de Calderón. (Madrid: Espasa-Calpe, Clásicos Castellanos, 1975).

Editor *de estudis de llengua, literatura i cultura catalanes. Actes del Primer Col.loqui d'Estudis Catalans a Nord-America / Urbana, 30 de març - 1 d'abril de 1978 /.* (Montserrat: Publicacions de l'Abadia de Montserrat, 1979), (con S. Baldwin and J. Martí).

Una monografía, *La bella dorment en la poesía de Carles Riba* (Lleida: Institut d'Estudis Ilerdenes, 1979), 22 págs.

Antología de la narrativa catalana dels 70 (Montserrat: Publicaciones de l'Abadia de Montserrat, 1980), (con J. Martí and C. Rey).

Editor de *Actes del Segon Col.loqui d'Estudis Catalans a Nord-America / Yale, 17/19 d'abril de 1979.* (Montserrat: Publicacions de l'Abadia de Montserrat, 1982), (con Manuel Duran and Josep Roca-Pons).

Algunes observacions sobre els narradors catalans de la generació dels 70 (Lleida: Institut d'Estudis Ilerdencs, 1982), 15 págs.

The New Catalan Short Story: An Anthology (Washington: University Press of America, 1983), 277 pp. (con J. Martí Olivella and C. Rey i Grangé).

La teoría poética en el Renacimiento y Manierismo españoles (en prensa, en ediciones Puvill de Barcelona).

La teoría poética en el Manierismo y Barroco españoles (en prensa, en Ediciones Puvill de Barcelona).

Coeditor de *Dramatis Aetas Aurea,* Homenaje a R. y K. Reichenberger (con José Carlos de Torres) (en preparación).

JOSEPH L. LAURENTI

Vida de Lazarillo de Tormes. Estudio crítico de la Segunda Parte de Juan de Luna. México: Edit. Studium, 1965. ("Colección Studium, 50") (agotado).

Ensayo de una bibliografía de la novela picaresca española. Años 1554-1964. Madrid: C.S.I.C., 1968. (*Cuadernos Bibliográficos,* 23) (agotado).

Estudios sobre la novela picaresca española. Madrid: C.S.I.C., 1970. (Anejos de Revista de Literatura, 29) (agotado).

Los prólogos en las novelas picarescas españolas. Madrid: Castalia, 1971 (agotado).

Literary relations between Spain and Italy: a bibliographic survey of comparative literature. Boston: G.K. Hall & Co., 1972. (En colaboración con Joseph Siracusa) (agotado).

Bibliografía de la literatura picaresca: desde sus orígenes hasta el presente. Metuchen, New Jersey: The Scarecrow Press, Inc., 1973.

The world of Federico García Lorca: a bibliographic survey. Metuchen, New Jersey: The Scarecrow Press, 1974. (En colaboración con Joseph Siracusa).

Juan de Luna. Segunda parte de la vida de Lazarillo de Tormes. Edición, prólogo y notas de Joseph L. Laurenti. Madrid: Espasa-Calpe, S.A., 1979. ("Colección Clásicos Castellanos, 215").

A bibliography of picaresque literature (supplement). Vol. II. New York: A M S Press, 1981.

TITULOS DE LIBROS PUBLICADOS EN COLABORACION DE AMBOS AUTORES

Ensayo bibliográfico del prólogo en la literatura. Madridó C.S.I.C., 1971. (*Cuadernos Bibliográficos,* 26) (agotado).

The Spanish Golden age (1472-1700). A Catalog of Rare Books Held in the Library of the University of Illinois and in Selected North American Libraries. Boston: G.K. Hall & Co., 1979.

Nuevos estudios bibliográficos de la Edad de Oro (en preparación).

INDICE